뇌

뇌

베르나르 베르베르 장편소설

이세욱 옮김

L'ULTIME SECRET
by BERNARD WERBER

리샤르를 위해

제 1 막 **광인들의 지배자** 11

제 2 막 **두개골 밑의 폭풍** 197

제 3 막 **우리 머릿속의 보물** 447

감사의 말 573

우리는 우리 뇌가 가진 능력의 10퍼센트밖에 사용하지 않는다.

알베르트 아인슈타인

뇌의 비밀을 밝히기는 어렵다. 우리로 하여금 뇌를 연구하고 뇌의 기능을 개선할 수 있게 하는 유일한 도구가 바로 뇌이기 때문이다.

에드몽 웰스 『상대적이며 절대적인 지식의 백과사전』

위대한 발견은 대부분 실수로 이루어진다.

머피의 법칙

일러두기

1. 이 소설에 나오는 해부학 용어는 대한 해부학회에서 펴낸『해부학』(고려의
   학, 1999)에 의거하여 선택되었다. 다만, 순우리말로 바꾼 새 용어가 이미 널
   리 사용되고 있는 용어에 비해 뜻이 잘 전해지지 않거나 한글과 한자가 섞인
   무리한 조어가 오히려 어색하다는 느낌이 드는 경우에는 옛 용어를 그대로
   썼다. 예컨대 대한 해부학회에서는 대뇌 피질 대신에 대뇌 겉질을, 좌골 신경
   대신에 궁둥 신경을 제시하고 있지만, 이 소설에서는 이미 보편적으로 사용
   되고 있는 대뇌 피질과 좌골 신경이라는 용어를 선택하였다. 또한 비교적 낯
   선 해부학 용어에 대해서는 각주를 통해 간단한 설명을 제시하였다.

2. 체스 용어는 영어로 통일하였다. 우리나라에서 체스를 두는 사람들이 주로
   영어 용어를 사용하기 때문이다. 프랑스어 용어의 뜻을 우리말로 옮기는 방
   법이 없는 것은 아니지만, 이 경우에는 새로운 문제가 생겨난다. 예컨대, 영
   어의 〈비숍〉에 해당하는 말을 프랑스어에서는 〈푸Fou〉라고 부르는데, 이것
   은 〈주교〉라는 뜻이 아니라 〈왕후(王侯)에게 고용된 어릿광대〉 혹은 〈미치광
   이〉라는 뜻이다. 따라서 이것을 〈어릿광대〉나 〈미치광이〉로 옮기게 되면 혼
   동만 더해질 것이 분명하다.

3. 이 소설의 각주는 저자의 동의를 얻어 모두 역자가 붙인 것이다.

제1막

**광인들의
지배자**

1

우리는 무엇에 이끌려 행동하는가?

2

그는 자기 퀸을 조심스럽게 전진시킨다.

대모갑(玳瑁甲) 테 안경을 쓴 이 남자는 체스 세계 챔피언 자리를 놓고 〈디프 블루IV〉라는 컴퓨터와 대결을 벌이고 있다. 장소는 영화제를 비롯한 국제적인 행사가 자주 열리는 칸의 페스티벌 궁전이다. 바닥이 펠트로 덮인 대형 강당에 행사장이 마련되었다. 남자의 손이 떨린다. 그는 열에 들뜬 손놀림으로 호주머니를 뒤진다. 더 이상 담배를 피우지 않을 생각이었지만, 긴장이 너무나 강하다.

하는 수 없다.

그는 담배 한 개비를 입에 문다. 캐러멜 향이 들어간 담배다. 달착지근한 냄새를 품은 연기가 목구멍으로 빨려 들어간다. 콧구멍으로 빠져나오거나 입으로 새어 나온 연기는 벨벳 커튼이나 빨간 안락의자들을 스치면서 금갈색 알갱이 뭉치를 이루어 객석으로 퍼져 나가기도 하고, 고리를 지어 빙빙 돌다가 살포시 비틀리면서 무한대 기호(∞)를 그리기도 한다.

그와 마주하고 있는 컴퓨터는 뜨겁게 달구어져 있다. 높이

1미터의 위압적인 강철 정육면체에서 오존 냄새와 뜨거운 구리 냄새가 격자 모양 통풍구를 통해 새어 나온다.

남자는 안색이 창백하고 몹시 지쳐 있다.

난 이겨야 한다, 하고 그는 생각한다.

몇 대의 텔레비전 카메라가 대국 실황을 생중계하고 있는 중이다. 여러 군데에 설치된 대형 화면에 그의 수척한 얼굴이 나타난다. 그의 눈에 초조해하는 기색이 역력하다.

기이한 광경이다. 호사스러운 대형 강당에 1천2백 명 가까이 되는 사람들이 모여 입을 헤벌린 채 한 사람을 계속 지켜보고 있는데, 그는 아무 말도 하지 않고 어떤 몸짓도 보여주지 않는다. 사람들은 그저 깊은 생각에 잠겨 있는 한 사람을 열심히 관찰하고 있을 뿐이다.

무대를 보자면, 왼쪽에는 선홍색 안락의자가 놓여 있고 체스 기사가 거기에 책상다리를 하고 앉아 있다.

중앙에는 탁자가 하나 놓여 있고, 그 위에 체스보드와 계시용 탁상시계가 올려져 있다. 이 시계는 보통의 시계와 달리 눈금판이 한 개가 아니라 두 개다.

오른쪽으로는 먼저 금속 팔이 하나 보인다. 마치 사람의 팔처럼 관절을 갖추고 있다. 이 팔은 케이블을 통해 커다란 은빛 정육면체로 연결된다. 정육면체에는 〈DEEP BLUE IV〉라는 이름이 고딕체로 찍혀 있다. 작은 카메라 한 대가 삼각대 위에 놓여 있다. 컴퓨터는 이 카메라를 통해 체스보드를 볼 수 있다.

모두가 침묵을 지키고 있는 가운데, 똑딱똑딱하는 시계 소리만 선연하게 정적을 가른다.

이 대국은 벌써 일주일 전부터 계속되고 있는 중이다. 오늘의 대국이 시작된 지도 여섯 시간이 지났다. 모두가 세상 일을 잊은 채 대국에 마음을 쏟고 있다. 밖이 환한지 어두운 지조차 더 이상 알지 못한다.

난데없이 윙 하는 소리가 들린다. 엉뚱스러운 소리다. 파리 한 마리가 행사장에 침입했다.

마음이 산란해지면 안 된다.

사람과 기계가 막상막하의 열전을 벌이고 있다. 지금까지 각자 세 판씩 이겼다. 이 판을 이기는 쪽이 경기의 승리자가 된다. 그는 이마에 송골송골 맺힌 땀을 문지르고 담배를 비 벼 끈다.

맞은편의 컴퓨터가 마디 달린 팔을 펼친다. 기계의 손이 검은 나이트를 옮긴다.

〈체크〉라는 말이 컴퓨터 화면에 나타난다.

객석에서 웅성거리는 소리가 인다.

강철 손가락이 탁상시계의 단추를 누르자, 시계가 초를 재기 시작한다. 대모갑 테 안경을 낀 사람에게 그가 시간과 도 싸우고 있음을 일깨워 주고 있는 것이다.

수읽기가 한결 빠른 컴퓨터 쪽이 우위를 점한 형국이다.

파리가 허공에서 빙빙 돈다. 강당의 천장이 높고 넓다는 짐을 이용해서 아찔한 곡예비행을 즐기고 있다. 한 차례의 곡예비행이 끝날 때마다 체스보드와의 거리가 조금씩 가까 워진다.

남자는 파리가 날아다니는 소리를 듣고 있다.

마음을 흩뜨리면 안 된다. 정신을 온전히 집중하고 있어 야 한다.

멀어졌던 파리가 다시 돌아온다.

남자는 마음을 팔지 않으려고 애쓴다.

반면(盤面)을 잘 보자.

체스보드. 그것을 바라보는 사람의 눈. 그 눈 뒤에는 시각 신경, 후두엽의 시각 영역, 대뇌 피질이 있다.

뇌의 회색질 속에서 전투 준비와도 같은 일대 소동이 벌어지고 있는 중이다. 수백만 개의 뉴런이 활성화한다. 이 뉴런들은 미세한 전기 충격에 차례차례 반응하면서 저희의 축삭 말단으로 신경 전달 물질을 내보낸다. 이 과정에서 신속하고 강렬한 사고 작용이 이루어진다. 생각들이 뇌 속에서 질주한다. 마치 미로처럼 복잡한 거대한 곳간에서 생쥐 수백 마리가 미친 듯이 돌아다니는 것과 같다. 과거에 이기거나 졌던 판들의 상황과 현재의 상황을 비교하고, 갖가지 가능성을 검토하면서 최선의 수(手)를 찾는다. 이제 전기 충격이 반대 방향으로 전달된다.

대뇌 피질. 척수. 손가락 근육 신경. 나무 체스보드.

남자는 자기의 하얀 킹을 옮긴다. 일단 위험한 고비는 넘겼다.

디프 블루IV는 제 비디오카메라의 조리개를 조인다.

〈분석 기능. 작동 개시. 계산 완료.〉

체스보드. 컴퓨터의 비디오카메라 렌즈. 그 렌즈 뒤에는 광케이블, 머더보드, 중앙 칩이 있다.

이 칩의 내부에는 사방팔방으로 뻗어 나간 하나의 도시가 있다. 규소로 된 빌딩들 사이로 구리와 금과 은으로 된 미세한 도로들이 무수히 나 있다. 전기 충격이 마치 질주하는 자동차들처럼 사방으로 오고 간다.

컴퓨터는 가능한 한 빨리 결정타를 날릴 수 있는 방법을 찾는다. 컴퓨터 안에 입력되어 있는 수백만 판의 종반과 현재의 형세를 비교하는 작업이 이루어지면서, 가능한 수들이 모두 검토되고 평가된다.

수읽기가 끝나자, 디프 블루 IV는 자기가 선택한 수를 보여 준다. 금속 팔이 검은 룩을 움직여 상대방 킹이 마지막 남은 칸으로 달아나는 수를 봉쇄해 버린다.

이제 사람이 둘 차례다.

똑딱 똑딱.

시계는 제한 시간이 다 되어 가고 있음을 알리면서, 시간의 깃발을 더욱 의기양양하게 들어 올린다.

빨리. 시간과의 싸움에서 진다는 건 너무나 어처구니없는 일이 아닌가!

허공에서 맴돌던 파리가 무람없이 체스보드 위에 내려앉는다.

똑딱 똑딱.

파리는 시계 소리에 화답하기라도 하듯, 들릴락 말락 하게 〈브즈즈〉 하는 소리를 내면서 제 앞다리로 눈을 문질러 댄다.

파리에 마음을 팔면 안 된다.

수읽기가 완선히 끝나기도 선에 남자가 자기 킹 쪽으로 손을 내민다. 그러다가 마지막 순간에 생각을 바꾸어 다른 말을 움직인다.

비숍이다.

남자는 잽싼 손놀림으로 비숍을 들어 올려 하얀 칸들 중의 하나에 내려앉아 있던 파리를 짓눌러 버린다. 그런 다음 손가락으로 시계의 단추를 눌러 상대방의 소비 시간을 재게 한다. 그의 깃발이 막 내려가려던 참이었으나, 몇 초 차이로 패배를 모면한 것이다.

모두가 숨을 죽인 듯 무거운 정적이 감돈다. 남자의 좌우 심실(心室)이 단속적으로 두방망이질을 한다. 마치 느린 동작 화면에서처럼, 그의 허파가 천천히 부풀어 올랐다가 한 줄기 바람을 성대로 보낸다. 그의 입이 열린다.

「체크메이트!」[1]

객석에서 웅성거림이 인다.

컴퓨터는 자기 킹이 더 이상 도망칠 자리가 없음을 확인하고, 강철 손으로 가볍게 자기 킹을 잡아 옆으로 누인다. 패배를 받아들인다는 뜻이다.

칸의 페스티벌 궁전이 떠나갈 듯한 환호성이 터져 나오고 뜨거운 박수가 그 뒤를 잇는다.

사뮈엘 핀처가 디프 블루 IV를 이겼다. 이제껏 체스 세계 챔피언 자리를 지켜 왔던 컴퓨터를 마침내 사람이 누른 것이다!

그는 흥분된 마음을 가라앉히기 위해 눈을 감는다.

3

내가 이겼다.

1 체스에서 〈체크(장군)〉를 당한 킹이 더 이상 방어할 수단도 없고 다른 칸으로 피할 수도 없으면 〈체크메이트(외통 장군)〉가 되고, 이로써 경기는 끝나게 된다. 외통을 뜻하는 영어의 〈메이트mate〉나 프랑스어의 〈마트mat〉는 모두 죽음을 뜻하는 아랍어 〈마트〉에서 왔다고 한다.

4

사뮈엘 핀처의 눈꺼풀이 다시 올라간다. 어느새 그의 앞에 스무 명쯤 되는 기자들이 모여 있다. 그들은 앞다투어 마이크와 녹음기를 그에게 내민다.

「핀처 박사님, 핀처 박사님, 한 말씀 해주십시오!」

대국의 주최 측에서 나온 사람이 기자들에게 각자 자기 자리로 돌아가라고 손짓을 하면서, 핀처가 곧 소감을 발표할 거라고 알려 준다.

엔지니어들이 와서 디프 블루 IV의 전원을 끊자, 컴퓨터는 몇 개의 다이오드를 깜박이고 나서 윙윙거리기를 중단하고 꺼져 버린다.

무대 오른쪽에 놓인 강연대 뒤에 연단이 마련되고, 새 체스 세계 챔피언이 그 위에 선다.

박수갈채가 더욱 요란해진다.

「감사합니다, 감사합니다.」

사뮈엘 핀처는 그렇게 말하면서 청중을 진정시키려는 뜻으로 손을 들어 올린다. 하지만 그의 의도와는 반대로 환호성은 더욱 커지고, 무질서한 박수갈채의 물결이 한바탕 객석을 휩쓸고 지나간 뒤에는 모두가 2박의 리듬에 합류하여 한 소리로 박수갈채를 보낸다.

새 챔피언은 하얀 손수건으로 이마의 땀을 닦으면서 청중이 진정되기를 기다린다.

「감사합니다.」

이윽고 박수갈채가 잦아들기 시작한다.

「이겨서 정말 기쁩니다. 제 마음이 얼마나 기쁜지 여러분은 모르실 것입니다. 오, 세상에! 제가 얼마나 행복한지 여러분은 모르실 겁니다. 저의…… 저의 이 승리는 어떤 은밀한 동기 덕분에 이루어졌습니다.」

그 말에 청중의 귀가 번쩍 뜨인다.

「이론적으로 컴퓨터는 언제나 사람보다 체스를 잘 두게 되어 있습니다. 컴퓨터는 기분에 휩쓸리지 않기 때문입니다. 이기는 수를 두고 나서도 컴퓨터는 기뻐하거나 우쭐하지 않습니다. 악수(惡手)를 두고 나서도 컴퓨터는 풀이 죽거나 실망하지 않습니다. 컴퓨터는 자아라는 것이 없습니다. 승부욕을 느끼지도 않고 자책을 하지도 않습니다. 자기 적수를 원망하는 일도 없습니다. 컴퓨터는 제 능력을 오로지 경기에만 집중합니다. 이미 둔 수에 연연하지 않고 언제나 최선의 수를 찾아서 둡니다. 그러하기 때문에 사람과 컴퓨터가 체스 대결을 벌이면 늘 컴퓨터가 이깁니다……. 적어도 제가 이기기 전까지는 그랬습니다.」

핀처 박사의 얼굴에 미소가 스친다. 이제 누구나 다 아는 것이 되어 버린 일을 새삼스레 들먹이는 게 쑥스러웠던 모양이다.

「컴퓨터는 기분에 휩쓸리지 않습니다. 하지만 〈동기〉라는 것에 영향을 받지도 않습니다. 디프 블루 IV는 설령 승리한다 해도 얻을 게 없습니다. 전기가 덤으로 주어지는 것도 아니고 소프트웨어가 추가로 설치되는 것도 아닙니다.」

객석에서 몇 사람이 웃음을 터뜨린다.

「경기에서 지면 전원이 끊어지지만 디프 블루 IV는 그런 것을 두려워하지 않았습니다. 반면에, 저에게는…… 동기가 부여되어 있었습니다. 저는 복수를 하고 싶었습니다. 지난해 바로 여기에서 디프 블루 III와 승부를 겨루었던 레오니트 카민스키, 그리고 그보다 앞서 1997년 뉴욕에서 디퍼 블루와 대국을 벌였던 가리 카스파로프의 패배[2]를 설욕하고 싶었습니다. 그 패배는 비단 두 기사의 불명예일 뿐만 아니라 인류 전체에 대한 모욕이라고 생각했기 때문입니다.」

사뮈엘 핀처는 안경을 손수건으로 닦아서 다시 쓴 다음 청중을 응시하며 말을 잇는다.

「두 기사가 패배한 뒤로, 체스에서는 기계가 갈수록 인간보다 영리해질 거라는 생각이 널리 퍼졌습니다. 저 역시 그점을 인정할 수밖에 없게 될까 봐 두려워했으니까요. 하지만 강한 동기를 지닌 사람은 한계를 모릅니다. 오디세우스가 수많은 위험과 맞서며 지중해를 건넜던 것은 그에게 강한 동기가 부여되어 있었기 때문입니다. 크리스토퍼 콜럼버스가 대서양을 횡단했던 것도 암스트롱이 우주 공간을 비행하여 달에 갔던 것도 그들에게 동기가 있었기 때문입니다. 사람들이 더 이상 스스로의 한계를 극복하고 싶어 하지 않는 날이 온다면, 인류는 죽음을 면치 못하게 될 것입니다. 지금 제 말에

---

2 독자들이 짐작하다시피, 여기에는 역사적 사실과 허구가 섞여 있다. 카스파로프(1963~)는 1985년 이후 세계 선수권 대회를 석권하면서 체스계의 황제로 군림해 온 러시아 출신의 기사다(2006년 은퇴할 때까지, 국제 체스 연맹이 부여하는 엘로Elo 포인트 기준으로 세계 랭킹 1위 유지). 그는 1990년 〈어떤 컴퓨터도 나를 이기지 못할 것이다〉라고 선언한다. 그러자 IBM은 엘로 포인트 2,450점의 성능을 지닌 것으로 평가받은 체스 프로그램 〈디프 소트Deep Thought〉의 개발자들에게 투자하여 1996년 〈디프 블루Deep Blue〉를 만들어 낸다. 카스파로프는 이 컴퓨터와 대국을 벌여 3승 2부 1패의 전적으로 낙승을 거둔다. IBM은 디프 블루의 성능을 개선한 〈디퍼 블루Deeper Blue〉를 개발하여 이듬해에 다시 도전한다. 모두 여섯 판을 둔 이 대국에서 카스파로프는 2승 1무 3패로 패한다. 역사적 사실은 여기까지다. 그러나 디프 블루 III와 IV가 나오지 말란 법이 없고, 소설 속의 카민스키와 이름이 비슷한 세계 랭킹 7위의 캄스키가 새로운 컴퓨터와 대결을 벌이지 말란 법도 없다.

귀를 기울이고 계신 여러분께서도 스스로에게 이런 질문을 던져 보십시오. 〈도대체 무엇이 나로 하여금 아침마다 일어나 일과를 시작하게 만드는 것일까? 무엇 때문에 나는 어떤 일에 힘을 들이고 애를 쓰는 것일까? 나는 무엇에 이끌려 행동하는 것일까?〉 하고 말입니다.」

사뮈엘 핀처 박사는 지친 기색이 역력한 눈길로 청중을 죽 둘러본다.

「여러분을 이렇게 또는 저렇게 살아가도록 만드는 주된 동기는 무엇입니까? 아마도 이것이 우리가 스스로에게 던져야 할 가장 중요한 질문일 것입니다.」

그러면서 그는 눈길을 떨군다. 마치 그토록 열띤 주장을 펼친 것에 대해 사과라도 하는 듯하다.

「경청해 주셔서 감사합니다.」

그는 연단에서 내려와 밀집한 군중 사이로 나아간다. 존경의 뜻으로 도열해 있는 군중의 환송을 받으며 그는 자기 약혼녀 나타샤 아네르센에게로 간다.

두 남녀는 마지막으로 한 번 더 청중에게 인사를 보내고 검은 스포츠카에 올라탄다. 사진 기자들이 취재 경쟁을 벌이는 가운데, 스포츠카가 먼지의 소용돌이를 일으키며 사라진다. 마치 스트로보스코프로 빠르게 움직이는 물체를 관찰할 때처럼 이 소용돌이 사이로 자동차가 언뜻언뜻 정지된 모습으로 보인다.

5

바로 그날 밤, 사뮈엘 핀처 박사는 앙티브곶의 자기 빌라에서 변사체로 발견된다. 텔레비전의 자정 뉴스를 통해 그 소식이 온 나라에 전해진다. 카메라가 사망 장소를 비추고 있는 동안, 기자의 목소리가 화면 밖에서 들려온다.

「……이 비극적인 사건은 핀처 박사가 체스 세계 선수권 대회에서 승리를 거둔 지 몇 시간도 채 지나지 않아서 발생했습니다.」

카메라는 호사스러운 현관과 거실을 죽 비춘다.

「……수사관들은 불법 침입의 흔적을 어디에서도 확인하지 못했다고 합니다. 그런 점 때문에 이 사건은 더욱 알 수 없는 수수께끼가 되어 가고 있습니다…….」

카메라는 집기나 미술품 같은 실내의 물건들을 보여 주느라 시간을 끈다. 살바도르 달리의 그림 여러 점과 고대 그리스 철학자를 형상화한 조각상들이 늘어서 있다.

「……사체에는 상처가 전혀 없습니다.」

욕실 문이 열리고, 나타샤 아네르센이 두 경찰관 사이에 끼인 채 모습을 드러낸다. 그녀는 되도록 카메라에 찍히지 않으려고 얼굴을 한껏 가린다. 몸단장을 전혀 안 한 모습이지만, 그런 견디기 어려운 순간에도 흔치 않은 우아함을 보이고 있다.

초록색 정장 차림의 한 남자가 나타나서, 빌라에 몰려든 경찰관들에게 이린저린 지시를 내린다. 기자가 그에게 묻는다.

「반장님, 사건 경위를 말씀해 주실 수 있겠습니까?」

「우리는 겨우 한 시간 전에야 박사가 사망했다는 신고를 받았습니다.」

「누가 신고를 했지요?」

「아네르센 씨입니다.」

「누가 박사를 죽게 했을까요?」

「아네르센 씨입니다.」

「진담이십니까?」

「아네르센 씨 스스로 자기가 박사를 죽였다고 주장하고 있습니다……. 성행위를 하던 중에 박사가 갑자기 사망했다는 겁니다.」

반장의 동작에서 짜증스러워하는 듯한 기색이 느껴진다.

「보시다시피 지금 수사를 진행하고 있는 중입니다. 법의학자의 검시 결과가 나오는 대로 더 많은 정보를 알려 드리겠습니다. 좀 비켜 주시면 고맙겠습니다.」

기자는 사뮈엘 핀처 박사의 이력을 짤막하게 되짚는다.

「그는 니스 의과 대학에서 박사 학위를 받은 신경 정신과 의사로서 여러 종합 병원을 거치며 고속 승진을 거듭하다가, 마흔두 살의 나이에 생트마르그리트 병원의 경영을 맡았습니다. 레랭스섬들[3] 중 하나에 자리 잡은 이 병원에서 그는 건물을 확장하고 정신 의학의 새로운 지평을 열었습니다. 그가 새롭게 세운 원칙들은 그의 동료들, 특히 파리의 동료들 사이에서 격렬한 논란의 대상이 된 바 있습니다. 한편, 그는 천재적인 체스 기사이기도 했습니다. 오늘날 세계 체스계를 주름잡는 고수들이 대부분 유년기에 데뷔한 데 비해서, 이 늦깎이 기사는 데뷔 1년 만에 명인이 되었고 곧 이어 대(大)명

---

3 프랑스 남동부 알프마리팀도의 칸 연안에 있는 섬들. 북쪽에 있는 생트마르그리트섬과 남쪽의 생토노라섬이 주된 구성 요소이다. 생트마르그리트(길이 3킬로미터, 너비 9백 미터)에는 오늘날 해양 박물관이 된 고성(古城)과 〈철가면〉이 갇혀 있던 곳으로 유명한 감옥이 있고, 생토노라(길이 1천 5백 미터, 너비 4백 미터)에는 요새와도 같은 옛 수도원이 남아 있다. 두 섬은 이 소설의 주요한 무대가 된다.

인[4]의 반열에 올랐습니다. 3년 전, 사뮈엘 핀처는 챔피언 레오니트 카민스키를 눌러 세계에서 체스를 가장 잘 두는 사람이 되었고, 죽기 몇 시간 전에 디프 블루 IV를 상대로 승리를 거둠으로써 명실상부한 세계 최고 기사의 타이틀을 인간에게 돌려주었습니다.」

이어서 낮에 벌어졌던 체스 경기의 장면들과 승리자의 연설이 발췌된 형태로 다시 방영된다.

그런 다음, 기자는 덴마크의 톱 모델 나타샤 아네르센의 이력을 소개한다. 테니스 선수와의 첫 결혼과 영화배우와의 두 번째 결혼이 모두 파란 속에서 실패로 끝난 뒤에, 체스의 천재이자 신경 정신과 의사인 사뮈엘 핀처의 약혼녀가 되었다는 짤막한 내용이다.

기자는 자기 깐으론 꽤나 고심해서 지어낸 듯한 다음과 같은 문장으로 보도를 끝맺는다.

「〈세상에서 가장 아름다운 다리〉라는 별명을 가진 여자가 〈세계 최고의 두뇌〉를 쓰러뜨린다는 게 과연 가능한 일일까요? 만일 이 기이한 가정이 사실로 확인된다면, 이 사건은 참으로 별난 사망 사건으로 기록될 것입니다. 어쨌거나 아네르센 씨의 주장대로라면, 사뮈엘 핀처 박사는 〈사랑에 치여 죽은〉 셈입니다.」

카메라는 들것에 실려 구급차 쪽으로 옮겨지고 있는 시신을 서둘러 따라간다. 기자는 현장이 어수선한 틈을 타서 들것을 덮은 이불을 들춰 사망자의 얼굴을 드러낸다.

---

4 국제 체스 연맹은 세계 선수권 대회에서 뛰어난 성적을 올린 기사들에게 대명인(영어로 그랜드 마스터, 프랑스어로 그랑 메트르)과 명인의 칭호를 부여한다.

카메라의 줌 렌즈가 재빨리 고인의 얼굴에 초점을 맞춘다.

사뮈엘 핀처 박사의 표정에는 완전한 황홀경의 온갖 징후들이 서려 있다.

6

「……〈사랑에 치여 죽은〉 셈입니다.」

거기에서 954.6킬로미터 떨어진 곳에서, 그 소리와 영상이 한 파라볼라 안테나에 의해 수신되고 있다. 안테나는 이 신호들을 텔레비전 화면으로 보낸다. 어떤 사람의 귀와 눈이 이 신호들을 최종적으로 수용한다. 손가락 하나가 비디오카세트 녹화기의 정지 버튼을 누른다. 텔레비전 자정 뉴스가 방금 녹화된 것이다.

손가락의 주인은 자기가 조금 전에 보고 들은 것을 소화하느라고 한동안 그대로 앉아서 시간을 보낸다. 그러다가 한 손으로는 낡은 비망록을 잡고, 다른 손으로는 전화의 송수화기를 집어 든다. 어떤 번호를 찾아 꾹꾹 누르는가 싶더니, 그는 잠시 머뭇거리다가 송수화기를 그냥 내려놓는다. 그러고는 외투를 집어 들고 밖으로 나간다.

비가 내리기 시작한 탓에 밤기운이 쌀쌀해지고 있다. 그는 어떤 대로의 불빛들을 향해 걸어간다. 지붕에 빛을 발하는 글자판을 달고 있는 자동차 한 대가 천천히 다가온다.

「택시!」

와이퍼가 자동차 앞 유리창을 요란하게 긁어 댄다. 거대한 먹장구름이 굵은 물방울들을 쏟아붓고 있다. 이 물방울들은 크기가 탁구공만큼이나 크지만, 공처럼 튀지는 않고 도로에 닿자마자 맥없이 으스러진다.

자동차는 남자를 몽마르트르의 어떤 건물 앞에 내려놓는다. 물기를 잔뜩 머금은 돌풍이 건물을 사납게 후려치고 있다. 그는 주소를 확인하고, 계단을 성큼성큼 올라간다. 한 층계참에 다다르자, 현관문 너머로부터 펀칭백 치는 소리와 함께 당김음을 많이 사용한 강한 리듬의 음악이 들려온다.

그는 뤼크레스 넴로드라는 이름 아래에 있는 초인종을 누른다. 잠시 후 음악 소리가 멎는다. 발걸음 소리가 들리고 문의 빗장이 풀린다.

문이 빠끔히 열린 사이로 땀에 젖은 젊은 여자의 얼굴이 나타난다.

「이지도르 카첸버그……」[5]

그녀는 놀란 눈으로 그를 빤히 쳐다본다. 그의 신발 주위가 흥건하게 젖어 있다.

---

5 인류의 기원을 탐구한 소설 『아버지들의 아버지』에서 한 고생물학자의 의문사를 둘러싼 수수께끼를 풀었던 기자 뤼크레스 넴로드와 전직 경찰이자 기자였던 이지도르 카첸버그가 이 소설에 다시 등장한다. 작가의 고백에 따르면, 카첸버그라는 이름은 애니메이션 「개미」의 제작자 제프리 카첸버그Jeffrey Katzenberg가 소설 『개미』의 아이디어를 〈훔쳐 간 것〉에 웃음으로 대응하기 위해 지은 것이라고 한다. 또한 등장인물을 설명하는 김에 핀처 박사의 이름에 대해서도 언급하고자 한다. 핀처Fincher라는 이름에는 이 인물의 특성을 단적으로 시사하려는 작가의 의도가 담겨 있다. 작가가 직접 들려준 이야기에 따르면, 그는 두 실존 인물을 염두에 두고 이 이름을 선택했다고 한다. 1970년대의 체스 세계 챔피언이었던 미국인 보비 피셔Bobby Fischer와 미국의 영화감독 데이비드 핀처David Fincher가 바로 그들이다. 프랑스에서 이 두 이름을 각각 〈피셰르〉와 〈핀셰르〉로 발음하고 있는 사정을 감안하면, 두 인물의 특성을 아우르려는 작가의 의도가 더욱 분명하게 드러난다. 작가는 「에일리언 3」, 「세븐」, 「더 게임」, 「파이트 클럽」, 「패닉 룸」 등을 감독한 데이비드 핀처가 영화의 새로운 지평을 열고 있다고 생각한다. 소설 속의 핀처는 정신 의학 분야에 혁신의 바람을 불러일으킨다는 점에서 데이비드 핀처를 닮았고, 체스 세계 챔피언이라는 점에서 피셔를 닮았다.

「잘 지냈어, 뤼크레스? 들어가도 될까?」

그녀는 문이 활짝 열리는 것을 막는 가는 사슬을 여전히 벗기지 않은 채, 계속 그를 바라본다. 야심한 시각에 뜻하지 않은 방문을 당하여 정신이 마냥 얼떨떨한 모양이다.

「들어가도 되겠어?」 그가 다시 묻는다.

「어쩐 일로 여기까지 발걸음을 했어요?」

쯧쯧, 이 여자는 생쥐처럼 겁을 먹고 있군.

「나한테 존댓말을 하는 거야? 지난번에 서로 말을 튼 걸로 아는데.」

「그 〈지난번〉이라는 게 벌써 3년 전 얘기예요. 그 뒤로 나는 그쪽한테서 어떤 소식도 들은 적이 없어요. 우리는 서로에게 다시 낯선 사람들이 된 셈이죠. 그러니 말을 놓을 수 없는 게 당연하잖아요? 그건 그렇고, 무슨 일로 왔어요?」

「일거리가 하나 있어요.」

그녀는 머뭇거리는 기색을 보이다가, 마침내 안전 사슬을 벗기고 남자를 들어오게 한다.

남자가 들어오자 여자는 문을 다시 닫는다. 남자는 젖은 외투를 벗어 현관의 옷걸이에 건다.

이지도르 카첸버그는 호기심 어린 눈길로 아파트 안을 살핀다. 이 젊은 과학부 기자의 주된 관심사가 뭘까 늘 궁금했던 터다. 벽에 영화 포스터들이 붙어 있다. 대개는 미국이나 중국 액션 영화들의 포스터다. 펀칭백이 거실 한복판을 차지하고 있고, 그 옆의 앉은뱅이 탁자에는 여성 잡지들이 흩어져 있다.

그는 안락의자에 앉는다.

「정말 놀랍네요. 이렇게 느닷없이 찾아올 줄은 몰랐어요.」

「우리가 함께 보낸 시간을 아주 멋진 추억으로 간직하고 있습니다. 인류의 기원에 관해서 함께 탐구했던 일 말입니다.」

「알아요. 그건 나도 잊지 않고 있어요.」

최초의 인간이 남긴 흔적들을 찾아 탄자니아를 헤매고 다녔던 일의 몇몇 장면이 그녀의 뇌리를 빠르게 스쳐 간다. 그녀는 새삼스레 관심을 느끼며 그의 모습을 살핀다. 195센티미터나 되는 키에 백 킬로그램이 넘는 몸무게. 뒤뚱스러운 거인의 모습 그대로다. 살이 조금 빠진 것 같기는 하다.

무슨 걱정거리가 있는 모양이다. 여기까지 오기로 마음먹기가 쉽지는 않았을 것이다.

그는 가느다란 금테 안경을 고쳐 쓰고, 역시 주의 깊은 눈길로 그녀를 살핀다. 구불거리는 기다란 적갈색 머리채, 그것을 묶고 있는 검은 벨벳 리본, 에메랄드빛이 도는 갸름한 눈, 작은 보조개, 뾰족한 턱. 레오나르도 다빈치의 그림들에 나오는 미녀들 가운데 한 명을 보는 듯하다. 그는 그녀가 귀엽다고 생각한다. 아름답다기보다는 귀엽다. 전보다 조금 성숙한 느낌을 주기는 한다. 지난번 탐사 때 스물다섯 살이었으니까, 이제 스물여덟이다.

확실히 달라졌다. 사내아이가 되다 만 것 같던 모습은 많이 사라지고 아가씨 같은 자태가 한결 두드러져 보인다. 그래도 아직 여자라는 느낌은 들지 않는다.

그녀는 스탠드 칼라가 달린 중국풍의 상의를 입고 있다. 목을 가리는 대신 어깨의 동그스름한 부분을 노출시키는 옷이다. 그것의 등판 전체에 걸쳐서 빨간 호랑이 한 마리가 그려져 있다.

「그런데, 대체 무슨 일거리를 제안하겠다는 거죠?」

이지도르 카첸버그는 대답 대신 거실을 둘러보며 무언가를 찾는다. 그러다가 비디오카세트 녹화 재생기가 눈에 들어오자, 자리에서 일어나 손에 들고 있던 테이프를 기기의 기다란 구멍으로 집어넣고 재생 버튼을 누른다.

두 사람은 핀처 박사의 죽음에 관한 텔레비전 뉴스를 다시 본다.

테이프의 녹화된 부분이 다 돌아가자 지지직거리는 소리와 함께 화면에 빗줄기 같은 세로줄이 나타난다. 마치 거리에 쏟아지고 있는 비를 보고 있는 듯하다.

「이 뉴스를 보여 주려고 새벽 1시에 불쑥 나를 찾아온 거예요?」

「내가 보기에, 사람이 〈사랑에 치여 죽는다〉는 것은 있을 수 없는 일이에요.」

「쯧쯧…… 이봐요, 이지도르. 낭만주의적 성향이 부족한 건 예나 지금이나 변함이 없군요.」

「아니, 그 반대예요. 나는 사랑은 사람을 죽이지 않는다고 주장하고 있는 겁니다. 사랑은 사람을 죽이는 게 아니라 살리는 거죠.」

그녀는 잠시 생각에 잠겨 있다가 말을 잇는다. 「어쨌거나 사랑하다가 죽는다는 건 대단히 아름다운 일로 보이는데요. 언제고 남자를 쾌락으로 한번 죽여 봤으면 좋겠네요. 완전 범죄라는 말을 좋은 뜻으로 쓸 수 있다면, 그거야말로 완전 범죄 아니겠어요?」

「이건 내 직감일 뿐이지만, 핀처 박사 사건은 과실 치사나 우발적인 살인이 아니라 모살(謀殺)입니다.」

「누가 박사를 계획적으로 살해했다는 건가요?」

「그래요.」

그 대답에 기침이 묻어난다.

「감기 걸렸어요? 비를 맞아서 그런가 보군요. 베르가모트 차를 끓여서 꿀을 조금 타 드릴게요.」

그녀는 찻주전자를 레인지 위에 올려놓는다.

그는 손으로 얼굴을 문지르고 몸을 한차례 부르르 떤다.

「무슨 근거로 그게 계획적인 살인이라고 말하는 거죠?」

「내가 알고 있는 사건 중에 이와 유사한 것이 있어서 그래요. 〈사랑에 치여〉 죽었다는 사람은 사뮈엘 핀처가 처음이 아니에요. 1899년에 프랑스 공화국의 대통령 펠릭스 포르가 고급 창녀들의 매춘을 알선하는 어떤 호텔에서 횡사했습니다. 그 사건을 두고 사람들은 우스갯소리로 이런 얘기를 해요. 신고를 받고 달려온 형사들이 포주인 여자에게 물었답니다. 〈각하에게 아직 의식이 있소?〉라고 말이에요. 그러자 여자가 대답하더랍니다. 〈의식이 무슨 낯짝으로 아직 남아 있겠소? 달아나도 벌써 한참 전에 뒷문으로 달아났겠지〉하고.」

뤼크레스는 웃지 않는다.

「대관절 무슨 얘기를 하려는 거죠?」

「경찰은 대통령이 심장 마비로 서거했다고 간단히 발표하고, 그 사건을 비밀에 부쳤어요. 그 비밀이 경찰권 밖으로 새어 나간 것은 한참 뒤의 일입니다. 하지만 그 죽음의 〈추잡한〉 측면 때문에 조사다운 조사가 이루어질 수 없었어요. 매음굴에서 한창 방사를 벌이다가 죽는다는 건 조롱거리가 되고도 남을 일이니까요. 결국 아무도 그 사건을 진지하게 분석하지 않았지요.」

「당신은 예외라는 얘기로군요.」

「나는 학창 시절에 그냥 호기심에서 그 사건을 범죄학 논문 주제로 선택했어요. 관련 기록을 다시 뒤지고 증언을 재검토해 봤지요. 그러다가 살인 동기 하나를 발견했습니다. 당시에 펠릭스 포르는 부정부패를 일소하는 캠페인을 전개하려던 참이었어요. 그는 자기 수하에 있던 정보기관의 내부에서조차 그 캠페인을 벌이려 했습니다.」

뤼크레스 넴로드는 찻주전자를 들어 커다란 잔 두 개에 향긋한 차를 가득 따른다.

「나타샤 아네르센은 자기가 사뮈엘 핀처를 죽였다고 자백했어요. 내가 잘못 알고 있나요?」

이지도르는 차를 너무 빨리 마시려고 하다가 혓바닥을 델 정도로 뜨겁다는 것을 알고는 차를 호호 불기 시작한다.

「그녀는 자기가 그를 죽인 것으로 믿고 있는 겁니다.」

이지도르는 차가 너무 뜨거워서 혓바닥을 델 뻔했던 것을 내색하지 않고 숟가락을 하나 달라고 한다. 그러더니 찻잔에 숟가락을 넣어 열심히 돌리기 시작한다. 팽이 효과로 차를 식히려는 모양이다.

「그리고 두고 보면 알겠지만, 이제부터 그녀와 자보려고 치근거리는 남자들이 아주 많이 생길 겁니다.」

「마조히즘 때문인가요?」

뤼크레스는 뜨거운 차를 아무렇지도 않게 한 모금 후루룩 마시고는 그렇게 묻는다.

「호기심 때문이죠. 사랑의 신 에로스와 죽음의 신 타나토스가 하나로 뒤섞이는 상황에 끌리는 겁니다. 게다가 사마귀의 세계에서 보는 것처럼 수컷이 암컷에게 잡아먹히는 일은 생물학적 원형의 하나예요. 이 원형은 우리의 마음을 사로잡는 강한 힘을 지니고 있습니다. 사마귀 암컷이 교미 도중에 수컷의 머리를 뽑아서 죽이는 거 본 적 없어요? 그 장면에 우리의 마음이 끌리는 것은 사마귀들이 우리 안에 있는 어떤 것을 일깨우기 때문이죠. 우리 안에 깊이 새겨진 어떤 것을 말입니다……」

「사랑에 대한 공포 말인가요?」

「그보다는 죽음과 결합된 사랑이라고 해두죠.」

그녀는 아직 식지 않은 차를 한숨에 다 마셔 버린다.

「그래서 나에게 뭘 기대하는 거죠, 이지도르?」

「우리가 다시 한 팀을 이루어서 일하면 좋겠다 싶어요. 사뮈엘 핀처 박사 피살 사건에 관해 함께 조사를 해보자는 거죠……. 내 직감으로는 뇌를 주제로 한 탐구가 필요할 것 같아요.」

뤼크레스는 자그마한 두 발이 엉덩이 밑에 깔리게 하여 긴 의자의 오목한 자리에 쪼그리고 앉으면서 빈 찻잔을 내려놓는다.

「뇌라고요?」

되묻는 그녀의 얼굴에 꿈꾸는 듯한 표정이 어린다.

「그래요, 뇌. 그게 이 소사의 열쇠예요. 피살자가 누굽니까? 바로 〈세계 최고의 두뇌〉가 아닙니까? 게다가 이게 있습니다. 보세요.」

그는 비디오로 다가가서 테이프를 되감는다. 사뮈엘 핀처의 연설 장면이 다시 나온다. 〈……저의 이 승리는 어떤 은밀한 동기 덕분에 이루어졌습니다〉라고 말하는 대목이다.

이지도르는 아직 차가 많이 남아 있는 잔을 텔레비전 위에 내려놓고 화면 정지 버튼을 누른다.

「자아, 박사의 표정을 잘 보세요. 〈동기〉라는 말을 할 때 그의 눈이 한결 더 반짝이고 있습니다. 놀랍지 않습니까? 마치 우리에게 무언가를 알려 주고 싶어 하는 듯한 눈빛입니다. 동기라는 말이 나온 김에, 한 가지 물어볼까요? 뤼크레스, 당신의 삶을 이끌어 가는 주된 동기는 무엇인가요?」

그녀는 대답하지 않는다.

「나를 도와주겠어요?」그가 묻는다.

그녀는 텔레비전 위에 놓인 손님의 찻잔을 가져가서 개수대 안에 넣는다.

「아뇨.」

내친김에, 그녀는 이지도르의 아직 축축한 모자와 외투를 옷걸이에서 벗겨 내고, 비디오 쪽으로 가서 테이프를 꺼낸다.

「내가 보기에 그건 살인 사건이 아니에요. 단순한 사고일 뿐이에요. 과로와 체스 대회의 스트레스에 기인한 심장 마비라고요. 당신은 뇌가 어쩌고저쩌고하지만, 아무래도 당신의 뇌에 장애가 생긴 것 같아요. 그 병 이름을 말해 줄까요? 허언증(虛言症)이에요. 뻥을 잘 치고 몽상을 너무 좋아하는 사람들이 걸리는 병이죠. 하지만 불치병은 아니니까 걱정하지 마세요. 가는 곳마다 자꾸 헛것이 보이고 헛생각이 떠오르더라도 그것을 더 이상 입에 올리지 말고, 그저 현실을 있는 그대로 받아들이기만 하면 돼요. 그럼 이만…… 들러 줘서 고마웠어요.」

그는 천천히 몸을 일으킨다. 무척 놀라고 실망한 기색이 역력하다.

그때, 그녀가 갑자기 몸에 마비가 오기라도 한 것처럼 꼼짝 않고 서서 자기 뺨에 손을 갖다 댄다.

「어디 아파요?」

뤼크레스는 대답하지 않는다. 얼굴이 경직된 채 두 손으로 턱을 감싸고 있을 뿐이다.

「빨리, 아스피린 한 알 갖다줘요.」

이지도르는 그녀가 턱으로 가리키는 대로 욕실로 달려 들어가 약장을 뒤진다. 그는 흰색의 작고 둥근 약통을 찾아내어 알약 하나를 꺼낸 다음, 물 한 컵과 함께 그녀에게 가져다준다. 그녀는 허겁지겁 알약을 삼킨다.

「한 알 더 줘요. 빨리요.」

그는 시키는 대로 고분고분 따른다. 그가 가져다준 화학 약품 덕에 그녀의 통증이 이내 가라앉는다. 그녀의 신경이 관자놀이 쪽에서 활동하기를 멈춘 것이다. 그녀는 다시 정신을 차리고 숨을 크게 들이쉰다.

「안 가고 뭐해요? 보면 몰라요? 엊그제 치과에 가서 사랑니를 하나 뺐단 말이에요……. 아파요, 너무 아파요. 혼자 있고 싶어요(난 남에게 약한 모습 보이는 게 싫어. 이 사람이 빨리 갔으면 좋겠어). 가세요! 빨리 가요!」

이지도르는 뒤로 물러난다.

「좋아요, 갈게요. 조금 진의 당신 태도에서 사람들로 하여금 어떤 행위를 하게 하는 주된 동기 중의 하나를 본 것 같군요. 고통을 멎게 하는 것, 그것도 중요한 동기죠.」

그녀는 그가 밖으로 나가기가 무섭게 문을 꽝 닫아 버린다.

7

주간지 『르 게퇴르 모데른』[6]의 화요일 회의 시간. 멋과 기능을 고려하여 대단히 새로운 감각으로 디자인된 중앙 회의실에 사회부의 기자들이 모두 모여 있다. 과학 담당 기자들 역시 소속은 사회부로 되어 있으므로 이 회의에 참석해야 한다. 각자 돌아가면서 다음 호에 게재할 자기 기사의 주제를 제안해야 하는 시간이다. 사회부장 크리스티안 테나르디에가 널찍한 가죽 안락의자에 앉아서 회의를 주재하고 있다.

「빨리빨리 진행합시다.」

그녀가 탈색된 금발을 손으로 쓸면서 말한다.

기자들은 왼쪽에서 오른쪽으로 돌아가며 각자 자기 주제를 발표하기 시작한다. 〈교육〉 면 담당자는 문맹 실태에 관한 기사를 제안한다. 국어를 읽을 줄도 쓸 줄도 모르는 인구가 지난 10년 사이에 7퍼센트에서 10퍼센트로 증가했으며, 그 비율은 갈수록 증가될 전망이라고 한다. 이 주제는 즉시 채택된다.

〈환경 보호〉 면을 맡고 있는 기자 클로틸드 플랑카오에트는 휴대폰 안테나가 인체에 해로운 전파를 방출한다면서 그것의 폐해에 관한 기사를 쓰겠다고 제안한다.

그 주제는 받아들여지지 않는다. 공교롭게도 회사 대주주 중의 하나가 이동 통신망의 공급자다. 휴대폰에 대해 나쁘게 말하는 것은 곤란한 일이다.

화학 비료로 인한 하천의 오염에 관한 기사는 어떤가? 그

6 〈새로운 관찰자〉라는 뜻. 작가가 한때 과학부 기자로 일한 바 있는 프랑스의 유력한 주간지 『르 누벨 옵세르바퇴르 *Le Nouvel Observateur*』를 패러디한 것이다.

것 역시 거부된다. 너무 전문적이라는 게 그 이유다. 플랑카 오에트르는 이런 상황에 대비해서 따로 마련해 둔 주제가 없다. 그녀는 분한 마음에 자리를 뜨고 만다.

부장은 무심하게 소리친다.

「다음 사람.」

프랑크 고티에는 〈과학〉 면을 위해서 이른바 〈유사 요법의 돌팔이들〉을 고발하는 기사를 쓰겠다고 제안한다. 내친김에 엉터리 침술사들에게도 응징을 가하겠다는 것이 그의 생각이다. 이 주제는 받아들여진다.

「왔어, 뤼크레스? 사랑니 뺐다더니 이젠 괜찮아?」

프랑크 고티에는 자기와 함께 〈과학〉 면을 맡고 있는 동료가 옆에 앉는 것을 보며 그렇게 속삭인다.

「미용실에 다녀왔더니 한결 견딜 만해요.」

그녀가 역시 속삭이며 대답하자, 고티에는 어리둥절 그녀를 바라본다.

「미용실이라고?」

당신은 평생 가도 나 같은 사람의 심리를 이해하지 못할 거야 하고 뤼크레스는 생각한다. 굳이 설명할 필요도 없겠다 싶다. 하지만 알 만한 사람은 다 안다. 누군가에게는 미용실에 기거나 새 신발을 사는 일이 사기를 북돋우고 활력을 되찾기 위한 최선의 방법이라는 것을. 그런 간단한 방법으로 그녀의 면역 체계가 온전히 되살아날 수도 있다는 것을.

뤼크레스 넴로드가 발표할 차례다.

그녀는 여러 개의 주제를 준비해 왔다. 그녀가 먼저 제안한 것은 광우병에 관한 기사다.

「이미 다뤘어.」

「구제역은 어떨까요? 백신을 아끼다가 무수한 양들을 학살하고 있는 판국이에요.」

「사람들이 관심을 갖고 있지 않아.」

「그럼 에이즈 문제를 다뤄 볼까요? 여전히 사망자가 많은데, 새로운 치료법이 나온 뒤로는 더 이상 아무도 이 병에 관해서 이야기하지 않고 있어요.」

「내 말이 바로 그거야. 에이즈는 더 이상 사람들의 관심사가 아냐.」

「식물들이 냄새로 서로 소통하는 현상을 다뤄 볼까요? 식물학자들이 알아낸 바에 따르면, 어떤 나무들은 자기들 옆에 있는 나무의 세포가 파괴되는 것을 지각한답니다. 그러니까 나무도 제 옆에서 어떤 범죄가 벌어지면 그것을 느낀다는 것이죠…….」

「너무 전문적인데…….」

「젊은이들의 자살 문제는 어때요? 지난해만 해도 자살자가 모두 1만 2천 명이나 되는데, 그 가운데서 청소년이 차지하는 비율은 계속 증가하고 있어요. 전체 자살 기도 사건도 무려 14만 건이나 되고요. 사람들의 자살을 돕기 위한 단체까지 생겨나는 판국이에요. 에그지트[7]라는 클럽이 바로 그거예요.」

「너무 불건전하고 병적이야.」

불안한 상황이다. 그녀의 수첩에는 이제 아이디어가 남아 있지 않다. 모든 기자들이 그녀를 바라보고 있다. 부장은 이 상황을 즐기고 있는 눈치다. 뤼크레스의 커다란 초록색 눈에

---

7 작가가 시나리오를 써서 프랑스의 일간지에 연재한 만화 「에그지트 Exit」에 나오는 인터넷 클럽의 이름이다.

그늘이 진다.

내가 실수했다. 클로틸드가 나가 버려서 천덕꾸러기 자리가 비어 있다. 이런 상황에서는 주제를 나열한들 더 이상 아무 소용이 없다. 이제 부장은 내가 무슨 주제를 제안하든 안된다고 말할 것이다. 그냥 내가 무너지는 꼴을 보고 싶어서 그러는 것이다. 어떻게 이 궁지를 벗어난다? 방법은 하나뿐이다. 프로다운 냉정함을 잃지 말아야 한다. 부장의 이 거부를 나 개인에 대한 공격으로 여기면 안 된다. 부장이 받아들일 수밖에 없는 주제를 찾아내야 한다. 이제 내가 내놓을 수 있는 카드는 하나밖에 없다. 이게 마지막 카드다.

「뇌를 다뤄 보고 싶습니다.」

「뭐라고? 뇌?」

부장은 자기 핸드백을 뒤지면서 그렇게 반문한다.

「뇌의 기능에 관한 기사를 써볼 생각입니다. 인체의 한 기관이 어떻게 사고 작용을 하는 데까지 나아갈 수 있는지 밝혀 보자는 겁니다.」

「주제가 너무 광범위해. 어떤 관점에서 다룰 것인지를 생각해야지.」

「핀처 박사의 죽음이라는 사건을 통해 접근하면 어떨까요?」

「체스에 관심을 갖는 사람들이 얼마나 되겠어?」

「핀처는 천재였습니다. 우리 뇌의 내부에서 어떤 일이 벌어지는지를 이해하기 위해 신명을 바친 연구자였지요.」

부장은 자기 핸드백을 집어 탁자 위로 올려놓더니 갑자기 뒤집어엎는다. 립스틱에서 수표책, 만년필, 열쇠 꾸러미, 호신용 작은 최루탄, 약품, 휴대폰에 이르기까지 갖가지 소지품이 뒤죽박죽 섞여 작은 더미를 이룬다.

뤼크레스는 부장이 안 된다고 딱 잘라 말하지 않는 한 받아들여질 가능성은 여전히 남아 있는 거라고 생각하면서, 설명을 이어 나간다. 「사뮈엘 핀처는 체스계에서 눈부시게 빠른 속도로 최강자가 되었습니다. 그가 컴퓨터와 대국을 벌이는 장면은 세계의 거의 모든 텔레비전을 통해서 생중계되었고요. 그랬는데, 승리를 거둔 바로 그날 밤에 톱 모델 나타샤 아네르센의 품에서 죽었어요. 불법 침입의 흔적도 없었고 상처도 없었습니다. 겉으로 드러난 사망 원인은 성적인 쾌락입니다.」

부장은 마침내 자기가 찾고 있던 것을 찾아낸 모양이다. 시가다. 그녀는 셀로판 갑에서 그것을 꺼내어 냄새를 맡는다.

「으음…… 나타샤 아네르센? 지난주에 『벨』[8]지 표지에 나왔던 그 금발 모델 아냐? 쭉 빠진 다리며 크고 파란 눈이 아주 매력적이던데. 그 여자 알몸 사진이 있으면 좋겠는데, 우리한테 있나?」

미술부장 올라프 린드젠은 이제껏 노트에 낙서를 끼적이고 있다가 퍼뜩 정신을 차린다.

「음…… 없어. 그 여자는 여느 모델과 달리 평판이 아주 좋아. 바로 그 점을 의식해서 그러는지 모르지만, 한 번도 알몸으로 포즈를 취한 적이 없어. 수영복 차림으로 카메라 앞에 서기는 해. 그러니까 잘하면 〈물에 젖은 수영복 차림〉 정도는 실을 수 있을지도 모르지.」

크리스티안 테나르디에는 너무 씹어서 너덜너덜해진 시가의 *끄트머리*를 작은 절단기로 잘라 내더니, 다시 시가를

8 Belle. 미녀라는 뜻. 프랑스의 대표적인 여성지 『엘르*Elle*』의 패러디.

물고 우물거리다가 밤색 부스러기를 휴지통에 뱉는다.

「유감스럽군. 그럼 컴퓨터로 사진을 수정하면 어떨까? 수영복을 지워 버릴 수 없나?」

「그러면 소송이 벌어질 거고, 그 사태에 책임을 져야겠지. 그런데, 〈소송은 절대 안 된다〉는 게 우리 회사의 새로운 방침 아냐? 이미 소송 때문에 많은 돈을 낭비했어.」

「좋아. 그러면 수영복 차림의 사진 중에서 되도록 몸을 많이 노출시킨 걸 골라 봐. 이왕이면 속이 조금 비치는 수영복이 물에 촉촉하게 젖어 있는 사진으로 말이야. 아마 그 정도는 찾아낼 수 있을 거야.」

크리스티안 테나르디에는 시가로 뤼크레스를 가리키며 말을 잇는다. 「그래, 뇌를 다루겠다는 건 괜찮은 생각일지도 몰라. 잘 먹힐 가능성이 있어. 하지만 사람들이 흥미를 느끼는 것에 기사의 초점을 맞춰야 할 거야. 세상에 알려지지 않은 흥미로운 이야기도 들어가야 하고, 실용적인 정보도 갖춰야 해. 예를 들어, 성행위를 하는 동안에 뇌 속에서 무슨 일이 벌어지는지 그 화학적인 메커니즘을 다뤄 보는 거야. 잘은 모르지만, 호르몬에 관한 얘기가 될 수도 있고, 오르가슴에 관한 얘기가 될 수도 있겠지.」

뤼크레스는 마치 쇼핑 목록을 작성하기라도 하는 것처럼 부장이 권하는 것들을 수첩에 받아 적는다.

「또 기억력 감퇴에 관한 얘기를 할 수도 있을 거야. 비교적 나이가 많은 독자들을 염두에 두고 말이야. 너무 전문적으로 다룰 필요는 없고, 의사에게 진찰을 받아야 하는지를 확인하기 위한 간단한 테스트를 덧붙이기만 하면 될 거야. 올라프, 그런 거 찾아낼 수 있겠지? 복잡한 그림을 제시하고, 그 그림

에 관한 질문을 나열하는 식의 테스트 말이야. 그리고, 우리
그 핀처 박사 사진 가지고 있나?」

미술부장이 고개를 끄덕이자, 크리스티안 테나르디에가
말을 잇는다. 「좋아. 기사 전체의 제목은 무엇으로 하면 좋을
까?…… 〈뇌의 문제〉? 아냐, 그보다는 〈뇌의 신비〉가 낫겠어.
그래, 〈뇌의 신비〉나 〈뇌의 마지막 신비에 관한 새로운 정보〉
같은 제목을 붙이면 될 거야. 표지에 그런 제목을 박고 나타
샤 아네르센의 반라 사진과 체스보드 이미지를 합성해서 실
으면 사람들의 눈길을 끌 수 있어.」

뤼크레스는 마음이 놓인다.

마지막 카드가 통했어. 이지도르에게 감사해야겠군. 이제
뒤탈이 없도록 확실하게 쐐기를 박을 필요가 있겠어. 거칠게
굴지는 말되 내 몫은 당당하게 요구해야 해. 그러지 않으면
저 여자가 이 주제를 고티에에게 맡길지도 몰라.

「사뮈엘 핀처 박사와 나타샤 아네르센은 하늘빛 해안,9 그
중에서도 칸에 살고 있었어요. 아무래도 거기에 가서 조사를
벌이는 게 좋을 듯합니다.」

뤼크레스의 말에 부장의 표정이 신중해진다.

「알다시피, 예산 절감의 일환으로 우리는 모든 현장 보도
를 되도록 파리를 벗어나지 않는 선에서 해내려고 애쓰는 중
이야.」

부장은 곱지 않은 눈으로 젊은 기자를 쏘아보며 말끝을 단

9 프랑스어로 코트다쥐르Côte d'Azur. 프랑스의 지중해 해안 가운데에 마르세유 동쪽의 카시(또는 더 동쪽으로 툴롱)에서 칸과 니스와 모나코를 거쳐 망통에 이르는 지역을 가리킨다. 하늘빛 바다를 따라 아름다운 해수욕장들이 늘어서 있는 프랑스 최고의 휴양지.

다. 「하지만 뭐…… 이 주제를 특집으로 삼는다면…… 예외를 만들어도 되겠지. 그런데 이건 확실히 해두자고. 꼭 필요한 경비 말고는 한 푼도 더 못 줘. 그리고 경비를 지출할 때마다 반드시 부가 가치세를 기록해야 한다는 것도 잊지 말고, 알았지?」

두 여자의 눈길이 서로 부딪친다. 뤼크레스는 눈빛을 조금 부드럽게 하면서 살며시 시선을 떨군다.

이런, 고개를 숙이면 안 된다. 테나르디에라는 여자는 자기에게 당당히 맞서는 사람들을 존중한다. 그녀 앞에서 고개를 숙이는 자들은 경멸의 대상이 된다.

「어떤 프리랜서의 도움을 받고 싶은데, 괜찮겠습니까?」

「누군데?」

「카첸버그요.」 뤼크레스가 다시 당당하게 고개를 들며 말한다.

「그 사람 아직도 활동하고 있나?」

부장은 놀란 기색으로 그렇게 묻고는 시가를 천천히 비벼 끈다.

「난 그 사람 좋아하지 않아. 조직의 규칙을 존중하지 않고 자기 멋대로 행동하는 게 싫어. 독불장군이야. 잘난 척이 너무 심해. 한마디로 〈기민하다〉는 말이 딱 어울리는 사람이야. 뭐든지 다 아는 척하는 그 거만한 태도를 대하면 짜증이 나. 내가 그 사람을 우리 부서에서 쫓아냈다는 거 알고 있지?」

뤼크레스는 이지도르 카첸버그에 대해서라면 이제 누구보다 잘 안다. 그는 한때 경찰관이자 범죄학 전문가로서 증거 분석에 뛰어난 재능을 보였다. 그는 경찰 수사에서 과학에 더 많은 중요성을 부여하려고 노력했지만, 그의 상관들은 그가 너무 독립적이라고 판단하고 갈수록 사건을 적게 맡겼다. 그래서 이지도르 카첸버그는 과학 저널리즘으로 활동 무대를 옮겨 경찰 생활에서 얻은 과학 수사의 전문 기술과 지식을 기자로서의 취재와 조사 활동에 활용하였다. 『르 게퇴르 모데른』의 독자들은 마침내 그를 대단히 높이 평가하게 되었고, 편집부로 편지를 보내 그에게 〈과학부의 셜록 홈스〉라는 별명을 지어 주었다. 그의 동료들도 독자들을 따라서 이 별명으로 그를 불렀다. 그러던 어느 날, 그는 파리의 지하철 안에서 불특정의 시민들을 상대로 한 무차별적인 테러의 현장을 목격하였다. 그는 가까스로 목숨을 건졌지만, 현장은 갈가리 찢긴 시체들과 부상자들이 널려 있는 아비규환의 생지옥이었다. 그 사건이 있은 뒤로, 그는 세상의 온갖 폭력에 맞서 싸우는 개인적인 운동에 헌신하였다. 그는 다른 것에 관해서는 더 이상 글을 쓰고 싶어 하지 않았다.

그 무렵에 이지도르 카첸버그는 저수탑을 하나 사들여 그것을 주거 공간으로 개조한 다음 거기에서 은둔 생활을 시작했다. 그는 인류의 미래에 관해 깊이 사유하면서 〈최소 폭력의 길〉을 찾는 독특한 탐구 작업에 들어갔다. 그는 폭넓은 독서와 사색을 바탕으로 장차 인류에게 일어날 수 있는 모든 일을 가상하면서, 벽 하나를 온통 차지하는 넓은 종이에 나무 모양의 도표를 그려 나갔다. 그는 각각의 가지에 미래에 대한 가정을 하나씩 적었다. 만일 사람들이 일보다 레저를 중요하게 여기는 사회를 원한다면, 만일 강대국들 사이에 전쟁이 발발한다면, 만일 사람들이 자유주의나 사회주의를 선택한다면, 만일 로봇화가 고도로 진전된다면, 만일 사람들이 우주 정복이나 종교에 중요성을 부여하기로 결정한다면

하는 식으로. 나무의 뿌리와 줄기와 가지는 각각 과거와 현재와 미래를 나타내고 있었다. 이렇듯 그는 미래의 모든 개연성을 고려하면서, 인류가 나아갈 최선의 길, 즉〈최소 폭력의 길〉을 찾으려 하였다.

뤼크레스는 부장이 노골적으로 싫은 기색을 하는 것에 아랑곳하지 않고 꿋꿋하게 밀고 나간다.

「우리 독자들은 여전히 이지도르 카첸버그를 대단히 좋아하고 있습니다. 아직도 많은 독자들은『르 게퇴르 모데른』을 빛낸 심층 보도들과 관련하여 그의 이름을 떠올릴 거라고 생각합니다.」

「아냐. 우리 독자들은 그를 잊었어. 1년 넘게 기사를 쓰지 않는 기자는 더 이상 존재하지 않는 거나 마찬가지야. 우리는 사람들 기억에 오래 남을 예술 작품을 만들고 있는 게 아냐. 우린 그저 덧없이 사라지는 기사를 쓰고 있을 뿐이라고. 게다가 잘 알겠지만, 그 이지도르라는 친구는 지하철에서 겪은 테러 때문에 충격을 받았어. 내가 보기엔 머리가 조금 이상해진 것 같아.」

테나르디에는 그를 두려워하고 있다.

「저는 그와 함께 일하고 싶습니다.」

뤼크레스의 밀투가 사뭇 단호하다.

부장은 놀란 기색으로 눈썹을 치켜올린다.

「내 말을 뭐로 들은 거야? 나는 카첸버그가 마음에 들지 않는다니까. 굳이 둘이서 조사를 하고 싶다면, 고티에랑 같이 가. 자네의 파트너는 당연히 고티에야!」

고티에는 고개를 주억거린다.

「그런 식으로밖에 안 된다면, 차라리 사표를 내겠어요.」

뤼크레스의 선언에 좌중이 깜짝 놀란다. 테나르디에의 눈썹이 다시 치켜올라간다.

「넴로드 씨, 자네 뭔가 착각하고 있는 거 아냐? 자네 자신을 뭐로 생각하고 이러는 거지? 여기에서 자네는 사표를 내고 말고 할 자격도 없다는 걸 몰라? 자네는 고료로 보수를 받는 한낱 객원 기자[10]일 뿐이야. 한마디로 말해서 아무것도 아닌 존재지.」

뤼크레스의 눈에 모가 선다. 사랑니를 빼낸 자리가 다시 욱신거리기 시작한다. 그녀는 의지력에 호소하여 통증을 다스리려고 애쓴다.

지금 아프면 안 돼. 지금은 안 돼.

「서로 할 얘기는 다 한 것 같군요.」

뤼크레스는 자기 서류를 챙겨서 일어선다.

입을 일그러뜨리면 안 된다.

부장은 어쭈, 제법 성깔이 있는 걸 하면서 그녀를 달리 본다. 부장의 얼굴에는 화가 났다기보다 놀란 기색이 어려 있다. 암사자의 수염을 잡아당기고도 겁 없이 계속 대드는 작은 생쥐. 뤼크레스는 자기 자신이 그런 생쥐 같다고 느낀다. 암사자에게 대드는 건 별로 영리한 행동이 아니다. 하지만 통쾌하다.

살아가면서 적어도 한 번쯤은 이런 기쁨을 맛보아야지.

테나르디에의 목소리가 들린다.

「기다려.」

10 프랑스 언론에는 전문 기자와 〈피지스트pigiste〉라 불리는 객원 기자가 있다. 피지스트는 일정한 급여를 받는 것이 아니라, 기사를 행 단위로 계산하여 원고료를 받는다. 전체 기자 중에서 약 15퍼센트가 이런 피지스트들이다.

돌아서면 안 된다.

「어이, 허세 그만 부리고 이리 앉아. 그래도 그 성깔은 마음에 든다. 나도 젊었을 때는 그랬지. 어서 돌아와 앉아.」

얌전히 앉자. 그러나 만족해하는 내색을 보이면 안 된다.

「좋아……. 정히 그러고 싶다면, 카첸버그의 도움을 받아도 돼. 하지만 이건 분명히 해두자고. 그 사람 몫의 출장비는 없어. 그리고 기사에서는 그 사람 이름을 전혀 언급하지 않는 거야. 그는 자네의 조사를 돕기만 할 뿐 기사는 쓰지 않는 것으로 해. 그런 조건에서도 그가 일을 받아들일 거라고 생각해?」

「받아들일 거예요. 전 그 사람을 알아요. 그가 저를 돕는 건 명예나 돈을 위해서가 아니에요. 지금 그에게 중요한 문제, 그의 마음을 사로잡고 있는 질문은 단 하나, 〈누가 핀처를 죽였는가?〉 하는 거예요.」

8

장루이 마르탱 씨는 평범한 사람이었다.

9

4월 어느 날, 프랑스 남부 지중해 연안의 도시 칸. 날씨가 화창하다.

갖가지 행사와 제전으로 일주일도 조용할 때가 없는 칸이지만, 체스 대회가 끝나고 영화제를 앞둔 시점에서 오랜만에 짧은 공백기의 휴식을 맞고 있다.

사이드카가 달린 구치 오토바이 한 대가 요란한 소리를 내면서 크루아제트 해변 도로를 따라 달리고 있다. 오토바이는 이 도시의 명성을 드높이는 호화로운 호텔들 앞을 지나간다. 마르티네즈, 마제스틱, 엑셀시오르, 칼톤, 힐튼. 이 오토바이를 모는 사람은 빨간 외투를 걸친 젊은 여자다. 얼굴을 거의 덮을 듯한 비행사 안경을 끼고 둥근 가죽 모자를 쓴 차림이다. 오토바이에 곁달린 사이드카에는 뚱뚱한 남자가 타고 있다. 검은 외투를 입고 있긴 하지만, 그의 옷차림 역시 기이하기는 마찬가지다.

두 사람은 엑셀시오르 호텔 앞에 오토바이를 세운다. 그들은 한참 동안 먼지를 떨고 나서는 도로 주행용 복장을 벗고 프런트 쪽으로 간다. 그들이 선택한 객실은 바다 쪽의 전망이 좋은 가장 비싼 스위트룸이다.

이로써 쩨쩨한 테나르디에가 크게 깨닫는 바가 있을 것이다.

그들은 마치 유복한 한 쌍의 연인이나 부부처럼 객실을 향해 간다. 하지만 연인이나 부부로 보기에는 두 사람의 태도가 너무 어색하다. 객실에 이르도록 서로 말 한마디 나누지 않으니 말이다. 벨보이 하나가 따라 들어와 덧창들을 열어 준다. 바다와 백사장과 해변 도로의 화려한 파노라마가 펼쳐진다. 그들의 눈앞에서 바닷물이 반짝이고 있다. 마치 별들이 흩뿌려져 있는 것 같다.

아무리 따뜻한 지중해라도 아직은 물이 찰 텐데, 용감한 사람 몇 명이 벌써부터 해수욕을 즐기고 있다.

뤼크레스 넴로드는 프루트칵테일 두 잔을 주문한다.

「나는 핀처 박사의 죽음이 계획적인 살인이라는 주장을 믿지 않아요. 기사를 쓰기 위해 이 사건에 대한 조사를 벌이게 된 것을 아주 기쁘게 생각해요. 하지만 나는 당신 생각이

틀렸다는 것을 증명해 보일 생각이에요. 살인은 없었어요. 사뮈엘 핀처 박사는 정말로 〈사랑에 치여 죽은〉 거예요. 복상사(腹上死) 아니면 복하사였을 거라고요.」

아래에서 자동차들이 시끄럽게 경적을 울리며 지나간다.

이지도르 카첸버그는 그녀의 말을 귓등으로 흘리고 자기 주장을 굽히지 않는다.

「나는 여전히 동기가 이 사건의 열쇠라고 확신하고 있습니다. 지난번에 당신을 만난 뒤로, 동기에 관한 간단한 설문조사를 실시했어요. 여러 사람을 만나 똑같은 질문을 던져 보았지요. 〈당신은 무엇에 이끌려 행동합니까?〉라고 말입니다. 내게 질문을 받은 사람들은 대체로 고통에서 벗어나는 것을 중요한 동기의 하나로 꼽더군요.」

벨보이가 채색 유리잔 두 개를 쟁반에 받쳐 들고 다시 나타난다. 우산 모양의 작은 장식물과 설탕에 절인 버찌와 파인애플 한 조각이 유리잔에 얹혀 있다.

뤼크레스는 황갈색 음료를 한 모금 마신다. 사랑니 뺀 자리가 다시 욱신거리기 시작한다. 그녀는 통증을 잊으려고 애쓴다.

「그럼 이지도르, 당신은 무엇에 이끌려 행동하죠?」

「지금은 이 수수께끼를 풀고 싶은 욕구에 이끌리고 있어요. 그렇게 보이지 않나요, 뤼크레스?」

그녀는 자기 손톱 하나를 물어뜯으며 말을 받는다.

「나는 이제 당신이 어떤 사람인지 조금은 알아요. 수수께끼를 풀고 싶은 욕구 말고 뭔가 다른 이유가 있어요.」

영리한 여자로군.

그는 몸을 돌리지 않고 계속 수평선을 바라본다.

「사실이에요. 나에겐 더 개인적인 다른 동기가 있어요.」

그녀는 설탕에 절인 체리를 삼키고 귀를 기울인다.

「음…… 요즘에 자꾸 기억력이 감퇴하고 있다는 느낌이 들어요. 예를 들어, 내가 어떤 말을 하고 있을 때 누가 말을 중단시키면, 이야기의 맥락을 놓쳐 버리면서 무슨 얘기를 하다 말았는지를 잊어버리는 경우가 종종 있어요. 또 숫자로 된 암호를 기억하는 데에도 어려움을 느끼기 시작했어요. 건물 현관의 암호든 신용 카드의 암호든 말이에요……. 걱정이에요. 내 뇌가 더 이상 완전하게 작동하지 않는다는 게 두려워요.」

뤼크레스는 다시 창가로 가서 창턱에 팔꿈치를 대고 바다를 바라본다.

코끼리의 기억력이 감퇴되고 있다.

「아마 생각하는 게 너무 많아서 그럴 거예요. 게다가 요즘엔 기억해야 할 암호도 너무 많잖아요……. 이제는 자동차, 엘리베이터, 컴퓨터에도 암호가 있어요.」

「기억력 클리닉에 가서 검사를 받아 봤어요. 파리의 라 피티에살페트리에르[11] 병원에 개설된 클리닉이에요. 하지만 아무것도 찾아내지 못했어요. 나는 이 살인 사건에 관해 조사하면서 나 자신의 뇌를 더 잘 이해하게 되기를 바라고 있어요. 나의 할머니는 알츠하이머병을 앓으셨어요. 병이 심해졌을 때에는 더 이상 나를 알아보지 못하셨지요. 할머니는 나를 볼 때마다 〈안녕하세요! 처음 뵙는 분인데 누구세요?〉 하고 물으셨어요. 할아버지에게는 〈당신은 내 남편이 아니

---

11 350년 이상의 유구한 역사를 지닌 두 병원 라 피티에와 살페트리에르가 통합된 것. 살페트리에르는 프로이트가 샤르코 밑에서 히스테리와 최면술을 연구했던 바로 그 병원이다.

에요. 내 남편은 훨씬 더 젊고 훨씬 더 잘생겼어요)라고 말씀하셨지요. 할아버지는 그럴 때마다 마음이 너무 아파서 어쩔 줄을 모르셨고요. 간간이 병세가 가라앉아 온전한 정신으로 돌아올 때면 할머니는 당신에게 무슨 일이 생겼는지를 아시고는 한없이 괴로워하셨지요. 나에게도 그런 일이 생길까 봐 걱정이에요. 생각만 해도 겁이 나요.」

멀리 수평선으로 기울어 가는 해가 주위의 바다와 하늘을 붉게 물들이고 있다. 중천에는 은빛 구름이 흘러간다. 두 기자는 창가에 그대로 머물며 오랫동안 수평선을 바라본다. 파리 사람들 모두가 아직 잿빛 도시에 갇혀 있는 시기에 이렇게 칸에서 시간을 보내고 있다는 사실이 새삼스레 고맙게 느껴진다.

오랜만에 맛보는 휴식과 침묵의 시간이다.

뤼크레스는 문득 어떤 사람을 안다는 것이 얼마나 어려운 일인가 하고 생각한다. 사람들은 끊임없이 무언가를 생각하지만, 그 생각 중에서 표현되는 것은 너무나 적다. 그 과정에서 무수히 많은 정보가 실종된다. 우리는 사람들의 생각 중에서 단지 그들이 표현하는 것만을 알 뿐이다.

순간 이지도르가 소스라치게 놀라면서 갑자기 손목시계를 본다.

「빨리, 뉴스 시간이에요!」

「뭐가 그리 긴급한 게 있다고 그래요?」

「세상에서 무슨 일이 일어나고 있는지를 알 필요가 있어요.」

타이틀은 이미 지나갔고, 이제 각각의 소식을 상세하게 전해 주는 시간이다.

〈고등학교 교사들이 파업에 들어갔습니다. 그들은 봉급 인상을 요구하고 있습니다.〉

시위 장면이 화면에 나타난다.

「교사들의 시위도 동기는 똑같네요.」

뤼크레스는 흥미 없다는 듯이 냉소를 흘린다.

「당신이 잘못 생각하고 있어요. 사실, 저들이 원하는 건 돈이 아니라 존경이에요. 예전엔 교사의 사회적 지위가 높았어요. 교사가 된다는 건 사회적으로 중요한 사람이 된다는 뜻이었지요. 오늘날 교사들은 자기들을 더 이상 존경하지 않는 학생들과 씨름해야 합니다. 뿐만 아니라, 정부는 그들에게 승산 없는 싸움을 벌이라고 요구하고 있습니다. 부모 역할을 포기한 사람들 대신 부모 노릇까지 하라는 겁니다. 뉴스에서는 교사들을 마치 휴가와 특권에 굶주린 사람들로 묘사하고 있지만, 그들이 원하는 건 그저 조금 더 많은 인정과 존경입니다. 내가 보기엔, 그들은 할 수만 있다면 플래카드에 〈봉급 인상〉이 아니라 〈더 많은 존중〉이라는 요구를 내걸 겁니다. 사실, 사람들이 겉으로 내세우는 동기가 언제나 그들의 진정한 동기인 건 아니죠.」

뉴스 진행자의 보도가 이어진다.

〈콜롬비아에서 마약 카르텔의 재정 지원을 받는 한 비밀 연구소가 신종 향정신성 물질을 개발했습니다. 중독성이 대단히 강해서 단 한 번만 복용해도 습관적으로 사용하게 되는 마약이라고 합니다. 이 제품은 이미 미국 플로리다의 젊은이들 사이에서 널리 사용되고 있습니다. 축제 때 이 제품을 상그리아[12] 같은 술에 타 마시는 학생들이 적지 않다고 합니다.

---

12 설탕을 넣은 적포도주에 과일 조각을 담가서 만든 스페인식 음료.

사용자의 자유 의지를 무력화시키는 이 마약 때문에 성폭력에 대한 고소가 잇따르고 있습니다.〉

〈아프가니스탄에서는 나지불라 정권을 축출하고 영토의 90퍼센트 이상을 장악한 탈레반 정권이 민심을 얻으려고 애쓰던 초기의 태도에서 벗어나 다시 민중을 억압하는 조치들을 시행하고 있습니다. 모든 여학교가 폐쇄되고 여성이 밖에서 노동하는 것이 금지되었습니다. 남성은 터번을 쓰고 수염을 길러야 하며, 여성은 머리끝에서 발끝까지 가리는 부르카를 써야 합니다. 이런 분위기에서 한 여인이 밝은 색 운동화를 신고 다닌다는 이유로 군중에게 돌팔매질을 당하는 일까지 벌어졌습니다.〉

뤼크레스는 이지도르가 충격을 받고 있음을 알아차린다.

「무엇 때문에 매일 저녁 8시에 이런 혐오스러운 것들을 보아야 하죠?」

이지도르는 대답하지 않는다.

「어디 아파요, 이지도르?」

「내가 너무 예민한가 봐요.」

그녀는 텔레비전을 끈다.

그는 짜증을 내듯이 얼른 텔레비전을 다시 켠다.

「현실을 외면하면, 내가 너무 안일하고 비겁하다는 느낌이 들 것 같아요. 이 세상에 단 하나라도 야만적인 행위가 존재하는 한, 나는 진정으로 편안할 수가 없을 거예요. 위험이 닥치면 모래에 머리를 묻어 버림으로써 위험을 보지 않으려 한다는 타조처럼 우리 눈앞의 엄정한 현실을 외면하고 싶지는 않아요.」

그녀가 귓엣말을 하듯이 나직하게 말한다. 「우리는 모든 세상사에 관해 고민하려고 여기에 내려온 것이 아니라, 구체적인 하나의 살인 사건에 관해 조사하려고 왔어요.」

「바로 그거예요. 살인 사건에 관해 조사를 하다 보니까 저런 걸 보면서 생각이 더 많아지는 거지요. 매일 수천 명의 사람들이 훨씬 더 비참한 상황에서 살해당하고 있는데, 한 사람의 죽음에 관해 조사한다는 게 무슨 의미가 있나 싶은 거죠.」

「만일 지금 우리가 그 죽음에 관해 조사하지 않는다면, 매일 부당하게 살해당하는 사람들의 수가 수천에서 하나 더 늘어날 거예요. 모두가 어떻게 하든 달라질 건 아무것도 없다고 생각하기 때문에 살인이 날로 증가하고 진정한 조사가 이루어지지 않는 거죠.」

이지도르는 그녀의 설득에 마음이 바뀌어 스스로 텔레비전을 끈다. 그는 눈을 감고 생각에 잠겨 있다가 조용히 말문을 연다. 「내 동기가 뭐냐고 물었죠? 크게 보면 공포가 아닌가 싶어요. 나는 공포에서 벗어나기 위해 행동하지요. 나는 어려서부터 겁이 많았어요. 온통 두려운 것 천지라서 하루도 마음이 평온했던 적이 없어요. 내 뇌가 아주 기민하게 움직이는 것은 아마 그 때문일 거예요. 위험이 현실적이든 가상적이든, 가까이 있든 멀리 있든, 그것들에 맞서 나 자신을 지키려는 것이지요. 때로는 이 세상이 온통 분노와 불의, 폭력, 죽음의 충동으로 가득 차 있다는 느낌이 들어요.」

「대체 무얼 두려워하는 거죠?」

「뭐든지 다요. 세상의 잔인함과 난폭함이 두려워요. 환경 오염이 두렵고, 사나운 개가 두렵고, 사냥꾼이 두렵고, 여자들이 두려워요. 경찰관과 군인도 두려워요. 기억력이 감퇴되는 것과 늙는 것, 죽는 것도 두려워요. 때로는 나 자신마저 두려워요.」

그때 무슨 소리에 그가 소스라치게 놀란다. 문이 닫히는 소리다. 종업원 하나가 나타난다. 달콤한 버찌 술을 속에 넣은 초콜릿을 갖다주러 온 것이다. 잠자기 전에 제공되는 주전부리인 모양이다. 종업원은 실례를 사과하더니 서둘러 문을 닫고 사라진다.

뤼크레스 넴로드는 수첩을 꺼내어 이렇게 적는다.

〈첫째 동기: 고통을 멎게 하는 것. 둘째 동기: 두려움에서 벗어나는 것.〉

10

장루이 마르탱 씨는 정말로 아주 평범한 사람이었다.[13] 마랭고식 송아지 고기 요리[14]를 잘하는 여자의 모범적인 남편이자 부산스러운 세 딸의 아버지인 그는 니스 교외에 살고 있었다. 그는 니스 신용 은행에서 법무 담당 부서의 책임자로 일하고 있었고, 이 직업은 그에게 딱 맞았다.

그의 일상적인 업무는 계좌의 잔액이 마이너스인 고객들의 명단을 은행의 중앙 컴퓨터에 입력하는 일이었다. 이웃한

---

13 작가가 평범함을 강조하는 이 인물에게 마르탱Martin이라는 성과 장루이Jean Louis라는 이름을 부여한 것은 우연이 아니다. 프랑스의 인구 통계에 따르면, 마르탱은 프랑스인들이 가장 많이 쓰는 성이다(물론, 프랑스인들의 성은 무려 25만 가지나 되는 터라, 아무리 많이 쓰이는 성이라도 우리나라의 김, 이, 박에 비교할 수는 없지만 말이다). 두 성인(聖人)의 이름을 합쳐 놓은 장루이라는 세례명 역시 평범하기는 마찬가지다. 프랑스인들은 주로 성인의 이름을 따서 자녀의 세례명을 삼는데, 성인들의 이름 가운데 가장 흔한 것이 장이다. 따라서 장은 세례명으로 사용될 가능성이 대단히 높다. 또 루이는 성인의 수에서는 장에 못 미치지만 최근의 출생 신고에서 가장 빈번하게 등장하는 이름이다.

14 송아지 고기를 토마토, 버섯 등과 함께 기름에 넣고 살짝 익힌 요리.

사무실에서 근무하는 베르트랑 물리노는 불량 고객들에게 전화를 걸어 결제를 독촉하는 일을 하고 있었지만, 마르탱 씨는 그런 험한 일을 하지 않아도 되었다. 그는 그 점을 만족스럽게 여기며 평온하고 초연하게 자기 임무를 수행하였다.

그가 일을 하고 있을 때면, 폴리스티렌 칸막이 너머에서 이런 소리가 들려오곤 했다.

「안녕하세요, 선생님. 다름이 아니라, 저희가 확인을 해보니까 놀랍게도 선생님의 계좌가 적자로 되어 있네요. 전화로 이런 말씀드리게 되어서 죄송하지만…….」

토요일 저녁이면 마르탱 씨 가족은 다 같이 소파에 앉아서 텔레비전을 보곤 했다. 그들은 〈기권이냐 갑절이냐〉라는 퀴즈 프로그램을 무척 좋아하였다. 이 프로그램에서 그날의 승자가 된 사람은 더 이상의 도전을 포기할 수도 있고, 다음 시간에 다시 출연하여 다른 출연자들과 승부를 겨룰 수도 있다. 1회의 승리에 만족하고 그만두는 사람에게는 적은 상금이 돌아간다. 그 대신 빈손으로 돌아가지 않는 것이 확실하게 보장된다. 계속 도전하는 사람에게는 위험이 따른다. 일껏 따놓은 상금을 모두 잃을 수도 있다. 하지만 한 번 우승할 때마다 상금이 갑절로 늘어나기 때문에 엄청난 거금을 벌 수도 있다.

우승자들은 적게 벌고 그만둘 것인가, 아니면 다 잃을 각오를 하고 큰돈에 도전할 것인가를 놓고 고민하는 모습을 보여 주곤 했다. 마르탱 씨 가족은 그 모습을 흥미진진하게 지켜보았다. 그러면서 만약에 자기들이 그런 처지에 놓인다면 어떻게 할까 하고 스스로에게 물어보곤 했다.

멈출 줄 모르는 사람들, 올바른 선택을 할 줄 모르는 사람들, 스스로를 예외적인 존재로 여기면서 자기의 운을 믿고 위험에 도전하는 사람들의 온갖 드라마가 거기에 있었다.

방청석의 군중은 언제나 출연자들이 위험을 무릅쓰도록 격려하였다. 군중이 〈갑절! 갑절!〉 하고 소리치면, 마르탱 씨 가족도 그들을 따라 〈갑절!〉을 외쳤다.

비가 내리는 일요일이면 장루이 마르탱은 체스 두기를 즐겼다. 그의 상대는 직장 동료 베르트랑 물리노였다. 마르탱은 스스로를 〈가는 길만 겨우 아는 사람〉으로 규정했다. 하지만, 그의 말마따나 그는 〈무슨 수를 써서라도 이기는 것보다는 전투의 모양을 멋지게 짜는 것을 더 좋아하는〉 사람이었다.

그가 오랫동안 키운 셰퍼드 루쿨루스[15]는 주인이 체스를 두는 시간이 쓰다듬음을 받기에 좋은 기회임을 알고 있었다. 뿐만 아니라, 이 개는 자기를 쓰다듬는 주인의 손길을 통해서 대국의 형세가 어떻게 돌아가는지도 간접적으로 지각할 수 있게 되었다. 판세가 주인 쪽에 불리하게 돌아갈 때는 손길이 거칠었고, 주인이 우세할 때는 손길이 한결 부드러웠기 때문이다.

대국이 끝나면 두 남자는 호두 술을 마시며 담소를 나누었다. 그동안에 아내들 역시 사기들끼리 거실 한구석에 앉아 이야기꽃을 피웠다. 직장을 다니지 않는 그녀들은 아이들 교육 문제나 남편들의 승진 가능성 등에 관해서 큰 소리로 이야기를 나누곤 했다.

장루이 마르탱은 서툰 솜씨로나마 유화를 그려 보는 것도

---

15 이 개의 이름은 미식가로 유명했던 로마의 장군 루키우스 리카니우스 루쿨루스(B.C. 118~B.C. 57)에서 따온 것이다.

좋아했다. 그는 자기의 우상인 살바도르 달리가 다룬 주제들을 자기 나름의 방식으로 표현해 보고자 하였다.

삶은 그렇게 평온하게 흘러가고 있었다. 너무나 평온해서 그 흐름을 별로 느끼지 못할 정도였다. 은행, 가족, 개, 베르트랑, 체스, 퀴즈, 살바도르 달리의 그림. 그는 이 요소들이 엮어 내는 삶의 리듬에 만족하였다. 바캉스니 여행이니 하는 것들은 오히려 그 좋은 리듬을 깨뜨릴지도 모르는 불안한 시간으로 여겨졌다.

그는 그저 내일이 또 다른 어제이기만을 바랐다. 매일 밤 그는 자기가 이 세상에서 가장 행복한 사람이라고 생각하면서 잠이 들었다.

11

이게 무슨 소리지? 그가 코를 고는구나!

뤼크레스는 잠을 편히 못 이루고 뒤척인다. 그러다가 아무래도 안 되겠다 싶어 이지도르가 자고 있는 방의 문을 열고, 그의 자는 모습을 살핀다.

마치 거구의 아기가 자고 있는 것 같네.

그녀는 어쩔까 망설이다가 그를 흔든다.

그는 꿈길을 헤매고 있다가 천천히 깨어난다. 꿈에서 그는 새 구두를 신고 가루눈을 뽀드득뽀드득 밟으며 어떤 초가집을 향해 나아가고 있었다. 그 초가집에서는 아주 희미한 불빛이 흘러나오고 있었다.

그녀는 천장 등을 켠다. 그는 소스라치며 왼쪽 눈을 반쯤 뜬다.

「으음?」

여기가 어디지?

그는 뤼크레스를 알아보고, 기지개를 켜면서 묻는다.

「몇 시죠?」

「새벽 2시예요. 천지가 다 고요하고 나도 자고 싶어요.」

그는 뜨다 만 왼쪽 눈을 완전히 뜬다.

「아니, 자고 싶다는 얘기를 하려고 나를 깨우는 거예요?」

「단지 그 때문은 아니에요.」

그는 얼굴을 찡그린다.

「혹시 불면증 환자예요?」

「불면증은 아니고 옛날에 몽유병이 있었어요. 하지만, 발작이 일어나지 않은 지는 오래됐어요. 어디에서 읽었는데, 몽유병 환자는 자다가 일어나서 마치 깨어 있는 사람처럼 돌아다니면서도 자기가 꿈꾸고 있는 것을 다 본대요. 또 이런 얘기를 읽은 적도 있어요. 고양이의 뇌를 이루는 두 반구 사이의 연결을 끊으면, 고양이들은 눈을 감은 채 자기들이 꿈꾸고 있는 것을 그대로 흉내 내기 시작한다는 거예요. 거짓말 같은 얘기죠?」

그는 잠을 이기지 못해 시트를 다시 끌어 올려 불빛을 가린다.

「그럼 잘 자고 아침에 봐요.」

「이봐요, 이지도르. 나는 당신하고 이 조사를 같이 하게 된 것을 아주 기쁘게 생각하고 있어요. 그거 알고 있죠? 그런데, 한 가지 문제가 있어요. 당신이 코를 너무 심하게 골아요. 나는 그 시끄러운 소리에 잠이 깼고, 그래서 이렇게 들어온 거예요.」

「아 그래요? 미안해요. 스위트룸 두 개를 따로 얻을까요?」

「아뇨. 그럴 것까지는 없고 옆으로 한번 누워 보세요. 그러면 목구멍 쪽의 입천장이 더 이상 진동하지 않을 거예요. 그냥 내가 시키는 대로만 하면 해결되는 문제예요.」

그녀는 되도록 상냥한 표정을 지으려고 애쓴다.

「미안해요. 잘 알았어요. 시키는 대로 해볼게요.」

그가 그렇게 중얼거린다.

자기가 무엇을 원하는지 분명히 알고 있는 여자들 앞에서는 가장 카리스마적인 기질을 가진 남자들조차 순순히 체념하고 따르는 듯한 태도를 보일 때가 있다. 그들은 왜 그러는 걸까?

「내게 왜 고분고분하죠?」 그녀가 호기심을 느끼며 묻는다.

「어쩌면…… 남자의 자유 의지는 자기 대신 무언가를 결정해 줄 여자를 선택하는 데에 있는지도 모르죠.」

「듣기 나쁘진 않군요. 그런데 나 배고파요. 우리 저녁을 안 먹었잖아요. 쟁반에 받쳐 나오는 식사를 시키면 좋을 것 같은데. 어떻게 생각해요, 이지도르?」

그녀는 수첩을 꺼내어 자기가 적어 놓은 것을 읽어 보더니 새로운 항목을 추가하고 열띤 어조로 말끝을 단다. 「사람의 행동을 이끄는 동기 중의 셋째로 배고픔을 꼽고 싶어요. 지금의 나를 예로 들면, 내 몸이 먹을 것을 요구하고 있어요. 무언가를 먹어야만 잠을 자겠대요. 나로서는 달리 어쩔 수가 없어요. 지금 나에게 중요한 건 허기진 배를 채우는 거예요. 그러니까, 첫째가 고통을 멎게 하는 것이고 둘째가 공포에서 벗어나는 것이라면, 셋째는 허기를 채우는 거예요.」

이지도르는 알아들을 수 없는 말을 중얼거리며 다시 이불

속으로 들어간다. 그녀는 자기 말을 들어 달라며 이불을 끌어 내린다.

「배고픔…… 그건 인간의 원초적인 동기예요. 안 그래요? 인간은 배고픔의 문제를 해결하기 위해 사냥과 농업과 사일로와 냉장고 등을 발명했어요.」

그는 그녀의 말을 건성으로 듣다가, 한쪽 팔꿈치를 대고 몸을 일으키면서 눈으로 불빛이 쏟아져 들어오지 않도록 손차양을 댄다.

「먹는 것도 중요하지만 잠자는 것도 중요해요. 배고픔, 잠, 따뜻함 같은 생존의 욕구들을 하나로 묶어서 또 하나의 중요한 동기로 보면 되겠네요.」

그녀는 수첩에 적은 것을 정정한 다음 룸서비스에 식사를 주문하기 위해 전화의 송수화기를 든다.

「난 스파게티 먹을 건데, 뭐 드실래요?」

「됐어요, 난 안 먹을래요. 자는 게 더 좋아요.」

그는 하품이 나오고 눈꺼풀이 내리누르는 것을 참느라고 애쓰면서 그렇게 말한다.

「그런데 우리 내일은 뭐하죠?」 뤼크레스가 묻는다. 목소리에 활기가 넘친다. 그러나 그는 눈을 다시 뜨기가 어렵다.

「내일?」 그가 되묻는다. 마치 이해하기 어려운 개념을 되뇌기라도 하는 듯하다.

「그래요, 내일.」

「핀처 박사의 시신을 보러 갈 거예요. 불 좀 꺼줄래요?」

어둠이 다시 부드러운 손길로 그를 토닥인다.

그는 몸을 돌려 모로 눕더니 새털 이불을 가슴에 껴안은 채 잠이 든다. 코 고는 소리는 더 이상 들리지 않는다.

참 사랑스러운 남자야 하고 그녀는 생각한다.

그는 다시 꿈을 꾼다. 새 구두를 신고 뽀드득 소리를 내며 계속 눈길을 걷는다. 그는 초가집 안으로 들어간다. 뤼크레스가 안에 있다.

12

평온하기 그지없던 장루이 마르탱의 삶은 한순간에 엄청나게 달라졌다. 어느 일요일 밤이었다. 그는 아내 이자벨과 함께 조용히 거리를 거닐고 있었다. 친구 베르트랑의 집에서 저녁을 먹고 체스까지 한 판 두고 오는 길이었다.

때는 겨울이었고 눈이 내리고 있었다. 늦은 시각이라 거리에는 행인의 발길이 뜸하였다. 그들은 미끄러지지 않도록 조심조심하며 걷고 있었다. 그때 갑자기 자동차 엔진 소리가 들렸다. 빙판이 되어 버린 길바닥에서 착 달라붙을 자리를 찾아내지 못한 타이어들이 기이한 소리를 내며 미끄러졌다. 그의 아내는 빠르게 돌진해 오는 자동차를 가까스로 피했다. 그러나 그는 아니었다.

그는 무슨 영문인지 깨달을 새도 없이 자동차에 치여 공중으로 튕겨 올랐다. 마치 느린 동작 화면을 보고 있는 것처럼 모든 일이 느릿느릿 전개되는 듯했다.

그 짧은 순간에 그토록 많은 정보를 지각할 수 있다는 사실이 놀라웠다. 자기가 공중에서 모든 것을 보고 있다는 느낌이 들었다. 입을 벌린 채 자기를 올려다보고 있는 아내의 모습이 보였다. 그의 개는 아직 주둥이를 들어 올리지 않은 채 주인이 어디로 갔는지 찾고 있었다.

자동차는 멈추지 않고 그대로 달아나 버렸다.

그는 아직 공중에 머물러 있었다. 그의 뇌리로 이런저런 생각들이 아주 빠르게 스쳐 지나가고 있었다. 그러다가 경악의 순간이 지나가고 고통의 순간이 찾아왔다. 바닥에 떨어지던 순간에는 아무것도 느끼지 못했다. 마치 그가 모든 신경에 빗장을 걸기라도 한 것처럼 충격의 메시지가 바로 전달되지 않았다. 그러더니 그 충격이 흡사 시큼한 산(酸)의 물결처럼 느껴지기 시작했다. 그의 몸 어디에선가 쏟아져 나온 산이 온몸으로 퍼져 나가는 느낌이었다.

아프다.

격심한 통증이 밀려왔다. 온몸이 후끈거리고 욱신거렸다. 피복이 벗겨진 전선을 손으로 만졌다가 220볼트 전기에 충격을 받았던 때와 비슷했다. 후진하던 자동차가 그의 발끝 위로 지나갔던 때와 비슷한 것 같기도 했다. 그는 그 순간들의 고통을 기억하고 있었다. 정수리까지 짜르르하게 쑤시고 올라왔다가 안면의 신경망을 자극하여 얼굴이 타버릴 듯한 느낌을 주던 그 고통을. 갑작스럽고 격렬했던 다른 고통들의 기억까지 덩달아 뇌리에 떠오르고 있었다. 말에서 떨어져 팔이 부러졌던 일. 문의 돌쩌귀에 손가락이 끼였던 일. 손톱 하나가 살 속으로 파고들었던 일. 학교에서 휴식 시간에 장난을 치던 중에 어떤 아이가 갑자기 그의 머리카락을 휙 집아 당겼던 일. 그런 고통의 순간에 우리가 생각하는 것은 단 하나뿐이다. 우리는 그저 그 순간이 멎기를, 그 순간이 당장에 중단되기만을 바랄 뿐이다.

그가 공중에 튕겨 올랐다가 다시 길바닥에 떨어지기 전에, 번개처럼 그의 뇌리를 스친 또 하나의 생각이 있었다. 그건 〈나는 죽는 게 두렵다〉는 생각이었다.

13

칸 법의학 연구소. 그라스 대로 223번지, 칸 시내를 내려다보는 언덕에 자리 잡고 있다. 장식에 공을 들인 건물이라서 밖에서 보면 죽음의 장소라기보다 아름다운 빌라 같은 느낌을 준다. 죽음과 애도를 상징하는 사이프러스 울타리가 계수나무로 장식된 정원을 둘러싸고 있다. 파리에서 온 두 기자는 건물 안으로 들어간다. 천장은 높고 벽에는 연보라색과 흰색의 장식천이 드리워져 있다.

1층에는 빈소들이 줄지어 있다. 고인의 가족과 친지가 마지막 경의를 표하러 오는 곳이다. 시신의 살갗은 방부 처리 기술자들이 수지와 포르말린을 이용해 다시 부풀려 놓았고, 시신의 얼굴에는 분장이 되어 있다.

법의학 실험실로 사용되는 지하로 내려가기 위해서, 이지도르 카첸버그와 뤼크레스 넴로드는 좁다란 복도를 지나간다. 복도 끝에 다다르자 커다란 유리문이 그들을 막아선다. 앤틸리스 출신으로 보이는 수위 하나가 문을 지키고 있다. 긴 머리를 자메이카의 라스타파리언들처럼 땋은 수위는 『로미오와 줄리엣』을 읽는 데에 열중해 있다.

「안녕하세요. 우린 기자들인데, 핀처 사건을 맡은 법의학자를 만나러 왔어요.」

경비원은 그들에게 눈길을 주기 전에 한참 뜸을 들인다. 옛날 베로나의 두 연인에게 닥쳤던 비극이 그의 마음을 아프게 했는지, 슬픈 표정을 지으며 미닫이 유리창을 열어 준다. 성가신 방문객들로부터 그를 지켜 주는 이 유리창에는 열지 않고도 이야기를 나눌 수 있도록 구멍이 뚫려 있다.

「죄송합니다. 엄명이 떨어졌어요. 사건의 수사를 맡은 검찰관을 제외하고는 누구도 들어갈 수 없습니다.」

수위는 유리창을 닫고 다시 책에 빠져든다. 바로 로미오가 자기의 불타는 사랑을 고백하고 줄리엣이 편협한 자기 부모 때문에 로미오가 겪게 될지도 모를 어려움을 설명하는 대목이다.

이지도르는 그 수위의 마음을 움직일 수 있는 게 없을까 하고 생각하다가 에멜무지로 50유로짜리 지폐 한 장을 꺼내어 유리창에 붙인다.

「이거면 되겠어요?」

그는 위험을 무릅쓰고 그렇게 물어본다.

로미오와 줄리엣의 사랑 이야기가 주던 흥미가 갑자기 조금 시들해진 듯하다.

미닫이 유리창이 다시 열리고, 손 하나가 재빨리 나와 지폐를 잡는다. 그러자 이지도르는 자기 동료에게 말한다.

「적어요, 뤼크레스. 넷째 동기는 돈이에요.」

그녀는 수첩을 꺼내어 그대로 적는다.

「쉬이잇, 누가 듣겠어요.」

그러는 수위의 기색이 불안해 보인다.

그가 지폐를 잡아당긴다. 하지만 이지도르는 아직 궁금한 것이 있어서 지폐를 놓지 않는다.

「이 돈 가지고 뭐 할 거예요?」

「놔요, 이러다 찢어지겠어요.」

두 남자는 지폐를 잡은 손에 힘을 주면서 서로 자기 쪽으로 잡아당긴다.

「이 돈 가지고 뭐 할래요?」

「별걸 다 물으시네. 그건 알아서 뭐 하게요?」

이지도르는 손에서 힘을 빼지 않는다.

「글쎄…… 모르겠어요. 책을 사든지, 음반이나 비디오를 구하죠, 뭐.」

뤼크레스는 그 실랑이와 수위의 난처해하는 기색에 흥미를 느끼며, 큰 소리로 혼잣말을 한다.

「이 네 번째 욕구를 뭐라고 부르면 좋을까?」

「안락의 욕구라고 하죠. 첫째는 고통을 멎게 하는 것. 둘째는 두려움에서 벗어나는 것. 셋째는 생존의 욕구를 충족하는 것. 넷째는 안락의 욕구를 충족하는 것.」

수위는 더 세게 지폐를 잡아당겨 마침내 자기 것으로 만든다. 그러더니 마치 그 소란스러운 두 인물을 쫓아 버리려는 듯, 버튼을 누른다. 커다란 유리문이 고양이 울음소리를 내며 옆으로 미끄러진다.

14

장루이 마르탱은 혼수상태에서 깨어났을 때, 우선 자기가 살아 있다는 사실에 기뻐하였다. 그다음에는 자기가 어떤 고통도 느끼고 있지 않음에 또다시 기뻐하였다.

그는 자기가 어떤 병원의 병실에 누워 있음을 알았고, 어쨌거나 약간의 타박상을 입기는 했나 보다 하고 생각했다. 그는 고개를 고정시킨 채 파자마 차림의 자기 몸을 바라보았고, 팔다리가 온전히 붙어 있다는 것과 깁스며 부목 따위는 어디에도 없다는 것을 확인했다. 그는 자기가 〈완전하다〉는 사실에 안도하였다.

그는 손을 움직여 보려고 했다. 그러나 손이 말을 듣지 않았다. 이번엔 발을 움직여 보려 했으나, 발 역시 그의 뜻을 따라 주지 않았다. 소리를 치고 싶었다. 하지만 입을 벌릴 수가 없었다. 더 이상 어느 것 하나 제대로 움직일 수 있는 게 없었다.

장루이 마르탱은 자기가 어떤 상태에 있는지 깨달았을 때, 그만 공포에 사로잡히고 말았다.

그가 할 수 있는 행위란 고작 보는 것과 듣는 것뿐이었는데, 그나마도 단지 한쪽 눈으로만 보고 한쪽 귀로만 들을 수 있었다.

15

눅눅한 석벽에서 나는 화학적 풍화(風化)의 냄새. 법의학 실험실은 지하실에 있다. 그들은 잿빛 복도를 한참 돌아다닌 끝에 마침내 자기들이 들어가야 할 문을 찾아낸다. 문을 두드려 보았지만 아무 대답이 없다. 그들은 문을 열고 들어간다. 키가 큰 남자가 시험관을 원심 분리기에 끼워 넣는 일에 몰두해 있다가 그들을 돌아본다.

「핀처 사건 때문에 왔는데…….」

「누가 들여보냈죠? 아, 당연히 수위가 그랬겠지요. 그 친구 왜 이렇게 말귀를 못 알아듣나! 이번엔 따끔하게 한 소리 해주어야겠어. 누구든 작은 권력이라도 가졌다 하면, 그걸 남용해서 자기 위세를 드러내려고 한다니까.」

「우린 기잡니다.」

남자는 하던 일을 계속하려다가 다시 몸을 돌린다. 구불거리는 검은 머리에 반달 모양의 작은 안경. 풍채가 좋고 상당히 기품이 있어 보인다. 가운 호주머니에 〈조르다노 교수〉라는 글자가 수놓아져 있다. 그는 쌀쌀맞게 그들을 톺아

본다.

「내가 알고 있는 건 이미 수사관들에게 다 얘기했어요. 알고 싶은 게 있으면 그들에게 직접 물어봐요.」

그러더니 그는 대답을 기다리지 않고 시험관을 거두어 다른 방으로 사라진다.

이지도르가 속삭인다. 「저 양반의 동기를 찾아내야 해요. 나한테 맡겨요.」

조르다노 교수는 다시 돌아오더니 그들에게 퉁명스럽게 내뱉는다. 「아직 볼일이 남았나요?」

「우리는 다른 게 아니라 선생님에 관한 기사를 썼으면 합니다.」

교수의 얼굴 표정이 조금 풀어진다.

「나에 관한 기사요? 나는 한낱 시(市)의 공무원일 뿐이에요.」

「선생님은 일반적으로 대중에게 공개되지 않는 것을 늘 가까이 접하고 있습니다. 보통의 주검은 물론이고 변사체들도 자주 검사하지 않으십니까? 그것만으로도 사람들의 관심을 끌기에 충분합니다. 바쁘신 줄은 알지만, 시간을 좀 내주십시오. 오래 걸리지는 않을 겁니다. 부검실을 둘러보고 거기에서 선생님이 일상적으로 일하시는 모습을 사진에 담고 싶습니다.」

조르다노 교수는 이 부탁을 거절하지 않는다. 그는 다른 층에 벗어 둔 상의에서 열쇠를 찾아와야 한다며 5분 동안 기다려 달라고 한다.

그사이에 두 기자는 주위에 있는 해부 도구들을 살펴본다.

「잘했어요, 이지도르. 사람을 살살 구슬릴 줄도 아네요.」

「누구에게나 저마다의 동기가 있게 마련이죠. 저 사람의 동기는 명예욕입니다. 저 학위 증서와 작은 선반 위에 있는 스포츠 트로피들 봤지요? 그가 저것들을 전시하는 것은 자기 이미지에 문제를 느끼고 있기 때문입니다. 그는 자기에 대한 남들의 평가에 신경을 쓰고 있어요. 언론에 자기에 관한 기사가 실리는 것을 남들에게 인정받는 하나의 방식으로 여기는 사람이지요.」

「그렇군요.」

「모든 기계에 저마다의 사용법이 있듯이, 사람을 움직일 때도 그 사람에게 맞는 방식이 있습니다. 요는 그를 움직일 수 있는 주된 지렛대를 찾아내는 것입니다. 그건 물론 쉬운 일이 아니지요. 경우에 따라서는 그의 어린 시절이 어떠했는지도 알아야 합니다. 〈그 시절에 그에게 부족한 것이 무엇이었을까?〉라고 스스로에게 물어보아야 한다는 것이지요. 그 답은 엄마의 입맞춤일 수도 있고, 장난감이나 조르다노 교수의 경우처럼 남들의 칭찬일 수도 있습니다. 조르다노 교수는 남들을 놀라게 하고 싶어 합니다.」

「그러면 타인의 칭찬을 우리 목록의 다섯째 자리에 넣을까요?」

이지도르는 원심 분리기를 더 가까이에서 살펴보다가 대답한다.

「그것을 집단의 인정이라는 개념으로 확대할 수도 있을 것 같군요.」

「사회화라는 개념은 어때요?」

「내 생각에는 타인에 대한 의무감이라는 더 넓은 개념 속에 포함시키는 게 좋겠어요. 여기서 말하는 〈의무감〉에는 자

기 부모나 선생님에 대한 의무감은 물론이고 이웃이나 나라
에 대한 의무감, 나아가서는 모든 인간 존재에 대한 의무감
까지 포함되는 거예요. 저 조르다노 교수는 착한 아들, 선량
한 시민, 성실한 공무원으로서의 의무를 이행하고 있고, 그
것을 남들이 알아주기를 바라고 있어요.」

뤼크레스는 수첩을 꺼내어 적으며 동기의 목록을 다시 나
열한다. 「첫째, 고통을 멎게 하는 것. 둘째, 두려움에서 벗어
나는 것. 셋째, 생존의 욕구를 충족시키는 것. 넷째, 안락의
욕구를 충족시키는 것. 다섯째, 의무감.」

이지도르가 말끝을 단다. 「바로 그 〈의무감〉에서 사람들
은 전쟁터에 나가는 것을 받아들이고 희생을 견뎌 내죠. 사
람들은 양 떼 속에 들어 있는 한 마리 어린 양처럼 길들여집
니다. 그러고 나면 다시는 무리를 떠날 수 없게 되고, 무리 속
의 다른 양들을 기쁘게 하기 위해 행동하지요. 바로 그런 이
유로 누구나 표창을 받으려 하는 것이고, 임금 인상이나 신
문 기사 등을 통해 남들로부터 인정을 받고 싶어 하는 것입
니다. 안락의 욕구를 충족시키기 위한 소비는 부분적으로 이
의무감이라는 개념과 연결되어 있어요. 사람들이 텔레비전
이나 자동차를 사는 까닭은 꼭 그것들이 필요해서가 아닙니
다. 자기가 똑같은 무리에 속해 있다는 것을 이웃 사람들에
게 보여 주기 위해서 사는 경우도 있지요. 사람들은 가장 멋
진 텔레비전이나 가장 멋있는 자동차를 가지려고 애쓰기도
합니다. 그건 자기가 부유하다는 것, 자기가 무리를 구성하
는 가치 있는 요소라는 것을 증명하고 싶어서 그러는 겁
니다.」

조르다노 교수가 돌아온다. 머리에 스프레이를 뿌리고 빗

질을 한결 정성스럽게 한 티가 난다. 가운도 새것으로 갈아 입었다. 그는 열쇠 하나를 흔들어 보이더니, 옆방으로 따라 오라고 한다. 방문에 〈부검〉이라는 팻말이 붙어 있다. 그가 자물쇠 구멍에 열쇠를 집어넣는다.

문이 열리자, 먼저 후각 정보가 밀려든다. 사체의 역겨운 냄새에 또 다른 냄새가 섞여 있다. 포르말린과 라벤더 향이 들어간 소독약 냄새다. 그 후각 유발 물질의 증기가 두 기자 의 비강으로 들어가 상피를 덮고 있는 점액 속으로 녹아든 다. 이 점액에 젖어 있는 후각 섬모들이 냄새 분자들을 포획 하여 코의 가장 위쪽 부분, 곧 천장으로 거슬러 올라가게 한 다. 거기에는 냄새 감각을 받아들이는 방추형의 신경 세포들 이 2제곱센티미터의 면적에 펼쳐져 있다. 신경 세포들이 냄 새를 신호로 바꾸면, 이 신호는 머리뼈 공간 속의 후각 망울[16] 쪽으로 돌진하고 이어 해마(海馬)[17] 쪽으로 나아간다.

「아유 냄새!」

뤼크레스가 그렇게 소리치며 코를 틀어쥐자, 이지도르도 얼른 따라 한다.

하지만 그들을 안내하는 조르다노는 냄새를 전혀 거북해 하지 않는다. 오히려 경험 없는 방문자들이 으레 보이는 그 자발없는 반응을 재미있어하는 눈치다.

「이런 데 들어올 때는 방독면을 쓰는 게 보통입니다. 하지 만 여기에서는 모든 사체를 다시 꿰매 놓기 때문에 꼭 그럴

16 예전 해부학 용어로는 후구(嗅球).
17 대뇌 반구의 안쪽 아래에 측뇌실(가쪽 뇌실)이라는 공간이 있는데, 이 공간은 중심부와 세 개의 뿔로 이루어져 있다. 해마는 그 세 뿔 가운데 하나인 관자뿔(아래뿔)의 구부러진 융기 부분을 가리키는 해부학 용어이다.

필요가 없지요. 지금도 기억이 생생한데, 한번은 이런 일이 있었습니다. 동료 하나가 방독면 쓰는 것을 잊어버리고 어떤 사체의 배를 갈랐어요. 화학 약품을 삼키고 자살한 남자의 주검이었습니다. 그 남자가 뒤섞어 마신 약과 세척제와 비누가 모두 위 속에 머물러 있었지요. 내 동료가 부검을 시작했을 때, 위에서 독성이 매우 강한 가스가 터져 나왔어요. 가엾은 그 친구는 긴급히 병원으로 실려 가고 말았지요.」

법의학자는 혼자서 웃음을 터뜨린다.

그들 주위로 여섯 개의 스테인리스 탁자가 보인다. 탁자마다 사체의 머리를 받치기 위한 하얀 목침이 놓여 있고, 사체에서 흘러나오는 액체를 배출하기 위한 홈이 나 있다. 네 탁자에 주검이 놓여 있는데, 각각의 주검에 비닐 덮개가 씌워져 있어서 보이는 거라곤 발들뿐이다. 시신들은 엄지발가락에 꼬리표를 하나씩 달고 있다.

조르다노가 덤덤하게 알려 준다. 「교통사고가 났어요……. 굽이진 길에서 승용차 한 대가 트럭을 무리하게 추월하다가 변을 당했죠. 이들은 굽이로 들어서기 전에 여유 있게 트럭을 앞지를 수 있을 거라고 생각했던 모양입니다.」

오른쪽 벽에는 손잡이 달린 물비누 분사기와 소독기를 갖춘 커다란 개수대와 가운을 넣어 두는 옷장이 붙어 있다. 그 한쪽 구석에는 부검 과정에서 생기는 폐기물을 버리는 쓰레기 투입구가 있고, 벽이 우묵하게 들어간 안쪽에는 〈엑스선실. 출입 금지〉라고 써놓은 문이 보인다. 왼쪽 벽으로는 로마자들이 붙은 냉장 붙박이장들이 늘어서 있다.

「자아, 이제 시작해 볼까요? 두 분이 알고 싶어 하는 게 뭐죠?」

「먼저 사진을 한 장 찍고 싶은데요. 부검대 앞에서 도구들을 들고 포즈를 좀 취해 주시겠어요?」

조르다노 교수를 구슬리려면 어떻게 해야 하는지를 잘 알게 된 뤼크레스가 그렇게 말하자, 그는 핀셋이며 메스를 들고 의젓하게 포즈를 취한다. 사진 촬영이 끝나자, 뤼크레스는 수첩을 꺼내며 묻는다. 「선생님이 보시기에, 핀처 박사의 사망 원인은 뭔가요?」

조르다노 교수는 차트를 보관해 두는 집기 쪽으로 가서 핀처라는 이름이 붙어 있는 서류철을 꺼낸다. 거기에는 사진들이며 감식 결과 보고서들, 부검 때에 녹음한 오디오 카세트 테이프, 화학 분석 결과의 목록 등이 들어 있다.

「……사랑 때문입니다.」

「사인치고는 너무 모호한 듯한데, 좀 더 분명하게 말씀해 주실 수 있겠습니까?」

이지도르가 그렇게 부탁하자, 조르다노는 자기 서류를 읽어 준다. 「동공이 확대되어 있고 혈관이 대단히 긴장되어 있음. 뇌와 성기에 비정상적인 충혈이 있음.」

「성기에 충혈이 있다고요? 사망 후에도 그것을 알아낼 수 있나요?」 뤼크레스가 놀라서 묻는다.

조르디노는 그 물음에 만족한 기색이다.

「사실, 남성의 성기가 발기한다는 것은 음경의 동맥을 통해 혈액 공급이 증가하면서 음경 해면체에 충혈이 일어나는 것입니다. 혈액을 공급받은 혈관들이 팽팽해짐으로써 음경의 딴딴함과 꼿꼿함이 유지되는 것이지요. 하지만 피는 해면체에 너무 오래 고여 있으면 안 됩니다. 너무 오래 머물러 있다 보면 혈액 세포에 산소가 부족하게 될 테니까요. 그래서 발기 상태가 아주 오랫동안 지속되는 경우에도, 때때로 음경이 조금 물렁해지는 현상이 일어납니다. 산소를 필요로 하는 혈액을 조금씩 내보내기 위한 것이지요. 그런데 핀처 박사의 해면체에서는 괴사(壞死)를 일으킨 세포들이 발견되었습니다. 해면체에 너무 오랫동안 고여 있었던 것으로 보이는 혈액 세포들이지요.」

「그 괴사한 세포들 말고는 혈액 분석에서 더 나온 게 없나요?」

이지도르가 묻는다. 화제를 바꾸고 싶었던 모양이다.

「엔도르핀의 농도가 비정상적으로 높았어요.」

「그게 의미하는 바가 뭐죠?」

「그가 굉장한 오르가슴을 경험했다는 뜻이죠. 잘 아시겠지만, 남성의 오르가슴은 반드시 사정과 연관되지 않습니다. 오르가슴을 느끼지 않는 사정도 있을 수 있고, 사정을 하지 않는 오르가슴도 있을 수 있다는 얘기죠. 여성의 경우에나 남성의 경우에나, 오르가슴의 유일한 징표는 엔도르핀의 함량입니다.」

뤼크레스가 미세하게 구불거리는 적갈색 머리를 쓸어 올리며 묻는다. 「엔도르핀이 뭐죠?」

얼굴에 흥미로워하는 기색이 역력하다.

조르다노 교수는 반달 모양의 작은 안경을 고쳐 쓰더니 젊은 여자를 찬찬히 살펴본다.

「그건 우리 몸속에서 저절로 만들어지는 모르핀입니다. 우리로 하여금 쾌감을 느끼게 하고 고통을 견디게 하려고 우리 몸이 분비하는 물질이지요. 우리가 웃을 때나 누군가를 사랑할 때, 바로 이 물질이 분비됩니다. 류머티즘 같은 병을 앓고 있을 때, 성적 매력이 넘치는 어떤 사람 옆에 있다 보면 아픔이 덜해지는 것을 느끼는 경우가 있습니다. 그런 거 경험해 본 적 없나요? 우리가 성행위를 할 때도 엔도르핀이 많이 분비됩니다. 조깅을 해봐서 아시겠지만, 한참 달리다 보면 일종의 취기 같은 상태를 느끼게 됩니다. 그건 근육의 고통을 상쇄하기 위해 우리 몸이 엔도르핀을 만들어 내기 때문입니다. 달리기의 쾌감은 그렇게 간접적으로 생겨나는 것이지요.」

「바로 그것 때문에 사람들이 조깅에 중독이 되는 거로군요?」

「정확히는, 달릴 때의 고통을 견디기 위해 만들어지는 엔도르핀에 중독되는 것이지요.」

뤼크레스는 그 말을 모두 수첩에 적는다. 조르다노는 이 젊은 여성 기자가 흥미를 보이는 것에 고무되어 이야기에 신바람을 낸다.

「예전에 중국에서는 암사슴을 산 채로 잡아서 엔도르핀을 얻는 데에 이용했습니다. 그 방법은 이렇습니다. 먼저 암사슴의 다리에 타격을 가하여 개방 골절이 되게 합니다. 그런 다음 뼈가 다시 붙을 만하면 또 타격을 가해서 골절이 계속 유지되게 합니다. 그런 식으로 심한 고통을 느끼게 하면 사슴은 고통을 달래기 위해 자연스럽게 엔도르핀을 분비합니다. 중국인들은 사슴을 그런 상태로 만들어 놓고 경정맥을 찔러 피를 받아 냈습니다. 그들은 엔도르핀이 많이 함유된 그 피를 말린 다음 가루로 만들어서 최음제로 팔았다고 합니다.」

두 기자는 동시에 얼굴을 찡그린다. 뤼크레스는 적기를

중단하고 토를 단다. 「그 얘기 들으니까 속이 거북해지려고 해요.」

조르다노 교수는 자기 이야기가 기자에게 충격을 주었다는 사실에 만족하며 더욱 신바람을 낸다.

「엔도르핀은 말이죠, 쾌감을 느낄 때마다 아주 조금씩밖에 만들어지지 않는 게 보통입니다. 생겼다가도 상당히 빨리 사라지지요. 그런데 핀처는 엔도르핀을 어찌나 많이 분비했는지, 내가 혈액 분석을 할 때까지도 그 흔적이 남아 있었어요. 그건 극히 드문 현상이죠. 그는 정말이지 엄청나게 짜릿한 쾌감을 맛보았던 게 틀림없어요.」

뤼크레스는 조르다노의 눈길이 자기 가슴에 쏠리고 있음을 알아차리고, 트인 옷깃을 얼른 다시 여민다.

이지도르는 거북살스러운 기분을 느끼며 화제를 바꾼다.

「핀처가 마약을 투여한 것 같지는 않던가요?」

「그 점에 대해서도 생각을 했습니다. 마약은 체내의 지방에 저장되기 때문에 투여의 흔적이 오랫동안 남아 있게 마련이죠.」

그러면서 법의학자 조르다노는 개수대 위에 붙어 있는 인체 해부도를 가리킨다. 인체의 근육이며 뼈, 연골, 지방 부위 등을 정밀하게 재현해 놓은 그림이다.

「여기를 한번 보세요. 어떤 물질들, 예컨대 비소나 철, 납 같은 것들은 체내에 흡수된 지 수십 년이 지나도 여기에서 그 잔재를 찾아낼 수 있습니다. 비록 아주 적은 양이 체내에 들어왔다 해도 말입니다.」

이지도르가 놀라서 묻는다. 「체내의 지방이 여러 겹의 침전층으로 이루어졌단 말인가요? 그렇다면 지방을 분석하는

일은 고고학 탐사 현장에서 지층을 한 켜 한 켜 조사하는 것
과 비슷한 작업이군요?」

「맞습니다. 우리는 지방에 침전된 물질을 분석함으로써
죽은 사람이 과거에 투여한 약물을 모두 알아낼 수 있습니
다. 그런데 핀처의 경우에는 체내 지방에 마약의 흔적이 없
었습니다. 마약이건 약품이건 의심이 갈 만한 화학 물질은
전혀 발견되지 않았습니다.」

뤼크레스가 희색을 드러내며 말끝을 잡는다. 「그래서 사
랑 때문에 죽었다고 결론을 내리셨군요. 나도 같은 생각이
에요. 누구 말마따나 사람은 〈사랑에 치여 죽을〉 수도 있는
거죠…….」

「그럼요, 물론이죠. 괴로움 때문에 죽는 사람이 있을 수 있
듯이, 사랑 때문에 죽는 사람도 있을 수 있죠. 정신의 힘은 무
한합니다. 내가 보기에, 죽음이란 단지 육체의 문제일 뿐만
아니라 정신의 문제이기도 하지요.」

이지도르는 로마자들이 붙어 있는 냉동 붙박이장들을 살
펴보다가 F가 적힌 서랍을 가리킨다.

「핀처의 시신을 볼 수 있을까요?」

조르다노 교수는 머리를 흔든다.

「한발 늦었군요. 오늘 오전에 부검이 끝났기 때문에, 가족
에게 돌려주기 위해 내보냈습니다. 내보낸 지 45분밖에 안
됐어요.」

그는 아쉬워하는 기색을 보이며 말을 잇는다. 「정말이지
그 사람은 아주 멋지게 생을 마감한 셈이에요. 체스 세계 챔
피언의 자리에 등극한 데다, 세계 최고의 미인 가운데 하나
라는 여자의 품에서 사랑을 나누다가 죽었으니까요. 운 좋은

사람들은 따로 있나 봐요……. 그는 의사로서도 운이 좋았 어요.」

「어디에서 근무했는데요?」

「레랭스의 두 섬 가운데 하나인 생트마르그리트의 병원에 서 원장을 지냈지요. 그가 경영을 맡으면서, 그 병원은 유럽 에서 가장 큰 축에 드는 정신 병원이 되었습니다. 사실 나는 그 병원을 잘 압니다. 두 분에게만 하는 얘기지만, 한때 우울 증 때문에 그 병원에서 치료를 받은 적이 있거든요.」

이지도르는 눈썹을 치켜올린다.

「다 지나간 일입니다. 일에 너무 치여서 몸과 마음을 제대 로 가누지 못하던 때가 있었지요.」

조르다노는 여기자의 커다란 에메랄드빛 눈을 뚫어지게 바라본다. 그 눈빛이 한결 강렬해져 있다.

「어쩌면, 우리가 살고 있는 이 시대는 마음을 온전히 가누 며 살기가 어려운 시대인지도 모르겠어요. 세계 보건 기구에 서 내놓은 최근의 연구 결과에 따르면, 선진국 인구의 절반 정도가 심리적인 도움을 필요로 한다더군요. 프랑스는 전 세 계에서 안정제와 수면제를 가장 많이 소비하는 나라입니다. 사람은 똑똑해지고 사고력이 높아질수록 심성이 여려지게 마련이죠. 서구의 정치 지도자들 가운데 얼마나 많은 사람들 이 정신 병원을 거쳐 갔는지를 안다면 깜짝 놀라실 겁니다. 나는 생트마르그리트 병원에 머물던 시절과 관련해서 대단 히 기분 좋은 추억을 간직하고 있습니다. 바닷가의 아름다운 자연 속에 있다 보면, 몸과 마음의 피로가 싹 풀리지요. 녹음 이 짙고 꽃이 흐드러진 섬이에요.」

16

「마르탱씨마르탱씨내말들려요?」

이 소리들이 귓바퀴를 지나고 바깥귀길을 지나서, 귀지에 닿았다. 귀지란 고막을 보호하고 고막의 탄력성을 유지하기 위해 만들어지는 노르스름하고 약간 기름기가 있는 물질이다. 소리의 파동은 이 장애물을 돌아 엄밀한 의미에서의 고막을 진동시켰다.

고막 뒤에는 공기로 채워진 빈 공간, 즉 고실(鼓室)이 있다. 고실 안에는 귓속뼈 세 개가 관절로 서로 연결되어 있다. 맨 앞의 망치뼈는 고막에 붙어 있어서 고막의 진동을 그대로 전달한다. 이 진동은 다음 뼈인 모루뼈에 전달되고, 다시 이 모루뼈는 맨 끝의 뼈를 움직인다. 이 셋째 뼈는 생김새가 말을 탈 때 발을 디디는 장치인 등자를 닮았다 해서 등자뼈라 불린다. 이 세 귓속뼈가 소리 자극을 기계적으로 증대시킴으로써 의사의 너무 약하다 싶은 목소리가 증폭되었다.

파동은 다시 속귀로 전달되었다. 속귀에는 달팽이 껍질처럼 생겼다 해서 와우각(蝸牛殼)[18]이라 불리는 기관이 있다. 섬모가 달린 1만 5천여 개의 신경 세포를 품고 있는 이 기관이 바로 진짜 청각 수용기다. 파동은 여기서부터 전기 신호로 변화되어 청각 신경을 타고 거슬러 오르다가 내뇌 판사엽[19]

---

18 대한 해부학회의 『해부학』(1,058면)에서는 이것을 그냥 〈달팽이〉라 부르고 있다. 와우(달팽이라는 뜻)나 와우사(달팽이 껍데기라는 뜻)이라는 한자어보다는 달팽이라는 이름이 한결 잘 다가온다고 생각되지만, 여기에서는 문맥을 고려하여 와우각이라는 단어를 썼다. 달팽이는 달팽이축과 달팽이관으로 이루어져 있다. 따라서 흔히 그러하듯이 달팽이를 달팽이관이라 부르는 것은 제유(提喩)이거나 오류이다.

19 대뇌 반구의 관자놀이 쪽 뇌엽(腦葉)이라 해서 관자엽이다. 옆쪽 머리에

의 가로관자이랑[20]에 도달했다. 거기에는 각각의 소리에 하나의 의미를 부여하는 소리 사전이 있었다.

「마르탱 씨(이건 나다), 마르탱 씨(이 사람이 자꾸 나를 부르는 건 내가 자기 목소리를 듣지 못할까 봐 걱정하고 있다는 뜻이다), 내 말 들려요?(이 사람은 내 쪽에서 어떤 대답이 나오기를 기대하고 있다. 어떻게 하지? 난 아무것도 할 수가 없는데!)」

그는 참담한 심정으로 눈꺼풀을 깜박였다.

「깨어나셨군요. 안녕하세요? 나는 사뮈엘 핀처라는 의사입니다. 이제부터 내가 마르탱 씨를 돌볼 거예요. 좋은 소식 하나와 나쁜 소식 하나가 있어요. 좋은 소식이란, 마르탱 씨가 사고를 당하고도 살아남았다는 거예요. 마르탱 씨가 받은 물리적 충격을 고려할 때, 이건 진짜 기적입니다. 나쁜 소식이란, 마르탱 씨의 뇌줄기[21]가 손상을 입었다는 거예요. 숨뇌[22] 조금 위쪽이 손상되었어요. 그 결과, 한 가지 병이 생겼는데 우리 의사들은 그것을 리스LIS라고 불러요. 락트인 신드롬Locked-in Syndrome이라는 영어 단어의 약자예요. 말 그대로 환자가 자기 안에 감금되어 버린 듯한 상태가 되

있다는 뜻으로 측두엽(側頭葉)이라고도 한다.

20 대뇌 반구의 표면은 주름이 많이 진 이랑(한자어로는 뇌회[腦回])으로 이루어져 있고, 이랑의 사이사이에 고랑(뇌구)이 있다. 가로관자이랑이란 관자엽에 있는 이랑 중의 하나로서 1차 청각 피질에 해당하는 부분이다.

21 뇌간(腦幹)이라고도 한다. 뇌를 구성하는 한 부분으로 척수를 소뇌와 대뇌에 연결한다. 숨뇌, 다리뇌, 중간뇌로 이루어지며 호흡이나 소화와 같은 생명 유지에 필수 불가결한 기능을 조절한다.

22 연수(延髓)라고도 한다. 이 연수라는 말은 〈척수가 연장된 것〉이라는 뜻으로 라틴어 이름 medulla oblongata의 뜻을 그대로 살린 번역이고, 숨뇌라는 말은 구조보다는 기능에 초점을 둔 용어라고 볼 수 있다.

는 증후군이지요. 마르탱 씨의 뇌는 여전히 기능하고 있는데, 신경 계통의 여타 부분이 더 이상 뇌에 응답하지 않는 상태예요.」

17

「핀처의 죽음에 대해서, 두 분은 그것이 살인이라고 믿고 있는 거죠?」

법의학자의 물음에 이지도르가 턱짓으로 그렇다는 뜻을 알린다.

「자아, 갑시다. 보여 줄 게 있어요. 두 분에게 호감이 가요. 내가 핀처 박사에게 신세진 것도 있고요. 그래서 두 분에게 〈그것〉을 보여 주려는 거예요.」

그는 한쪽 눈을 찡긋해 보인다.

「아무한테도 말하지 마세요. 약속하죠? 그리고 사진도 절대로 안 돼요!」

법의학자는 안쪽의 엑스선실 문을 조심스럽게 연다. 마치 레스토랑의 포도주 담당자가 최고급 포도주 병을 꺼내 보이려 할 때만큼이나 뭔가 아주 귀한 것을 보게 되리라는 기대감을 갖게 한다. 의료 기구들 옆으로 책상과 캐비닛이 보인다. 조르디노는 그들을 들어오게 하더니, 캐비닛을 열어 주둥이가 넓은 투명한 표본 병 하나를 꺼낸다. 어항처럼 생긴 그 병은 노르스름한 빛깔의 액체로 채워져 있고, 그 액체 속에 분홍빛이 도는 잿빛 덩어리 하나가 떠 있다.

「핀처의 유족은 시신의 인도를 요구했지만, 시신이 온전한지 어떤지는 확인하지 않을 겁니다. 사실, 부검을 하는 동안에 우리는 기관들을 꺼내어 검사할 뿐만 아니라, 때로는 그것들 대신 비닐 주머니를 시신 속에 집어넣고 다시 꿰매기도 합니다. 죽은 사람의 몸속에 모든 기관이 온전하게 들어 있는지를 확인할 사람은 아무도 없을 테니까요. 요컨대 나는 여기에 이렇게 기관 하나를 남겨 두었습니다. 두 분이 비밀을 지켜 줄 거라고 믿기 때문에 보여 드리는 겁니다. 어쨌거나 우리가 아무 시신에서나 이런 것을 떼어 내는 건 아닙니다. 핀처는 보통 사람이 아니었죠……. 예전에 아인슈타인에 대해서도 이와 똑같은 일을 저지른 사람이 있었습니다.」

그는 사진을 현상할 때 쓰는 것과 같은 붉은 천장 등을 켠다. 두 기자는 유리병의 내용물을 식별해 낸다.

「핀처의 뇌로군요!」 뤼크레스가 소리친다.

두 기자는 불그스름한 빛을 받고 있는 그 중추 신경계의 기관을 홀린 듯이 바라본다. 대뇌 반구 표면의 이랑들이 이리저리 구불거리며 무한한 테두리를 이루고 있다. 그보다 색이 짙은 혈관들은 주름들 사이의 깊숙한 고랑에 퍼져 있다. 뇌의 아래쪽은 정확하게 척수로 이어지는 자리에서 절단되었다.

조르다노는 유리병으로 가까이 다가가 내용물을 살핀다.

「인간의 뇌는 신비 중의 신비입니다. 우리는 그 신비를 밝혀내려고 애쓰고 있지만, 문제는 이 일을 시도하기 위해 우리가 사용할 수 있는 유일한 도구가…… 바로 뇌라는 점이죠.」

그들은 이 말을 곱씹으면서 한참 동안 뇌를 바라본다.

뤼크레스가 명함을 내밀며 말한다. 「뭔가 새로운 것을 찾아내시거든 주저하지 마시고 제 휴대폰으로 전화를 주십시오. 아무 때고 상관없습니다. 벨 소리 대신 진동으로 해놓으면 언제 전화를 하셔도 방해될 게 없으니까요.」

조르다노는 명함을 받아 들고는 자기 호주머니에 아무렇게나 집어넣는다. 그러더니 무심결에 한 손으로 유리병을 쓰다듬으면서 말끝을 단다. 「사뮈엘 핀처가 죽기 전에 우리는 여러 차례 만났습니다. 그러면서 친구처럼 가까운 사이가 되었지요. 어떤 나이트클럽에서 그를 우연히 만난 게 우리의 마지막 만남이 되고 말았군요. 〈즐거운 부엉이〉라는 나이트클럽입니다. 그의 형 파스칼 핀처가 공연을 하는 곳이죠. 파스칼은 최면술사입니다. 그러고 보면 그들 형제는 둘 다 뇌의 기능을 이해하는 일에 집착했던 셈이군요. 사뮈엘은 기관의 측면에서, 파스칼은 심리학적인 측면에서 뇌의 문제에 접근했다고 볼 수 있겠네요. 가서 파스칼의 최면 공연을 한번 보세요. 생각의 힘이 어떤 것인지를 깨닫게 될 겁니다…….」

붉은 불빛의 열기 때문인지 핀처의 뇌가 표본 병 속에서 아주 천천히 돌고 있는 듯하다.

18

의사의 말뜻을 온전히 이해하게 되자, 장루이 마르탱의 마음에는 이내 당혹감과 공포와 걷잡을 수 없는 혼란이 밀려왔다. 하지만 의사는 계속 목소리를 가만가만 그의 귀에 흘려 넣고 있었다.

「알아요. 받아들이기가 쉽지 않을 겁니다. 하지만, 마르탱 씨는 여기 이렇게 신뢰할 만한 의료진의 손에 맡겨져 있습니다. 여기는 생트마르그리트 병원이에요. 우리는 뇌와 신경계통 분야의 연구에서 첨단을 달리고 있어요.」

니스 신용 은행에서 법무 담당 부서의 책임자로 일했던 마르탱 씨는 이제 자기가 당한 재난의 규모가 어느 정도인지를 가늠할 수 있었다. 그는 예전과 다름없이 생각할 수 있었고, 한쪽 눈과 한쪽 귀로 보고 들을 수 있었다. 하지만, 그것 말고는 더 이상 할 수 있는 게 없었다. 새끼손가락을 움직여 가려운 데를 긁을 수 없는 것은 물론이고, 가려움 그 자체마저 더 이상 느낄 수 없는 처지였다…… 바로 그 순간에 그의 머릿속에 떠오른 것은 오로지 모든 게 끝났다는 생각뿐이었다.

사뮈엘 핀처 박사가 한 손을 그의 이마에 갖다 대었다. 그는 의사의 손이 닿는 것을 느끼지 못했다.

「마르탱 씨가 지금 무슨 생각을 하고 있는지 난 알고 있습니다. 모든 걸 끝내고 싶으실 겁니다. 차라리 스스로 목숨을 끊는 게 낫겠다고 생각하셨을 겁니다. 그러다가 전신 마비 때문에 그것조차 결행할 수 없다는 사실을 깨달으셨을 겁니다. 제가 잘못 알고 있나요?」

장루이 마르탱은 자기 몸 어디에서든 무어라도 움직여 보려고 다시 애를 쓴 끝에, 눈꺼풀을 다시 깜박이는 데 성공했다. 그가 움직일 수 있는 근육은 눈꺼풀에 있는 근(筋)뿐이었다.[23] 정말 인정하고 싶지 않았지만, 이제 그 사실을 받아들이지 않을 수 없었다.

「생명이란…… 모든 유기체를 살아 있게 하는 근본적인 힘입니다. 모든 유기체는 가능한 한 오래오래 생명을 유지하려

---

23 락트인 신드롬 환자가 오로지 눈꺼풀만으로 바깥 세계와 소통한다는 이 설정은 1997년에 많은 사람들에게 감동을 주었던 실화를 바탕으로 하고 있다. 그 실화의 주인공은 『엘르』지의 편집장이었던 장도미니크 보비이다. 그는 15개월 동안 병상에 누운 채 왼쪽 눈꺼풀만 움직여 『잠수종과 나비』라는 책을 완성하고 자기를 가두고 있던 잠수복에서 벗어나 나비처럼 세상을 떠나갔다. 베르베르가 〈감사의 말〉에서 밝히고 있듯이, 보비는 소설 『개미』를 높이 평가하고 신인 시절의 베르베르에게 『엘르』 독자 대상을 안겨 준 사람이다.

고 합니다. 세균이나 지렁이나 곤충 같은 미물조차 그것을 원합니다. 조금 더, 단 몇 초라도 더 살겠다고 발버둥 치는 것이 모든 생물의 본성이지요.」

그러면서 의사는 그의 곁에 앉았다.

「마르탱 씨가 무슨 생각을 하는지 알아요. 〈난 아냐. 난 이제 아냐〉라고 생각하시죠? 그 생각은 옳지 않아요.」

마르탱의 신경이 살아 있는 한쪽 눈의 구릿빛 홍채가 확대되면서, 심연과도 같은 검은 구멍이 파이고 있었다. 그러면 나보고 어쩌란 말이냐 하는 의구심을 가득 담은 심연이었다. 그는 자기에게 이런 상황이 닥칠 거라고는 꿈에서조차 생각해 보지 않은 사람이었다.

난 끝났다. 내가 무얼 잘못했기에 이런 벌을 받아야 한단 말인가? 누구도 이런 상황을 견딜 수 없을 것이다. 움직일 수도 없고 말을 할 수도 없고 주위 세계를 느낄 수도 없다. 아픔을 느끼는 것조차 불가능하다! 모든 게 와르르 무너져 내린 기분이다. 겉으로만 멀쩡할 뿐 난 아무것도 할 수가 없다. 불구자들이 부럽다. 그들은 그냥 몸의 어느 부분이 온전치 못할 뿐이지 않은가! 중화상을 입은 사람이 부럽고, 하반신 장애인이 부럽다. 그들은 다른 건 몰라도 손은 쓸 수 있잖은가! 시각 장애인이 부럽다. 그들은 적어도 자기들의 몸을 느낄 수는 있잖은가! 난 인류 역사에서 가장 지독한 벌을 받은 사람이다. 예전에는 나 같은 사람을 그냥 죽게 내버려 두었을 것이다. 그런데, 지금은 그 빌어먹을 진보라는 것 때문에, 죽고 싶어도 못 죽고 이렇게 살아 있어야 한다. 이건 정말 끔찍한 일이다.

한바탕 어지럽게 움직이던 그의 한쪽 눈이 움직임을 멈추었다.

그런데 이 사람은? 이 의사라는 작자는 참으로 태평스러운 표정을 짓고 있지 않은가! 마치 이 악몽을 어떻게 다스려야 하는지 완벽하게 알고 있기라도 한 듯한 표정이다. 이 사람이 나에게 무슨 말인가를 하려고 한다. 나는 의사이기에 앞서…….

「나는 의사이기에 앞서 한 인간입니다. 직업상의 의무 때문에 행동하거나 법률적인 문제가 생길까 두려워서 행동하기보다는 내 양심에 따라 행동하는 사람이죠. 나는 다른 무엇보다 나에게 맡겨진 사람들의 자유 의지를 존중합니다. 그래서 마르탱 씨에게도 선택할 여지를 드리겠습니다. 신경이 살아 있는 한쪽 눈꺼풀로 마르탱 씨의 결심을 알려 주세요. 살겠다고 결심하시는 경우에는 눈꺼풀을 한 번 깜박이시면 됩니다. 삶을 포기하기로 결심하시는 경우에는 두 번 깜박이시면 되고요.」

선택의 가능성이 남아 있다! 내가 아직도 주위 세계에 어떤 식으로든 영향을 미칠 수 있다는 얘기다. 물론 나는 죽고 싶다.

내 선택을 어떻게 표현하라고 했지? 아 그래, 눈꺼풀을 두 번 깜박이라고 했지.

「시간을 두고 생각해 보세요…….」

장루이 마르탱은 〈예전〉으로 생각을 돌렸다.

예전에 난 행복했다.

꼭 이렇게 모든 것을 잃은 뒤에야 자기가 얼마나 소중한 것들을 가지고 있었는지 깨닫게 되는 것일까?

핀처 박사는 입술을 깨물었다. 이제껏 그가 만난 리스 환자들은 그런 선택권을 주었을 때 한결같이 죽음을 선택했다.

마르탱은 성한 한쪽 눈으로 핀처를 응시하고 있었다. 의사의 얼굴에 어린 표정을 낱낱이 살피면서 속마음을 읽어 내려는 것 같았다.

이 의사는 나에게 군이 선택권을 주지 않아도 된다. 그런데도 위험한 일을 자청하고 있다. 날 위해서 말이다. 내가 죽는 쪽을 선택한다면, 이 의사는 나를 죽였다는 이유로 추궁을 당할지도 모른다. 다른 의사 같으면 내 의견을 묻지 않고 나를 살렸을 것이다. 히포크라테스 선서에서 이르듯이 어떻게 해서든 생명을 구해 내는 것이 의사들의 의무이기 때문이다. 하지만 이 의사는 나보고 사느냐 죽느냐를 선택하라고 한다. 정말 뜻밖이다. 나는 이제껏 살아오면서 이보다 더 심각한 결정을 내려 본 적이 없다.

의사는 몹시 지친 듯한 기색을 보이며 한 손가락으로 안경을 이마 위로 올리고 눈을 감았다. 마치 자기 시선으로 환자에게 영향을 미치는 게 싫어서 그러는 것 같았다.

의사가 이렇게 말끝을 달았다. 「결정은 마르탱 씨가 하시는 겁니다. 하지만 이거 하나는 알려 드려야겠네요. 마르탱 씨가 살기로 결심하신다면, 다시는 죽는 것을 제안하지 않고 내가 가진 능력과 수단을 모두 동원해서 마르탱 씨가 가능한 한 오래오래 사시도록 최선을 다할 것입니다. 잘 생각해 보시고 어느 쪽을 선택하셨는지 알려 주십시오. 눈꺼풀을 한 번 깜박이시면 살겠다는 뜻으로 알고, 두 번 깜박이시면 삶을 포기하겠다는 뜻으로 알겠습니다. 자아, 어느 쪽을 선택하시겠습니까?」

19

「니스식 샐러드 하나를 주시는데, 절인 멸치는 빼고 소스
는 따로 주세요. 또 토마토는 껍질을 벗긴 거라야 돼요. 나는
토마토 껍질을 소화시키지 못하거든요. 그리고 소스에 들어
가는 식초는 뭐죠?」

「나무딸기 식초인데요, 손님.」

「그거 말고 모덴식 발삼 식초를 넣을 순 없나요? 나는 그
걸 무척 좋아하거든요.」

한편, 이지도르는 새우와 자몽을 곁들인 아보카도를 주문
한다. 그는 짠맛 나는 것과 단맛 나는 것이 섞인 요리를 대단
히 좋아한다.

웨이터는 그들의 주문을 받아 적는다. 전채에 이어서 뤼
크레스가 주 요리로 선택한 것은 프로방스식 닭고기다. 하지
만 토마토는 빼고 소스는 따로 달라는 주문이 따라붙는다.
양파도 넣지 말란다. 또 버터에 데친 사과를 곁들여 먹는 대
신 여물지 않은 강낭콩 깍지 나물을 먹을 수 있느냐고 묻는
다. 그 강낭콩 깍지도 기름을 넣지 않고 증기로 익힌 것이라
야 한다는 것이다. 웨이터는 참을성이 아주 많다. 써놓은 것
을 지우기도 하고 여백에 따로 적기도 하면서 뤼크레스의 요
구를 낱낱이 들어준다. 까다로운 손님들을 시중드는 데에 이
골이 난 모양이다. 한편, 이지도르는 나룩풀 소스를 친 모오
케[24] 요리를 주문한다. 나중에 디저트를 맛있게 먹을 양으로

24 대구목 대구과의 민물고기. 대구과 가운데 유일한 담수종. 우리말로는
모케라고도 한다. 프랑스어로 로트 lotte라고 부르는 이 물고기를 일부 불한사
전에서 아귀라 옮기고 있으나 이는 잘못이다. 아귀는 아귀목 아귀과에 속한 물
고기로 모오케와는 전혀 다른 종이다.

그렇게 주문한 것이다.

웨이터가 이지도르에게 묻는다. 「포도주는 안 드시겠습니까? 저희 집에는 아주 맛좋은 방돌산 로제[25]가 있습니다.」

「아뇨, 됐어요. 오랑지나[26] 라이트 하나하고 보리 시럽 음료 하나 주세요.」 뤼크레스가 잘라 말한다.

웨이터는 그들 자리를 떠나기 전에 식탁을 장식하는 초 두 개에 불을 붙인다. 식탁을 사이에 두고 그들이 마주앉아 있는 이곳은 레스토랑 겸 나이트클럽 〈즐거운 부엉이〉다.

별로 크지 않은 홀을 수백 개의 가면들이 장식하고 있다. 눈을 크게 뜨고 있는 사람 얼굴 모양의 가면들이 벽이며 천장을 뒤덮고 있으니, 군중이 모든 각도에서 손님들을 관찰하고 있는 듯한 느낌이 든다.

무대 위에는 〈최면술사 파스칼 선생〉이라고 쓴 플래카드가 걸려 있다.

「이지도르, 저거 믿어요? 최면술 말이에요.」

「나는 암시의 힘을 믿어요.」

「암시라는 게 뭐죠?」

「하늘에서 내리는 눈이 무슨 색깔이죠?」

「흰색요.」

「이 종이는 무슨 색깔이죠?」

「흰색요.」

「그럼 젖소는 뭘 마시죠?」

---

25 분홍색 포도주. 적포도주를 만들 때처럼 검은 포도나 붉은 포도를 껍질째 으깨 담그지만, 일정한 시간이 지난 다음 껍질을 걷어 내고 계속 발효시키기 때문에 적포도주보다 빛깔이 연하고 떫은맛이 덜하다. 방돌은 프랑스 지중해 연안의 툴롱 근처에 있는 포도주 산지이자 해수욕장.

26 상표명. 오렌지 주스를 묽게 만든 음료.

「우유요…….」

이지도르는 빙그레 회심의 미소를 짓는다.

「아이참! 우유가 아니라 물이지. 좋아요. 내가 보기 좋게 당했군요.」뤼크레스는 선선히 인정한다.

주문한 음식이 나오기를 기다리는 동안에 먹으라고, 웨이터가 식전주의 안주로 나오는 주전부리를 가져다준다. 식초에 절인 카프르,[27] 검은 올리브, 으깬 멸치 등에 올리브기름을 첨가한 프로방스 요리 타프나드다. 그들은 그것을 조금씩 먹으면서 객석을 살핀다.

그들 오른쪽에서 한 남자가 휴대폰으로 전화를 하고 있다. 목소리가 크고 우렁차다. 반면에 그와 마주하고 앉은 남자는 태연함을 잃지 않으려고 애쓰면서, 자신의 전화기가 울리기만을 바라고 있다. 자기도 상대방에게 똑같은 폐를 끼치리라 벼르고 있는 것이다.

그때 뤼크레스의 휴대폰이 식탁 위에서 달달거린다. 이지도르는 그녀에게 나무라는 듯한 눈길을 보낸다. 그녀는 발신 번호 표시 서비스를 통해 전화를 건 사람이 누구인지 확인하더니, 전화기를 그냥 꺼버린다.

「부장이에요. 아예 꺼버렸으니까, 더 이상 방해받지 않을 거예요.」

「휴대폰이 우리 시대에 신종의 무례를 범람시키는군요.」

그들 주위의 다른 커플들은 조용히 식사를 하고 있다. 이

---

27 양귀비목 풍접초과에 딸린 케이퍼(학명은 Capparis spinosa)라는 식물의 꽃봉오리. 개화하기 전에 이 봉오리를 따서 요리에 쓴다. 케이퍼를 흔히 풍접초(학명은 Cleome spinosa)라 옮기고 있지만, 둘은 같은 과에 딸려 있기는 하나 전혀 다른 종이다.

지도르는 그들을 살펴보면서 빵의 속살을 동글동글하게 뭉친다.

「사랑 때문에 죽다니, 그건 말이 안 돼. 조르다노가 농담을 하고 있는 거야…….」

그는 그렇게 볼멘소리를 하면서 동글동글하게 뭉친 빵을 입 안에 넣는다. 뤼크레스가 대꾸한다.

「사랑 때문에 죽은 게 맞아요! 머리의 혈관이 터지도록 사랑하다가 죽은 거라고요. 물론 당신은 너무 지적이고 요모조모 지나치게 따지는 사람이라서, 사랑의 감정이 얼마나 강력한지 이해하지 못할 거예요.」

그는 보리 시럽 음료를 단숨에 들이킨다.

「핀처는 살해당했어요. 난 그것을 확신해요. 그리고 그를 죽인 사람은 나타샤 아네르센이 아니에요.」

뤼크레스는 손을 뻗어 그의 턱을 잡는다. 그녀의 커다란 초록색 눈이 촛불의 빛을 받아 반짝인다. 속에서 터져 나오려는 뭔가를 억누르느라고 그녀의 가슴이 붕긋하게 솟았다가 내려앉는다.

「자아 솔직하게 말해 봐요, 이지도르. 이제껏 단 한 번이라도 누군가에게 사랑한다고 말해 본 적 있어요?」

그는 턱을 빼낸다.

「누군가를 사랑한다고 말하는 건 어리석은 사람들의 마음을 빼앗으려는 속임수죠. 순진한 사람들을 홀리는 데에는 그보다 더 좋은 방법이 없습니다. 내가 보기에, 사랑한다는 말 뒤에는 상대방을 소유하려는 욕구가 감춰져 있어요. 나는 어느 누구를 소유하고 싶어 한 적도 없고, 어느 누구에게 소유당하고 싶어 한 적도 없어요.」

「참 딱하군요……. 살인자들을 찾아내는 일이 당신에게 무슨 도움이 되죠? 당신은 사랑할 줄도 모르고 사랑을 발견할 줄도 모르는 사람인데 말이에요.」

그는 좀 전보다 더 열심히 빵의 속살을 잡아 뜯더니 크게 뭉쳐서 한입에 삼켜 버린다. 그러고는 자기 뇌리에서 다듬은 말을 툭 뱉어 낸다.

「사랑이란 지력에 대한 상상력의 승리죠.」

그녀는 속으로 잘났어 정말 하면서 어깨를 치켜올렸다가 내린다. 그녀가 생각하기에 이지도르는 그저 뇌의 성능만 좋은 인간일 뿐이다. 그 이상은 아무것도 없다. 마음이 없는 뇌가 무슨 소용이랴.

웨이터가 전채 요리를 내온다.

뤼크레스는 샐러드의 잎사귀 하나를 손가락 끝으로 잡고 마치 설치류 동물처럼 앞니로 조금씩 베어 먹는다.

「칸에서 더 이상 시간을 허비하지 않을 거예요. 이 조사는 더 계속할 필요가 없다고 생각해요. 이봐요, 이지도르. 사랑은 존재해요. 사뮈엘 핀처는 사랑을 만났고 그 때문에 죽었어요. 아주 행복하게 죽은 거지요. 나도 그렇게 사랑하다 죽을 수 있다면 좋겠어요. 나 내일 파리로 올라가요. 뇌에 관한 기사를 준비하기 위해 피티에살페트리에르 병원에 가보아야겠어요. 당신이 알려 준 대로 그 병원에는 최첨단의 신경 정신과가 있으니까요.」

그때 갑자기 실내의 전등들이 꺼진다. 촛불들만이 희미하게 손님들의 식탁을 밝히고 있다.

「자아, 매일 저녁 여러분께 즐거움을 선사하는 최면술 대공연이 시작되겠습니다. 오늘도 변함없이 파스칼 핀처 선생님과 함께하겠습니다. 공연에 방해가 되지 않도록 여러분의 휴대폰을 모두 꺼주시면 고맙겠습니다.」

관객들은 저마다 호주머니를 뒤져 순순히 사회자의 요구에 따른다.

한 남자가 번쩍거리는 장식이 달린 검은 턱시도 차림으로 무대에 등장하여 객석을 향해 인사를 보낸다.

뤼크레스와 이지도르에게는 그 남자의 얼굴이 별로 낯설지 않게 느껴진다. 죽은 동생의 이목구비와 닮은 점이 많아 보이기 때문이다. 다른 점이 있다면, 그가 조금 더 크고 안경을 끼지 않았으며 서 있는 자세가 더 구부정하고 나이가 더 들어 보인다는 것이다.

파스칼 핀처는 암시의 힘에 관한 연설로 자기 공연을 시작한다. 그는 러시아의 생리학자 파블로프가 벨 소리를 들려주는 것만으로 개가 침을 흘리게 하는 데에 성공했던 일을 상기시킨다.

「이런 현상을 조건 반사나 조건 반응이라 부르고, 파블로프가 개에게 벨 소리를 들려준 것과 같은 행위를 조건 부여라고 합니다. 우리는 어떤 사람에게 반사적 행동의 조건을 부여함으로써 그로 하여금 특정한 일에 대해서나 특정한 상황에서 이런 반응을 보이도록 만들 수 있습니다. 여러분은 혹시 이런 일을 경험해 보신 적이 없습니까? 〈내일 아침에는 반드시 8시 15분 전에 일어나야지〉 하고 생각하며 잠이 들었는데, 자명종의 도움을 받지 않고도 다음 날 아침 정확히 8시 15분 전에 잠에서 깨어났던 일 말입니다.」

객석에서 웅성거리는 소리가 인다. 아닌 게 아니라 관객 중의 몇몇은 그런 일에 성공해 본 적이 있다. 하지만 그들은 그 현상을 단순한 우연에 기인한 것으로 생각했다.

「그때 여러분은 잠에서 깨어나는 일을 하나의 조건 반응처럼 만든 것입니다. 우리는 이런 조건 반응을 숱하게 경험하고 있습니다. 예컨대, 아침을 먹고 나면 화장실에 가고 싶어지는 것, 휴식 시간이 되면 허기를 느끼는 것, 자기 집으로 올라가는 엘리베이터에 탈 때마다 소변이 마려워지는 것, 밤에 텔레비전 영화를 보고 나면 이내 졸음이 밀려오는 것 등이 조건 반응처럼 일어날 수 있다는 것이지요.」

관객들은 자기들만의 사사로운 경험으로 여겼던 그런 느낌들을 떠올리면서 웃음을 터뜨린다.

「우리는 컴퓨터와 비슷합니다. 우리는 컴퓨터가 어떤 문제를 해결하거나 어떤 임무를 수행할 수 있도록 그와 관련된 정보와 지시를 제공하기도 하고, 이미 제공했던 것을 지워 버리기도 합니다. 우리 자신에게도 그와 비슷한 프로그래밍을 할 수 있습니다. 우리는 〈된다, 된다〉 하면서 미래의 성공 쪽으로 자신을 이끌어 갈 수도 있고, 〈난 안 돼, 난 안 돼〉 하면서 실패하는 쪽으로 스스로를 몰아갈 수도 있습니다. 어떤 사람들은 남에게 무슨 부탁을 할 때, 〈폐를 끼쳐서 죄송합니다만……〉 하는 식으로 말을 시작합니다. 또 어떤 사람들은 무슨 일을 해도 좋으냐고 물을 때, 〈이거 하면 안 되나요?〉 하고 묻습니다. 여러분도 그런 사람들을 보신 적이 있죠? 그들은 자기들의 요구가 거절되는 쪽으로 상대방을 유도하는 셈입니다. 무심결에 그런 행동을 하는 것이지요.」

최면술사는 최면이 어떻게 이루어지는지를 실제로 보여 주겠다면서 자원자 한 사람을 요청한다. 키가 큰 금발의 남자가 일어선다. 파스칼 핀처는 그에게 박수를 보내 달라고 한 다음, 그를 자기 정면에 세우더니 자기가 들고 있는 진자에 시선을 고정시키라고 이른다.

「당신의 눈꺼풀은 무겁습니다. 아주 무겁습니다. 당신은 더 이상 눈을 뜰 수가 없습니다. 이제 당신은 더위를 느낍니다. 아주 덥습니다. 당신은 사막에 있습니다. 그런데도 옷을 입고 있으려니 숨이 막힐 지경입니다.」

최면술사가 그 말을 여러 차례 되풀이하자, 실험 대상이 된 남자는 눈을 감은 채 옷을 벗기 시작한다. 남자가 팬티 차림이 되자, 최면술사는 그를 깨운다. 남자는 소스라치며 깨어나더니 자기가 거의 알몸이 되어 있음을 알고는 부끄러워 어쩔 줄을 모른다. 객석에서 모두가 박수갈채를 보낸다.

「속임수가 뭐죠?」뤼크레스가 이지도르에게 묻는다.

「사실 저런 일은 최면을 거는 사람이 아니라 최면의 대상이 되는 사람 덕분에 이루어지는 겁니다. 목소리에 따를 것인지 말 것인지를 결정하는 것은 최면의 대상이 되는 사람이니까요. 최면을 건다고 누구나 다 최면 상태에 빠질 수 있는 건 아니고, 약 20퍼센트의 사람들만이 최면에 걸릴 수 있다고 합니다. 최면술사를 믿고 자기 자신을 완전히 내맡길 수 있는 사람들만이 최면에 걸릴 수 있는데, 그런 사람들은 그리 많지 않다는 얘기죠.」

파스칼 핀처는 다음 최면 묘기를 위해 자원해서 실험 대상이 되어 줄 사람이 없느냐고 다시 묻는다.

「나가 봐요, 뤼크레스.」

「싫어요, 당신이 해봐요, 이지도르.」

「이 숙녀분을 모셔 가세요. 그냥 나가기가 좀 쑥스러운 모양입니다.」이지도르가 최면술사를 향해 소리친다.

파스칼 핀처는 무대에서 내려와 그녀의 손을 잡고 무대 쪽으로 이끈다. 그녀는 단호하게 다잡아 말한다. 「미리 말씀드리지만, 나는 옷 벗을 생각이 조금도 없으니까, 그런 일을 시킬 생각이라면 아예 시작도 하지 마세요.」

투광기의 불빛이 벌써 그녀에게 쏠리고 있다.

최면술사는 그녀에게 수정 진자에 시선을 고정시키라고 요구한다.

「당신은 피로감을 느낍니다. 피로감이 점점 더해 갑니다. 눈꺼풀이 무겁습니다. 아주 무거워요……..」

그녀는 수정 진자에서 눈을 떼지는 않았지만, 최면에 빠져 들지 않으려고 호기를 부린다.

「미안하지만, 나한테는 안 통할걸요. 나는 최면에 반응을 보이지 않는 80퍼센트의 사람들에 속할 거예…….」

「당신은 자고 있습니다.」

그녀는 입을 다물고 눈을 감는다.

「당신은 깊이 잠들어 있습니다…….」

뤼크레스가 충분히 잠에 빠져든 것으로 보이자, 최면술사는 그녀에게 전날에 무엇을 했느냐고 묻는다.

「어제 나는 칸 법의학 연구소를 방문했어요.」

그는 다시 지난주에는 무엇을 했느냐고 묻는다. 그녀는 지난주에 한 일들을 기억해 낸다. 그의 질문은 지난달의 행적을 거쳐 지난해 같은 달 같은 날에 무엇을 했느냐는 것으로 이어진다. 그녀는 순순히 대답한다. 그는 10년 뒤로, 다시 20년 뒤로 돌아가라고 요구하더니, 급기야는 출생 시와 그 직전에 무슨 일이 있었는지를 기억해 보라고 한다. 뤼크레스가 갑자기 몸을 웅크리자, 그는 그녀를 부축하여 바닥에 앉한다. 그녀는 엄지손가락을 입 안에 넣은 채 태아의 자세로 웅송그린다.

그가 뤼크레스에게 태어날 때 있었던 일을 다시 겪어 보라고 부탁하자, 그녀는 몸을 점점 더 웅크리면서 숨 쉬기가 곤란한 듯한 모습을 보이기 시작한다. 그녀는 마치 질식할 것처럼 답답해하는 시늉을 하다가 갑자기 숨 쉬기를 멈춘다. 객석에 불안이 감돈다. 뤼크레스의 얼굴이 온통 빨개진다. 그녀는 바들바들 떨고 있다. 하지만 최면술사는 태연자약하다. 그는 한 손을 뻗어 그녀의 두 뺨을 쓸어 준다. 마치 그녀가 질식할 것처럼 답답해하는 어떤 장소로부터 벗어나도록 도와주려는 것 같다. 그는 그녀의 턱에 이어서 어깨를 잡고 그녀를 들어 올리는 듯한 시늉을 한다. 그녀는 웅크렸던 몸을 조금 편다. 그는 한 손으로 그녀를 달래고 다독거리면서, 마치 너무 좁은 통로에서 빼내기라도 하듯 그녀를 잡아당긴다. 그런 다음, 그녀가 한숨을 돌리는 사이에 그녀 뒤로 가더니 등을 토닥여 준다. 그가 손에 점점 더 많은 힘을 실어서 등을 토닥거리자, 마침내 그녀는 어떤 억압 상태에서 벗어난 사람처럼 기침을 해댄다. 그녀는 여전히 눈을 감은 채, 신음을 토한다. 갓 태어난 아기의 울음소리와 비슷한 신음이다.

파스칼 핀처는 바닥에 앉더니 그녀를 자기 품에 안고 가만가만 흔들어 주면서 노래를 흥얼거린다. 그녀가 잠잠해진다.

「모든 게 잘되어 가고 있어요. 자아 그럼 이제 다시 돌아갈까요?」

그는 그녀에게 한 살 때의 일을 떠올려 보라고 한 다음, 처음 10년을 거쳐 지난해, 지난달, 지난주, 어제, 한 시간 전으로 돌아오게 한다. 그러더니, 곧 10에서 0까지 초 읽기를 하겠으며, 자기가 0까지 세면 그녀는 다시 눈을 뜨게 될 것이라고 알린다. 최면 상태에서 깨어나면 그녀는 더 이상 아무것도 기억하지 못하겠지만, 이 경험이 그녀에게 두고두고 도움이 되리라는 것이다.

그녀가 눈을 뜬다. 객석에서 머뭇머뭇 박수 소리가 인다. 그녀는 눈을 깜박이더니, 다시 정신을 차리고 말한다.

「보세요. 안 통했잖아요.」

파스칼 핀처는 그녀의 손을 잡으며 고맙다고 인사를 한다. 관객들은 한결 큰 소리로 박수갈채를 보낸다. 뤼크레스는 어리둥절해하면서 자기 자리로 돌아온다.

「정말 대단했어요.」

「무슨 소리예요? 최면에 걸리지도 않았는데. 아니에요? 최면이 통했어요? 무슨 일이 있었죠? 난 아무것도 기억이 안 나는데.」

「파스칼 핀처가 당신으로 하여금 출생의 순간을 다시 경험하게 했어요. 당신은 숨이 막힐 정도로 답답해하는 것처럼 보였어요. 출생 때의 그 사건을 더 좋은 조건에서 다시 경험한 것이지요.」

이지도르의 말을 듣자, 그녀는 갑자기 무엇에 생각이 미쳤는지 터틀넥 풀오버를 단호하게 벗더니, 머리로 옷깃을 비벼 가며 아주 천천히 다시 입는다. 그녀는 그 느닷없는 행동을 몇 차례 되풀이한 뒤에야 까닭을 설명해 준다.

「나에겐 일종의 공포증이 있었어요. 머리부터 집어넣어 입는 터틀넥 풀오버를 뒤집어쓸 때면, 머리가 몇 초 이상 옷깃에 끼여 있는 상태를 견딜 수가 없었어요. 이건 거의 본능적인 거예요. 사소한 장애지만, 까닭을 몰라서 늘 불안했어

요. 그래서 풀오버를 입을 때는 언제나 후닥닥 입어요. 이제
는 그 작은 골칫거리에서 벗어났다는 느낌이 들어요.」

그녀는 풀오버의 깃에 다시 한번 머리를 넣었다가 빼본다.

최면술사는 또 다른 자원자가 무대에 올라와 주기를 요청
한다. 이번에는 더 까다로운 실험을 하겠다고 한다. 뤼크레
스가 한창 최면에 걸려 있을 때에 한꺼번에 몰려 들어왔던
세 군인들이 큰 소리로 자기들 중의 하나를 지목한다. 지목
을 받은 병사는 처음 한 번은 거절하더니, 겁쟁이로 보이는
게 싫었는지 무대로 올라간다.

파스칼 핀처는 수정 진자를 이용해서 신속하게 병사를 최
면 상태에 빠지게 한 다음, 병사에게 이렇게 이른다.

「이제부터 〈쪽빛 목련〉이라는 말을 들으면, 다섯까지 센
다음 오른쪽 신발을 벗어 문을 두 번 두드리고 웃음을 터뜨
리세요.」

그는 같은 지시를 여러 번 되풀이하고 나서 병사를 깨운
다. 병사가 자기 자리로 돌아가고 있는데, 최면술사가 마치
무심결에 내뱉듯이 〈쪽빛 목련〉 하고 소리친다. 병사는 그
자리에 우뚝 멈춰 선 채 속으로 다섯을 세더니, 한쪽 신발을
벗고 문 쪽으로 달려간다. 그런 다음 문을 두 번 두드리고는
웃음을 터뜨린다.

관중은 그를 따라 웃으며 공연장이 떠나가도록 박수갈채
를 보낸다.

병사는 어리둥절하여 웃음을 그치더니, 성을 내면서 신발
을 다시 신는다.

최면술사가 설명을 덧붙인다. 「암시의 힘이란 이런 것입
니다. 예전에 저는 피실험자에게서 어떤 행동을 유도해 내기

위한 자극어로 한결 쉽고 간단한 말을 사용했습니다. 예컨 대, 〈밀크 커피〉나 〈햇살〉 같은 단어들 말입니다. 그런데, 이런 말들은 너무 흔하게 들을 수 있는 것들이라서, 피실험자의 일상생활에 문제를 일으켰어요. 그래서 지금은 〈쪽빛 목련〉이라는 말을 사용하고 있습니다. 통상적인 대화에서는 좀처럼 들을 수 없는 말이죠.」

파스칼 핀처의 입에서 다시 그 두 단어가 튀어나오니까, 실험용 쥐처럼 되어 버린 병사는 신발 끈을 매다 말고, 다시 신발을 벗어 들고 달려가서 문을 두 번 두드리고는 웃음을 터뜨린다.

관중의 박수갈채가 한층 더 요란해진다. 병사는 더욱 곤혹스러워하는 표정을 지으며 머리를 흔들고 욕설을 퍼부어 댄다. 그러고는 마치 자기 머리통에서 어떤 독을 짜내기라도 하는 것처럼 정수리를 두드린다.

최면술사가 인사를 하자 막이 내려간다.

두 기자가 전채 요리를 다 먹기도 전에, 그들이 공연에 마음을 팔고 있는 사이에 웨이터가 벌써 주 요리를 가져다 놓았다.

「최면이라…… 우리가 미처 그 생각을 못 했군요. 혹시 누가 사뮈엘 핀처의 머릿속에 어떤 자극어를 주입한 건 아닐까요?」

「자극어라니…… 어떤 자극어요? 쪽빛 목련요?」

뤼크레스는 대답할 말을 신속하게 찾는다. 섬광처럼 뇌리를 스치는 생각이 하나 있다. 그녀는 희색을 드러내며 하나의 가정을 제시한다.

「예를 들어 〈사뮈엘, 사랑해요〉 같은 거요. 이런 말을 들으면 그의 심장이 멎도록 조정되어 있었던 게 아닐까 하는 거죠. 나타샤 아네르센이 결정적인 순간에 그 말을 내뱉음으로써 그에게 경련이 일어나게 한 게 아닐까요?」

「지금 무슨 말을 하고 있는 거예요? 〈사뮈엘, 사랑해〉라는 말이 치명적인 조건 반응을 일으킬 수 있다는 얘기예요?」

이지도르는 어이가 없다는 듯 눈을 동그랗게 뜬다.

그런다고 기가 죽을 뤼크레스가 아니다. 그녀는 자기 머릿속에 어지럽게 널려 있는 퍼즐 조각들을 이리저리 맞추어 하나의 그림을 만들어 내려고 애쓴다.

「그냥 경련이 아니라 심장 마비죠. 전에 나한테 그러지 않았어요? 어떤 사람들은 뇌로 자기 심장을 통제할 수도 있다고. 아니에요?」

「요가 수행자들이 그렇게 하는 것을 본 적은 있지요. 하지만, 아무리 수행이 높은 사람이라도 심장을 완전히 멎게 하는 데까지는 이를 수 없어요. 틀림없이 자동적인 생존 메커니즘이 있을 겁니다.」

그녀는 재빨리 다른 설명을 찾는다. 「그렇다면, 누가 사뮈엘 핀처로 하여금 죽을 때까지 웃도록 프로그래밍을 했다고 상상할 수는 없을까요? 〈사뮈엘, 사랑해〉라는 말을 들으면 죽을 때까지 웃도록 말이에요.」

그녀는 자기의 가정을 대견스럽게 여기며 이야기를 전체적으로 재구성한다.

「이봐요 이지도르, 내가 사건의 단서를 잡았다는 생각이 들어요. 사뮈엘 핀처는 자기 형 파스칼에게 살해당했을지도 몰라요. 파스칼이 사전에 그에게 최면을 걸어 두었던 거예요. 그의 머릿속에 아주 은밀하게 어떤 자극어를 심어 두었어요. 그건 〈사뮈엘, 사랑해〉와 같은 말이었을 거예요. 나타샤 아네르센이 오르가슴의 순간에 그 말을 했어요. 그러자 체스 세계 챔피언의 심장이 멎었어요. 그래서 그녀는 자기가 그를 죽였다고 생각한 거예요. 이건 완전 범죄예요. 살인자는 범행 시각 현장에 있지 않았고, 흉기도 상처도 발견되지 않았어요. 단 한 사람의 증인이 있긴 하지만, 이 증인은 자기가 사망 원인을 제공했다고 믿고 있어요. 게다가 당신 말마따나, 사건의 모든 정황이 꽤나 〈야해서〉 아무도 진지하게 수사하려고 하지 않아요. 성(性)이란 아직도 금기의 영역이니까요. 이건 정말 완전 범죄라고요.」

뤼크레스는 자기 자신의 추리에 스스로 신이 나서, 갑자기 식욕이 동한 것처럼 접시에 남아 있는 닭고기를 맛있게 먹는다.

「그럼 살인 동기는 뭐죠?」

「질투심이죠. 사뮈엘은 파스칼보다 잘생겼고, 톱 모델을 약혼녀로 두고 있었으며, 체스 세계 선수권 대회에서 우승을 하기도 했어요. 어린 시절의 경쟁자가 부유하고 잘생긴 데다가 짝도 잘 만나고 세계적인 명성까지 누리고 있다는 게 견딜 수 없었던 거지요. 그래서 동생을 시새우던 나머지 최면술사로서의 재능을 이용하여 동생이 죽도록 일을 꾸민 겁니다. 그것도 약혼녀의 품에서 죽도록 아주 변태적으로 일을 꾸몄어요.」

그녀는 자기 수첩을 펴더니 종이 몇 장을 뒤로 넘겨서 이전에 써놓았던 것을 다시 본다.

「이것을 하나의 동기로 첨가할 수 있을 것 같은데요. 다섯째 동기인 의무감 다음에 질투심을 넣죠.」

　이지도르의 접시에는 나룩풀 소스 한복판에 모오케가 그대로 있다. 이 모오케는 뤼크레스의 프로방스식 요리에 쓰인 닭보다 팔자가 좋았다고 볼 수 있다. 금속제의 상자형 사육기에서 영계구이용으로 사육된 닭과는 달리, 적어도 몇 주 동안은 강물에서 마음껏 자유를 누리다가 유수망(流水網)에 잡혔을 테니까 말이다.

　「질투심요? 그건 너무 좁은 개념이에요.」

　「그럼 우리의 통제 능력을 넘어서는 모든 감정들로 이 개념을 확대할까요? 질투심, 복수심…… 그러고 보니 이게 다 분노의 감정이군요. 그래요, 이 모든 것을 분노라는 개념으로 한데 묶지요. 분노는 의무감보다 훨씬 더 강한 동기예요. 의무감은 사람들로 하여금 남에게 기쁨을 주는 행동을 하게 하고 사회에 동화하도록 만들지요. 그에 반해서 분노는 사람들로 하여금 혁명을 일으키게 하고 사회를 변화시키게 만들어요.」

　「그런가 하면 사람들을 부추겨…… 살인을 하게 할 수도 있지요.」

　그녀는 그의 지적을 빠뜨리지 않으려고 매우 빠르게 펜을 놀려 수첩에 적어 둔다.

　「이상으로 조사 임무 하나가 간단하게 처리된 셈이군요. 당신은 핀처의 죽음에 석연치 않은 점이 있다고 생각했어요. 그 생각이 옳았다는 것을 인정해요. 하지만 내 쪽에서는 살인자를 찾아냈고, 범행 동기를 밝혀냈어요. 우리 둘이서 신속한 사건 해결의 신기록을 수립한 것 같군요. 자아, 조사는 이것으로 끝났어요.」

　그녀는 축배를 들자며 자기 잔을 내민다. 하지만 이지도르는 잔을 들지 않는다.

「으음…… 이러면서 나보고 허언증 환자라고 말할 수 있어요?」

그녀는 짐짓 거만하게 그를 아래위로 훑어본다.

「에이 샘나니까…… 당신도 샘이 많군요. 당신보다 나이도 젊은 내가 사건 해결의 실마리를 찾아냈다 해서 날 시새우는 거죠? 안 그래요, 셜록 홈스 씨?」

그들은 접시에 남은 것을 마저 먹는다. 이지도르는 빵을 조금 떼어 내어 접시의 소스를 싹싹 닦아서 먹는다. 반면에, 뤼크레스는 나이프 끄트머리로 아직 먹고 싶은 것과 더 이상 먹고 싶지 않은 것을 가려 접시 가장자리에 모아 놓는다. 향신료로 넣은 월계수 가지 하나가 닭고기의 잔해를 무덤처럼 덮고 있다.

그들 주위에서 손님들이 방금 본 공연을 놓고 이러쿵저러쿵 평을 하고 있다. 마침내 그들에게 공통의 화제가 생긴 것이다. 모든 테이블에서 사람들이 최면술을 믿는 축과 믿지 않는 축으로 나뉘어 설전을 벌이고 있다. 어디에선가 이런 소리도 들려온다. 〈최면술사나 자원자나 다 한 패거리야.〉 〈그래, 최면에 걸린 척한 거라고.〉 〈여자는 진짜처럼 보이던데.〉 〈아냐, 너무 진짜처럼 보여서 오히려 수상해.〉

웨이터가 디저트 주문을 받으러 온다. 뤼크레스는 디카페인 커피를 묽게 하여 커다란 잔에 달라면서 뜨거운 물을 따로 더 달라고 덧붙인다. 이지도르는 감초 아이스크림을 주문한다.

「당신의 얘기는 하나의 가정일 뿐이에요.」

「샘 부리지 말아요.」

「당신이 경찰관이 아닌 게 천만다행이군요. 어떤 수사가 마무리되기 위해서는 가정이 아무리 그럴듯하다 해도 그것을 세우는 것만으로는 부족해요. 방증이나 증거, 증언, 자백이 있어야 하는 거예요.」

「좋아요. 그럼 파스칼 핀처에게 물어보러 갑시다!」

뤼크레스는 경비 명세서와 함께 계산서를 달라고 하여 돈을 지불한 다음, 나이트클럽 사장에게 최면술사의 분장실이 어디에 있느냐고 묻는다.

그들은 〈파스칼 핀처〉라는 팻말이 붙어 있는 문을 세 차례 두드린다. 대답 대신에 문이 홱 열리더니, 그들이 어떻게 해볼 새도 없이 최면술사가 분장실에서 튀어나와 축축한 실내 가운 차림으로 줄행랑을 놓는다. 예의 군인 세 명이 그를 뒤쫓는다. 실험용 동물 노릇을 했던 병사가 그들의 선두에서 달리고 있다.

「쪽빛 목련!」

뤼크레스는 그렇게 소리를 질러 본다. 혹시나 그 말을 듣고 선두에서 달리고 있는 병사가 멈춰 서지 않을까 해서.

하지만 그들 모두가 이미 멀리 사라져 버린 뒤다.

20

살 것이냐 죽을 것이냐?

장루이 마르탱은 성한 눈을 계속 뜨고 있었다. 머릿속에서 무수한 생각들이 어지럽게 교차하고 있어서, 그는 도무지 마음을 정할 수가 없었다. 올바른 판단을 하기에는 정보가 충분하지 않다는 느낌이 들었다. 그는 자기에게 더 이상 희망이 없다고 확신하고 있었다. 하지만 의사는 무언가를 해줄 수 있는 사람처럼 보였다.

그의 머릿속에서는 〈삶〉을 지지하는 논거들과 〈죽음〉에 찬성하는 논거들이 떼 지어 몰려들어 그의 결정에 영향을 미치려 하고 있었다.

삶을 택할까? 마음의 스크린에 수많은 영상이 나타나 지난날의 행복했던 순간들을 다시 보여 준다. 어렸을 때 식구들끼리 갔던 바캉스. 체스의 발견. 회화의 발견. 훗날 아내가 된 이자벨과의 만남. 은행에서 마음에 드는 일자리를 찾은 것. 결혼. 아내의 첫 출산. 딸들과 처음으로 함께 보낸 바캉스. 〈기권이냐 갑절이냐〉라는 퀴즈 프로그램을 처음 보던 날의 기쁨.

기권이냐 갑절이냐…….

죽음을 택할까? 혼자서 병상에 꼼짝 않고 누워 있는 자신의 모습이 보인다. 어느 모로 보아도 그저 스산한 영상일 뿐이다. 시간이 흘러가는 모습도 보인다. 먼저 시간은 시곗바늘이 돌아가는 모습으로 나타난다. 바늘은 점점 더 빨리 돌아간다. 다음은 창문을 통해서 시간이 흘러가는 모습이 보인다. 해가 지면 달이 뜨고 달이 지면 다시 해가 뜬다. 그 흐름이 빨라지면서, 한 번은 해처럼 한 번은 달처럼 환해지는 스포트라이트 같은 것이 만들어진다. 그의 방에서 나무 한 그루가 보인다. 잎이 무성하던 나무가 헐벗은 모습으로 변하는가 했더니, 어느새 하얀 눈을 뒤집어쓰고 있다가 다시 싹을 띄우고 초록 옷으로 갈아입는다. 1년, 2년, 10년, 20년이 그렇게 흘러가는데, 그는 플라스틱 마네킹처럼 침대에 놓여 있다. 아무도 찾아 주지 않는 병실에서 절망에 빠진 채 그저 한쪽 눈만을 깜박이면서.

이제 결정을 해야 할 순간이었다.

마치 느린 동작 화면에서처럼 눈꺼풀이 천천히 내려왔다.

한 번.

그리고 그뿐이었다.

사뮈엘 핀처의 얼굴에 미소가 번졌다.

「살기를 원하시는군요……. 내가 보기엔 바람직한 결정을 하신 겁니다.」

내가 잘못 생각한 게 아니라면 좋으련만.

21

왼쪽일까 오른쪽일까? 뤼크레스와 이지도르는 어떤 교차로에 다다른다. 군인들이 시야에서 사라졌다. 두 남녀는 이마에 손차양을 대고 그들을 찾는다.

「어디로 갔지?」

이지도르는 먹은 게 아직 소화가 덜된 탓인지 요란한 소리를 내며 가쁜 숨을 쉬고 있다. 뤼크레스는 아주 팔팔한 모습이다. 그녀는 더 높은 곳에서 주위를 살펴볼 양으로 옆에 서 있는 자동차의 지붕 위로 올라간다.

「저기 있어요.」

그녀는 손가락으로 백사장 쪽을 가리킨다.

「어서 가요, 뤼크레스. 당신이 나보다 빠르니까 먼저 가요. 나도 뒤따라갈게요.」

그런 말은 굳이 할 필요가 없었다. 그녀는 그가 무어라고 하기도 전에 벌써 달음박질을 시작한 터다.

그녀의 심장이 아주 빠르게 박동하면서 피를 동맥으로 보낸다. 피는 소동맥으로 퍼져 나간 다음 장딴지 근육의 모세 혈관으로 들어간다. 그녀의 발가락들은 몸이 더 민첩하게 앞으로 돌진하도록 길바닥에서 가장 디디기 좋은 곳들을 찾아 나간다.

파스칼 핀처 역시 숨을 헐떡거리면서 달리고 있다. 그가 다다른 곳은 달빛이 은은한 텅 빈 백사장이다. 세 군인은 거기에서 그를 붙잡아 땅바닥에 쓰러뜨린다.

「쪽빛 목련.」

최면술사는 자신감을 잃은 채 에멜무지로 그렇게 되뇐다.

그러나 상대는 귀를 막은 채 소리를 지른다.

「내 머릿속에서 그놈의 것을 없애 버려야 해. 지금 당장. 그 공연을 보았거나 그 얘기를 들은 사람을 만날 때마다 신발 한 짝을 들고 바보 노릇을 해야 할 판이야. 평생 그렇게 살 수는 없어.」

최면술사는 천천히 다시 일어선다.

「이제 귀 막지 말고 내 말 들어요. 내가 해결해 줄게요.」

「속임수 쓰면 안 돼, 알았지?」

군인은 귓바퀴에서 손가락을 빼낸다. 하지만 여차하면 다시 귓구멍을 막으려고 만반의 준비를 하고 있다.

「아브라카다브라,[28] 당신을 〈쪽빛 목련〉에서 풀어 주겠소. 이제부터(그는 한 손을 쓱 움직여 보인다), 당신은 〈쪽빛 목련〉이라는 말을 들어도 더 이상 반응을 보이지 않을 거요.」

군인은 어리둥절한 표정으로 마치 자기 안에서 어떤 변화가 일어나고 있기라도 한 것처럼 결과를 기다린다.

---

28 액과 질병을 물리친다는 주술적인 의미로 마법이나 부적 등에 사용되는 주문. 초기 기독교 시대에 그노시스설 신봉자들이 사용하던 그리스어 주문이 유대교 신비 철학자들에 의해 계승되어 널리 퍼진 것.

「자아, 다시 해봐. 효과가 있나 보게.」

「쪽빛 목련.」

아무 일도 일어나지 않는다. 군인은 싱긋 웃는다. 주술처럼 보이던 어떤 것에서 풀려 난 것이 기쁜 모양이다.

「아니, 이렇게 간단한 거야?」

「컴퓨터의 하드 디스크에 어떤 프로그램을 저장했다가 지우는 것과 비슷한 일입니다. 말로 된 간단한 자극을 통해서 어떤 반사적 행동이 유발되도록 프로그램을 짜 넣는 거죠.」

최면술사는 자기 나름대로 설명을 하느라 애쓴다. 하지만 난처해하는 기색이 역력하다. 마치 녹음기를 앞에 놓고 미개인들에게 사용법을 설명하는 탐험가 같다.

「그럼 아브라카다브라는 뭐야?」

군인은 아직 의구심이 풀리지 않은 모양이다.

「그건 그럴싸해 보이라고 아무 뜻 없이 한 말이에요. 그런 말을 하면 사람들이 더 잘 믿거든요. 다른 뜻은 없어요.」

군인이 그를 아래위로 훑어본다.

「좋아, 됐어. 하지만 누구에게든 다시는 이런 짓을 하지 말았으면 좋겠어.」

실험 대상 노릇을 했던 군인은 소매를 걷어 올리고 주먹을 불끈 쥐면서 그렇게 덧붙인다.

아직 분이 풀리지 않은 군인은 두 친구가 최면술사를 붙잡고 있는 동안 그의 배를 때리기 시작한다. 그때, 검은 실루엣 하나가 달빛을 등지고 우뚝 나타난다.

「한심하군. 건장한 사내 셋이서 약골 하나를 괴롭히다니.」

뤼크레스의 비아냥거리는 소리에 최면술사를 때리던 군인이 몸을 돌린다.

「이런, 밤이 깊어 가는 시각에 숙녀께서 이런 데를 돌아다니는 건 위험한 일이지. 봐, 여기 이렇게 조금 이상한 사람들까지 있는데.」

동시에 그는 최면술사에게 〈이제 한숨 주무시지〉 하면서 다시 주먹을 내지른다. 뤼크레스는 그 군인에게 달려들어 한쪽 발로 사타구니를 오지게 걷어찬다.

「이제 질질 짜는 소리 좀 내보시지.」

군인은 헉 하고 숨이 막힌 듯한 비명을 내지른다. 최면술사를 붙잡고 있던 군인 중의 하나가 제 동료를 돕겠다고 나선다.

뤼크레스는 자기의 개인적인 무술인 〈보육원 태권도〉의 겨루기 자세를 취한다. 갈고리처럼 구부린 손가락 두 개를 앞으로 내밀고 있는 자세다. 손가락을 그렇게 구부리고 있으니, 그것들이 마치 그녀의 몸에 붙어 있는 무기 같다. 상대가 발길질을 해오자, 그녀는 잽싸게 그 발을 잡아 뒤로 휙 뿌리친다. 그런 다음 위에서 상대를 덮친다. 그들은 한데 뒤엉킨 채 바닷가의 잔물결에 닿을 때까지 옆으로 데굴데굴 구른다. 그녀는 갈고리처럼 구부린 두 손가락을 들어 그의 이마를 아주 강하게 내리친다. 뼈가 맞부딪는 듯한 소리가 들린다. 그녀에게 가장 먼저 맞았던 남자가 다시 제정신을 차리자, 그녀는 다시 그의 사타구니에 일격을 가한다. 그러고는 즉시 두 손가락을 앞으로 내밀며 겨루기 자세를 취한다. 세 번째 남자는 싸움에 나서기를 망설이다가 슬금슬금 뒷걸음질을 친다. 세 남자는 마침내 뒤도 돌아보지 않고 오금아 날 살려라 하고 달아난다.

뤼크레스는 모래에 무릎을 꿇고 쓰러져 있는 최면술사에

게 간다.

「괜찮아요?」

그는 자기 배를 문지른다.

「이건 내 직업 때문에 겪어야 하는 귀찮은 일들 중의 하나예요. 최면술사들에 대한 적개심이 이런 식으로 표출되는 겁니다.」

「최면술사들에 대한 적개심이라고요?」

「예로부터 뇌의 메커니즘에 대해 나름대로의 식견을 가진 자들은 세인의 공포를 자아내기가 십상이었어요. 그들은 갖가지 죄를 뒤집어쓰곤 했지요. 종교로부터는 마법을 부린다고 비난받았고, 과학자들로부터는 사기 친다고 욕을 먹었어요. 순진한 사람들의 마음을 조종한다는 비판도 많이 받았지요. 사람들은 자기들이 이해할 수 없는 것에 겁을 먹습니다. 그리고 자기들을 두렵게 하는 것을 없애 버리고 싶어 하지요.」

뤼크레스는 그가 걸을 수 있도록 부축해 준다.

「사람들이 무얼 두려워하는 거죠?」

그는 상처가 난 입으로 씁쓸하게 웃는다.

「최면술은 사람들에게 환상을 갖게 합니다. 그들은 최면술을 어떤 마술적인 능력으로 생각하지요. 어쨌거나, 도와주셔서 고맙습니다.」

「빚을 갚은 거예요. 핀처 씨 덕분에 목이 좁은 풀오버를 입는 게 더 이상 두렵지 않게 되었거든요.」

그러면서 그녀는 자기도 모르게 머리를 옷깃 속에 묻는다. 이제는 그런 상태로 있어도 아무 문제가 없다는 것을 보여 주려는 것이다.

그때 이지도르가 숨을 헐떡이며 나타난다.

「아, 뤼크레스. 당신이 말하던 〈범인〉을 잡았군요.」

그녀는 입을 다물라는 뜻으로 그를 쏘아본다.

최면술사는 이 새로운 인물은 누구일까 하고 생각하면서, 잠시 발걸음을 멈춘다.

「저는 이지도르 카첸버그입니다. 우리는 『르 게퇴르 모데른』의 기자들이에요. 핀처 씨 동생의 죽음에 관해 조사하고 있어요.」

「사미[29]의 죽음에 대해서요?」

「뤼크레스는 당신이 질투심 때문에 그를 죽였다고 생각하고 있습니다.」

동생에 관한 이야기가 나오자, 최면술사의 눈에 금세 슬픈 기색이 어린다.

「사미. 아아…… 사미. 우리는 우애가 아주 좋았어요. 아무리 형제간이라도 우리처럼 우애가 좋기는 쉽지 않을 거예요. 우리는 서로 달랐지만, 서로를 보완하는 관계였어요. 동생은 진지한 사람이었고, 나는 어릿광대였지요. 지금 생각나는데, 언젠가 내가 동생에게 이렇게 말한 적이 있어요. 〈우리 관계는 예수 그리스도와 위대한 마술사이자 예수의 친구인 시몬의 관계와 비슷하다〉라고 말입니다.」

파스칼 핀처는 잠시 사이를 두며 다친 입술을 다시 문지른다.

「반은 농담으로 한 말이지만, 그만큼 내 동생을 사랑하고 존경한다는 뜻이었지요.」

「그가 죽던 날 밤에 뭘 하셨지요?」

29 사뮈엘의 애칭.

「〈즐거운 부엉이〉에서 공연을 하고 있었어요. 사장에게 물어보면 아실 겁니다. 그리고 그날의 공연을 본 손님들이 모두 증인입니다.」

「누가 그를 해치고 싶어 했을까요?」이지도르가 묻는다.

그들은 축축하고 서늘한 모랫바닥에 앉는다.

「그의 직업적인 성공은 너무 눈부셨어요. 게다가 디프 블루를 상대로 승리를 거둠으로써 대중에게 널리 알려졌고 함부로 건드릴 수 없는 인물이 되었지요. 하지만 성공에는 언제나 시샘과 악평이 따르게 마련이지요.」

「튀어나온 못은 망치를 부른다는 얘기로군요.」

이지도르가 토를 단다. 그는 기회가 있을 때마다 속담을 아낌없이 써먹는 사람이다.

「그가 살해당했을 수도 있다고 생각하세요?」뤼크레스가 묻는다.

「내가 알기로, 그는 협박을 받은 적이 있어요. 두 분이 그의 죽음에 관해 조사하시는 것을 다행스럽게 생각합니다.」

그런 말을 듣고도 뤼크레스는 자기의 가정을 포기하고 싶어 하지 않는 눈치다.

「파스칼 핀처 씨 말고 어떤 다른 사람이 그에게 최면을 걸어 시간이 지난 뒤에 어떤 반응이 일어나도록 유도했을 가능성은 없나요?」

파스칼 핀처는 머리를 흔든다.

「최면술에 대해서는 내가 잘 압니다. 최면술에 영향을 받을 수 있으려면, 자기 자유 의지를 잠시 포기해야 하고 어떤 사람이 자기 대신 결정하는 것을 받아들여야 합니다. 그런데, 사미는 절대로 누구에게 영향을 받아 움직이는 사람이 아니었습니다. 그는 누구에게도 의존하지 않았습니다. 그의 목표는 자기 환자들의 고통을 덜어 주는 것이었습니다. 세속의 성자였죠.」

「〈세속의 성자〉라는 그분이 공식적으로는 한 톱 모델의 품에서 쾌락 때문에 죽은 것으로 되어 있는데요……」

뤼크레스의 지적에, 파스칼 핀처는 대수롭지 않다는 듯 어깨를 한번 올렸다 내린다.

「그런 여자를 마다할 남자가 있을까요? 그녀의 육체적인 매력은 어떤 최면보다도 강합니다.」

「하긴 남자들이 대개 여자에겐 약하죠. 내가 아는 어떤 남자 친구는 이런 말을 해요. 〈남자의 자유 의지란 자기 대신 결정을 내려 줄 여자를 선택하는 데에서 발휘된다〉라고 말이에요.」

이지도르는 자기의 경구가 인용되자 쑥스러움에 낯을 붉힌다. 파스칼 핀처는 일리가 있는 말이라며 맞장구를 친다.

「말이 되네요. 그 친구가 남자를 잘 본 거예요.」

「그녀가 그를 죽였을 수도 있다고 생각하세요?」

「누가 무엇 때문에 그를 죽였는지는 모르겠어요. 하지만, 그의 용기가 화를 불렀을지도 모르겠다는 생각은 들어요. 동생은 정신 의학계의 낡아 빠진 치료 방식에 맞서 홀로 싸웠어요. 그가 제안했던 것은 지능과 광기와 의식에 관한 우리의 태도를 완전히 다시 생각하자는 것이었지요. 체스에서 승리를 거둔 뒤에 했던 연설에서, 그는 오디세우스를 언급했어요. 내가 보기에는 바로 그 자신이 오디세우스와 같은 모험가였어요. 그에게는 개척자의 면모가 있었습니다. 개척자들은 너무 앞서 가다가 화살을 맞기 쉽지요.」

이지도르는 호주머니에서 사탕을 꺼내어 격해진 마음을 가라앉히라는 뜻으로 그에게 내민다. 최면술사는 사탕 몇 개를 집어 입 안에 넣는다.

「지금도 기억나는데, 한번은 그가 자기에게 위험이 닥칠 듯한 느낌이 든다고 말하는 소리를 들었어요. 〈그들은 모든 사람들이 비슷해지는 세상을 꿈꾸고 있어. 사람들을 복제된 가축이나 양계장의 닭처럼 더욱 쉽게 규격화할 수 있기를 바라는 거야〉라고 했지요. 그가 말하는 〈그들〉이란 행정 당국을 가리키는 거였어요. 그는 행정 당국에 불만이 많았어요. 그는 이런 얘기도 했지요. 〈그들은 자기들 눈에 광인으로 보이는 사람들을 두려워해. 그런데, 자기들 눈에 천재로 보이는 사람들은 훨씬 더 두려워하지. 사실 그들은 대단히 획일적인 세상을 꿈꾸고 있어. 그들은 너무 똑똑한 사람들에게는 머리에 헤드폰을 씌울 거야. 아주 시끄러운 음악을 들려줌으로써 조용히 생각하는 것을 방해하기 위해서 말이야. 그리고 너무 아름다운 여자에게는 베일을 씌울 거고, 너무 민첩한 사람들에게는 납덩이가 달린 조끼를 입힐 거야. 그러면 우리 모두가 비슷해지겠지. 모두가 평균적인 존재가 되고 말 거라고.〉」

파스칼 핀처는 지중해 쪽으로 고개를 돌리더니, 멀리 보이는 작은 불빛 하나를 가리킨다. 별빛인가 했더니, 너무나 또렷한 것이 별빛은 아니다.

「저기예요……. 저기에서 이상한 일들이 벌어지고 있어요. 난 확신해요. 내가 최면술에 반대하는 자들과 맞서 싸우는 것과 마찬가지로, 그도 반대자들에 맞서 싸웠다는 것을…….」

「반대자들이란 누구를 말하는 거죠?」

「그의 동료들, 환자들, 간호사들요. 새로운 것을 두려워하는 모든 사람들이죠. 저기를 가보셔야 할 거예요.」

세 사람은 그 불빛에 눈길을 붙박는다. 그것이 그들을 부르고 있는 듯하다.

달빛이 섬의 가장자리에 늘어선 나무들을 비추기 시작한다. 이지도르는 섬의 윤곽을 가늠해 보면서 다시 말문을 연다. 「문제는 저기를 어떻게 가느냐 하는 겁니다. 정신 병원에서 아무나 그냥 받아 주지는 않을 텐데 말이에요.」

파스칼 핀처는 혀로 이빨들이 모두 성한지를 확인하고 있다가, 얼른 대답한다. 「움베르토를 찾아가세요! 움베르토는 칸 항구와 생트마르그리트섬 사이를 왕래하는 전세 보트를 모는 친구예요. 그는 금요일마다 나를 만나러 와요. 집단적인 최면 릴랙스 요법을 받으러 오는 거죠. 그에게 내가 보내서 왔다고 하세요.」

최면술사는 깊은숨을 한번 쉬고는 미간에 주름을 잡으며 멀리 있는 섬을 응시한다. 마치 자기가 쓰러뜨리고 싶어 하는 어떤 상대를 노려보고 있는 사람 같다.

22

장루이 마르탱의 뇌가 횡단면의 형태로 컴퓨터 모니터에 나타났다.

핀처 박사는 손상의 범위를 확인하기 위해 양전자 방출 단층 촬영 장치[30]로 뇌의 사진을 찍고 있었다. 이 첨단 기술을

30 영어로 포지트론 에미션 토모그래피라 하는 것으로 이것을 줄여 보통 페트PET라고 부른다. 뇌의 사진을 찍는 새로운 장비로서, 엑스선 CT(컴퓨터 토모그래피)처럼 엑스선을 뇌에 조사(照射)하여 뇌의 그림자를 찍는 간접적인 방

이용해서, 마르탱의 뇌에서 어떤 부분이 정상적으로 기능하고 어떤 부분이 더 이상 기능하지 않는지를 알아보고 있는 중이었다. 뇌는 청록색의 달걀 모양으로 나타나 있었다.

생각들이 항해하는 내면의 바다…….

박사는 마르탱에게 한쪽 눈을 감으라고 했다. 마르탱의 뇌가 온통 파란색으로 변했다. 그런 다음, 눈을 다시 뜨게 하자 그 눈의 반대쪽으로 후두엽에 연한 갈색 반점이 나타났다. 바다에 떠 있는 하나의 섬 같았다.

박사는 마르탱에게 이번엔 사과 그림을 보여 주었다. 그러자 연한 갈색 섬이 조금 커지면서 한결 복잡한 형태를 띠었다. 그다음에는 칸의 풍경을 담은 우편엽서 한 장을 보여 주었다. 연한 갈색 반점은 더욱 커졌다. 박사는 마르탱의 시각이 제대로 기능하고 있으며 외부의 시각적 세계에 대한 해석도 정상적으로 이루어지고 있음을 확인했다.

그는 같은 장비를 이용해서 청각도 검사했다. 먼저 마르탱에게 종소리를 들려주었다. 그러자 더 길쭉한 형태의 또 다른 섬이 더 앞쪽에 위치한 두정엽[31]에 나타났다. 이번에는 교향곡을 들려주었다. 그 섬은 인도네시아와 비슷하게 생긴 군도로 변하였다.

나음에 박사는 다른 감각들을 검사해 보고 그것들이 기능하지 않는다는 것을 확인했다. 바늘로 찔러 보고, 혀에 레몬 즙을 떨어뜨려 보고, 코에 식초를 대보았지만, 어떤 섬두 나

식이 아니라, 뇌 속에서 활동하는 소형 분자에 양전자를 발생시키는 동위 원소의 표식 원자를 결합시켜 분자의 활동을 측정하는 방식을 사용한다.

31 순우리말을 선호하는 새 해부학 용어로는 마루엽이라고 한다. 말 그대로 머리의 꼭대기 부분에 있는 뇌엽이라는 뜻이다.

타나지 않았다.

박사는 마르탱에게 개념을 이해하는 능력이 남아 있는지도 검사했다. 그는 마르탱에게 〈사과〉 하고 말했다. 그러자 진짜 사과를 보여 주었을 때와 똑같은 형태의 연한 갈색 반점이 나타났다.

그것은 최근에 양전자 방출 단층 촬영 장치를 이용해서 새롭게 발견한 사실들 중의 하나였다. 어떤 것을 생각할 때든 그것을 정말로 볼 때든, 뇌의 똑같은 영역이 활성화된다는 것이다.

박사는 〈비 오는 아침〉, 〈구름 낀 하늘〉 같은 단순하고 구체적인 개념을 제시하다가 〈희망〉, 〈행복〉, 〈자유〉 같은 추상적인 개념으로 나아갔다. 매번 하나 또는 여러 개의 섬이 나타나곤 했다. 그 말들이 뇌의 특정한 자리에 영향을 미치고 있음을 보여 주는 거였다.

박사는 검사를 끝내기에 앞서, 자기 환자의 유머 감각을 확인하고 싶었다. 그가 생각하기에, 유머 감각이란 뇌의 진정한 건강 상태를 재는 종합적인 척도이자 의식의 맥박이었다. 뇌 속에 있는 웃음의 중추는 2000년 3월에 이즈하크 프리에드에 의해서 처음으로 위치가 확인되었다. 이즈하크 프리에드는 간질의 원인을 연구하던 중에, 왼쪽 전두엽[32] 어름의 언어 영역 바로 앞에 웃음을 일으키는 지점이 있음을 알아냈다.

「에덴동산에서 있었던 일입니다. 하와가 아담에게 물었어요. 〈자기 나 사랑해?〉 그러자 아담이 대답했지요. 〈사랑하고 자시고가 어디 있어? 선택의 여지가 없는데〉.」

32 새 해부학 용어로는 이마엽.

마르탱의 성한 눈이 가늘게 떨렸다. 핀처 박사는 그 우스 갯소리가 환자의 뇌에 미치는 효과를 검사하였다. 자극은 청각 영역을 떠나 언어 영역으로 갔다가 어딘가로 사라져 버렸다.

효과가 없다. 무엇 때문일까? 선택이라는 말 때문에 생사의 기로에서 고민했던 일이 다시 생각난 걸까? 아니면, 자기 아내가 생각나기 때문일까? 하고 박사는 생각했다.

핀처 박사는 환자의 개인적인 사정과 별로 관계가 없을 것으로 보이는 다른 농담으로 말을 이었다. 「어떤 사람이 의사에게 진찰을 받으러 갔대요. 그가 의사에게 말했지요. 〈선생님, 까마귀 고기를 먹은 것도 아닌데 자꾸 깜박깜박 잊어버려요.〉 의사가 물었어요. 〈아 그래요? 언제부터 그랬지요?〉 그러자 환자는 얼떨떨한 표정으로 이렇게 되묻더랍니다. 〈언제부터라니요…… 뭐가요?〉」

환자의 한쪽 눈이 좀 전과는 다르게 떨렸다.

박사는 차이를 명확히 파악하기 위해서, 이 우스갯소리의 자극이 전해지는 경로를 다시 추적하였다. 뇌 단면의 파란 바다에 작은 섬들이 나타났다가 분석과 비교와 이해의 영역으로 들어갔다. 이 자극은 왼쪽 전두엽의 웃음 중추에서 행로를 마감했다.

이번엔 이 사람이 웃는구나. 철학자 베르크손[33]은 〈희극적 효과를 내는 데에는 32가지 방식이 있다〉라고 말했다. 나

---

33 이 프랑스의 철학자(1859~1941)를 우리나라에서는 흔히 베르그송이라 부르지만, 실제 발음은 베르크손이 맞다. 그는 1900년에 『웃음』이라는 유명한 저서를 발표하여, 철학자로서는 드물게 희극과 웃음의 문제에 관한 깊이 있는 성찰을 보여 준 바 있다.

도 희극적 효과를 내는 한 가지 방식을 찾아냈다. 자기 병과는 다른 어떤 병을 앓고 있는 사람의 이야기를 들으면 웃음이 나올 수 있다.

이츠하크 프리에드 교수는 이런 사실도 발견한 바 있다. 우스갯소리를 듣고 나면 대뇌 반구의 전두엽 앞쪽 피질 아래에 있는 또 다른 부위가 활성화된다는 것이다. 이 부위는 보통 기니피그를 가지고 실험을 할 때 이 동물이 어떤 보상을 받으면 활성화되는 곳이다. 우스갯소리를 듣고 웃음의 중추가 활발해지고 나면 백만 분의 1초 단위의 아주 짧은 간격을 두고 이 부위 역시 활성화된다. 이것은 유머가 하나의 애정 표시처럼 유쾌한 자극으로 지각된다는 것을 보여 주는 것이다.

마르탱의 눈이 커지면서 경련을 일으키듯이 계속 떨리고 있었다.

이건 환자가 속으로 웃음을 터뜨리고 있다는 뜻이다.

핀처 박사는 그 우스갯소리를 좋아하긴 했지만, 그것이 뇌의 감정 영역에 그토록 커다란 베이지색 반점을 만들어 내리라고는 기대하지 않았다. 유머란 주관적인 것이고, 상황에 따라 효과가 달라지는 것이라는 생각이 들었다.

핀처 박사가 자기 환자로부터 전적인 신뢰를 얻게 된 것은 아마 바로 그 순간이었을 것이다. 그는 비록 환자가 느끼지는 못했지만 마치 친구 사이에 그렇듯이 환자를 툭 치며 말했다.

「마르탱 씨의 뇌는 완전하게 기능하고 있습니다.」

비록 몸이 마비되어 건강한 몸에 깃든 건전한 정신이라는 말은 못하겠지만, 어쨌거나 정신은 온전합니다.

「가족을 오게 할까요?」

23
「그건 안 돼요. 다시는 말도 꺼내지 마세요.」

수염을 기른 거구의 남자가 거부의 뜻으로 고개를 흔든다. 그는 챙 달린 모자를 쓰고 있고, 모자에는 〈움베르토 선장〉이라는 글자가 새겨져 있다.

「안 돼요, 그럴 수는 없습니다. 이 배는 환자와 의사와 환자 가족만 이용할 수 있어요. 그리고 생트마르그리트섬에 기자가 초대된 적은 한 번도 없었어요. 어디서 무슨 소리를 듣고 왔는지는 모르지만, 당신은 섬에 들어갈 수가 없습니다. 나는 지시받은 대로 할 뿐이에요.」

「파스칼 핀처가 보내서 왔어요.」

칸 항구에 먼저 도착한 이지도르가 다시 부탁을 한다.

「그렇다고 해도 달라지는 건 없습니다.」

그러면서 남자는 자기의 권한을 굳게 믿는 고집스러운 표정을 짓는다.

「그러면 어디 가서 얘기를 해야 섬에 들어갈 수 있죠?」

「안내를 담당하는 부서가 있긴 하지만, 그것조차 병원 내부에 있어요. 그리고 그들은 병원 내부의 삶을 공개하지 않는 정책을 실시하고 있고요. 정히 들어가고 싶으면, 그들에게 편지를 보내시죠.」

이지도르는 배로 다가가서 화제를 바꾼다.

「배 이름이 〈카론〉이네요. 그리스 신화에 나오는 뱃사공의 이름이군요. 카론은 죽은 사람들을 자기 배에 태워 저승의 강 아케론을 건너도록 도와주는 노인이지요.」

「하지만 이 배는 저승과 이승을 연결해 주는 것이 아니라, 이성의 세계와 광기의 세계를 연결해 주지요.」

그러면서 남자는 큰 소리로 웃음을 터뜨리고 하얀 수염을 쓰다듬는다.

이지도르는 그에게 다가가 속삭인다. 「신화에 나오는 카론은 뱃삯을 입에 물고 오는 혼령들만 배에 태워 주었다고 하던데.」

이지도르는 10유로짜리 지폐 석 장을 꺼내어 윗니와 아랫니 사이에 끼운다.

움베르토 선장은 그 동작을 지켜만 볼 뿐 조금도 동요하는 기색을 보이지 않는다.

「나를 돈으로 매수할 생각은 마세요.」

그때, 뤼크레스가 머리채를 묶으면서 달려온다.

「잘돼 가죠? 내가 너무 늦은 건 아니죠? 바로 승선하는 건가요?」 그녀는 일이 잘되는 게 당연하다는 듯한 말투로 묻는다.

선장은 무슨 말을 더 하려다 말고 그녀를 빤히 바라본다.

이지도르는 그녀의 자연스러운 매력 앞에서 선장의 마음이 동요하고 있음을 간파한다.

선장이 갑자기 더듬거리며 다시 말문을 연다. 「저…… 이 동료분께 사정을 설명했는데, 유감스럽게도…….」

「유감스럽다니요?」 그녀가 다가들면서 말을 자른다.

그녀의 향기가 뱃사람의 후각을 자극한다. 요즈음 그녀는 이세이 미야케의 〈물〉이라는 향수를 뿌리고 다닌다. 향수 냄새와 함께 그녀의 살냄새까지 전해져 온다. 그녀는 선글라스를 내려 커다란 에메랄드빛 눈을 드러내고는 대담하게 그의 눈을 똑바로 바라본다.

「당신은 남을 돕고 싶어 하는 사람이에요. 우리에겐 당신이 필요하고 당신은 우리를 나 몰라라 하고 팽개치지 않을 거예요.」

그녀의 눈빛은 간곡하고 목소리는 또렷하다. 목을 가누는 자태마저 사람의 마음을 움직이는 묘한 힘을 지니고 있다.

무뚝뚝하던 뱃사람이 나긋나긋해진다.

「타세요. 파스칼 핀처의 친구분들이라니까 그냥 눈감아 주겠습니다.」

모터가 웅웅거리기 시작한다. 뱃사람은 배를 묶고 있던 밧줄을 푼다.

「저 아저씨는 또 다른 욕구에 따라 움직이고 있어요. 우리 목록에 일곱째 항목을 추가해야겠어요.」

뱃사람은 자기 손님들에게 깊은 인상을 줄 양으로 하얀 연기를 조금 더 많이 내보낸다. 배의 이물이 가볍게 들린다.

뤼크레스는 수첩을 펴 들고 〈여섯째 동기: 분노〉 다음에 〈일곱째 동기: 성애〉를 추가한다.

이지도르는 재킷에서 책 크기만 한 소형 컴퓨터를 꺼내어 그 목록을 베껴 둔다. 그는 자판을 두드려 지금까지 만난 사람들의 이름을 기록한 다음, 인터넷에 접속한다.

뤼크레스가 몸을 기울여 들여다본다.

「지난번에 저수탑을 개조한 은신처에서 당신을 만났을 때는, 텔레비전이며 전화며 컴퓨터 따위와는 담쌓고 사는 것 같았는데, 그게 아니었나요?」

「생각을 바꾸지 않는 건 바보들이나 하는 짓이죠.」

그는 장난감 같은 소형 컴퓨터를 그녀 쪽으로 내밀어 그것의 성능을 보여 준다. 인터넷에 접속된 컴퓨터 화면에 마침 움베르토 로시의 사회 보험 카드에 기록된 신상 정보가 나타나고 있다. 54세, 골프쥐앙[34] 출생.

레랭스의 두 섬이 수평선에 모습을 드러낸다. 먼저 나타난 것은 선착장과 그 왼쪽에 요새를 거느리고 있는 생트마르그리트섬이다. 바로 그 뒤에는 시토 수도회의 수도원을 품고 있는 생토노라섬이 있다.

〈카론〉은 그리 빠른 배가 아니라서, 칸 항구에서 생트마르그리트섬으로 건너가는 데에 시간이 아주 많이 걸린다.

움베르토는 바다의 요정 세이렌들의 얼싸안은 모습이 조각된 커다란 해포석 파이프를 흔들며 소리친다. 「저 뭍에 어떤 세상이 있는지 생각해 보세요! 사람들은 행복하게 사는 데에 필요한 모든 것을 가지고 있지만, 자기들의 자유를 더 이상 감당하지 못하고 있어요. 그래서 그들의 의심과 회의는 갈수록 깊어져 가고 있죠. 그 무수한 질문들이 뒤엉켜 결국 누구도 풀 수 없는 매듭이 되고 말았어요.」

그는 파이프에 불을 붙이고 담배 연기를 몇 모금 뱉어 낸다. 매캐한 담배 연기의 소용돌이가 요오드를 많이 함유한 공기와 뒤섞인다.

「한번은 세상의 모든 번뇌를 끊을 수 있고 생각하는 것조차 멈출 수 있다고 주장하는 사람을 만난 적이 있습니다. 선(禪)을 하는 수도자였지요. 그는 눈을 이렇게 감고 가만히 앉아 있더니, 자기 머릿속이 완전히 비어 있다고 주장했어요. 나도 그를 따라서 해보았지만, 그건 불가능한 일이었죠. 우리는 언제나 무언가를 생각하게 마련입니다. 〈아, 마침내, 나

34 칸 근처, 앙티브곶과 레랭스섬 사이의 만에 자리 잡은 해수욕장.

는 아무것도 생각하지 않는구나!〉 하는 것도 결국은 하나의 생각이 아니겠습니까?」

그는 하하 하고 헛헛한 웃음을 터뜨린다.

「생트마르그리트 병원에서 신경외과 의사로 일하다가 왜 그만두셨지요?」

이지도르의 느닷없는 질문에 뱃사람은 파이프를 떨어뜨린다.

「그…… 그…… 그걸 당신이 어떻게 알았죠?」

「내 손가락이 알아냈어요.」 이지도르가 수수께끼 같은 대답을 한다.

뤼크레스는 〈과학부의 셜록 홈스〉를 데려오길 잘했다고 생각하며 새삼스럽게 자기 안목에 흡족해한다. 이지도르는 마술사들이라면 누구나 그러하듯이 자기의 술수를 밝히지 않는다. 인터넷에 접속된 컴퓨터를 이용해서 아주 간단하게 정보를 얻었다는 사실을 고백하면, 움베르토 로시의 허를 찌른 효과가 떨어질 거라고 생각한 것이다.

「쫓겨난 건가요?」

「아뇨. 그건 사…… 사고 때문이었어요.」

뱃사람의 눈에 갑자기 그늘이 진다.

「사고가 있었습니다. 내 이미니의 뇌에 악성 종양이 생겼는데, 그걸 내가 직접 수술했지요.」

「통상적으로 자기 가족을 수술하는 건 금지되어 있을 텐데요.」

「맞아요. 하지만 어머니는 내가 아니면 누구에게도 수술을 받지 않겠다고 하셨죠.」

움베르토는 바다에 침을 뱉고 나서 말을 잇는다. 「일이 어

쩌다 그렇게 되었는지 나도 모르겠어요. 어머니는 혼수상태
에 빠졌다가 다시는 깨어나지 못하셨지요.」

뱃사람이 된 전직 외과 의사는 다시 바닥에 침을 뱉는다.

「뇌를 다룬다는 건 너무나 섬세하고 까다로운 일입니다.
조금만 잘못 건드려도 큰일이 벌어지죠. 다른 기관들을 다룰
때는 설령 작은 실수가 있다 해도 돌이킬 수가 있지만, 뇌는
달라요. 뇌를 수술할 때는 단 1밀리미터의 착오만 생겨도 환
자를 평생 장애인이나 정신 이상자로 만들게 되지요.」

그는 파이프로 키의 가두리를 툭툭 쳐서 담뱃재를 털어 낸
다음, 파이프에 다시 담배를 채운다. 바람 때문에 불을 붙이
기가 쉽지 않다. 그는 신경질적으로 라이터를 흔들어 댄다.

「그 일이 있고 나서, 나는 술을 마시기 시작했습니다. 파멸
의 수렁으로 추락한 셈이죠. 손이 떨려서 더 이상 메스를 잡
을 수가 없었어요. 결국 사표를 냈지요. 외과 의사가 손을 부
들부들 떨고 있었으니 더 이상 어쩔 도리가 없었어요. 그렇
게 해서 나는 신경외과 의사에서 하루아침에 술주정뱅이 부
랑자로 전락하고 말았죠.」

그들은 수평선에 더욱 크게 모습을 드러낸 생트마르그리
트섬을 바라본다. 파라솔처럼 늘어선 금송(金松)들 옆으로
야자수들과 유칼립투스들이 보인다. 코트다쥐르의 이 지역
은 마치 아프리카에 온 것처럼 기후가 따뜻하기 때문에 이런
식물들이 잘 자란다.

「우리를 대신해서 로봇이 수술실에 들어가는 날이 어서
왔으면 좋겠어요. 다른 건 몰라도 로봇은 절대로 손을 떨지
는 않을 거예요. 듣자 하니, 요즘 들어 외과 수술을 하는 로봇
이 보급되어 가고 있는 것 같기는 하더군요.」

「정말 부랑자로 사셨어요?」뤼크레스가 묻는다.

「모두가 날 버렸지요. 더 이상 아무도 날 만나 주지 않았어요. 나 자신이 내 몸에서 나는 냄새를 역겨워 하는 판인데, 누군들 나를 좋아했겠어요? 나는 이불 하나만 달랑 가지고 칸의 해변에서 살았습니다. 내 소지품들은 모두 슈퍼마켓 비닐 봉지에 담아 크루아제트 해변 도로의 간이 비바람 막이 시설 밑에 숨겨 두었지요. 햇볕 바른 곳에서는 가난도 덜 고통스럽다는 말이 있지만, 매일 백사장에서 살아 본 사람은 절대로 그런 소리 안 할 거예요.」

배가 속도를 조금 늦춘다.

「그러던 어느 날, 어떤 사람이 날 찾아왔습니다. 생트마르그리트병원에서 보낸 사람이었지요. 그가 나에게 말하더군요. 〈당신에게 한 가지 제안할 게 있어. 생트마르그리트섬과 칸 항구 사이를 오가는 왕복선을 맡아서 운행해 보지 않겠어? 지금까지 우리는 외부의 개인 회사에 용역을 맡겨 왔는데, 이제 우리가 직접 왕복선을 운행할 생각이거든. 자네 작은 배는 몰 줄 알지?〉 그렇게 해서 한때 신경외과 의사였던 내가 뱃사람이 된 거예요.」

뤼크레스는 수첩을 꺼내어 먼저 날짜를 적는다.

「생트마르그리트 정신 병원의 내부 사정에 대해서 알고 싶은데, 아시는 대로 말씀해 주실 수 있겠어요?」

움베르토는 수평선을 살피며 불안한 기색을 드러낸다. 그의 눈길은 바닷바람에 밀려가는 검은 구름으로 향했다가, 다시 배 주위에서 마치 뱃길을 일러 주기라도 하듯 끼룩거리는 갈매기들로 옮겨간다. 그는 뱃사람들이 즐겨 입는 재킷의 깃을 여미고, 숱 많은 눈썹을 찡그린다. 그러다가 초록빛 눈을 한 적갈색 머리칼의 기자 쪽으로 다시 시선이 돌아오자, 자기가 걱정하던 일을 잊고 그녀의 신선한 이미지로 자기 망막을 가득 채운다.

「예전에는 저기에 요새가 있었대요. 생트마르그리트 요새였지요. 17세기에 보방 장군이 외적의 내습으로부터 해안을 보호하기 위해 그 요새를 세웠답니다. 아닌 게 아니라 건물이 전체적으로 보면 별 모양을 이루고 있는데, 그런 모양은 당시에 건설된 요새들의 특징이지요. 이 요새는 나중에 감옥으로 쓰이게 되었어요. 루이 14세 시대의 전설적인 국사범 〈철 가면〉도 이 감옥에 갇혀 있었다고 알려져 있어요. 몇 년 전에는 이 감옥에서 한 텔레비전 방송사가 연예계나 스포츠계의 스타들이 참여하는 오락 프로그램을 만들기도 했어요. 그러다가 마침내 정신 병원이 들어선 거지요.」

그는 바닥에 침을 뱉고 나서 말을 잇는다. 「병사들, 죄수들, 텔레비전의 스타들에 이어서 광인들이 섬을 차지하게 된 거죠. 의미심장한 진전이라고 생각하지 않습니까?」

그러면서 그는 다시 껄껄거리며 웃는다. 파도가 크게 일면서 배가 아까보다 많이 흔들린다.

「사람들은 이 병원을 선도적인 의료 기관으로 만들고 싶어 했어요. 그 개혁을 주도한 이가 바로 사뮈엘 핀처 박사예요. 처음엔 요새 안에만 들어서 있었던 병원이 온 섬을 다 차지할 정도로 커졌지요.」

지중해의 파도가 배를 더욱 사납게 흔들어 대기 시작한다.

「우리는 핀처 박사가 살해당했다고 생각하고 있어요.」

이지도르의 그 말을 받아 뤼크레스가 동을 단다.

「누가 핀처 박사를 죽였을까요? 뭔가 짚이는 게 없나요?」

「어쨌거나 병원 사람은 아닐 거예요. 병원에서는 누구나 박사를 좋아했으니까요.」

이제 섬이 지척에 보인다. 요새의 높다란 담이 뚜렷하게 보일 정도로 가까운 거리다.

「아, 핀처! 하느님께서 그의 영혼을 거두어 주시기를! 아까는 말을 안 했지만, 내가 부랑자였을 때 나를 찾아왔던 사람이 바로 그였습니다.」

움베르토는 젊은 기자에게 다가간다.

「그가 정말로 살해당한 거라면, 누가 그를 죽였는지 당신들이 꼭 찾아냈으면 좋겠습니다.」

거대한 파도가 밀려와 갑작스럽게 배를 뒤흔든다. 뤼크레스는 균형을 잃은 채 비틀거리고, 움베르토는 무어라고 투덜거리면서 키를 붙잡고 매달린다. 바람이 거칠어지면서 배가 더욱 심하게 요동친다.

「이런, 아이올로스가 바람 자루를 풀어헤쳤군.」

움베르토가 무심결에 던진 말을 뤼크레스가 되받는다.

「아이올로스요?」

「바람의 신 말입니다. 『오디세이아』에 나오는 아이올로스 생각 안 나요?」

「또 오디세우스 이야기로군요.」

「핀처는 호메로스의 서사시에서 많은 것을 배울 수 있다고 생각하고, 입버릇처럼 그 구절들을 인용하곤 했습니다.」

움베르토는 호메로스의 한 구절을 소리 내어 읊는다.

「〈자루가 풀어지자 온갖 바람이 거기서 빠져나왔고, 갑자기 돌풍이 일더니 배들을 휩쓸어 먼바다로 데려갔소.〉」[35]

그들의 배는 이제 완전히 격랑의 포로가 되고 말았다. 그들은 상하좌우로 사정없이 까불린다.

뤼크레스의 속귀에서도 평형 기관의 기능이 활발해진다. 속귀의 달팽이 뒤에는 흔들림을 지각하는 기관, 곧 타원주머니[36]가 있다. 이 주머니는 속림프라는 젤라틴 질의 액체로 채워져 있고, 거기에 평형 모래라는 작은 결정이 떠 있다. 타원주머니의 아래쪽 벽에는 털이 나 있다. 배가 기우뚱하면 두 개골에 고정된 타원주머니 역시 한쪽으로 기울어진다. 하지만 속림프와 평형 모래는 마치 병을 기울여도 속에 담긴 액체의 표면은 언제나 수평을 유지하는 것처럼 평형을 잃지 않는다. 그때 타원주머니 바닥의 털들은 속림프 때문에 구부러지면서 뇌에 신호를 보내 몸의 균형을 잡게 해준다. 그런데, 눈들 역시 또 다른 정보를 뇌에 보낸다. 이 서로 대립하는 두 가지 신호가 뒤섞임으로써 어지럽고 불편한 느낌이 들고 멀미가 난다.

뤼크레스는 갑판의 난간 너머로 뱃속에 든 것을 토해 낸다. 이지도르가 그녀 곁으로 다가오자, 그녀가 소리친다.

「속이 완전히 뒤집어지는 것 같아요!」

「으음. 사람들이 느끼는 고통을 견디기 어려운 순서대로 나열하자면, 1. 극심한 치통, 2. 신장통, 3. 산통(産痛), 4. 뱃멀미라 하더군요.」

뤼크레스의 얼굴은 납빛처럼 창백하다.

---

35 『오디세이아』 제10편 46~48행. 아이올로스는 오디세우스 일행이 순풍을 받으며 무사히 고국으로 귀환하게 해주겠다면서, 항해에 방해가 될 바람을 모두 자루에 넣어 오디세우스에게 건네주었으나, 손수 키를 잡고 항해하던 오디세우스가 너무 지쳐 잠든 사이에 바람 자루를 보물 자루로 생각한 부하들이 자루를 풀어헤치는 대목.

36 난형낭이라고도 한다.

움베르토가 다시 호메로스의 한 구절을 소리 내어 읊는다.

「〈포세이돈은 그렇게 말하고 갈기 긴 말들을 몰며 아이가이 쪽으로 내달아 자기 궁전으로 갔다. 그러나 팔라스 아테나는 자기 나름대로 생각이 있었다. 제우스의 딸인 이 신은 바람들의 진로를 막고 모두 기세를 누그러뜨리고 잠잠해지라고 명령했다. 그런 다음 날쌘 북풍을 일으켜 거친 너울의 기세를 꺾어 버렸다.〉」[37]

그러나 지중해의 격랑은 전혀 잠잠해지지 않는다.

뤼크레스는 다시 기운을 차리고 얼굴을 들어 거대하고 검은 성채 같은 생트마르그리트 병원을 바라본다.

24

그의 가족과 친지가 모두 한자리에 모여 있었다. 아내 이자벨과 세 딸, 반려견 루쿨루스, 친구 베르트랑 물리노, 그리고 몇몇 직장 동료까지.

사뮈엘 핀처는 장루이 마르탱이 침을 흘리고 있음을 알아차리고, 손수건으로 조심스럽게 그의 입아귀를 닦아 준 다음 그들을 들어오게 했다.

「마르탱 씨는 왼쪽 귀로 들을 수 있고 오른쪽 눈으로 볼 수 있습니다. 하지만 의사 표현을 하거나 몸을 움직일 수는 없습니다. 말을 거시고 손을 잡아 주시면, 어떤 감정적인 반응이 일어날 수도 있습니다.」

마르탱의 늙은 셰퍼드 루쿨루스가 사람들보다 먼저 달려가 그의 손을 핥았다. 누가 시키지도 않은 그 애정 어린 행동

---

37 『오디세이아』 제5편 380~385행. 신 아테나가 오디세우스를 보호하기 위해 바람과 파도를 잠재우는 대목.

이 병실의 분위기를 한결 편하게 만들어 주었다.

　루쿨루스, 나의 루쿨루스.

　그의 딸들이 그에게 가볍게 입을 맞추었다.

　사랑하는 내 딸들아, 너희를 다시 보게 되어 얼마나 기쁜지 모르겠어. 오, 예쁘고 사랑스러운 내 딸들.

　「괜찮으세요, 아빠?」

　난 말을 할 수 없어. 내 눈에서 내 대답을 읽으렴. 너희를 사랑한다. 사느냐 죽느냐의 기로에서 나는 사는 쪽을 선택했어. 이렇게 너희를 다시 만나니 정말 잘했다는 생각이 들어.

　「아빠! 아빠! 대답 좀 해보세요!」

　「의사 선생님 말씀 못 들었니? 아빠는 말을 하실 수 없어.」

　그의 아내 이자벨이 그렇게 상기시키며 그의 뺨에 입을 맞추었다.

　「걱정 말아요, 여보. 우리가 있잖아요. 우리는 당신을 혼자 두지 않을 거예요.」

　나는 내가 당신과 우리 아이들을 믿고 의지할 수 있다는 것을 알고 있었어. 그 점을 한 번도 의심해 본 적이 없어.

　베르트랑 몰리노와 몇몇 직장 동료들은 꽃이며 초콜릿, 오렌지, 책 등 자기들의 선물을 내어 놓았다. 락트인 신드롬이라는 것이 어떤 병인지 아무도 분명하게 이해하지 못한 결과였다. 그들은 그것을 일종의 외상으로 생각하고 있었고, 다른 외상들처럼 한동안의 회복기를 거치면 완쾌될 수 있는 것으로 여기고 있었다.

　장루이 마르탱은 성한 한쪽 눈에 되도록 표정을 많이 담아 보려고 애쓰고 있었다. 그들을 안심시키고 그들을 만난 기쁨을 표현하고 싶은 마음이 너무나 간절하였다.

내 얼굴은 틀림없이 데스마스크 같을 거야······. 여기에 온 뒤로 거울을 본 적이 없어. 나는 헬쑥하고 창백하고 얼이 빠진 듯한 모습일 게 틀림없어. 추하고 피곤해 보일 거야. 미소라도 지을 수 있으면 좋으련만, 그것조차 할 수가 없어.

이자벨은 성한 귀의 좌우를 혼동해서, 성하지 않은 쪽에 대고 귀엣말을 했다. 「정말 다행이에요. 당신이······.」

그녀는 조금 망설이다가 말끝을 달았다. 「······살아 있어서.」

핀처 박사가 분명히 〈왼쪽 귀〉라고 했잖아. 그건 내 편에서 볼 때 왼쪽이라고 한 거야. 나와 마주하고 있는 당신 편에서 보면 오른쪽 귀야. 오른쪽이라고!

다행히 그의 성한 귀는 예전보다 한결 예민해져 있어서, 신경이 죽어 버린 쪽의 귓바퀴에 대고 속삭이는 소리까지 들을 수 있었다.

베르트랑 역시 같은 쪽 귀에 대고 빠르게 말했다. 「자네가 살아나서 우리 모두가 얼마나 다행스럽게 여기고 있는지 모른다네. 은행에서는 모두들 자네가 하루빨리 완쾌되어서 돌아오기를 기다리고 있네. 하지만 자네가 빨리 회복되기를 누구보다 간절하게 기다리는 사람은 아마도 나일 걸세. 자네가 있어야 체스를 두지. 그렇다고 너무 조급한 마음은 먹지 말게. 원기를 완전히 회복하려면 충분한 휴식이 필요할 걸세. 너무 일찍 퇴원하려고 애쓸 건 없어.」

그런 염려는 붙들어 매게.

베르트랑은 자기 말이 잘 전달되었다는 확신이 들지 않았는지, 체스의 말을 움직이는 시늉을 해 보이고는 우정 어린 손길로 마르탱을 툭 쳤다.

마르탱은 마음이 놓였다. 그에게 중요한 건 그들이 자기를 잊지 않고 있다는 사실이었다.

아, 나의 벗들이여! 그러니까 그대들은 아직 내가 존재하고 있는 것으로 생각하고 있다는 얘기로군. 그 사실을 알게 된 것이 나에게 얼마나 중요한지 자네들은 모를걸세.

「나는 당신이 곧 쾌유되리라는 것을 알고 있어요.」아내가 그의 감각이 없는 귀에 대고 속삭였다.

「그래요, 아빠. 빨리 집으로 돌아오세요.」세 딸도 같은 쪽 귓바퀴에 대고 거들었다.

「내가 알기로 자네는 유럽 최고의 신경과에 입원해 있는 걸세. 아까 우리를 맞아 준 의사 말이야, 안경 끼고 이마가 시원하게 생긴 그 양반, 굉장히 유명한 사람인 모양이더라고.」

베르트랑은 아직 할 말이 남았지만, 그쯤에서 이야기를 끝내지 않으면 안 되었다. 핀처 박사가 벌써 돌아와서 환자를 너무 피곤하게 하면 안 된다고 알려 왔기 때문이었다. 그 정도로 충분하니 이튿날 다시 오는 게 좋겠다는 거였다. 칸 항구로 돌아가는 왕복선이 11시에 그들을 데리러 올 거라고 했다.

안돼요. 이들이 나랑 더 있게 내버려 둬요. 나는 이들이 내 곁에 있기를 바라요.

「자아, 빨리 기운을 되찾게.」베르트랑이 말했다.

「단란한 가정을 이루셨더군요, 마르탱 씨. 아주 보기가 좋던데요.」

마르탱은 동의와 감사의 뜻으로 눈꺼풀을 천천히 내렸다.

「우리가 해야 할 일이 하나의 전쟁과 같은 것이라면, 마르탱 씨의 한쪽 눈과 한쪽 귀는 기지가 되는 셈이에요. 나는 이 기지를 출발점으로 삼아 신경의 모든 영토를 수복할 생각입니다. 그건 가능한 일이에요.」

핀처 박사는 목소리에 더욱 힘을 실어 말을 이었다. 「사실, 모든 건 마르탱 씨에게 달려 있어요. 마르탱 씨는 일종의 개척자예요. 미지의 영토를 개척해야 해요. 마르탱 씨의 뇌가 바로 미지의 영토예요. 이 셋째 천 년기의 새로운 엘도라도죠. 우주 정복에 이어서 우리 인간이 정복해야 할 것은 이제 우리 자신의 뇌밖에 없어요. 뇌야말로 우주에서 가장 복잡한 구조죠. 우리 과학자들은 밖에서 뇌를 관찰할 뿐이지만, 마르탱 씨는 이제 안에서 모든 것을 실험하게 될 겁니다.」

마르탱은 그 가능성을 믿고 싶었다. 인간의 지식을 확장하는 일의 선봉에 선 개척자가 되고 싶었다. 현대의 영웅이 되고 싶었다.

「하고자 하는 마음이 있으면 성공할 수 있을 겁니다. 동기가 바로 모든 행동의 열쇠죠. 나는 환자들을 통해서 그 점을 끊임없이 확인하고 있습니다. 내 실험실의 생쥐들에게서도 그 점을 확인할 수 있어요. 그래서 나는 마르탱 씨에게 분명히 말할 수 있습니다. 원한다는 건 할 수 있다는 뜻입니다.」

25

움베르토는 적외선 발신기를 꺼내어 신호를 보낸다. 두 개의 문짝이 서로 벌어진다. 카론호는 작은 수로로 들어간다. 이 수로는 섬 가장자리 절벽의 우묵한 곳에 마련된 선창으로 이어진다. 그들은 나무로 된 부교에 배를 댄다.

「나는 여기에서 기다리겠습니다.」

움베르토는 다시 만나자는 인사 대신, 뤼크레스와 악수를 하고 손에 입을 맞추더니, 가벼운 물건 하나를 쥐여 준다.

그녀는 의아하게 여기며 손에 든 것을 내려다본다. 담배 한 갑이다.

「난 이제 담배 안 피우는데요.」

「그래도 가지고 가요. 〈열려라 참깨〉 하는 주문처럼 쓸모가 있을 거예요.」

뤼크레스는 담배 따위가 뭐 그리 대단한 쓸모가 있으랴 싶은 생각이 들지만, 준 사람의 성의를 생각해서 담뱃갑을 챙겨 넣는다. 그녀의 속귀가 아직 충격에서 벗어나지 못하고 있는 탓에 다리가 휘청거린다.

이지도르가 그녀를 부축한다.

「심호흡을 해봐요, 뤼크레스. 자아, 숨을 들이마셔요.」

움베르토는 커다란 철제문을 열고 그들을 병원 안으로 들어가게 한다. 두 기자가 안으로 들어서자 뒤에서 자물쇠의 덜거덕거리는 소리가 들린다. 가벼운 전율이 스치고 지나간다. 정신 병원에 대한 두려움이 엄습한 것이다.

난 미치지 않았어 하고 뤼크레스는 생각한다.

난 미치지 않았어 하고 이지도르도 생각한다.

커다란 자물쇠가 이중으로 회전하는 소리가 들린다. 〈만일 내가 미치지 않았다는 것을 증명해야 하는 상황이 벌어진다면 어떻게 하지?〉 하고 이지도르는 자문한다.

두 기자는 고개를 들어 주위를 둘러본다. 암벽에 커다란 돌들을 시멘트로 고정시켜서 돌계단을 만들어 놓았다. 그들은 계단을 올라간다. 발걸음이 팍팍하다.

꼭대기에 다다르자 뚱뚱한 남자 하나가 양 허리에 주먹을 댄 자세로 떡 버티고 서서 그들의 길을 막는다. 얼굴 가장자리에만 수염을 기르고 커다란 면 풀오버를 입은 남자는 마치 초등학교 선생님 같은 느낌을 준다.

「당신들 여기에서 뭐 하고 있는 거요?」

뤼크레스는 상대가 의사인지 환자인지 가늠할 수가 없어 잠시 망설이다가 그냥 솔직하게 나가기로 한다.

「우린 기자예요.」

남자는 머뭇거리는 기색을 보이다가 자기를 소개한다.

「나는 의사 로베르요.」

그는 그들을 가파른 계단으로 이끈다. 계단을 다 올라가자 널따란 평지가 나온다.

「나와 함께 다니면 신속하게 병원 전체를 둘러볼 수 있을 겁니다. 하지만, 미리 부탁해 둘 게 있는데, 사람들의 눈길을 끌지 않도록 조심하세요. 그리고 환자들이 무슨 행동을 하든 간섭하지 말고요.」

그들은 이제 병원의 한복판에 있다. 그들 주위의 잔디밭에서 평상복 차림의 사람들이 이야기를 나누며 거닐고 있다. 두 환자가 나누는 대화가 그들의 귀에까지 전해져 온다.

「내가 편집증 환자라고? 말도 안 돼. 누가 그따위 소문을 퍼뜨리고 있는 거지?」

어떤 사람들은 앉아서 신문을 읽거나 체스를 두고 있다. 또 어떤 사람들은 잔디밭 한쪽 구석에서 축구를 하고 있다. 더 멀리에는 배드민턴을 하는 사람들도 보인다.

「놀라셨죠? 여기에 처음 온 사람들은 이런 광경을 보고 놀랄 수도 있을 거예요. 핀처 박사는 환자들이 파자마 차림으로 돌아다니는 것을 금지시켰고, 간호사와 의사에게도 하얀 가운을 입지 못하게 했어요. 그럼으로써 보살피는 사람들과 보살핌을 받는 사람들 사이의 간격을 없애 버린 거죠.」

「그래도 아무 문제가 없나요?」이지도르가 묻는다.

「처음엔 나도 누가 의사고 누가 환자인지 몰라서 헛갈렸지요. 하지만 옷차림에서 차이가 안 나니까 서로에게 더욱 주의를 기울이게 되더라고요. 핀처 박사는 파리 시립 병원에서 왔어요. 프랑스에 캐나다의 새로운 정신 의학 치료법을 도입한 앙리 그리부아 박사와 함께 일했던 사람이지요.」

두 기자는 그를 따라서 어떤 건물 쪽으로 간다. 〈살바도르 달리〉라는 팻말이 붙어 있는 건물이다.

안으로 들어가 보니, 벽들이 예사롭지 않다. 보통 병원의 벽들처럼 하얀색을 칠해 놓은 것이 아니라, 바닥에서 천장에 이르기까지 벽화들이 그려져 있다.

「환자 개개인에게 자기의 장애를 장점으로 변화시킬 수 있음을 일깨워 주는 것, 그게 바로 핀처 박사의 생각이었습니다. 그는 환자들이 이른바 장애니 결함이니 하는 것들을 적극적으로 받아들여서 그것을 하나의 유리한 조건으로 활용하기를 바랐죠. 각각의 건물에는 특정한 예술가들의 이름이 붙여져 있습니다. 남과 다르다는 점을 잘 활용해서 성공을 거둔 예술가들을 기리자는 뜻이지요.」

그들은 살바도르 달리 공동 침실로 들어간다. 뤼크레스와 이지도르는 벽에 그려 놓은 그림들을 찬찬히 살펴본다. 단지 살바도르 달리의 작품을 연상시키는 벽화들뿐만 아니라, 그의 유명한 작품들을 완벽하게 복제한 그림들도 보인다.

로베르는 두 기자를 다른 건물로 데려간다.

「편집증 환자들을 위한 건물입니다. 네덜란드의 화가 모리츠 코르넬리스 에스헤르의 이름이 붙어 있지요.」

그 건물의 벽들은 비현실적인 기하학적 형태들을 그린 벽화들로 장식되어 있다.

「이 병원은 그야말로 하나의 미술관이로군요. 이 벽화들 정말 굉장하네요. 이걸 누가 그렸죠?」

「원작을 이 정도로 충실하게 재현하자면 특별한 재능을 지닌 사람들이 필요하죠. 우리는 반 고흐 동(棟)에 있는 조증(躁症) 환자들에게 도움을 청했지요. 나는 이 복제화들이 원작을 아주 충실하게 재현한 것이라고 장담할 수 있습니다. 반 고흐가 노란색의 색조에 미세한 차이를 두어 가며 무수한 해바라기들을 그린 끝에 노란색의 가장 훌륭한 표상을 얻어 낸 것처럼, 이곳의 환자들도 오랫동안의 탐색 끝에 자기들이 원하는 정확한 색깔을 찾아냅니다. 그들은 극도의 완벽주의자들이지요.」

그들의 순례가 계속된다.

「여기는 조현병 환자들을 위한 곳입니다. 플랑드르의 화가 히에로니무스 보스의 이름이 붙어 있지요. 조현병 환자들은 감수성이 대단히 예민합니다. 자기들 주위로 퍼져 가는 모든 파동을 포착하는 사람들입니다. 그 때문에 고통을 받기도 하고 천재가 되기도 하지요.」

그들은 뜰로 다시 나와서 여러 환자들 사이로 돌아다닌다. 환자들은 대부분 그들에게 정중하게 인사를 건넨다. 어떤 환자들은 상상 속의 대화 상대자에게 큰 소리로 지껄이고 있다.

로베르의 설명이 이어진다. 「이들을 보고 있을 때면, 우리가 이들과 별로 다를 게 없다는 생각 때문에 당황하곤 합니다. 정도의 차이는 있지만, 우리는 늘 어떤 생각에 사로잡혀 있지요. 저 남자를 보세요. 휴대폰의 전자파에 대한 공포증이 있어서 늘 저렇게 오토바이 헬멧을 쓰고 다닙니다. 하지만, 휴대폰의 잠재적인 유해성에 대해서 한 번쯤 걱정해 보지 않은 사람이 누가 있겠습니까?」

한 무리의 조증 환자들이 어떤 벽화에 손질을 가하고 있다. 로베르는 흡족한 표정을 지으며 덧붙인다.

「핀처 박사는 환자들의 근로 활동을 포함해서 모든 분야에 걸쳐 혁신의 바람을 불러일으켰어요. 그는 기존의 의사들과는 다른 방식으로 환자들을 대했지요. 겸허하게 일체의 선입견 없이 말입니다. 기존의 정신과 의사들은 환자들을 주위 사람들에게 피해를 주거나 무언가를 파괴할 가능성이 있는 사람들로 간주하고 그 가능성을 차단해야 한다고 생각했지요. 그와 달리 핀처 박사는 환자들 안에 있는 장점을 드러내고 그것을 강화시키려고 노력했어요. 그 노력의 일환으로 그는 환자들로 하여금 인류가 만들어 낸 아름다운 것과 대면하게 했지요. 그림은 물론 음악, 영화, 컴퓨터 등을 자주 접하게 만든 것입니다. 그렇다고 환자들에게 무엇을 강요한 것은 아니고 자기들 마음 내키는 대로 하게 내버려 두었지요. 환자들은 자연스럽게 예술 쪽으로 마음을 돌렸어요. 자기들의 불안이나 관심사는 물론 자기들 속에 품은 말까지도 표현해 주는 예술 쪽으로 말입니다. 그는 환자들을 가두는 대신에 그들을 관찰했어요. 또, 그들의 장애에 대해서 말하는 대신에 아름다운 것 일반에 관해서 이야기를 나눴지요. 그러자 스스로 예술 작품을 만들어 보고 싶어 하는 환자들이 나타나기 시작했어요.」

「그 과정에 어려움은 없었나요?」

「아주 많았죠. 편집증 환자들은 조현병 환자들을 좋아하지 않아요. 또 그들은 히스테리 환자들을 경멸하고, 거꾸로 히스테리 환자들은 그들을 경멸합니다. 하지만, 그들 모두가 예술에서 일종의 중립 지대, 혹은 상호 보완성을 찾아냈지요. 그 점과 관련해서 핀처 박사가 아주 멋진 말을 했어요. 〈남들이 우리를 비판할 때, 그들은 우리의 강점이 될 수도 있는 어떤 것을 우리에게 가르쳐 주는 것이다.〉」

어떤 노부인 하나가 매우 다급한 기색을 보이며 그들 쪽으로 달려오더니 시간을 확인하려는 듯 다짜고짜 뤼크레스의 손목시계로 덤벼든다.

뤼크레스는 할머니 역시 손목에 시계를 차고 있음을 알아차린다. 하지만 할머니는 너무 부들부들 떨고 있는 탓에 자신의 손목에 찬 시계를 볼 수 없는 모양이다.

「4시 20분이에요.」

뤼크레스의 말이 끝나기도 전에 노부인은 벌써 다른 쪽으로 달려가고 있다. 로베르가 그들에게 귀엣말로 알려 준다. 「파킨슨병에 걸린 할머니예요. 이런 종류의 병은 이제 도파민으로 치유하는 것이 가능해지기 시작했어요. 우리 병원에서는 단지 마음의 장애만을 치유하는 것이 아니라, 알츠하이머병이나 뇌전증, 파킨슨병 같은 신경 계통의 질병들도 치유하고 있어요.」

환자 하나가 다가오더니, 얼굴을 찡그리며 작은 자처럼 생긴 것을 흔들며 지나간다.

「저게 뭐죠?」이지도르가 묻는다.

「고통계(苦痛計)입니다. 체온계로 체온을 재듯이, 고통이 어느 정도인지를 알려 주는 기구죠. 환자가 아프다고 말할 때, 그의 고통이 모르핀의 사용을 필요로 하는 정도인지 아닌지를 알기가 쉽지 않습니다. 그런 문제를 해결하기 위해서, 〈아프다〉라는 개념을 1에서 20까지 등급을 매기도록 환자들에게 부탁했어요. 그럼으로써 환자들은 자기들이 주관적으로 느끼는 고통이 어느 정도인지를 알리는 것이지요.」

일꾼 두 사람이 사뮈엘 핀처의 초상이 들어간 추모패를 벽에 붙이고 있는 중이다. 추모패에는 〈강한 동기를 지닌 사람은 한계를 모른다〉라는 핀처의 말이 새겨져 있다.

환자들이 모여들어 추모패를 바라본다. 어떤 환자들은 숙연한 감동에 젖어 있는 듯한 모습이다. 여남은 명의 환자들이 박수를 보낸다.

로베르가 말을 잇는다. 「여기에서는 누구나 핀처 박사를 좋아했습니다. 그가 디프 블루 IV를 상대로 체스 경기를 벌이던 날에는, 큰 마당에 커다란 텔레비전을 갖다 놓고 모두가 함께 지켜보았지요. 그 광경을 보셨어야 하는 건데…… 정말 대단했습니다. 마치 축구 경기를 관전하는 분위기였어요. 모두가 〈사미, 이겨라! 사미, 이겨라!〉 하고 외쳤지요. 여기에서는 그를 핀처 박사라 부르지 않고, 그냥 사미라는 애칭으로 불렀어요.」

로베르는 실험동물 사육장이라는 팻말이 붙은 건물의 문 하나를 연다. 우리에 갇힌 생쥐 수백 마리의 모습이 한눈에 들어온다.

「실험용 생쥐들입니다. 우리는 이 생쥐들에게 간질 발작을 일으킨 다음 약들이 어떻게 발작을 진정시키는지 관찰합니다. 핀처 박사는 병원의 원장일 뿐만 아니라, 뛰어난 과학자이기도 했지요. 그는 자기 연구팀과 함께 새로운 치료법들을 시험하곤 했습니다.」

생쥐들은 새로 들어온 사람들에게 흥미를 느끼며 우리의 창살 너머로 그들의 냄새를 맡는다.

「꼭 이 녀석들이 우리에게 무언가를 말하고 싶어 하는 것 같아요.」뤼크레스가 나직하게 말한다.

「이 녀석들은 보통 생쥐들보다 지능이 높습니다. 서커스 단에서 곡예를 하던 생쥐들을 어미로 둔 데다가, 태어나면서 부터 훈련을 받았기 때문에 실험을 겁내거나 불편해하지 않 아요. 우리는 녀석들을 미로와 장난감을 갖춘 이 우리 안에 넣어 두고 녀석들의 지능이 어떻게 달라지는지를 검사하고 있습니다.」

두 기자는 생쥐 두 마리가 작은 다리로 서로 치고받으며 싸우는 모습을 바라본다. 두 생쥐 가운데 하나의 주둥이에서 기어이 피가 흐르고 만다.

「여기에서 핀처 박사에게 원한을 품었을 만한 사람이 있 다면, 그게 누구일 거라고 생각하세요?」뤼크레스가 묻는다.

「약물 중독자들요. 여기에서 규칙을 지키지 않고 자기들 멋대로 행동하는 자들은 그들밖에 없어요. 그들은 모든 것에 코웃음을 칩니다. 핀처 박사의 말도 듣지 않고, 박사를 때리 기까지 했어요. 밀로는 더 이상 그들을 설득힐 수가 없어요. 그놈의 빌어먹을 마약을 얻기 위해서라면, 무엇이든 할 준비 가 되어 있는 자들이지요.」

「사람을 죽일 수도 있겠네요?」

로베르는 대답 대신 턱을 쓰다듬으면서 말을 잇는다.

「그들만은 핀처 박사의 방법을 좋아하지 않았어요. 박사 쪽에서도 그들 가운데 가장 말을 듣지 않는 자들을 다른 데로 보내야 되겠다는 생각을 점차 하게 되었지요.」

「만일 어떤 약물 중독자가 핀처 박사를 해치려 했다면, 어떤 식으로 일을 꾸몄을 거라고 생각하세요?」 이지도르가 묻는다.

「예를 들면, 효과가 시간을 두고 나타나는 어떤 물질을 그의 음식 속에 넣었을 수도 있겠지요.」

「법의학 연구소에서 검사한 바에 따르면 독성 물질이 전혀 검출되지 않았습니다.」

「흔적을 찾아낼 수 없는 물질도 있습니다. 이곳의 화학 실험실에는 검출하기가 대단히 어려운 물질들이 있어요. 체내에서 어떤 작용을 하고 이내 사라져 버릴 수 있는 물질들 말입니다.」

뤼크레스는 약물 중독자들이 검출되지 않는 독을 사용했을 수도 있다는 그 새로운 단서를 수첩에 기록한다.

「핀처 박사의 사무실을 볼 수 있을까요?」

「그건 안 됩니다.」

로베르의 단호한 대꾸에 이지도르는 머쓱해서 입을 다문다. 그때, 문득 뤼크레스의 호주머니에 들어 있는 담배에 생각이 미친다. 그는 에멜무지로 담배 한 개비를 꺼내어 내민다.

로베르는 그것을 잽싸게 낚아챈다.

「이걸 가져오는 건 금지되어 있어요. 하지만, 몰래 피우는 것은 금지되어 있지 않죠. 문제는 우리가 출퇴근을 하지 않고 모두 여기에서 잠을 자기 때문에 뭍에 가서 물건을 살 기회가 별로 없다는 거죠. 고마워요.」

로베르는 담배에 불을 붙이고 행복감을 느끼며 눈을 감는다. 그는 니코틴을 빨리 빨아들이려고 급하게 연기를 들이마신다.

「담배 없는 정신 병원이라니, 놀랍군요. 내가 방문해 본 다른 정신 병원에서는 담배 피우는 사람들을 언제나 볼 수 있었거든요…….」

「정작 핀처 박사 자신은 담배를 피우지 않았나요? 디프 블루 IV와 체스를 둘 때 담배를 피웠던 것 같은데.」뤼크레스가 덧붙인다.

「그건 규칙을 공고히 하는 예외죠. 대국에 집중하느라고 신경의 흥분이 극에 달했던 겁니다. 자칫하면 그냥 무너져 버릴 수도 있는 상황이었지요.」

뤼크레스는 수첩을 다시 꺼내어 아주 빠른 손놀림으로 〈여덟째 동기: 담배?〉라고 쓴다.

이지도르는 그녀의 어깨 너머로 훔쳐보다가 이렇게 귀엣말을 한다. 「아니에요. 더 넓은 개념에 포함시켜야 돼요. 담배, 술, 마약 등을 함께 묶어 봅시다. 습관성 물질이나 향정신성 약물이라고 하면 되겠네요. 자아, 정리해 봐요. 5. 의무감, 6. 분노, 7. 성애, 8. 습관성 물질.」

로베르는 완전히 행복감에 젖어 있다. 〈니코 씨의 풀〉[38]로 자기 피를 더럽히고도 미상 행복힌 모양이다. 하지만 그가 피운 담배가 연기 감지기를 작동시킨 탓에 난데없이 벨이 울리기 시작한다. 그는 불안한 표정으로 서둘러 담배를 끈다.

---

38 장 니코(1530?~1604)는 프랑스의 외교관이자 학자로서 프랑스에 담배를 들여온 인물이다. 프랑스에서 담배는 처음에 〈니코티안〉, 또는 〈니코의 풀〉이라는 이름으로 불렸다. 니코틴은 바로 이 니코티안이라는 말에서 유래한 것이다.

그때 파킨슨병에 걸렸다는 예의 노부인이 건장한 두 남자를 데리고 나타난다. 두 남자가 로베르를 붙잡자, 그는 꼼짝없이 걸렸다고 느끼며 불 꺼진 꽁초를 마지막으로 한 번 더 깊이 빨아 본다.

「어이 로베르, 또 오리발을 내밀어 보지그래!」

남자 하나가 꽁초를 빼앗아 땅바닥에 내던진다. 노부인은 뤼크레스와 이지도르를 위아래로 훑어본다.

「로베르에게 속아 넘어갔구먼! 그는 사람을 속이는 재주가 비상하지. 보나마나 의사 행세를 했을 거야. 사실 그는 진짜 의학 박사야. 하지만 진짜 환자이기도 해. 하긴, 의사라고 해서 환자가 되지 말란 법은 없지. 로베르는 다중 인격을 지닌 사람이야. 두 사람에게는 좋은 교훈이 되었을 거야. 사람의 겉모습이나 직함은 믿을 게 못돼.」

노부인은 로베르에게 이제 가라고 손짓을 한다. 그는 풀이 죽은 모습으로 꽁무니를 뺀다. 노부인이 뤼크레스와 이지도르 쪽으로 몸을 돌린다.

「그건 그렇고, 당신들은 병원 사람들이 아닌 듯한데. 대체 누구요? 여기에서 뭘 하고 있는 거죠?」

두 남녀는 잠시 얼떨떨해하다가 비로소 자기들이 완전히 속아 넘어갔음을 깨닫는다.

「저…… 우린 기자입니다.」뤼크레스가 대답한다.

「뭐라고요? 기자요? 아니, 누가 여기에 기자들을 불러들였지? 기자들을 만나고 싶어 하는 사람은 아무도 없을 텐데. 보나마나 움베르토가 당신들을 여기까지 데려왔겠지! 다시는 이런 일이 생기지 않도록 이번엔 단단히 타일러야 해. 사전에 허가받지 않은 국외자들을 또다시 데려오면, 그를 쫓아

버려야 한다고!」

「뭐 하나 여쭤 보아도 되겠습니까?」

「미안하지만 우린 시간이 없어요. 여긴 병원이에요. 우리가 근무하는 것을 방해하지 마세요.」

말이 끝나기가 무섭게 노부인은 자리를 떠버린다. 남자 간호사 하나가 그들을 부교 쪽으로 데려간다.

그 순간에 이지도르는 이런 생각을 한다. 자기는 절대로 미치지 않을 거라고, 만일 어쩌다 미치광이가 된다면 핀처 같은 의사로부터 보살핌을 받고 싶다고.

26

핀처 박사는 규칙적으로 장루이 마르탱을 보러 왔다. 하지만, 그가 돌보아야 할 환자들은 마르탱 말고도 너무나 많았다. 그러다 보니, 초기에 마르탱은 주로 식구들을 통해서 힘을 얻었다. 그의 친구 베르트랑 물리노와 다른 직장 동료들도 번갈아 가며 면회를 와주었다. 그의 개 루쿨루스는 혹시라도 누가 공격해 오면 그를 지켜 주기라도 할 것처럼 줄곧 그의 발치에 머물러 있었다.

그의 동료들은 환자가 보고 들을 수 있다는 것을 알고 있었기 때문에 그가 반응을 보이지 않아도 기꺼이 말을 걸었다. 마르탱 쪽에서는 눈꺼풀을 깜박임으로써 대화가 가능하게 하려고 애를 썼다. 눈꺼풀을 한 번 깜박이면 〈그렇다〉라는 뜻이었고, 두 번 깜박이면 〈아니다〉라는 뜻이었다.

그의 아내 이자벨은 그를 치고 달아난 운전자를 찾아내기 위해 경찰에 고발을 했다고 알려 주었다.

「어떤 사람이 자기네 집 발코니에서 사건을 목격했대요.

그 사람이 증언을 해주어서, 가해 차량의 등록 번호가 알려졌어요.」

그의 눈이 환해졌다.

「……그런데 운전자의 신원을 알아내지는 못했어요. 애석하게도 그 차는 가명으로 빌린 거였대요.」

시간이 지남에 따라 친구들의 방문이 뜸해졌다.

마르탱은 그들의 변명을 곧이곧대로 믿어 주려고 애썼다. 그에게 더 이상 관심이 없음을 가장 먼저 분명하게 알려 준 것은 그의 반려견 루쿨루스였다. 사람들처럼 변명을 늘어놓을 수가 없었으므로, 루쿨루스는 더 이상 그의 손을 핥지 않고 머리를 딴 곳으로 돌리는 것으로 자기 마음이 변했음을 알렸다. 시트를 뒤집어 쓴 채 꼼짝도 하지 않고 있는 그 살덩어리에는 더 이상 관심이 없다는 투였다. 사람들은 루쿨루스로 하여금 그 덩어리를 계속 주인으로 여기게 하려고 했지만, 루쿨루스가 보기에 그건 주인이 아니었다. 먹을 것을 주지도 않고, 막대기를 던져서 물어 오게 하지도 않으며, 자기를 쓰다듬어 주지도 않는 존재가 주인일 리 만무하였다. 그런 존재에게 열성을 바쳐 봤자 얻을 건 아무것도 없었다. 한낱 개에 지나지 않는 루쿨루스로서는 그렇게 생각하는 게 당연했다.

직장 동료들은 갈수록 뜸하게 찾아오더니 마침내 발길을 끊어 버렸다. 마르탱은 친구 베르트랑이 아주 난처해하며 전해 준 말을 통해서 은행의 자기 자리에 다른 사람이 대신 들어왔음을 알았다.

얼마쯤 지나서 베르트랑 역시 다른 직장 동료들처럼 발길을 끊었다.

그의 아내와 딸들은 집념을 버리지 않고 최선을 다하였다. 딸들은 올 때마다 곧 완쾌되어 집으로 돌아갈 수 있을 거라고 했고, 생트마르그리트 같은 전문 병원에서 치료를 받게 된 것이 다행스럽다고 말하곤 했다. 그러던 어느 날, 이자벨이 놀란 기색을 보이며 물었다. 「아니, 병실이 바뀌었네요?」

마르탱은 눈꺼풀을 한 번 깜박였다. 아닌 게 아니라 핀처 박사가 그를 더 큰 병실로 옮겨 놓은 터였다. 식구들하고 편하게 〈대화〉를 나누라고 배려를 해준 거였다.

「이 방엔 창문이 없어!」 막내딸 쉬잔이 기분 나쁘다는 듯이 말했다.

「아빠가 그런 걸 느끼시기나 하겠어? 아빠에겐 창문이 있으나 없으나 마찬가지야.」

맏딸의 말투가 자못 냉소적이었다.

「내가 그런 식으로 말하지 말라고 했지!」

충격을 받은 이자벨이 맏딸의 따귀를 후려쳤다.

마르탱은 눈꺼풀을 두 번 깜박였다.

안 돼, 싸우지 마.

하지만 그의 아내는 벌써 딸들을 데리고 자리를 떴다. 자기들의 화목하지 못한 모습을 남편에게 보이지 않기 위해서였다.

27

바다가 잠잠해졌다. 그들은 섬에서 칸 항구로 돌아가는 중이다.

움베르토는 더 이상 그들에게 말을 하지 않는다. 표정을 험악하게 지은 채 갑판 난간 너머로 간간이 침을 뱉을 뿐이다. 마치 그들의 얼굴에 대고 침을 뱉고 싶은 것을 참고 있는 사람 같다.

보아하니 병원의 책임자들로부터 단박에 꾸지람을 들은 모양이다.

이지도르가 말문을 연다. 「아무튼 우린 운이 좋았어요. 그들이 더 이상 까탈을 부리지 않고 우릴 내보내 주었으니까요. 1971년 로스앤젤레스에서 있었던 실험이 생각나요. 기자들 10명이 어떤 정신 병원에 대한 조사를 벌이기 위하여 거기에 입원하기로 결정했어요. 그들은 저마다 자기 동네의 의사를 찾아가서, 자기들 머릿속에서 사람 목소리가 들린다고 말했지요. 의사들은 한결같이 그들에게 정신 병원에 가보라고 권했고, 정신 병원에서는 그들의 상태를 조현병의 한 증상으로 분류했어요. 정신 병원에 들어간 기자들은 주위에서 벌어지는 일들을 꼼꼼하게 기록했지요. 그런데, 그들이 조사를 다 끝내고 나가려고 할 때 문제가 발생했어요. 기자들 가운데 몇 사람을 병원 측에서 내보내지 않으려고 했던 거예요. 그들은 변호사들에게 도움을 청할 수밖에 없었어요. 하지만 어떤 의사도 그들의 정신이 온전하다는 것을 인정하려고 하지 않았어요. 오로지 환자들만이 그 새로 온 환자들의 행동이 어딘가 다르다는 것을 눈치챘을 뿐이지요…….」

뤼크레스는 적갈색 머리채를 휘날리면서 물보라 섞인 공기를 깊이 들이마신다. 또다시 멀미가 나지 않게 하려는 것이다.

「그 병원의 의료진은 기자들에게 속아 함정에 빠졌다는 것을 알고 기분이 상했을 겁니다. 기자들이 조현병이라는 딱지를 붙이고 병원에 들어온 순간부터, 그들의 몸짓 하나

하나가 모두 조현병의 전형적인 증상으로 해석되었던 것이지요.」

하늘빛 해안이 그들 앞에 길게 펼쳐진다. 화려한 빌라들이 만을 굽어보며 해변을 따라 늘어서 있다.

「나도 그와 비슷한 실험에 관해서 이야기를 들은 적이 있어요. 파리에서 행해진 실험인데요…….」

뤼크레스는 이야기를 들었으니 자기도 하나 해주어야겠다고 생각하면서 그렇게 허두를 뗀다. 「어떤 사회학자들이 교육 행정 당국의 동의를 얻어, 상급 학교에 진학하는 학생들에게 좋은 내용이 적힌 생활 기록부와 나쁜 내용이 적힌 생활 기록부를 학생들의 실제 성적에 상관없이 무작위로 나누어 주었답니다. 교사들은 이 실험에 대해 전혀 모르고 있었고요. 학년 말이 되어서 교사들이 이 학생들에 대해서 점수를 매겨 놓은 것을 보니까, 성적이 우수한 학생으로 기록된 서류를 가지고 진학한 학생들은 좋은 점수를 받았고, 공부를 못 한다고 기록된 서류를 가지고 온 학생들은 나쁜 점수만 받았다는 거예요.」

「남들이 우리를 만들어 간다는 얘긴가요?」

그때 뤼크레스의 휴대폰이 진동하기 시작한다. 그녀는 그냥 듣고만 있다가 전화를 끊는다.

「조르다노 교수예요. 뭔가를 찾아냈대요. 메시지를 남겼는데, 법의학 연구소에서 나를 기다리고 있다더군요.」

「나를 기다리는 게 아니라, 〈우리〉를 기다리는 거겠죠.」

「나만 오라고 했어요.」

이지도르의 눈에 모가 선다.

「나도 같이 가겠어요.」

이런 치사한 애송이 같으니! 이런 일에 대해서 무얼 안다
고 깝죽거리지?

「난 혼자 가고 싶어요.」

당신이 내 아버지라도 되나?

「당신의 태도를 이해할 수 없군요, 뤼크레스.」

움베르토는 금색 실로 장식된 챙 없는 모자를 가지고 손장
난을 치면서 빈정거리는 듯한 표정으로 두 사람을 바라본다.
그는 예전에 자기가 독신으로 살기로 결심했던 까닭을 새삼
스레 다시 떠올린다.

「솔직히 말해서, 기분이 되게 나쁘군요.」이지도르가 나직
하게 내뱉는다.

「그래도 할 수 없어요.」

「정말이에요?」

「정말이에요!」

에메랄드빛으로 반짝이는 눈이 짐짓 태연한 척하는 밤색
눈을 살핀다.

뱃사람에게 시큰둥한 작별 인사를 건네고, 두 기자는 멀
지 않은 곳에 세워 놓은 사이드카로 간다. 이지도르는 화난
티를 내기 위해 침묵을 지키고 싶지만 그럴 수가 없다.

「암만 생각해 봐도 함께 가는 게 낫겠어요. 무슨 문제라도
생기면…….」

「나는 어린애가 아니에요. 내 몸은 내가 지킬 수 있다고요.
그 점은 이미 증명해 보였다고 생각하는데요…….」

「그래도 같이 가겠어요.」

뤼크레스는 재빨리 헬멧을 쓰고 빨간 외투를 걸친다.

「호텔은 아주 가까이 있으니까, 걸어가도 될 거예요!」

그녀는 비행사 안경을 들어 올리고 오토바이에 올라타더니, 그의 얼굴을 아래쪽으로 당겨 이마에 살짝 입을 맞춘다. 그런 다음 그의 턱을 잡고 말한다.

「우리 사이에 이 점을 분명히 해두는 게 좋겠네요, 이지도르 씨. 나는 당신의 학생이나 제자도 아니고 당신 딸도 아니에요. 난 내가 하고 싶은 대로 해요. 혼자서.」

그는 그녀의 당돌한 시선을 견디며 어물거린다.

「우리는 내 제안에 따라 이 조사를 함께 시작했어요. 내 말대로 해요. 계속 함께 움직이는 게 나을 거예요.」

그러자 그녀는 안경을 다시 쓰더니, 해거름의 도로 위로 별똥별처럼 빠르게 달아난다. 자기 동료를 항구에 버려 둔 채.

28

그가 버림받는 것은 점진적이지만 돌이킬 수 없는 일이었다.

딸들의 면회도 한결 뜸해졌다. 자주 오지 못하는 것에 대해서 더 이상 변명조차 하지 않았다.

딸들이 아예 발길을 끊은 뒤로도 그를 계속 찾아온 사람은 아내 이자벨뿐이었다. 그녀는 마치 주문을 외듯이 이런 말을 자꾸자꾸 되뇌인다. 〈내 느낌에는 당신이 조금 좋아진 것 같아요.〉〈나는 당신이 완쾌될 거라고 확신해요.〉그녀는 남편에게보다 자기 자신에게 먼저 그런 믿음을 불어넣으려고 애썼을 것이다. 하지만 그녀 역시 앞뒤가 잘 안 맞는 변명을 늘어놓는 단계로 들어가더니, 마침내 더 이상 오지 않게 되었다. 입으로는 침을 질질 흘리면서 한쪽 눈만 움직이고 있는 남편을 보는 일이 유쾌할 리 만무하였다.

그리하여 장루이 마르탱은 외부 사람들을 전혀 만나지 못하고 하루하루를 보내야 하는 신세가 되고 말았다. 그는 자기가 세상에서 가장 불행한 사람이라고 생각했다. 거지나 죄수나 사형수의 팔자도 자기 팔자보다는 낫겠다 싶었다. 그들은 자기들의 고통이 언젠가 끝나게 되리라는 것쯤은 알고 있었다. 하지만, 그는 무의미한 삶을 계속 살아야 하는 형벌을 받은 존재였다. 언제 끝날지도 모르는 기나긴 세월을 식물처럼 꼼짝 않고 살아야 하는 팔자였다. 아니 그는 식물보다 못했다. 식물은 장소를 옮겨 다니지는 못해도 쑥쑥 자랄 수는 있지 않은가. 그는 하나의 기계와 같았다. 사람들은 수액 정맥 주사를 통해 그에게 에너지를 주입해 주기도 하고, 그의 맥박을 검사하기도 했다. 하지만 그의 육신과 이 육신이 소멸하지 않게 해주는 기계 장치 사이에 무슨 차이가 있단 말인가? 그는 기계가 되었음에도 사고 작용을 계속하는 최초의 인간이었다.

그놈의 교통사고가 저주스럽다. 아! 나를 이 지경으로 만든 그 자식을 잡을 수만 있다면!

그날 밤, 마르탱은 자기에게 그 사고보다 더 나쁜 일은 일어날 수 없다고 생각했다.

하지만 그건 오산이었다.

29

그녀는 보행자 한 사람을 가까스로 피한다. 더 빨리 갈 욕심에 뤼크레스 넴로드는 차들이 붐비는 차도를 벗어나 보도로 달릴 생각을 한다. 하지만 깨진 병 조각 위를 지나다가 오토바이의 앞바퀴 타이어에 구멍이 나고 만다.

「젠장.」

그녀는 어렵사리 사이드카 뒤에 매달린 예비 타이어를 떼어 낸다. 엎친 데 덮친 격으로 비까지 내리기 시작한다. 젊은이들 몇 사람이 그녀를 도와주겠다고 제안했지만, 그녀는 〈됐어요〉 하면서 쌀쌀맞게 거절한다.

예비 타이어 역시 구멍이 나 있다.

뤼크레스는 애먼 오토바이를 세게 걷어찬다.

빗발이 점점 굵어진다. 멀리 폭풍우에 흔들리는 배들이 보인다.

그녀는 사이드카를 뒤져 타이어 펑크 응급 수리제 분무기를 찾아낸 다음, 타이어의 밸브에 그것을 연결한다.

난 언제나 아무의 도움도 받지 않고 곤경을 헤쳐 왔어. 난 부모 없이 태어난 거나 다름없어. 부모야 있었겠지만 너무나 일찍 사라져 버렸기 때문에 그들을 만날 겨를이 없었지. 나는 선생님들의 도움을 받지 않고 혼자서 책을 읽으며 공부했어. 기자 일을 시작할 때도 언론 학교의 도움을 받지 않았지. 지금 나는 정비공의 도움을 받지 않고 바퀴를 갈고 있어. 난 아무에게도 의존하고 싶지 않아. 어떤 여자들은 자기들의 문제를 해결하기 위해 남편을 구하지만, 난 그런 한심한 것들하고는 달라! 동화가 우리 세대의 여자들에게 많은 해악을 끼쳤지.

그녀는 타이어의 압력을 확인해 보고는 아직 충분치 않다는 생각이 들어 다시 응급 수리제 분무기 버튼을 누른다.

아직도 동화 속을 헤매고 있는 그 모든 신데렐라들, 백설 공주들, 잠자는 숲속의 미녀들을 생각하면 속이 끓는다니까!

트럭 운전사 하나가 차를 세우더니 그녀를 도와주겠다고 나선다. 그는 채 몇 초도 지나지 않아 욕을 바가지로 먹으면서 달아난다. 비는 갈수록 차가워지고 어스름은 더욱 깊어간다.

이윽고 오토바이가 다 수리되었다. 뤼크레스는 비에 아랑곳하지 않고 꼿꼿한 자세로 오토바이에 올라타 시동을 건다. 시동이 걸리지 않는다.

그녀는 종아리로 오토바이를 몇 차례 툭툭 친다.

마침내 힘겹게 쿨럭거리는 소리에 이어 상쾌한 엔진 소리가 저녁 어스름을 가르며 울려 퍼진다.

고맙다, 애마야.

그러나 세차게 쏟아지는 비에 그녀는 속도를 낼 수 없다. 칸 법의학 연구소에 도착하니 벌써 저녁 8시다. 그녀는 오토바이에 곁달린 사이드카에서 카메라를 집어 들어 어깨에 둘러멘다.

시각이 시각인지라, 입구를 지키는 수위 말고는 사람의 그림자가 보이지 않는다. 자메이카인풍으로 머리를 땋은 앤틸리스계 수위는 이번에도 『로미오와 줄리엣』을 읽는 데에 골몰해 있다.

그는 기자를 보자, 한 손으로 〈들어갈 수 없다〉는 신호를 보내면서 다른 손으로는 자기 손목시계를 가리킨다. 당신이 누구든 들여보내기에는 너무 늦은 시각이라는 뜻이다.

뤼크레스는 가느다란 사슬로 바지에 연결되어 있는 커다란 지갑을 꺼내어 내용물을 찬찬히 살펴보더니, 마지못해하는 기색으로 20유로짜리 지폐 한 장을 꺼낸다.

수위는 군말 없이 지폐를 받아 호주머니에 넣더니, 유리

문이 열리게 하는 버튼을 누르고 다시 『로미오와 줄리엣』에 빠져든다.

조르다노의 사무실로 가보니 문이 잠겨 있다. 하지만 부검실의 문은 열려 있다. 조르다노의 모습이 보이지 않는다. 하얀 시트를 뒤집어쓴 시체 여섯 구가 탁자 위에 놓여 있다. 뤼크레스는 엑스선실의 문이 빠끔히 열려 있음을 알아차린다. 거기에서 빨간 불빛이 새어 나오고 있다.

「조르다노 교수님? 조르다노 교수님, 거기 계세요?」

그때 갑자기 모든 불빛이 꺼진다.

30

「왜 불을 꺼요?」

두 남자 간호사 가운데 나이가 더 어린 사람이 물었다.

「이 환자는 식물이나 다름없어. 말도 할 수 없고 움직이지도 못해. 이 환자에겐 빛이 있든 없든 마찬가지야. 그렇다면 전기를 아끼는 게 낫지. 이런 작은 관심들이 쌓이고 또 쌓이면 언젠가는 사회 보험의 적자를 메울 수 있게 될지도 모르잖아?」

다른 간호사가 그렇게 농담을 하자, 젊은 간호사가 나무라듯이 말한다.

「너무 몰인정하군요.」

「내가 이 일을 한 지 30년이 되었어. 이건 종노릇이나 다름없는 일이야. 미안하지만, 이제 나에겐 동기도 의욕도 없어. 그냥 재미있게 살았으면 좋겠어. 손님들을 상대로 장난치는 재미도 없다면 무슨 재미로 살겠어? 자아, 걱정하지 마. 어쨌거나 저 환자는 불평도 할 수 없을 테니까 말이야.」

「그래도 핀처 박사가 왔다가 불이 꺼진 걸 알게 되면 어쩌려고요?」

「그 양반은 매일 정오에 들른다는 거 알고 있잖아. 정오가 되기 10분 전에 다시 불을 켜주면 돼.」

이리하여 장루이 마르탱에게 〈불빛 없는〉 시기가 시작되었다.

거의 모든 시간을 칠흑 같은 어둠 속에서 보내게 되자, 그의 정신은 이내 깊은 불안에 사로잡혔다. 시간이 지나자 어둠 속에서 괴물들이 보이기에 이르렀다. 용의 몸뚱이에 사람의 머리가 달린 괴물이었는데, 그 얼굴은 대개 전등을 끄는 두 간호사의 얼굴이었다.

그들은 자기들끼리 말한 대로, 핀처가 오기 10분 전에 어김없이 스위치를 눌렀다. 계속 어둠 속에 있다가 갑자기 불빛을 대하는 건 고통스러운 일이었다. 처음의 눈부심이 지나가고 나면, 강렬한 빛 사이로 천장이 조금씩 눈에 들어왔다. 처음에 천장은 그냥 하얀색으로만 보였다. 그러다가 어느 날 그는 그 하얀색의 한복판에서 작은 반점을 발견했다. 그는 이내 그 반점에 매료되어, 더없이 세밀하게 그것을 관찰하였다. 그리하여 반점의 잿빛이 조금씩 엷어지는 양상과 표면의 미세한 오톨도톨함을 낱낱이 식별할 수 있게 되었다. 그가 생각하기에 그것은 한낱 반점이 아니라, 참선하는 이들의 화두처럼 하나의 형이상학적 차원을 지닌 사색의 실마리였다. 그것은 그의 시선과 사색이 집중되는 하나의 완전한 우주였다.

그는 자기가 살던 동네의 지리도 잘 모르고 자기네 집 붙박이장들이 어떻게 배치되어 있는지도 잘 기억하지 못하는 사람이었다. 하지만, 넓이가 1제곱센티미터쯤 되는 그 반점에 대해서는 지극히 세세한 구석까지 모르는 게 없었다. 어느 날 그는 반점을 관찰하다가 문득 이런 생각을 했다. 〈무언가를 본다는 것은 그 자체로 하나의 크나큰 기쁨이다. 단순한 반점같이 지극히 하찮은 것을 보는 것도 때로는 큰 기쁨이 될 수 있다〉라고.

핀처 박사가 왔을 때, 마르탱은 할 수만 있다면 간호사들 때문에 자기가 고난을 당하고 있다는 사실을 알리고 싶었다. 하지만 박사는 필요한 치료 행위만 하고는 이내 나가 버렸다. 박사가 나가고 나면, 간호사들은 다시 불을 꺼버렸다.

어둠. 그것은 시각의 호흡 정지였다.

괴물들이 왔다 갔다 하는 것을 보면서 한 시간 정도 시간을 보내고 나면, 어둠 속에서 무슨 소리가 들려오곤 했다. 거친 숨을 쉬는 옆방의 환자, 인공호흡기, 복도에서 대화를 나누는 간호사들 등이 내는 소리였다.

참 이상해. 불빛이 있을 때는 느끼지 못하던 소리가 어둠 속에서는 왜 이렇게 또렷하게 들리지?

빛과 어둠이 갈마드는 그 수난 속에서 그는 자기에게 새로운 세계가 펼쳐지고 있음을 느꼈다. 그것은 천장의 반점과 무수한 효과음이 있는 세계였다.

그 신세계를 발견한 뒤로 어둠 속에서 느끼던 불안은 사라졌다. 물론 반점에 대한 경탄은 겨우 몇 순간 지속될 뿐이었고, 어둠에 빠져 있는 시간은 무한히 계속될 것처럼 느껴지곤 했다. 마르탱은 비로소 자기가 그 어둠 속에서 죽는 줄 모르고 죽을 수도 있겠다는 생각을 하게 되었다. 그러자 자기 자신에 대한 연민이 격렬하게 솟구쳤다. 그날 칠흑 같은 어둠 속에서 그의 한쪽 눈으로부터 한 줄기 눈물이 흘러내렸지만, 그것을 본 사람은 아무도 없었다.

31

그녀는 전등을 다시 켜려고 스위치를 눌러 보지만 아무 소용이 없다.

퓨즈가 나가서 이 방의 전기가 모두 차단된 모양이군.

자가 발전기로 작동되는 〈비상구〉 표시등만이 초록색과 흰색의 불빛을 발하고 있다. 분젠 가스버너 근처에 성냥갑이 보인다. 그녀는 성냥개비 하나를 집어 불을 켠다.

불붙은 성냥개비를 든 채 엑스선실로 들어가니, 하얀 가운 차림으로 회전의자에 앉아 있는 법의학자 조르다노의 뒷모습이 보인다.

「조르다노 박사님?」

그는 〈사뮈엘 핀처〉라는 이름표가 붙어 있는 표본 병을 마주하고 있다. 뤼크레스는 핀처의 뇌가 이제 사과처럼 두 쪽으로 나뉘어져 있음을 알아차린다.

「조르다노 박사님…….」

그녀가 법의학자의 팔을 건드렸지만, 아무 대꾸가 없다. 사람을 오라 해놓고 쳐다보지도 않는 그의 무례가 괘씸하다. 그녀는 억지로라도 자기를 쳐다보게 하려고 회전의자를 돌린다. 성냥불의 희미한 빛에 그의 얼굴이 드러난다. 엄청난 공포에 질린 듯한 표정이다. 뭔가 아주 끔찍한 것을 보았던 모양이다. 벌어진 입을 아직도 다물지 못하고 있다.

그녀는 비명이 터져 나오려는 것을 억누르고 재빨리 다시 성냥을 긋는다.

그 직전에 그녀 뒤에서 시체들 중의 하나가 꿈틀거렸다. 다른 시체들은 맨발이고 엄지발가락에 이름표를 하나씩 달고 있는데, 이 시체는 시트 밖으로 구두를 내밀고 있다.

뤼크레스는 다시 정신을 차리고 성냥불을 조르다노의 얼굴 가까이로 가져간다.

그녀가 피해자의 얼굴을 살피고 있을 때, 시트 밖으로 손 하나가 나오더니 바퀴 달린 탁자 위를 더듬어 메스를 찾아낸다. 시체로 위장하고 있던 그자는 메스를 잡고는 자기 눈높이에 맞추어 시트에 구멍을 내더니, 자기 머리 위쪽의 시트를 묶어 하나의 복면을 만든다.

뤼크레스는 조르다노의 맥을 짚어 본다. 머리에 시트를 뒤집어쓴 남자는 메스를 마치 단검처럼 움켜쥐고 있다.

뤼크레스는 손가락이 뜨거울 정도로 타 들어간 성냥개비를 버리고 다시 어둠에 잠긴다.

떨리는 손으로 성냥갑을 찾아낸 그녀가 다시 성냥을 그었을 때, 머리에 시트를 뒤집어쓴 남자가 다가들었다. 하지만 그녀는 여전히 그가 있다는 것을 모르고 있다. 그녀는 책상 위에 놓인 서류들을 들여다본다.

성냥불이 꺼진다.

그녀는 또다시 성냥을 긋는다. 그것이 마지막 성냥개비인데, 그녀가 너무 서두르는 바람에 그만 두 동강이 나고 말았다. 그녀는 무슨 소리가 들린다 싶어 몸을 홱 돌린다.

「누구 있어요?」

동강 난 성냥개비가 이내 손톱이 뜨거워질 정도로 타 들어간다. 뤼크레스는 마지막까지 책상 위의 서류들을 살펴보려고 한다. 머리에 시트를 뒤집어쓴 남자는 이제 바싹 다가와 있다.

성냥불 때문에 그녀의 손가락이 타버릴 듯하다.

「이런 젠장, 빌어먹을!」

등 뒤에서 다시 부스럭거리는 소리가 들린다.

그녀는 두 손으로 더듬더듬 카메라를 찾아내어 소리 나는 쪽을 향해 플래시를 터뜨린다. 성냥불이 좁은 공간을 오래 비추었다면, 플래시는 방 전체를 순간적으로 환하게 해준다.

그녀는 머리에 시트를 뒤집어쓴 남자와 그의 손에 들린 메스를 분명히 식별하고 잽싸게 탁자 뒤로 가서 몸을 웅크린다. 플래시를 다시 터뜨리고 싶은데, 그러자면 다시 충전될 시간이 필요하다. 그녀는 플래시의 작은 표시등이 빨간색에서 초록색으로 바뀌기를 기다린다.

됐다, 초록색이다.

다시 섬광이 번쩍한다. 뤼크레스는 남자가 오른쪽으로 약간 떨어진 곳에서 자기를 찾고 있음을 확인한다. 남자는 섬광 때문에 눈이 부셔서 잠시 멈칫한다. 하지만 이내 빛이 어디에서 왔는지를 알아내고 그녀 쪽으로 달려든다. 그녀는 가까스로 다시 몸을 숨긴다.

저마다 어둠 속에서 상대의 동정을 살핀다.

이렇게 캄캄한 곳에서는 내가 불리하다. 여기서 나가자.

문이 닫혀 있다. 그녀는 손잡이를 잡고 흔들어 댄다. 남자는 그녀에게 덤벼들어 그녀를 바닥에 쓰러뜨린다. 그러더니 한쪽 발로 그녀의 목을 눌러 꼼짝 못하게 한 다음, 메스 끄트머리를 그녀에게 겨눈다.

아드레날린이 한소끔 분출하여 그녀의 혈관을 채우고 팔다리에 이르러 근육을 덥힌다. 그녀는 벗어나려고 버둥거린다.

그녀의 망막이 차츰차츰 어둠에 익숙해진다. 비로소 날카로운 칼날이 눈에 들어온다.

공포가 엄습한다. 그녀는 자기 목을 누르고 있는 발을 밀어내기 위해 두 팔의 근육에 온 힘을 모은다.

그때 우지끈 하는 요란한 소리가 들린다. 두 사람 다 소스라치게 놀란다. 누군가가 어깨에 온몸의 무게를 실어 치고 들어오는 서슬에 문이 굴복하고 만 것이다. 손전등 하나가 어둠을 마구잡이로 공략한다. 뤼크레스의 목을 누르고 있던 남자는 잠시 머뭇거리다가 그녀의 목에서 발을 떼고 옆쪽으로 달아난다.

뤼크레스는 목이 졸린 듯한 소리로 힘겹게 소리친다.

「이지도르! 저놈 잡아요!」

뚱뚱한 기자는 출구를 막으려고 급히 달려간다. 하지만 괴한이 더 민첩하다. 놈은 이지도르를 떼밀고 메스를 꼭 쥔 채 줄행랑을 놓는다. 뤼크레스는 천천히 숨을 고른다.

이지도르는 법의학자의 목을 주의 깊게 살핀다.

「상처가 전혀 없는데요. 메스에 찔린 건 분명히 아니에요. 괴한을 보고 겁에 질려 죽은 모양이에요.」

이지도르는 계속 그를 손으로 만져 본다.

「놀라운 일이군요. 늘 시신을 다루며 사는 사람이라 무척 대범할 줄 알았는데, 자기 앞에 죽음의 위험이 닥치자마자 그대로 심장이 멎어 버렸으니 말이에요.」

「〈내 말 안 듣더니 꼴좋다〉 하면서 잘난 척하려고 하지 말아요.」

「난 아무 말도 안 했어요.」

그는 안전 차단기가 들어 있는 붙박이장을 찾아내어 방 안에 전기를 다시 넣는다. 뤼크레스는 두 눈을 깜박이고 나서 수첩을 꺼내 든다.

「조르다노는 공포증 환자였을 거예요. 죽음에 대한 병적인 공포심을 지니고 있었어요. 그래서 메스를 보자마자, 그의 뇌가 스스로를 파괴하는 쪽을 선택했을 거예요.」

그녀는 지친 기색으로 자리에 앉더니 손톱 하나를 물어뜯으며 생각에 잠긴다.

「아, 알겠어요. 살인자는 이러저러한 경로를 통해서 피해자들에게 공포증이 있다는 걸 알아낸 거예요.」

「하긴 공포증이 있는 사람들은 위험한 상황에 처하면 그 위험을 실제보다 훨씬 더 무섭게 느끼지요. 이 증폭된 공포감이 죽음을 가져올 수도 있고요. 예전에 어떤 백과사전에서 이런 이야기를 읽은 적이 있어요. 한 선원이 실수로 냉동 컨테이너에 갇혔다가 죽은 채로 발견되었어요. 그런데 사실을 알고 보니, 그는 얼어 죽은 것이 아니라 스스로 춥다고 생각했기 때문에 죽었다는 거예요. 그는 컨테이너 벽에 유리 조각으로 자기가 느낀 고통을 기록해 놓았어요. 손발이 얼어붙는 느낌을 생생하게 묘사했다는 겁니다. 하지만 목적지에 도착해서 다른 선원들이 그의 시체를 발견했을 때, 그들은 냉동 시스템이 작동되지 않고 있음을 확인했습니다. 그 선원은 스스로 춥다고 생각했던 것이고, 그 확신이 그를 죽인 셈이지요.」

「으음…… 생각의 힘이 얼마나 대단한가를 일깨워 주는 이야기로군요. 우리가 우리 스스로 어떤 자극에 대해 조건 반응을 일으키도록 만들 수 있다는 것을 보여 주는 이야기이기도 하고요.」

뤼크레스는 수첩에 메모한 것을 다시 읽어 보고 나서 말을 잇는다. 「핀처가 무엇에 대해 공포증이 있었는지 알아내야 해요. 그러면 범인이 어떻게 그를 죽였는지 알게 될 거예요.」

이지도르는 조르다노의 턱을 살펴보며 대답한다. 「하지만 한 가지 다른 점이 있어요…….」

「뭐가 다르다는 거죠, 셜록 홈스 씨?」

「두 피해자의 표정요. 조르다노는 완전히 겁에 질린 듯한 표정을 짓고 있음에 반해서, 핀처는 완벽한 황홀경에 빠져 있는 듯한 모습으로 죽었거든요.」

32

어둠 속에서나마 마음의 평화를 찾을 수 있겠다 싶었는데, 또 다른 고통이 그를 기다리고 있었다.

어느 날 악몽을 꾸며 하룻밤을 보내고 났을 때, 두 남자 간호사가 난폭하게 그를 깨웠다. 나이 많은 간호사는 그의 눈꺼풀을 거칠게 열고는 망막이 반응하는지를 검사하기 위해 손전등을 비추었다.

「이런 〈식물인간〉은 냉장고에 넣어 버렸으면 좋겠어.」

「〈냉장고〉라니요?」

「특별한 방을 만들어서 이런 사람들을 쌓아 두자는 거지. 다른 사람들에게 피해를 주지 않고 썩어 갈 수 있도록 말이야. 하지만 이 환자는 아직 완전히 〈시들어 버린〉 식물인간이라고는 볼 수 없어. 우리가 더 빨리 〈시들게〉 만들어 줘야지.」

장루이 마르탱의 눈이 공포로 휘둥그레졌다. 간호사들이

자기 팔에 꽂혀 있는 주삿바늘들을 모두 빼버릴 거라는 생각
이 들었다.

「아마 계속 어둠 속에 있는 게 싫증이 날 테죠. 그렇지 않
아요?」

나이 든 간호사는 그렇게 물으면서 보통의 전구를 백 와트
의 전구로 바꾸었다.

그러자 천장이 너무 환해서 눈이 부셨다. 빛이 너무 강렬
해서 천장의 반점이 더 이상 보이지 않았다. 마르탱은 자기
각막이 건조해지고 있음을 느꼈다. 빛이 그토록 강력하게 침
공해 오니 눈꺼풀만으로는 그것을 막아 내기가 충분치 않았
다. 각막을 적시기 위해 눈물을 계속 만들어 내지 않으면 안
되었다.

눈을 쑤셔 대는 빛 때문에 머리가 지끈거렸다. 두 간호사
는 한밤중에 다시 나타났다.

「자, 이제 알겠어요? 누가 당신 목숨을 쥐고 있는지? 대
답해 봐요. 눈을 한 번 깜박이면 〈예〉고, 두 번 깜박이면 〈아
니요〉예요.」

마르탱은 두 번 깜박였다.

「어쭈, 이 아저씨가 겁 없이 나오는데. 좋았어. 지금까지
받은 벌로는 만족할 수 없다 이거지? 하긴, 형벌은 아직 반밖
에 실시되지 않았어요. 당신의 감각 기관 중에서 감각을 느
낄 수 있는 것은 이 눈과…… 이 귀뿐이야. 눈을 통해서 벌을
받았으니, 이제 귀를 통해서 벌을 받아 보실까?」

그들은 마르탱에게 카세트의 헤드폰을 씌웠다. 그레타 러
브의 최신 히트곡 〈그대가 나를 사랑하도록〉이 반복해서 흘
러나오고 있었다.

그 순간에 마르탱은 매우 강렬한 증오의 감정에 사로잡혔다. 하지만 그 격한 감정은 예전처럼 자기 자신에 대한 것이 아니었다. 그는 처음으로 타인에 대해 증오심을 느꼈다. 분노가 치밀었다. 죽이고 싶었다. 처음엔 두 남자 간호사를 죽이고 싶었고, 나중에는 그레타 러브를 죽이고 싶었다.

이튿날 아침, 그의 눈과 귀는 온통 열에 들떠 있었다. 마르탱은 분노 때문에 거의 이성을 잃어버릴 것 같은 상황에서도 그 두 간호사가 왜 자기에게 그토록 많은 고통을 주고 싶어 하는지를 이해하려고 애썼다. 자기 이웃을 사랑하지 않고 이웃을 괴롭히는 데에서 즐거움을 얻는 것이 인간의 본성이 아닐까 하는 생각마저 들었다. 생각이 거기에 미치자 그의 증오심은 다른 감정으로 바뀌었다. 그는 사람들을, 아니 온 인류를 변화시키고 싶었다.

또 하루가 지났다. 뒤퉁스러운 간호사들이 마르탱을 리놀륨 바닥에 떨어뜨렸다. 그의 팔에 연결된 수액 대롱들이 팽팽해지다 못해 빠져 버리기까지 했다. 학대자들은 그를 들어 올려 다시 침대에 바로 눕혔다.

「너무 심한 거 아니에요?」두 간호사 가운데 더 젊은 남자가 말했다.

「심한 건 내기 아니라 제도야. 나는 이런 환사들을 모두 안락사시켜야 한다고 생각해. 〈식물인간들〉이 사회에 너무 많은 비용을 부담시키고 있어. 그들이 차지하고 있는 병실을 비우면 더 성한 환자들에게 도움이 될 거야. 예전엔 그런 사람들을 죽게 내버려 두었어. 그런데, 이른바 〈진보〉라는 것이 이루어져서 지금은 그들의 목숨을 마냥 붙들어 두고 있지. 그것도 그들의 의사에 반해서 말이야. 만일 이 불쌍한 인

간이 자기 의사를 표현할 수 있다면, 죽고 싶다고 할 게 틀림
없어. 이봐요 가엾은 식물인간, 내 말이 틀렸어? 당신은 채소
처럼 데쳐지거나 삶아지고 싶나?」

나이 든 간호사는 마르탱의 발가락에 난 털을 잡아당긴다.

「게다가, 지금 이 환자에게 애착을 갖는 사람이 누가 있
어? 식구들조차 더 이상 보러 오지 않는 판국이야. 이 환자는
모두에게 방해만 되는 존재라고. 하지만 우리의 제도에는 비
겁함이 만연해 있어. 기생충 같은 존재들을 과감하게 제거하
기보다는 계속 생명을 연장시켜 주는 쪽을 선택하고 있단 말
이야.」

그가 다시 손을 뒤퉁스럽게 놀리는 바람에 마르탱은 둔탁
한 소리를 내며 코방아를 찧었다.

그때 병실 문이 열리고 핀처 박사가 들어왔다. 다른 때와
달리 정해진 시간이 되기 전에 그가 온 거였다. 그는 무슨 일
이 벌어지고 있는지를 금세 알아차리고, 불같이 화를 냈다.

「두 사람 다 해고야!」

그러고는 자기 환자 쪽으로 몸을 돌리더니, 그를 바로 눕
히고 쿠션을 받쳐 주며 말했다.

「우리 둘이서 해야 할 이야기가 많은 것 같군요.」

고맙습니다, 박사님. 이제나마 나를 구해 주신 것에 대해
감사해야 할지, 아니면 더 일찍 나를 구해 주지 않은 것에 대
해 원망을 해야 할지 잘 모르겠습니다. 우리 둘이서 할 이야
기는 많지만…….

「마르탱 씨는 눈꺼풀을 한 번 또는 두 번 깜박여서 예와 아
니요로 대답하시기만 하면 됩니다.」

이런저런 질문이 이어지다가 마침내 핀처 박사가 문제의

핵심에 접근하는 물음을 던지기 시작했다. 마르탱은 예와 아니요로 대답하는 것만으로도 최근에 자기가 당한 고난의 자초지종을 이해시킬 수 있었다.

33

「내 동생 사미에게 동기를 부여한 것이 무엇이었냐고요? 좋은 질문입니다.」

〈즐거운 부엉이〉의 최면술사는 대화를 나누면서, 당근 하나를 들고 하얀 토끼 한 마리를 놀리고 있다. 토끼가 당근을 먹으려고 다가들 때마다 그는 마지막 순간에 얼른 당근을 뒤로 뺀다.

「무언가에 열정을 불태우며 자아를 실현하는 것, 그것이야말로 모든 사람들에게 삶의 의욕을 고취시키는 강력한 동기지요. 우리는 누구나 저마다의 재능을 지니고 있습니다. 중요한 것은 그것을 찾아내고 계발하는 것이지요. 그 재능을 계발하는 과정에서 열정이 생겨납니다. 이 열정이 우리를 이끌고, 모든 시련을 견딜 수 있게 하고, 우리 삶에 의미를 부여합니다. 돈이니 사랑이니 명예니 하는 것들은 덧없는 보상일 뿐이지요.」

뤼크레스는 얼른 수첩을 꺼내어 이렇게 적는다.

〈아홉째 동기: 개인적인 열정.〉

「사미의 말에 따르면, 우울증의 대부분은 개인적인 열정이 없는 데서 생겨난다고 합니다. 체스나 브리지나 바둑에 푹 빠져 있는 사람, 음악이나 무용이나 독서에 심취해 있는 사람, 아니면 버들고리나 레이스, 우표 수집, 골프, 복싱, 도자기 같은 것에라도 취미를 붙이고 있는 사람은 우울증에 걸리지 않습니다.」

최면술사는 이야기를 하면서 계속 당근을 가지고 토끼를 놀린다. 토끼는 노력의 대가를 얻지 못해서 더욱더 안달을 한다.

「왜 토끼에게 그런 장난을 치는 거예요?」뤼크레스가 묻는다.

최면술사는 토끼에게 애정 어린 뽀뽀를 해준다.

「이렇게 애를 태우다가 당근을 주면 토끼가 얼마나 기뻐하겠어요! 사람의 행복이란 것도 이런 겁니다. 고조된 욕망을 채우는 게 행복이죠. 나는 먼저 토끼에게 욕구 불만이 생겨나게 합니다. 그런 다음 그 상태를 유지시키면서 욕구를 자꾸 키워 나갑니다. 그러다가 마침내 욕구를 충족시켜 주지요. 으음…… 나는 이 흰 토끼를 가지고 내 공연에 변화를 줄 생각입니다. 이 녀석을 모자 속에 감춰 둘 거예요. 마술 공연에 사용되는 토끼나 비둘기가 낑낑거리거나 구구 소리를 내지 않고 마술이 끝날 때까지 기다리자면 엄청난 인내가 필요합니다. 그것에 대해 생각해 본 적 없으세요? 그 동물들은 상자나 호주머니 안에서 잔뜩 눌린 채 그 시간을 참아 냅니다. 정말 대단한 일이죠. 공연이 끝나기를 기다리는 토끼의 고독을 누가 감히 이해한다고 말할 수 있겠습니까? 그런데, 토끼로 하여금 그렇게 인내하는 것을 받아들이게 하려면, 먼저 조건 반응이 일어나도록 훈련을 시켜야 합니다. 토끼가 나를 저의 욕망을 충족시켜 주는 사람으로 알고 좋아하도록 만들어야 하지요. 이를테면 내가 녀석의 신이 되어야 하는 겁니다. 녀석은 내가 제 고통의 원인이라는 사실은 잊어버리고, 오로지 그 고통을 중단시키는 나의 능력만을 기억하게 될 것입니다.」

　파스칼 핀처는 당근을 가지고 계속 장난을 친다. 토끼가 다리를 움직여 당근을 잡으려 할 때마다, 토끼의 목을 붙잡아 그 동작을 제지한다.

　「하지만, 토끼에게 말로써 최면을 걸 수는 없으므로, 어떤 자극에 반사적으로 반응하도록 학습을 시켜야 합니다. 이 녀석은 다음에 당근을 보게 되면, 나에게 순종해야만 그것을 먹을 수 있다고 생각하게 될 겁니다.」

　「모자 속에서 악몽 같은 시간을 견디도록 훈련시키는 거로군요.」

　「우리 사회가 우리로 하여금 출퇴근 시간에 콩나물시루 같은 지하철을 견디도록 훈련시키는 것도 이것과 별반 다를 게 없지요. 다른 점이 있다면, 토끼처럼 당근을 얻는 대신 우리는 봉급을 받는다는 것이지요. 파리 사람들은 그걸 알아야 해요.」

　흰 토끼는 이제 욕구가 절정에 달해 있다. 귀를 바짝 세우고 콧수염을 바르르 떨면서 저의 간절한 욕구를 더욱더 애처롭게 표현한다. 심지어는 이지도르와 뤼크레스에게 눈짓을 하기까지 한다. 마치 당근을 얻을 수 있도록 제 편을 들어 달라고 부탁이라도 하는 듯한 눈빛이다.

　「우리는 모두 어떤 자극에 조건 반응을 일으키도록 길들여져 있습니다. 우리 모두가 조건 반응을 쉽게 일으킬 수 있는 존재들이지요……」

　「정신을 바짝 차리고 경계를 하고 있을 때는 그렇지 않아요. 나는 이지도르에게 속아 넘어간 적도 있고, 지난번에는 최면에 걸리기도 했지만, 이젠 더 이상 당하지 않을 거예요.

정신만 바짝 차리면 그럴 일이 없어요.」

「아 그래요? 그럼 어디 한번 해볼까요? 〈보크〉라는 말을 열 번 되풀이해 보세요.」

그녀는 경계심을 늦추지 않고 그가 시키는 대로 한다. 그녀가 열 번째로 〈보크〉를 되뇌자마자, 그가 묻는다.

「수프를 무엇으로 먹죠?」

「포크요.」

그녀는 〈보크〉라는 말이 다시 튀어나오지 않도록 조심하면서 그렇게 분명하게 소리를 냈다.

다음 순간, 아차 하면서 대답을 번복하려 하지만 이미 때가 늦었다.

「그러니까…… 내 말은 숟가락이라는 뜻이었어요. 당연히 숟가락이죠…… 젠장! 내가 졌어요.」

「아주 간단하게 조건 반응을 유도할 수 있는 예죠. 대부분의 사람들이 속아 넘어가요. 주위 사람들을 상대로 한번 시험해 보세요.」

이지도르는 방 안을 찬찬히 둘러본다. 모든 장식이 뇌를 주제로 삼고 있다. 방 한쪽에 모아 놓은 중국제의 작은 장난감들은 플라스틱 뇌와 다리로 이루어져 있다. 태엽을 감아 주면 깡충깡충 뛰어다니는 장난감이다. 석고로 된 뇌들도 있다. SF 영화에 나옴 직한 로봇 괴물들도 보인다. 머리가 열려 있고 뇌가 투명하게 보이는 괴물들이다.

흰 토끼는 이제 다소 공격적인 태도를 보이기 시작한다. 파스칼은 토끼를 진정시키기 위해 우리 안에 도로 집어넣는다. 토끼의 흥분이 점점 고조된다.

「내 동생은 몇 년 간의 함구증(緘口症) 단계를 겪은 적이 있습니다. 우리 아버지 때문이었어요. 아버지는 감수성이 아주 예민한 의사였지요. 문제는 알코올 의존이었어요. 아버지는 술만 마시면 잔인하고 자학적인 사람으로 변했어요. 지금도 생생하게 기억나는 일이 하나 있습니다. 어느 날 저녁 식사 때에 아버지는 식탁에 놓인 나이프를 잡더니 당신 손목에 상처를 냈어요. 다른 이유가 있었던 게 아니라 그저 우리에게 충격을 주려고 그랬던 것 같아요. 아버지는 접시에 피가 흘러내리도록 잠시 가만히 있었어요.」

「그래서요?」

「우리 어머니가 대응을 아주 잘했어요. 어머니는 피가 떨어진 접시에 수프를 담아 주면서 아버지에게 차분한 어조로 하루를 잘 보냈느냐고 묻더군요. 아버지는 우리에게 충격을 주지 못한 것이 머쓱했는지 대답 대신 어깨를 한번 치켜올리고는 손목에 붕대를 감으러 갔지요. 어머니는 아주 온화하고 슬기로운 분이었어요. 아버지를 어떻게 다루어야 하는지 알았고 아버지의 무분별한 행동으로부터 우리를 지켜 주었죠. 우리는 어머니를 무척 사랑했어요. 이따금 아버지는 술 취한 거지들을 집에 데리고 와서 그들을 당신 친구로 대접하라고 우리에게 억지를 부리곤 했어요. 어머니는 태연하게 그들이 마치 진짜 손님이라도 되는 양 행동했어요. 나중에 내 동생이 극빈자들과 허물없이 이야기할 수 있게 된 것은 아마도 그런 경험들 때문일 거예요. 그런데, 아버지는 자원봉사 의사로 방글라데시에 갔다 온 뒤로 마약에 빠져들었어요. 일도 그만두고, 거짓말을 밥 먹듯이 하고, 우리에게 더 이상 애정 표시도 하지 않았어요. 아버지는 당신 나름대로 뇌를 탐사했지만, 정신의 중추로 가는 길에 산재해 있는 수렁에 마음을 빼앗겨 어두운 비탈길을 헤맸던 셈이지요.」

파스칼은 자기 아버지를 회상하면서 쓸쓸하게 웃는다.

「우리는 아버지로부터 보고 배운 게 있어서 어려서부터 사람의 뇌에 관심이 많았어요. 아버지는 나중에 안타깝게도 자기 파멸의 수렁으로 빠져들긴 했지만, 한창때에는 섬광처럼 번득이는 직관을 지니고 있었고 놀라우리만치 정확한 진단을 내리곤 했답니다. 아버지가 그냥 악당이었다면 우리 마음이 한결 편했을 겁니다. 마음 놓고 미워할 수 있었을 테니까 말이에요.」

「그런데 사뮈엘의 함구증은 어쩌다 생긴 거죠?」

「일이 벌어진 건 아버지가 식탁에 앉아 손목에 상처를 냈던 바로 그날 밤이었어요. 저녁 식사가 끝난 뒤에 우리 부모는 어서 가서 자라고 우리를 침실로 보냈습니다. 그런데 당시 여섯 살이었던 내 동생은 한밤중에 누군가가 괴롭게 헐떡거리는 듯한 소리를 들었어요. 동생은 혹시 아버지에게 무슨 일이 생긴 게 아닌가 걱정이 되어 부모의 침실로 달려갔습니다. 거기에서 엄마 아빠가 성행위를 벌이고 있는 광경을 목격했지요. 지금 생각해 보면, 동생은 저녁 식사 때의 긴장된 상황과 짐승의 행위처럼 보인 그 성행위 장면 사이의 대조가 너무나 두드러져서 충격을 받은 듯합니다. 동생은 동상처럼 굳어 버린 채 그 장면을 지켜보았고, 그 뒤로 아주 오랫동안 말을 하지 않았어요. 어른들은 동생을 전문 치료 센터에 보냈어요. 동생을 보러 가보니, 선천적인 자폐증 환자들과 함께 있더군요. 의사가 나에게 했던 말이 아직도 생각나요. 〈동생을 만나기 전에, 마음의 목욕을 한번 하는 게 좋겠구나. 동생이 바깥 세계의 스트레스에 오염되면 안 되니까 말이야.

네 동생은 모든 것을 아주 예민하게 느끼거든.〉」

뤼크레스는 기록에 열을 올린다. 자폐증도 또 다른 기사의 주제가 될 수 있을법하다.

「그는 어떻게 그 함구증에서 벗어났지요?」

「그 센터에 있던 한 아이와의 우정, 그리고 신화에 대한 관심 덕분이죠. 동생은 윌리스 파파도풀로스라는 아이와 우정을 맺었습니다. 못된 부모 때문에 지하실에 갇힌 적이 있는 불쌍한 아이였지요. 처음에 사미는 그냥 그 아이 옆에 앉아 있었답니다. 두 아이는 서로 아무 말도 하지 않았대요. 그러다가 신호로 대화를 나누기 시작했고, 그다음에는 그림으로 대화를 나누었습니다. 뜻밖의 일이 벌어진 거죠. 두 아이는 오로지 자기들만이 이해하는 자신들의 언어를 발명해 냈어요. 두 영혼이 말을 넘어서서 소통했던 것이지요. 그들이 나란히 회복되어 가는 과정은 정말 감동적이었어요. 아버지는 그 사건이 있은 뒤에 스스로 죄의식을 느끼면서 자기 자신을 파괴하는 행위를 중단하게 되었어요. 내 동생이 마침내 아버지를 수렁에서 건져 낸 셈이지요. 하지만 아버지는 동생을 보러 병원에 가는 것을 거부했어요. 그래서 어머니가 매일 거기에 갔지요. 나는 동생 주위에 있는 그 모든 정신 장애인들을 견딜 수가 없었어요. 내가 정신 의학자가 되지 않은 것은 아마 그때의 경험 때문일 겁니다. 내가 보기에 인간의 정신을 탐구하는 길에는 두 가지가 있습니다. 한쪽에 정신 의학자의 길이 있다면 다른 쪽에는 구도자의 길이 있지요.」

「구도자라고요?」

「영적인 것이나 도를 깨우치는 것에 관심이 많은 사람들 말입니다. 최면술에 대한 나의 관심은 그와 비슷한 맥락에서 나온 것입니다. 나는 최면술이 정신을 탐구하고 영혼의 문제를 해결하는 하나의 길이라고 생각합니다. 하지만 아직 그것을 확신하는 것은 아니고, 그저 더듬더듬 나아가고 있을 뿐이지만…….」

뤼크레스는 기다란 적갈색 머리채를 뒤로 쓸어 넘긴다.

「아까 신화 얘기를 하지 않았나요?」

「사미의 친구였던 그 윌리스 파파도풀로스라는 아이는 원래 그리스 태생입니다. 그 아이는 자기 나라의 신화와 전설에 관한 책들을 사미에게 보여 주곤 했습니다. 헤라클레스, 아이네이아스, 테세우스, 제우스에 관한 신화, 그리고 다른 무엇보다 그 아이와 이름이 같은 윌리스, 곧 오디세우스[39]에 관한 이야기가 담긴 책들이었죠. 두 아이는 그 책들에 매료되었어요. 신화와 전설은 아이들에게 꿈을 주었지요. 그러던 어느 날, 우리 아버지가 돌아가셨습니다. 간염 때문이었어요. 간이 술과 마약에 관한 기억을 간직하고 있다가 뒤늦게 대가를 요구한 셈이지요. 장례식 때 보니까, 내 아우와 윌리스가 귓속말로 무언가를 서로 속삭이고 있더군요. 그때, 나는 비로소 사미의 병이 치유되었다는 사실을 깨달았어요. 두 아이는 어떤 의사보다도 훌륭하게 서로를 치료해 주었던 것이지요.」

이지도르는 자기가 포켓용 컴퓨터에 메모한 것을 검토해 보고 나서 묻는다. 「어머니는 어떻게 되셨지요?」

「아버지가 돌아가신 뒤에, 어머니는 마치 당신 자신의 삶을 포기한 것처럼 보였어요. 어느 날 내 동생이 어머니에게

---

39 오디세우스의 라틴어 이름은 울릭세스Ulixes이며, 여기에서 프랑스어 이름 윌리스Ulysse와 영어 이름 율리시스Ulysses가 나왔다.

물었어요. 어떻게 하면 어머니를 기쁘게 해드릴 수 있겠느냐
고 말이에요. 어머니의 대답은 이러했습니다. 〈네가 너의 능
력을 최대로 발휘하여 최고의 사람이 된다면, 너의 지력으로
누구보다 뛰어난 사람이 된다면 더 이상 바랄 게 없다.〉」

이지도르는 플라스틱으로 된 작은 뇌 장난감을 만지작거
리며 토를 단다. 「그때부터 그에게 강한 동기가 부여된 거
군요…….」

「아마 그럴 겁니다. 동생은 학업에 최선을 다했지요. 어떤
어려운 문제를 대하면 반드시 해결하고 넘어갔고, 문제가 어
려우면 어려울수록 더욱 강한 열의를 보였어요. 어머니는 어
느 날 아침에 그냥 잠든 것처럼 세상을 떠났어요. 하지만 동
생에게는 어머니가 계속 따라다니는 것 같았어요…….」

파스칼 핀처는 마침내 토끼에게 당근을 준다. 토끼는 앞
니를 빠르게 놀려 당근을 아귀아귀 갉아 먹는다. 토끼들이
흔히 그러는 것처럼 바들바들 떨고 있는 모습이 마치 열에
들뜬 듯한 느낌을 준다.

「그런데, 조사는 얼마나 진행되었어요?」 파스칼 핀처가
묻는다.

「지금 우리가 알고 있는 것은 어떤 자의 완전 범죄 기도가
우리 때문에 방해를 받고 있다는 겁니다. 우리는 진짜 실인
자를 상대하고 있습니다. 증거물이 있으니까, 이제 이 사건
이 살인이라는 데에는 의심의 여지가 없어요.」

토끼는 당근을 다 먹고는 감사의 표시를 하듯 파스칼을 바
라본다.

「이 사건이 꼭 해결되도록 최선을 다해 돕겠습니다.」

그러면서 파스칼은 냉장고 문을 열고 자기 동생의 뇌가 들

어 있는 표본 병을 꺼낸다.

「법의학자가 이걸 남겨 두었는데, 경찰이 우리에게 돌려주었습니다. 두 분의 부탁을 받고 가족회의에 전달했더니, 다들 두 분에게 이걸 맡겨도 좋다고 하더군요. 하지만 조사가 끝나면 우리에게 돌려주셔야 합니다.」

34

사뮈엘 핀처는 긴장을 풀기 위해 관자놀이를 꾹꾹 눌렀다. 편두통이 오지 않을까 걱정이 되었다.

그는 자기 환자들 중의 하나가 괴로움을 당하도록 방치했다는 것과 자기 병원 안에서 간호사들의 학대 행위가 자행되었다는 사실에 대해서 자신을 책망하고 있었다. 당장 해야할 일은 장루이 마르탱을 다른 병실로 옮기는 것이었다.

「여럿이 함께 쓰는 방으로 가는 게 낫겠어요. 거기에 가면 다시는 그런 일이 없을 테니 안심해도 될 겁니다. 그리고 심심하지 않도록 텔레비전을 한 대 갖다 놓으라고 하겠습니다.」

마르탱을 위해 이내 다른 자리가 마련되었다. 새 병실은 파과병(破瓜病)[40] 환자들의 병동에 있었다. 파과병 환자들이라는 여섯 명의 다른 환자들은 무기력하게 누워 지내면서 이따금 잠에서 깨어나 정맥 주사를 통해 영양을 공급받는 사

---

40 감정과 의지의 둔화가 나타나고 치매와 비슷한 증세를 보이는 조현병의 하나. 20세 전후에 발병하는 일이 많다 해서 이런 이름이 붙었다. 프랑스어 이름 에베프레니hébéphrénie는 그리스어 〈헤베(청춘의 신, 청춘)〉와 〈프레네스(정신)〉에서 나온 것이다. 한자어 파과병의 〈파과〉는 파과지년(破瓜之年)의 준말로 과(瓜)자를 쪼개면 여덟 팔(八) 두 개가 나오는 데서 여자 나이 열여섯 살을 이르는 말이다.

람들이었다.

핀처 박사는 마르탱의 맞은편에 텔레비전 수상기를 갖다 놓게 하고, 마르탱이 옆 사람들을 방해하지 않고 소리를 들을 수 있도록 이어폰을 마련해 주었다. 마르탱은 텔레비전을 다시 접하게 되어서 기뻤다. 자극이 얼마나 풍부한지 몰랐다.

마침 그가 즐겨 보던 퀴즈 프로그램 〈기권이냐 갑절이냐〉가 나오고 있었다. 일껏 따놓았던 상금을 모두 잃게 될지도 모르는 순간에 출연자들이 보여 주는 불안한 모습이 그의 마음을 끌고 왠지 모르게 그에게 안도감을 주었다. 출연자가 연승에 실패하고 분하다는 표정을 짓는 것이 자못 흥미로웠다. 이 프로그램이 방송되는 동안 그는 자기 자신을 조금 잊을 수 있었다.

그다음은 뉴스였다. 그날은 이런 소식들이 보도되었다. 프랑스 대통령 수뢰 사건으로 입건, 북부의 부족들 때문에 해결되지 않는 수단의 기아, 네팔의 왕가 학살 사건, 프랑스 축구팀의 선전, 학생들의 재능을 살려 주지 못하는 학교에서 고통받고 있는 영재들의 실태, 주가 상승, 불안정한 날씨, 감염을 야기하는 피어싱에 관한 조사. 끝으로 어떤 아버지가 아들을 보호하려다가 죽임을 당한 비극적인 사건이 보도되었다. 그는 정신 장애인인 아들이 한 무리의 아이들로부터 놀림을 당하는 것에 격분하여 아이들을 나무라다가 오히려 변을 당했다고 했다.

마르탱은 마침내 자기 자신에 대해서 생각하는 것을 중단했다. 모르핀이 육신에 대한 진통제라면, 텔레비전은 정신에 대한 진통제인 셈이었다.

한편, 바로 그 시간에 핀처 박사는 텅 빈 복도를 돌아다니면서 깊은 생각에 잠겨 있었다. 〈불성실한〉 두 간호사를 해고시키자면, 간호사들의 노동조합과 맞서 싸워야 하는 것은 물론이고 상부 기관의 반대도 물리쳐야 할 듯했다.

변화를 두려워하는 것은 인간의 내재적인 속성인지도 모른다. 인간은 자기 습관에 어떤 변화가 생기는 것보다 설령 위험할지라도 자기에게 익숙한 것을 더 좋아한다.

핀처 박사는 그런 생각을 하면서도 자기 병원에 새로운 바람을 불러일으켜야 한다고 판단했다. 병원은 이제 관리와 행정의 대상이 아니라 하나의 유토피아적인 공동체가 되어야 한다는 생각이 들었다.

먼저 여기에서 죽음의 충동을 몰아내야 한다. 환자들은 감수성이 너무나 예민하다. 그들에게는 어떤 자극이든 크게 증폭되기 때문에 그것에 대해 상상을 초월하는 반응이 나타날 수도 있다.

그는 텅 빈 복도를 계속 돌아다녔다. 그때 환자 하나가 뒤에서 갑자기 나타났다. 환자는 욕설을 퍼부으면서 그의 목을 조르려고 두 손을 앞으로 내밀었다. 그가 어떻게 대응할 새도 없이, 그의 허파에 더 이상 공기가 들어오지 않는 상황이 벌어졌다.

나는 곧 죽을지도 모른다.

환자는 그의 목을 조르고 있는 손에 더욱 힘을 주었다. 그의 동공이 확대되고 눈이 사시가 된 것처럼 변해 가고 있었다.

핀처는 그 환자를 알아보았다. 이미 숱하게 문제를 일으킨 적이 있는 마약 중독자였다.

내 아버지가 헤로인 때문에 폐인이 되었는데, 나까지도 헤로인 때문에 죽어야 한단 말인가?

환자는 손에 계속 힘을 주고 있었다. 핀처는 금방이라도 숨이 끊어질 것만 같았다. 그때 거기로 지나가던 다른 환자들이 마약 중독자를 떼어 놓으려고 덤벼들었다. 하지만 마약 중독자는 핀처의 목을 꽉 움켜쥔 채 매달렸다. 독이 오를 대로 올라서 여느 때보다 기운이 훨씬 세었다.

그를 둘러싸고 한바탕 난리가 벌어졌다. 또 다른 환자들이 핀처를 도우려고 달려들었다.

나는 죽는 걸 두려워하는 것일까? 아니다. 내가 죽고 나면 이들이 어떻게 될지 걱정스러울 뿐이다.

마약 중독자가 그의 머리를 마구 흔들어 댔다. 마치 그의 등골뼈를 부러뜨리고 싶어 하는 사람 같았다.

아프다.

마침내 우르르 몰려든 환자들에 파묻힌 마약 중독자가 손을 놓았다.

핀처는 숨을 들이마셨다가 기침을 하듯이 토해 냈다.

이 습격 때문에 내가 충격을 받은 것처럼 보이면 안 된다.

그는 풀오버를 잡아당겨 옷매무새를 고친 다음 쉰 듯한 목소리로 말했다. 「다들 하던 일 계속하십시오.」

남자 간호사 네 명이 마약 중독자를 독방으로 데려갔다.

35

이지도르와 뤼크레스는 엑셀시오르 호텔의 스위트룸에서 휴식을 취하고 있다.

회색의 가는 섬유 같은 것으로 덮인 연분홍색 뇌의 좌우 반구가 표본 병 속에 떠 있다.

뤼크레스는 자기 발가락 사이에 작은 솜 조각을 끼우고 발톱에 빨간 매니큐어를 다시 칠한다. 하나의 의식을 방불케 하는 장면이다. 각각의 발가락이 무리에서 차례차례 떨어져 나와, 마치 향유를 바르는 의식에 임하듯이 매니큐어 칠에 응하고 있다.

이지도르는 침대 머리맡의 전등을 가까이 가져오고 돋보기를 집어 든 다음, 커다란 책 한 권을 잡는다.

「핀처를 죽인 자와 당신을 죽이려고 한 자는 둘 다 뇌에 관해서 우리가 모르는 어떤 것을 알고 있어요.」

「그건 무슨 책이에요?」

「조르다노의 책상 위에 있던 책이에요. 그는 죽을 때 이 책을 읽고 있었어요.」

이지도르는 책장을 죽 넘기다가 컬러로 된 뇌 그림이 나와 있는 페이지에서 멈추더니, 이 그림과 실제의 뇌를 비교해 본다. 그러다가 사탕 봉지에 손을 집어넣는다. 자기 뇌의 보일러에 연료를 공급하려는 것이다.

뤼크레스가 관심을 보이며 발가락이 방바닥에 닿지 않도록 바짝 세운 채 다가오자, 이지도르가 말한다. 「뇌는 새로운 대륙과 같아요. 미지의 세계죠. 우리 함께 이 세계를 탐사해 봅시다. 내 느낌에는 우리 뇌가 어떻게 기능하는지 알게 되면 살인자가 누구인지도 알게 될 것 같아요.」

뤼크레스는 뇌를 들여다보기가 싫다는 듯 입술을 삐죽이 내민다. 그가 말을 잇는다. 「회색과 흰색과 분홍색으로 이루어진 1,450세제곱센티미터 물질, 이것이 우리의 생각을 다스리는 기관입니다. 바로 여기에서 모든 게 생겨나죠. 단순한 욕망 하나가 한 아이의 탄생을 가져올 수도 있고, 단순한 불만 하나가 전쟁을 야기할 수도 있습니다. 인류의 모든 비극과 모든 진보는 먼저 이 살덩이의 무수한 굴곡 어딘가에서 하나의 작은 섬광으로 나타납니다.」

이번엔 뤼크레스가 돋보기를 들고 더 가까이에서 관찰하기 시작한다. 뇌를 그렇게 가까이 보고 있으니까, 마치 분화구와 균열로 뒤덮인 분홍색 고무 행성 위를 걷고 있는 듯한 기분이 든다.

이지도르가 설명한다. 「여기가 뒤쪽이에요. 다른 데보다 빛깔이 더 어두운 이 부분이 소뇌예요. 공간 속에 몸이 어떤 자세로 놓여 있는지를 끊임없이 분석하고 동작의 균형을 이루어 내는 곳이지요.」

「우리가 걸음을 걸을 때 넘어지지 않게 해주는 기관이 바로 이거죠?」

「그렇죠. 여기서 위쪽으로 조금 올라가면, 대뇌 피질의 1차 시각 영역이 나옵니다. 색깔과 움직임에 대한 지각이 이루어지는 곳이지요. 그 바로 앞에 2차 시각 영역이 있어요. 새로 들어온 시각적인 정보들을 이미 알고 있는 이미지들과 비교하면서 해석하는 작업이 이루어지는 곳입니다.」

「1차 영역과 2차 영역의 차이는 뭐에요?」

「1차 영역에서는 정보를 있는 그대로 지각하고, 2차 영역에서는 그 정보에 의미를 부여하죠.」

이지도르는 표본 병 주위를 빙 돈다.

「여기에서 더 올라가면 몸 감각 영역이 있습니다. 접촉 감각, 통증 감각, 온도 감각, 미각 등을 관장하는 부분이죠.」

「일반적인 신체 감각을 다스리는 곳이군요…….」

「관자엽 쪽으로 조금 내려가 봅시다. 자아, 여기가 청각 영역입니다. 소리를 지각하고 인식하는 곳이지요.」

「짙은 분홍색의 이것은 뭐예요?」

「으음…… 너무 빨리 나가지 말고 천천히 합시다. 자아, 계속할까요? 여기는 단기 기억 영역입니다. 그리고 여기는 우리의 근육을 통제하는 1차 운동 영역이고요.」

「그럼 언어를 관장하는 곳은 어디예요?」

이지도르는 그림에서 언어 영역을 찾는다.

「말을 하는 데에는 감각 언어 영역, 운동 언어 영역, 보조 운동 영역, 1차 운동 영역 등 대뇌 피질의 여러 부분이 함께 참여합니다. 그중에서 말의 내용을 만드는 감각 언어 영역은 여기 두정엽에 있군요.」

뤼크레스도 핀처의 뇌를 들여다보는 데에 점점 익숙해진다.

「그럼 속에는 뭐가 있죠?」

이지도르는 책장을 넘긴다.

「대뇌 반구의 표층을 이루는 이 부분이 대뇌 피질입니다. 우리의 생각이며 언어가 형성되는 곳이죠.」

「그저 얇은 살가죽일 뿐인데…….」

「얇지만 주름이 대단히 많죠. 대뇌 피질은 인체의 모든 고등 기능을 담당합니다. 인간은 모든 동물 가운데 가장 두꺼운 대뇌 피질을 가지고 있습니다. 자아, 이제 뇌의 내부로 들어가 봅시다. 대뇌 피질 밑에는 변연계(邊緣系)라는 부분이 있습니다. 희로애락이나 공포 같은 감정의 중추죠. 우리의 감정이 배태되고 무르익는 곳이 바로 여기입니다. 이 책에서는 이 부분을 〈포유류의 뇌〉라 부르기도 하는군요. 대뇌 피질이 인간의 특성을 잘 보여 주는 뇌라면 변연계는 포유류의 특성을 보여 주는 뇌라는 겁니다.」

뤼크레스는 변연계를 더 자세히 살펴보려고 몸을 살짝 기울인다.

「그러니까 핀처가 죽을 때 뭔가 이상한 일이 벌어진 곳이 바로 여기일 수도 있겠군요.」

「어쩌면 조르다노의 경우도 마찬가지일 겁니다. 대뇌 피질 밑에는 해마(海馬)라 불리는 더 작은 구조도 있습니다. 우리의 개인사가 기록되는 곳이죠. 해마는 새롭게 수용된 감각 정보를 이미 저장하고 있는 과거의 모든 정보와 비교하는 역할을 합니다.」

그 말을 듣고, 뤼크레스가 홀린 듯이 중얼거린다. 「〈해마〉라는 이름이 멋있네요. 이 부분의 생김새가 해마라는 작은 물고기와 비슷하다 해서 학자들이 그렇게 이름을 붙인 모양이군요…….」

이지도르는 책장을 넘기고 나서 다시 표본 병 쪽으로 돌아간다.

「대뇌의 두 반구는 이 희끄무레한 물질로 연결됩니다. 뇌량(腦梁)[41]이라는 물질 덕분에 우리의 논리적인 사고와 시적인 사고가 결합될 수 있는 것이죠.」

「생김새로 보아서는 양의 비곗덩어리 같군요.」

「뇌량 밑에는 달걀 모양의 회백질 구조가 좌우에 하나씩 있습니다. 바로 시상(視床)[42]이라는 곳입니다. 후각을 제외

---

41 새 해부학 용어로 〈뇌들보〉라고도 한다.

42 시상은 라틴어 학명 thalami nervorum opticorum의 번역어인 시신경상(視神經床)을 줄인 말이다. 말 그대로 시각 신경이 모여드는 곳이라는 뜻이지

한 모든 감각 정보가 여기에 모였다가 대뇌 피질의 해당 감각 영역으로 들어갑니다. 한마디로 말해서 신경계 전체의 검문소인 셈이지요. 여기에서 더 밑으로 내려가면, 조절의 중추인 시상 하부가 있습니다. 여기에 있는 우리 내부의 생체시계가 하루 24시간 내내 우리의 생체 리듬을 조절하고 우리 혈액에 산소와 물이 부족하지 않은지를 감시하지요. 배고픔이나 목마름 같은 것을 느끼게 하는 것도 바로 이 시상 하부입니다. 또 사춘기를 나타나게 하고 여성의 월경 주기와 수태를 조절하는 역할도 하지요.」

뤼크레스는 표본 병 속의 물질을 이제 전혀 다른 시각으로 보기 시작한다. 그것은 한낱 살덩이가 아니라, 어마어마한 성능을 지닌 유기적 컴퓨터라는 생각이 든다. 여기에도 시계가 있고, 중앙 칩이며 머더보드며 하드 디스크가 있다. 한마디로 살로 이루어진 컴퓨터인 셈이다.

「끝으로, 더 밑으로 내려가면 뇌하수체(腦下垂體)가 있어요. 시상 하부의 요구를 수행하는 내분비 기관이죠. 이 콩알만 한 분비샘이 감정과 관련된 여러 가지 호르몬을 혈액에 공급함으로써 우리로 하여금 외부의 긍정적인 자극이나 부정적인 자극에 반응할 수 있게 해줍니다.」

뤼크레스는 자기가 적어 놓은 동기 목록을 다시 검토하면서 생각에 잠긴다. 그러고 보면 목록의 앞부분에 나오는 동기들, 즉 고통을 멎게 하는 것, 공포에서 벗어나는 것, 먹고 자식을 낳고 안전한 거처를 마련하는 것 등은 생존의 뇌인 파충류의 뇌가 요구하는 바를 따르는 것일지도 몰라. 또 두

만, 시각뿐만 아니라 후각을 제외한 모든 감각 정보가 대뇌 피질로 들어갈 때 통과하는 중요한 통합 중추이다.

번째 부류의 동기들, 즉 분노, 의무감, 성애 등은 감정의 뇌인 포유류의 뇌와 관계가 있어. 그렇다면, 개인적인 열정과 같은 세 번째 부류의 동기들은 인간의 뇌인 대뇌 피질의 통제를 받는 것일까⋯⋯.

그들은 말없이 핀처의 뇌를 계속 관찰한다.

「조르다노는 이 속에서 무얼 보았을까? 뭔가를 발견했으니까 우리에게 전화를 했을 텐데⋯⋯.」

이지도르는 돋보기를 다시 든다.

「각 영역마다 작은 구멍들이 무수히 나 있군요.」

그러다가 그는 갑자기 자기 내부의 시계가 무엇을 일깨워 주었는지, 급한 약속이라도 있는 사람처럼 얼른 손목시계를 들여다본다. 그러고는 뉴스를 보기 위해 텔레비전을 켠다.

「미안해요, 시간이 됐어요.」

「한창 일하는 중인데, 꼭 뉴스를 봐야겠어요?」

「잘 알면서 왜 그래요? 이건 내가 유일하게 편집증적으로 좋아하는 거예요.」

「그래요? 난 단것만 그렇게 좋아하는 줄 알았어요.」

「단것을 좋아한다고 해서 뉴스를 좋아하지 말란 법은 없잖아요?」

이지도르는 벌써 뉴스를 듣는 데에 열중해 있다.

뉴스는 국내 소식으로 시작된다. 주가의 폭락을 놓고 좌우 동거 정부의 대통령과 총리 사이에 의견 충돌이 빚어지고 있다. 이번 폭락은 일부 컴퓨터들의 자동적인 반응 때문에 그 폭이 더욱 커진 모양이다. 즉, 장세가 어떤 하한선에 도달하면 무조건 주식을 팔도록 프로그래밍이 된 컴퓨터들이 하락을 더욱 부채질했다는 것이다. 총리는 세계 주식 시장의 오름세와 내림세를 더 이상 인위적으로 증폭시키지 않도록 그 컴퓨터들의 프로그램을 철저하게 감독할 것을 요구하고 있다.

국회 의원 선거 유세. 야당의 한 후보가 이렇게 주장한다. 〈지금 우리나라에서 문제가 되는 것은 더 이상 동기와 의욕이 없다는 것입니다. 모두가 지금 당장의 개인적인 안락만을 생각하고 있습니다. 사람들은 이제 첫째가 되기 위해서 분투하기보다는 그저 꼴찌만 면하면 된다는 생각을 가지고 있습니다.〉 그는 이렇게 덧붙인다. 〈어디 그뿐입니까! 기업가들은 세금과 관공서의 번거로운 서류 절차 때문에 의욕을 잃고 있고, 부를 창출하는 사람들 역시 세금 때문에 의욕이 꺾여 있습니다. 이 나라에서는 모든 게 그런 식으로 되어 있습니다. 마치 모든 사람을 실패 속에서 평등하게 만들려고 하는 것 같습니다.〉

국제 뉴스. 유엔 사무총장이 일본 정부에 일부 역사 교과서의 왜곡된 내용을 수정하라고 촉구했다. 일본의 극우파 단체가 만든 역사 교과서는 이웃 나라에 대한 침략을 부인하고 있을 뿐만 아니라 식민지 민중을 상대로 저지른 반인륜적 범죄를 정당화하고 있다고 한다.

「언젠가 기억력이 자꾸 나빠져서 걱정이라고 했죠? 봐요, 당신만 그런 게 아니에요. 온 인류가 역사를 자꾸 망각해 가고 있어요. 이런 식으로 가다간 머지않아 제1차 세계 대전이 존재했는가의 여부를 놓고 거수로 표결을 하는 사태가 벌어질 거예요. 가장 많은 사람들을 만족시키는 내용을 바탕으로 모든 역사를 다시 쓰게 될지도 몰라요.」

「기억 상실의 세상에서 나 역시 기억 상실증에 걸려 있다는 건 별로 위안이 되지 않는군요.」

이지도르가 갑자기 풀 죽은 기색을 보인다.

「어디가 안 좋아요?」

뤼크레스가 티슈 한 장을 빼어 내밀자, 그는 그것을 받아 들며 말을 잇는다. 「세상 사람들의 잔인함과 비열함이 모두 나를 관통하고 나에게 고통을 줘요.」

「아직도 그런 것들에 무감각해지지 않았나요? 아무튼 놀랍네요. 왕년에 살인자깨나 잡았다는 사람이 뉴스를 보면서 무너지다니 말이에요.」

「미안해요.」

그가 코를 푼다.

「아이참. 그럴 거면 다시는 뉴스 보지 말아요. 뉴스에 중독이 되었다면, 적어도 그걸 보면서 약간의 즐거움은 얻어야 되는 거 아니에요?」

그녀가 텔레비전을 꺼버리자, 그는 코밑을 훔치면서 다시 켠다.

「세상에서 무슨 일이 벌어지고 있는지 알고 싶어요.」

「때로는 모르는 게 약이에요.」

「언제나 깨어 있는 게 가장 좋은 약이죠.」

「그러면, 좀 거리를 두고 보세요. 덤덤해지란 말이에요!」

「나도 정말 그러고 싶어요.」

「쳇, 텔레비전 앞에서 한탄을 한다고 뭐가 달라지나요?」

그러면서 뤼크레스는 그를 위로하기라도 하듯 귀엣말로 이렇게 속삭인다. 「간디가 말했어요. 〈나는 절망에 빠질 때마다, 인류의 역사에서 진정한 승리를 거둔 것은 언제나 진리와 사랑의 목소리였음을 돌이켜 생각한다. 이 세계에는 독재자들과 살인자들이 있다. 얼마 동안은 그들이 천하무적인 것처럼 보일 수도 있다. 하지만, 그들은 결국 쓰러지고 만다.〉」

그러나 그런 말은 이지도르에게 위로가 되지 않는 듯하다.

「맞아요. 하지만 간디는 암살을 당하고 말았어요. 그리고 요즈음에 들리는 것은 온통 국수주의와 종교적 광신과 전체주의의 대두를 우려하는 목소리뿐이에요. 나도 할 수만 있다면 무감각해지고 싶어요. 세상사에 덤덤하고 무심할 수 있으면 좋겠다고요. 사람의 뇌에는 틀림없이 무관심의 호르몬을 분비하는 곳이 있을 거예요. 모든 것을 대수롭지 않게 여기게 해주고, 남에게 닥친 비극에 무감하게 해주는 호르몬 말이에요. 그런 게 분명히 있을 텐데…….」

「진정제라는 게 있잖아요. 프랑스 인구의 45퍼센트가 적어도 한 번은 그것을 복용했다더군요. 그걸 먹으면 현실을 잊고 더 이상 걱정을 안 하게 되나 봐요.」

그녀는 그에게 사탕을 내민다.

「당신은 감수성이 너무 예민해요, 이지도르. 처음엔 그게 당신을 매력적인 사람으로 만들어 주지만, 나중에 가면 주위 사람들을 불편하게 해요.」

「우리 인간이 이런 식으로 행동한다면, 동물계에서 대뇌 피질이 가장 발달되었다 한들 그게 무슨 소용이 있어요? 사람이 사람을 상대로 무슨 짓을 하고 있는지 생각해 보세요. 어떤 짐승도 제 사냥감에게 그런 짓을 하지는 않을 겁니다. 〈짐승 같다〉는 말이 사람에겐 욕이지만, 과연 사람이 짐승보다 낫다고 할 수 있을지 모르겠어요.」

그녀는 투명한 표본 병 속에 떠 있는 뇌의 두 반구를 가만히 바라본다.

이지도르는 텔레비전의 소리를 키운다.

연예계 소식. 프랑스의 유명한 록 가수 빌리 언더우드가 열여섯 번째로 결혼식을 올린다. 그의 선택을 받은 행운의 신부는 그보다 마흔 살이나 어리다고 한다.

이건 비극적인 소식이 아니다. 이 가수의 전(前) 부인에게는 기분 나쁜 소식이 될지 모르지만 말이다. 뤼크레스는 이지도르가 이 보도를 접하고 나서 낯빛이 조금 환해졌음을 알아챈다.

과학 소식. 돼지의 호르몬으로 만든 신약이 개발되었다. 인간의 수명을 연장시키는 데 도움을 줄 수 있는 약이라고 한다. 과학자들은 임상 실험을 통해 이 약품의 효능이 사실로 입증될 경우, 인간의 평균 수명이 현재의 80세에서 120세까지 연장될 수 있을 것으로 기대하고 있다.

뤼크레스는 텔레비전에서 눈을 돌려 뇌가 들어 있는 표본병으로 다시 다가간다. 사건의 해결책이 그 파리한 빛깔의 살덩이에 있다는 느낌이 든다.

텔레비전에서는 끝으로 체스 세계 챔피언 사뮈엘 핀처를 살해한 혐의로 기소되었던 유명한 톱 모델 나타샤 아네르센이 석방되었다는 소식을 전하고 있다. 설령 〈사랑〉으로 사람을 죽였다 할지라도, 그것을 처벌할 수 있는 규정이 형법의 어디에도 나와 있지 않기 때문에 그녀를 석방할 수밖에 없다는 것이 검찰의 설명이다.

36

아이들을 위해 만든 것이라고 보기엔 너무나 폭력적인 애니메이션, 광고, 가사용의 자질구레한 물건들을 선전하는

TV 주문 판매 방송, 광고, 실행이 불가능한 조리법을 소개하는 요리 프로그램, 광고, 따라서 하기가 불가능한 체조 프로그램, 광고, 퀴즈 프로그램 〈기권이냐 갑절이냐〉, 광고, 지역 소식을 주로 전해 주는 오후 1시 뉴스, 광고, 스포츠 프로그램, 광고, 보통 사람들의 대표자로 특별히 선정된 사람들의 삶을 생생하게 보여 주는 다큐멘터리, 광고, 독일의 따분한 텔레비전용 영화, 광고, 국내 소식과 국제 소식을 전해 주는 저녁 8시 뉴스, 광고, 일기 예보, 광고, 미국의 액션 영화, 광고, 광고 분석 프로그램, 광고, 이미 방송된 프로그램들의 하이라이트를 모아서 다시 보여 주는 프로그램, 광고, 사냥과 낚시에 관한 프로그램.

이상이 매일 이렇다 할 변화 없이 장루이 마르탱의 머릿속에 들어온 것들이었다. 일주일 내내 거의 달라지는 게 없었다.

처음에 리스 환자 마르탱은 죽마고우를 만나기라도 한 것처럼 텔레비전을 반겼다. 그러다가 그것과 함께 하루의 대부분을 보내게 되면서, 약간의 거리를 두고 객관적으로 그것을 연구하기 시작했다. 그는 방송 제작자들이나 프로그램 편성자들의 숨겨진 의도를 간파하였다. 텔레비전이 어떻게 획일화의 도구가 되는지도 알 것 같았다. 텔레비전은 시청자들의 잠재의식에 이런 명령을 심어 주고 있었다. 얌전히 굴라. 반항하지 말라. 가능한 한 많은 돈을 긁어모아서 당신의 이웃 사람들을 깜짝 놀라게 할 만한 최신 유행 상품들을 소비할 수 있도록 노력하라.

그는 시청자들의 잠재의식에 미치는 텔레비전의 또 다른 영향을 감지하였다. 즉, 텔레비전은 개인들의 고립화를 조장하고 있었다. 아이들에게는 자기 부모들이 보수적이고 복고적이라는 의식을 심어 주고, 부모들에게는 자기 자녀들이 나약하고 어리석다는 의식을 심어 주고 있었다. 또한 텔레비전은 식사 때에 서로 대화하지 않는 것을 얼마든지 있을 수 있는 일로 받아들이게 하고 있었다. 그런가 하면 퀴즈 프로그램에 출연하여 어떤 역사적인 전투의 연대를 기억하는 것만으로도 부자가 될 수 있다는 생각을 심어 주고 있었다.

그렇게 두 주가 지나고 나자, 마르탱은 머릿속에 자기가 지지하지 않는 메시지를 끊임없이 주입하는 그 물건을 더 이상 견딜 수가 없었다.

어둠의 획일성과 빛의 획일성을 경험한 바 있는 그에게 이제 생각의 획일성이라는 시련이 닥쳐온 거였다.

그는 자기를 돌봐 주는 신경 정신과 의사에게 그 사실을 알렸다.

그러자 신경 정신과 의사 핀처는 채널을 차례로 돌릴 테니 눈꺼풀의 깜박임으로 가부(可否)를 표시해서 그의 마음에 드는 채널을 골라 보라고 권했다.

그는 또 한바탕 눈꺼풀을 활발하게 움직여서, 과학 다큐멘터리 채널을 선택했다.

그날부터 마르탱은 하루에 열여섯 시간씩 과학 공부에 몰두했다. 마침내 아무리 받아들여도 물리지 않을 자극을 찾아낸 거였다. 과학에는 종류도 많았고, 놀라운 발견들과 소화해야 할 지식들도 무궁무진했다.

그 채널은 정말이지 정신을 위한 흐드러진 향연이었다. 마르탱은 시간도 있고 욕구도 있었으므로 하루에 열여섯 시간씩 모든 과학을 동시에 공부해 나갔다. 아무도 아무것도 그를 방해하지 않았기 때문에, 그는 각각의 프로그램을 처음부터 끝까지 온 정신을 집중해서 볼 수 있었다. 그는 영상과 내레이션을 하나도 빠뜨리지 않고 머릿속에 담으면서, 자기 뇌의 용량이 무한히 확대될 수 있음을 확인했다.

과학을 혼자서 공부하던 그 시기에, 마르탱은 처음으로 자기에게 닥친 일이 그리 나쁘지만은 않다고 생각했다. 미래에 대한 두려움도 전보다 한결 덜했다. 공부는 하면 할수록 더 하고 싶어지는 참으로 묘한 것이었다. 의학을 좀 알았다 싶으니까, 이내 생물학과 물리학을 공부하고 싶은 마음이 간절해졌다.

역사를 돌이켜 보면 자기 시대의 모든 학문에 통달하려는 야망을 가진 사람들이 적지 않았다. 레오나르도 다빈치나 라블레나 디드로가 바로 그런 사람들이었다. 마르탱은 자기 자신에게도 그와 똑같은 야망이 있음을 깨달았다.

과학은 인간의 지적인 능력이 발현되는 많은 형태들 중의 하나이지만, 다른 어떤 형태보다 역동적이라는 느낌이 들었다. 끊임없이 새로워지고 비약적인 진보를 거듭해 나가는 것이 과학이었다. 그것은 가속을 멈추지 않고 질주하는 열차와 같아서, 이제는 아무도 그것을 온전히 따라잡을 수 없을 듯했다. 마르탱은 그 진보의 모든 국면을 지켜볼 시간이 있다는 점에서, 하나의 특권을 누리고 있는 셈이었다.

당연한 얘기지만, 다른 어떤 것보다 그의 관심을 끌었던 분야는 뇌와 신경계에 관한 것이었다. 그는 사고 작용이 이루어지는 심오한 메커니즘을 이해하고 싶었다. 어떤 과학자가 자기의 연구 결과를 설명하고 있는 것을 듣고 있을 때면, 그는 늘 스스로에게 이런 질문을 던졌다. 〈저 사람의 뇌에서

는 대체 무슨 일이 일어나고 있을까?〉〈저 사람은 무엇에 이끌려 행동하는 것일까?〉

37

우리는 무엇에 이끌려 행동하는가?

제2막

**두개골 밑의
폭풍**

38

바람이 분다.

북쪽에서 지중해 쪽으로 부는 사나운 바람이 올리브나무들을 흔들고, 눈송이 같은 미모사의 노란 꽃들을 떨어뜨린다. 사이프러스들은 구부러졌다가 이내 다시 서면서 마치 펀칭 볼처럼 바람을 희롱한다. 검푸른 하늘엔 잿빛과 자줏빛 띠가 길게 이어진 줄무늬 구름이 걸려 있다. 해가 수평선 너머로 완전히 자취를 감추려 할 즈음에, 사이드카가 곁달린 구치 오토바이 한 대가 앙티브곶의 화려한 빌라 앞에 멈춰선다. 높은 담으로 둘러싸인 정원에는 해저의 잔해에서 건져올렸음 직한 고대 그리스의 조각상들이 늘어서 있다. 마치 정원에서 왔다 갔다 하는 사람들을 감시하기라도 하는 듯하다. 철책 문 바로 옆의 초인종에 핀처와 아네르센이라는 두 이름이 간결하게 새겨져 있다.

뤼크레스 넴로드가 버튼을 누른다. 아무 대답이 없다. 여러 차례 더 눌러 보았지만 역시 반응이 없다. 이지도르 카첸버그가 나선다.

「나의 어머니는 내게 늘 이렇게 당부하셨죠. 〈모든 일에는 순서가 있다. 이것저것 알아보는 게 첫째고, 요모조모 따져 보는 게 둘째며, 행동하는 게 셋째다〉라고 말이에요. 먼저 집 주위를 조사해 봅시다.」

그들은 빌라 주위를 한 바퀴 돈다. 안으로 들어갈 수 있는 길이 보이지 않는다. 다만, 담 한 모퉁이가 조금 나직한 게 눈에 띈다.

뤼크레스가 담 위로 올라간다. 그러고는 이지도르를 도와주겠다고 손을 내민다. 그는 낑낑거리면서 올라간다.

그들은 아무런 방해를 받지 않고 정원을 통과한다. 경보 장치 하나 울리지 않고, 개 한 마리 달려들지 않는다. 조각상들이 그들을 바라보고 있는 것 같기는 하다. 하지만 길을 막거나 불만을 표시하지 않고 그저 잠자코 있을 뿐이다.

뤼크레스가 문을 두드린다. 아무 대답이 없다. 다른 방법을 찾아야 한다. 그녀는 곁쇠 하나를 꺼내어 자물쇠를 공략하기 시작한다. 마침내 자물쇠가 굴복한다. 그들은 조심스럽게 앞으로 나아가서 손전등을 켜고 현관을 죽 비춰 본다.

「나의 어머니가 그렇게 당부하신 까닭은 내가 종종 반대로 행동했기 때문이죠. 나는 우선 일을 저지르고 보는 버릇이 있었어요. 그러다가 큰일이 벌어지면 그제야 그걸 어떻게 숨길까 고민하기가 일쑤였지요. 그다음 순서가 수습의 가능성을 놓고 이것저것 알아보는 거였습니다.」

그때, 자기(瓷器)로 된 작은 입상 하나가 바닥에 떨어지려는 것을 뤼크레스가 잽싸게 몸을 움직여 가까스로 잡는다. 이지도르가 부주의로 그것을 건드렸던 모양이다. 그들은 복도에 불을 켠다. 복도를 따라가자 작은 응접실이 나온다. 그림 여러 점이 벽에 걸려 있는데, 모두 같은 화가의 사인이 들어 있다.

「보아하니, 우리의 신경 정신 의학자께서는 살바도르 달리를 무척이나 좋아했군요.」

「나도 살바도르 달리를 무척 좋아합니다. 그는 천재죠.」

이지도르의 말투가 사뭇 진지하다.

핀처의 빌라는 굉장히 넓다. 그들은 그가 죽던 날 텔레비전 뉴스에 나왔던 응접실을 가로지른다. 값을 매기기 어려운 최고급 포도주들을 모아 놓은 술병 장과 시가 통이 눈에 띈다. 한 진열장에는 전 세계 특급 호텔에서 가져온 재떨이들이 가득 들어 있다.

「값비싼 포도주에 시가에 고급 호텔이라! 〈세속의 성자〉와 그의 애인은 삶을 즐길 줄 알았군요.」

뤼크레스가 그렇게 뼈 있는 말을 한다.

그들은 다른 방으로 건너간다. 갖가지 게임을 할 때 사용하는 방인 듯하다. 살바도르 달리의 작품을 복제한 그림들은 이 방에도 있다. 하지만 이번 것들은 주로 환각을 주제로 한 작품들이다. 그림 아래의 동판에는 제목과 창작 연도가 새겨져 있다. 찬찬히 보면 군중 속에서 이상한 얼굴 하나가 서서히 나타나는 것처럼 보이는 그림은 캔버스에 유채로 그린 1936년 작 「위대한 편집증 환자」다. 개 한 마리와 말 한 마리가 호수 한복판에 나타나 있는 그림은 캔버스에 유채로 그린 1938년 작 「끝없는 수수께끼」다. 구아슈로 그린 1935년 작 「초현실주의적 아파드로 이용된 메이 웨스드의 얼굴」도 보인다. 선반들에는 온갖 종류의 퍼즐과 두뇌 게임 기구들이 놓여 있다.

옆방은 서재다. 왼쪽 서가에는 위대한 연구자들에 관한 책들과 삽화가 들어 있는 서적들, 비디오디스크, 조각 작품들이 진열되어 있다. 오른쪽에 서가에는 고대 그리스에 관한 도서들이 모여 있다. 그 한복판을 차지하고 있는 것은 모두 오디세우스에 관한 책들이다. 『오디세이아』의 상징들을 분석한 책들이 있는가 하면, 제임스 조이스의 소설 『율리시스』, 오디세우스가 거쳐 갔을 것으로 추정되는 뱃길과 육로를 표시한 지도도 있다.

「오디세우스, 또 오디세우스야? 핀처가 자기를 끊임없이 오디세우스와 연관시켰다는 사실이 어떤 단서가 될 수도 있지 않을까요?」

「그럴지도 모르죠. 하지만 그렇게 되면 용의자가 너무나 많아질 거예요. 키클롭스, 라이스트리고네스족, 키르케, 세이렌들, 칼립소…….」[43]

「……페넬로페[44]도 빼놓을 수 없지요.」

계단을 올라가자 또 다른 방이 나온다. 빨간 벨벳 융단이 깔려 있고 가운데에 침대가 놓여 있는 방이다. 천개(天蓋)를 씌운 둥근 침대는 구겨진 시트들과 많은 방석들로 덮여 있고, 침대 위쪽으로 거울이 하나 걸려 있다.

「여기가 침실인가?」

그들은 조심스럽게 방 안으로 들어간다.

뤼크레스는 붙박이장 하나를 열어 본다. 야한 속옷들이 여러 세트 들어 있다. 서랍들에는 성적 환상을 유발하기 위

---

43 이상은 모두 오디세우스가 트로이를 떠나 자기 왕국인 이타케로 돌아가던 파란만장한 여행길에서 만난 존재들이다. 키클롭스는 섬나라에서 양을 치며 사는 외눈박이 거인족이며, 라이스트리고네스족은 인간을 혐오하는 거인족이고, 키르케는 마법의 지팡이로 선원들을 짐승으로 변신시키는 신, 세이렌들은 배가 지나갈 때마다 노래를 불러서 뱃사람들을 유혹하는 바다의 요정, 칼립소는 오디세우스를 불사신으로 만들어 자기 곁에 두고자 했던 바다의 요정이다.

44 오디세우스의 아내. 결혼한 지 1년 만에 트로이로 떠난 남편을 20년 동안 정절을 지키며 기다렸다.

해 사용하는 복잡한 물건들을 모아 놓았다.

「보아하니 일곱째 동기가 이 사람들을 강하게 지배했던 것 같은데요.」

마디가 있는 신제품 하나를 톡톡 치면서 뤼크레스가 그렇게 농담을 한다. 그녀로서는 도무지 용도를 짐작할 수 없는 물건이다.

그녀가 이번에는 뾰족구두들 위로 몸을 구부린다.

「이거 나한테 어울리겠어요?」

「당신한테는 뭐든지 잘 어울려요, 뤼크레스.」

그녀가 입을 비죽 내민다.

「괜히 그러지 말아요. 내 키가 너무 작다는 거 알고 있으니까.」

「콤플렉스가 있군요.」

「키에 대해서는 그래요.」

이지도르가 사진첩 하나를 집어 들자, 뤼크레스가 다가와서 그의 어깨 너머로 사진들을 바라보며 속삭인다.

「부장이 아네르센의 나체 사진을 원했어요. 여기 괜찮은 게 있네요. 누드는 아니지만 완전히 몸에 딱 달라붙는 속옷을 입고 있어요. 이걸 가져가면 되겠네요. 이게 표지에 들어가면 장사가 될 거예요.」

「그건 절도 행위예요, 뤼크레스.」

「그래서요? 난 기자가 되기 전에 도둑이었어요.」

「난 기자가 되기 전에 경찰관이었어요. 당신이 그걸 가져가도록 내버려 두지 않을 거예요.」

앨범에는 어떤 축제에서 찍은 것으로 보이는 사진들도 들어 있다. 사진마다 같은 사람들이 보이고, 사람들 위쪽으로

CIEL이라는 약자도 보인다.

「CIEL이 뭐죠? 들어 본 적 있어요?」

「이 지역의 어떤 단체 이름일 겁니다. 봐요, 여기 줄이지 않은 온전한 명칭이 있어요. 국제 에피쿠로스주의자·자유사상가 클럽[45]이네요.」

이지도르는 사진들을 계속 살펴본다. 나타샤 아네르센과 사뮈엘 핀처가 시엘의 축하 행사 때에 찍은 사진이 여러 장 있다.

「성적인 것과 관계가 있는 듯한데요. 스와핑 클럽이나 그 비슷한 어떤 것 말이에요. 봐요, 내 말대로 일곱째 동기가 이들을 움직인 힘이라고요.」

「그런데 뤼크레스, 당신을 움직이는 건 뭐죠?」

이지도르가 느닷없이 묻는다.

그녀는 대답하지 않는다.

그때 귀를 찢는 듯한 벨 소리가 들린다. 그들은 소스라치게 놀란다. 전화다. 꼼짝 않고 서 있는 그들 옆에서 또 다른 소리가 들린다. 누군가가 시트를 들썩이고 있는 듯한 소리다. 그들이 미처 알아차리지 못했지만, 침대에 쌓인 시트와 방석 더미 밑에 몸이 하나 있었다.

나타샤 아네르센이 깨어나고 있다. 두 기자는 서둘러 문 뒤로 숨는다. 나타샤는 불평하는 말을 중얼거리면서 벨 소리가 들리지 않게 하려고 방석 두 개를 포개어 자기 머리를 누른다. 하지만 전화벨은 계속 울린다. 나타샤는 도저히 안 되

---

45 Club International des Epicuriens et Libertins. 이하에서는 이 명칭의 약자 CIEL을 〈시엘〉로 표기하기로 한다. 프랑스어로 시엘ciel은 〈하늘〉이라는 뜻이다.

겠다 싶었는지 잠자리에서 일어난다.

「자야 돼. 너무너무 자고 싶어. 모든 걸 잊어야 돼. 더 이상 아무것도 기억하고 싶지 않아. 이 인간들아, 잠 좀 자게 내버려 둘 수 없니? 빌어먹을!」

그녀는 비단 가운을 걸치고 발을 끌면서 전화기 쪽으로 간다. 그런 다음 귀에서 소음 방지용 귀마개를 빼내고 송수화기를 뺨에 갖다 댄다. 그러나 그녀가 송수화기를 드는 순간에 전화는 이미 끊어져 버린 터다.

「첫째가 알아보기, 둘째가 생각하기, 셋째가 행동하기라고 했죠? 그런데 우리는 충분히 알아보지 않고 행동했어요.」

뤼크레스가 속삭인다. 「저 여자는 휴식을 취하기 위해 신경 안정제를 먹었던 게 틀림없어요. 봐요, 침대 머리맡 탁자 위에 약통들이 있어요.」

두 기자는 옷을 걸어 두는 붙박이장 안으로 들어가 숨는다. 나타샤가 투덜거리면서 그들 앞으로 지나가더니 거울에 자기 모습을 비추어 본다.

「거울아, 내 착한 거울아, 이래도 내가 세상에서 가장 아름답니?」

그녀는 피식 실소를 흘리고는 욕실 쪽으로 간다. 두 기자는 눈으로 그녀의 뒤를 쫓는다. 그녀는 욕조의 수도꼭지를 틀고 거품을 내는 젤을 쏟아붓는다. 욕조에 물이 어느 정도 차오르자, 그녀는 발가락 하나를 조심스럽게 물에 담가 온도를 확인한다. 너무 뜨겁다. 그녀는 얼굴을 찡그리며 찬물이 더 많이 나오는 쪽으로 수도꼭지를 돌린다. 물의 온도가 알맞게 되기를 기다리면서, 그녀는 거울 앞에서 이런저런 포즈를 취한다.

두 기자는 본의 아니게 나타샤 아네르센의 벌거벗은 몸을 훔쳐보는 꼴이 되어 버렸다. 나타샤는 자기 몸의 유연성을 시험해 보려는 듯 몸을 이리저리 비틀더니, 거울 쪽으로 몸을 숙여 얼굴에 마사지를 한다. 그러고 나서는 엉덩이를 찬찬히 살핀다. 피하 조직에 지방과 노폐물이 쌓여서 생기는 셀룰라이트 하나 없이 엉덩이가 여전히 매끄럽다는 것을 확인하려는 것이다. 끝으로, 그녀는 새 브래지어를 착용할 때의 효과를 상상하듯이 두 손으로 젖가슴을 조금 올려 본다.

뤼크레스가 속삭인다. 「넋을 잃고 보시네요. 사건의 수수께끼를 푸는 게 당신의 주된 동기인 줄 알았더니, 다른 동기도 있었나 보죠?」

「어떤 동기가 있다고 해서 다른 동기가 생기지 말란 법은 없죠.」

욕실의 나타샤 아네르센은 몸을 구부려 물의 온도를 다시 확인하고는, 온도가 알맞다고 생각하고 욕조에 들어가 길게 눕는다. 그녀는 선반으로 손을 뻗어 크고 끝이 뾰족한 칼을 잡는다.

이지도르는 그녀를 말려야 되는 게 아닌가 싶어 뛰어나가려고 한다. 하지만 나타샤는 그 칼을 단지 오이를 얇게 썰기 위해 사용하고 있을 뿐이다. 그녀는 얇게 썬 오이를 뺨이며 눈 위에 아무렇게나 척척 붙인다.

「지금 빠져나가요.」

뤼크레스가 그의 팔을 잡아끈다.

그들이 숨어 있던 곳에서 막 나오려는데, 전화벨이 다시 울리기 시작한다. 그들은 얼른 문 뒤로 숨는다.

나타샤는 욕조에서 나와 타월 천으로 된 가운을 걸치고 전화를 받으러 간다.

「네. 아, 미샤로군요……. 당신이 조금 전에 전화했어요? ……아뇨, 잠을 자려고 약을 좀 먹었어요. 근데, 무슨 일이에 요? ……추모 행사요? 물론 고맙기는 하지만…… 으음…… 좋 아요, 어디에서 열리는 거죠? 시엘에서 하겠죠? ……말하자 면 나 자신을 너무 많이 드러내고 싶지 않다는 거죠……. 으 음…… 음, 네…… 물론이죠, 물론 그래요. 네, 정말 고마워요. 사미도 이런 사실을 안다면 기뻐할 거라고 생각해요. ……좋 아요……. 날짜하고 시간은 어떻게 되죠? 잠깐만요, 수첩을 가져올게요.」

나타샤는 송수화기를 내려놓고 아래층으로 내려간다.

뤼크레스와 이지도르는 여전히 도망칠 수가 없다. 뤼크레 스가 몸을 기울이며 귀엣말을 한다. 「국제 에피쿠로스주의 자·자유사상가 클럽이라는 명칭에서 자유사상가가 뭔지는 알겠는데…… 에피쿠로스주의자라는 게 뭐예요?」

「그리스 철학자 에피쿠로스의 사상을 추종하는 사람들 이죠.」

「에피쿠로스가 누군데요?」

「매 순간을 한껏 즐기라고 가르친 사람이죠.」

39

텔레비전을 빼앗겼다! 그가 꿈을 꾸고 있는 것이었을까? 아니, 꿈이 아니었다. 그가 그토록 좋아하던 텔레비전을 분 명히 조금 전에 핀처 박사가 치워 버렸다! 그는 불안한 마음 에 눈꺼풀을 깜박였다. 다행히 박사는 서둘러 그 이유를 설 명해 주었다. 텔레비전 대신 다른 것을 가져다주겠다는 얘기였다. 다른 것이라 함은…….

「컴퓨터예요. 마우스 대신 안구를 입력 장치로 사용하는 컴퓨터죠.」

핀처 박사는 자기 환자 곁에 컴퓨터 모니터를 설치하고, 환자의 성한 눈 가까이에 삼각대를 세운 다음 거기에 카메라를 올려놓았다.

처음에 장루이 마르탱은 그 기계가 자기에게 무슨 쓸모가 있는지를 제대로 이해하지 못했다. 핀처 박사의 설명이 이어졌다. 「이건 신제품이에요. 이제까지 전 세계에서 열 사람 정도를 위해서만 사용되었어요. 이 카메라가 안구의 움직임을 기록해서 컴퓨터 화면에 즉시 그 움직임을 재현할 겁니다. 마르탱 씨가 안구를 움직일 때마다, 카메라가 그것을 감지해서 신호를 전달하면, 그 신호에 따라서 화면의 포인터가 이동하는 것이지요. 예를 들어, 눈이 오른쪽을 보면 화살표도 오른쪽으로 이동할 것이고, 눈이 위쪽을 보면 화살표도 위로 올라갈 것입니다. 클릭을 하고 싶을 때는 눈꺼풀을 한 번 깜박이면 됩니다. 두 번 깜박이면 더블 클릭이 되는 것이지요.」

핀처 박사가 컴퓨터를 작동시켰다.

마르탱은 눈을 움직여 컴퓨터 화면의 화살표를 이동시켜 보았다. 처음엔 대단히 서툴 수밖에 없었다. 화살표가 왼쪽 또는 오른쪽으로 휙휙 돌아가고 대각선으로 달아나기가 일쑤였다. 화살표를 원하는 자리에 정확하게 놓기가 여간 어려운 게 아니었다. 포인터를 제대로 맞추지 못하는 게 짜증이 나서 눈을 깜박이면 어김없이 엉뚱한 프로그램이 열리는 바람에 그것을 다시 닫느라고 또 애를 써야만 했다.

하지만 몇 시간이 채 지나지 않아서, 리스 환자 마르탱은 안구를 자기 뜻에 따라 움직일 수 있게 되었다. 계속 되풀이 하다 보니 자기만의 요령이 터득된 거였다. 자기 눈동자로부터 컴퓨터 화면을 향해 레이저 광선을 쏘아 보낸다는 감각을 느끼니까 포인터를 움직이기가 한결 용이하였다.

마르탱은 자기 컴퓨터에 어떤 프로그램들이 설치되어 있는지 조사해 보았다. 화면에 키보드가 나타나게 할 수 있는 프로그램도 있었다. 그것을 이용해서 포인터를 이동시키며 자판을 두드리면 문서를 작성할 수도 있었다. 두개골 속의 작은 감옥에 갇혀 있던 그의 정신이 쇠창살 밖으로 한 손을 내밀 수 있게 된 듯한 기분이 들었다.

그 이튿날, 핀처 박사가 왔을 때, 마르탱은 자기가 직접 타자를 해서 작성한 문서를 화면에 나타나게 했다. 먼저 타임스 로먼체 78포인트로 커다랗게 쓴 〈감사합니다〉라는 말이 세 쪽에 걸쳐서 되풀이되었다. 그다음에는 이런 문장이 나타났다. 〈핀처 박사님, 박사님은 내가 꿈꿀 수 있는 선물 중에서 가장 아름다운 선물을 해주셨습니다. 예전에 나는 그저 생각만 할 수 있었는데, 이제는 내 생각을 표현할 수 있습니다.〉

핀처 박사가 그의 귀에 대고 속삭였다. 「진작 마련해 드렸으면 좋았을 텐데, 더 일찍 생각해 내지 못한 게 아쉽군요.」

마르탱은 문서 파일 하나를 새로 열어 가능한 한 빠르게 글을 쓰기 시작했다. 타자는 여전히 쉽지 않았고 오타도 빈번하게 생겼다. 그의 눈이 자극 때문에 축축하게 젖어 있었다.

〈우리 이야기 좀 할 수 있을까요?〉

「물론이죠.」

의사는 깊은 관심을 보이며 대답했다.

〈나에게 앞으로 살 시간이 얼마나 남았죠?〉

「시한이 없습니다. 모든 건 마르탱 씨의 살고자 하는 욕구에 달려 있습니다. 만일 심리적으로 포기를 한다면, 아주 빨리 사망할 수도 있습니다. 살고 싶어요, 장루이?」

〈지금은…… 그래요.〉

「좋아요.」

〈내가 느끼고 있는 것을 세상 사람들에게 이야기하고 싶어요. 그건 너무나…… 너무나…….〉

포인터가 사방팔방으로 내달았다. 마르탱은 격한 감정에 사로잡혀서 더 이상 안구의 근육을 통제할 수 없는 듯했다.

그날 저녁부터 마르탱은 자전적인 이야기를 쓰기 시작했다. 그는 그 이야기에 〈내면의 세계〉라는 제목을 붙였다.

그는 이 원고에서, 생각하고 명상하는 것 말고는 달리 할 수 있는 일이 없게 됨으로써 생각의 힘이 얼마나 큰지를 깨달았다고 이야기하고 있었다.

〈우리 인간이 할 수 있는 것은 세 가지밖에 없다. 행위와 말과 생각이 바로 그것이다. 사람들이 흔히 생각하는 것과는 달리, 내가 보기에 말은 행위보다 강하고 생각은 말보다 강하다. 무엇을 짓거나 허무는 것은 행위이다. 하지만 시간과 공간의 광대함 속에서 그것은 별다른 의미를 지니지 못한다. 인류의 역사는 환호성 속에서 건설되었다가 눈물 속에서 폐허가 된 기념물들의 연속일 뿐이다. 그에 반해서 생각이란 건설적인 것이든 파괴적인 것이든 시간과 공간을 초월하여 무한히 퍼져 나가면서 무수한 기념물들과 폐허들을 낳는다.〉

마르탱의 뇌가 육신의 감옥 속에서 춤추고 달리고 펄쩍펄쩍 뛰는 듯했다.

〈관념은 자율성을 지닌 살아 있는 존재와 같다. 관념은 태어나서 자라고 번식하며 다른 관념과 대결하다 마침내 죽음을 맞는다. 그렇다면 관념은 동물처럼 진화도 할 수 있지 않을까? 또 다윈주의자들이 주장하는 것처럼 가장 약한 것을 제거하고 가장 강한 것을 번식시키기 위해 관념들 사이에서도 선별이 이루어지지 않을까? 텔레비전을 보고 안 것이지만, 리처드 도킨스 교수는 〈관념권(觀念圈)〉이라는 개념을 사용했다고 한다. 그럴듯한 개념이다. 생물권이 생물의 세계이듯이 관념권은 관념의 세계이다. 신이라는 관념을 예로 들어 보자. 이 관념은 어느 날 태어난 뒤로 끊임없이 진화해 오고 전파되어 왔으며, 복음과 경전, 음악과 미술 등을 통해 중계되고 확대되었다. 또 이 관념은 각 종교의 사제들을 통해 재생산되어 왔고, 사제들이 살아가는 공간과 시간에 맞도록 재해석되어 왔다. 그런데, 관념은 생성하고 발전하고 소멸하는 속도가 생물보다 더 빠를 수 있다. 예컨대 카를 마르크스의 정신에서 나온 공산주의라는 관념은 아주 짧은 기간에 퍼져 나가 공간적으로 지구의 반에 영향을 미쳤다. 이 관념은 진화하고 변화하다가 결국은 멸종 위기에 처한 동물 종처럼 쇠퇴하여 갈수록 소수의 사람들에게만 영향을 미치고 있다. 하지만 공산주의라는 관념은 그렇게 변하는 과정에서 자본주의라는 관념에도 변화를 일으켰다. 관념권에서 벌어지는 관념들 간의 투쟁에서 우리의 말과 행위가 나타나고, 결국엔 우리의 문명이 생겨난다.〉

그는 자기 글을 다시 읽어 보고 나서 컴퓨터 화면을 물끄러미 바라보았다. 다시 한 가지 생각이 떠올랐다.

〈오늘날 컴퓨터는 관념들의 이동과 변화를 가속화시키고 있다. 인터넷 덕분에 관념은 예전보다 훨씬 빠른 속도로 공간과 시간 속으로 퍼져 나갈 수 있으며, 예전보다 더욱 빠르게 경쟁자나 천적을 대면하게 된다. 인간은 자기의 상상력으로부터 관념들을 만들어 내는 굉장한 능력을 지니고 있다. 이 관념들은 모두가 공유할 수 있도록 전파되기도 하고, 지나치게 부정적이거나 파괴적인 잠재력을 지닌 경우에는 인간 스스로에 의해 제거되기도 한다.〉

마르탱은 성한 한쪽 눈으로 자기 주위의 다른 환자들을 바라본다.

〈가엾은 사람들. 옛날에 인간은 아마도 정신 감응 능력을 지닌 존재였을 것이다. 하지만 사회를 이루어 사는 삶이 그런 능력을 잃게 만들었는지도 모른다.〉

어둠 속에 갇혀 지내던 시기를 겪으면서 예민해진 그의 귀로 멀리서 간호사들이 대화하는 소리가 들려오고 있었다. 그들은 그 자리에 없는 어떤 사람을 놓고 혹독한 비판을 가하는 중이었다.

〈저들은 자기들의 말이 남들에게 어떤 영향을 미치는지를 깨닫지 못하고 있다. 그걸 안다면, 저렇게 말을 허비하지는 않을 것이다.〉

마르탱은 관념을 주제로 해서 많은 생각을 하고, 그것을 글로 정리하였다.

몇 주일이 지나자, 그렇게 모인 글이 8백 페이지 가까운 원고가 되었다. 핀처 박사는 원고를 읽어 보고는 내용이 좋다는 생각이 들어 그것을 파리의 여러 출판사에 보냈다. 하지만 출판사들의 대답은 부정적이었다. 그런 주제는 이미 한물갔다는 거였다. 1997년에 장도미니크 보비라는 파리의 언론인이 심장 혈관계의 갑작스러운 이상으로 리스 환자가 된 바 있었다. 그는 자기 병을 주제로 해서 『잠수종과 나비』라는 책을 썼다. 그런데, 그가 책을 쓴 방법은 장루이 마르탱이 컴퓨터의 안구 인터페이스를 이용한 것보다 한결 감동적이었다. 즉, 그의 병실에 파견된 한 직원이 그의 눈꺼풀 신호에 맞추어 로마자[46]를 한 자 한 자 받아 적음으로써 원고를 작성했다는 것이다.

마르탱은 크나큰 불행을 겪더라도 첫 번째 사람이 되지 않으면 아무도 관심을 보여 주지 않는다는 사실을 깨닫고 놀라움을 느꼈다.

40

시엘은 칸의 크루아제트 해변 도로에서 10킬로미터 남짓 떨어진 언덕에 자리 잡고 있다. 밖에서 보기에 건물은 올리브밭과 무화과밭을 갖춘 프로방스 지방의 오래된 농장과 비슷하다. 마치 프로방스의 들판에 나오기라도 한 것처럼 샐비어와 라벤더 냄새가 향기롭다. 하지만 투박한 나무 대문과 〈맹견 조심〉이리는 경고는 방문객들에게 어렴풋한 불안감을 안겨 준다. 대문에는 〈국제 에피쿠로스주의자·자유사상가 클럽〉이라는 말이 새겨진 작은 구리판도 붙어 있다.

46 이때 사용된 로마자 표는 프랑스어에서 가장 많이 사용되는 순서(E, S, A……)에 따라 철자를 배치한 특별한 것이었다. 이 눈물겨운 집필 작업은 다음과 같은 방식으로 진행되었다고 한다. 먼저 로마자 표를 환자에게 펼쳐 보인다. 환자는 자기가 원하는 글자에서 눈을 깜박인다. 비서는 그 글자를 받아 적으며 단어를 완성하고 뜻이 통하는 문장을 만들어 간다.

뤼크레스는 방울과 연결된 가느다란 사슬을 잡아당긴다. 멀리에서 발소리가 들려오더니, 작은 창문이 드르륵 열린다.

「무슨 일이죠?」파란 눈만 보이는 한 남자가 묻는다.

「우리는 기잡니다.」

뤼크레스의 말이 끝나기가 무섭게, 커다란 몰로스 개가 마치 말귀를 알아듣기라도 한 것처럼 컹컹 짖어 댄다. 그 뒤에서 남자는 개를 진정시키려고 애쓴다.

「여기는 〈사설〉 클럽입니다. 우리는 홍보를 원하지 않아요.」

이지도르가 얼른 말끝을 잡는다. 「우리는 개인적으로 여러분의 〈사설〉 클럽에 가입하고 싶어서 왔습니다.」

남자는 잠시 말이 없다. 개 짖는 소리가 잦아든다.

개가 멀어진다. 발소리가 다시 들리고 여러 개의 자물쇠가 차례차례 풀린다.

안으로 들어서니 아주 넓고 호사스러운 공간이 펼쳐진다. 장식이 화려하고, 금도금한 물건과 거울과 그림이 널려 있다. 프로방스식 농가를 닮은 겉모습과는 달리 내부는 제법 세련된 느낌을 준다. 값비싼 목재 가구들이 현관을 장식하고 있다. 실내 공기가 삽상하다.

그들에게 문을 열어 준 남자는 갈색 머리에 키가 크고 마른 사람인데, 계란형의 갸름한 얼굴에 곱슬거리는 수염을 기르고 있다.

「죄송하지만, 우리는 세인들의 이목을 끌고 싶지 않습니다. 우리로서는 기자들을 믿을 수가 없습니다. 이미 우리에 관한 허위 보도가 숱하게 나갔습니다.」

거대한 대리석 조각상 하나가 현관을 굽어보고 있다. 헐렁한 토가 차림의 에피쿠로스를 나타낸 전신 입상이다. 에피쿠로스주의자들의 유명한 표어인 〈카르페 디엠〉[47]이 조각상에 새겨져 있다. 이 에피쿠로스의 모습이 이상하게도 그들을 맞아 준 남자와 비슷하다는 느낌이 든다. 뾰족한 코하며 기다란 턱, 진지한 표정, 곱슬거리는 수염 등 서로 닮은 구석이 많다.

남자가 그들에게 손을 내민다.

「나는 미셸이라고 합니다. 가입하시려면, 이 신청서를 작성해 주십시오. 우리 클럽에 관한 이야기를 어디에서 들으셨어요?」

「우리는 사뮈엘 핀처의 친구입니다.」뤼크레스가 불쑥 내뱉는다.

「사미의 친구라고요? 왜 진작 그 얘기를 안 하셨어요? 사미의 친구라면 누구라도 우리 시엘에서 환영을 받을 겁니다.」

미셸은 뤼크레스의 손을 잡고 뒷방으로 데려간다. 사람들이 식사 준비를 하고 있다.

「마침 사미를 추모하기 위해 큰 행사를 준비하고 있는 중입니다. 이번 토요일에 추모제가 열릴 겁니다. 그의 죽음은

---

47 Carpe diem. 라틴어인 carpe는 〈따다, 취하다, 즐기다〉라는 뜻의 동사 carpere의 명령형이고 diem은 〈날〉이라는 뜻의 명사 dies의 대격 형태이다. 흔히 〈오늘을 즐기라〉, 〈현재를 즐기라〉라는 말로 번역된다. 이것은 에피쿠로스가 한 말이 아니라, 에피쿠로스가 죽은 지 2백여 년 뒤에 태어난 로마 시인 호라티우스(B.C. 65~B.C. 8)의 한 서정 단시(短詩)에 나오는 구절이다. 에피쿠로스주의자들의 표어가 된 이 말은 많은 사람들이 오해하는 것처럼 단지 쾌락을 추구하자는 것이 아니라, 살아 있다는 단순한 사실에서 즐거움을 발견하자는 것이다. 말하자면 안빈낙도(安貧樂道)의 지혜를 요약한 것이라고 볼 수 있다.

우리에게 너무나…….」

「고통스럽지요?」

「아뇨. 고통스럽다기보다 계시적입니다! 그의 죽음은 이제 에피쿠로스주의자인 우리 모두가 도달해야 할 목표가 되었습니다. 사미처럼 죽는 것, 황홀경 속에서 죽는 것이 우리의 새로운 목표가 되었다는 것이지요. 그의 최후보다 더 특별한 최후를 어떻게 생각할 수 있겠습니까? 황홀감을 느끼며 인생을 끝낸다는 게 보통 일은 아니죠. 아, 사미, 그는 언제나 운이 좋았습니다…… 일 속에서도 행복했고, 좋은 짝을 만나는 행운도 누렸으며, 체스 세계 챔피언이 되는 영예도 얻었지요. 살아서 그렇게 복이 많더니, 죽음마저 찬란했어요.」

「우리가 좀 둘러봐도 되겠습니까?」이지도르가 말을 자르며 끼어든다.

미셸이 뚱뚱한 기자에게 의구심 어린 눈길을 보내며 묻는다. 「이분은 남편이신가요?」

그는 무슨 상스러운 말이라도 하듯이 어렵게 그 말을 내뱉는다.

「이 사람이요? 아니에요. 남편이 아니라…… 오빠예요. 우리가 성이 다른 것은 내가 전 남편의 성을 그대로 쓰고 있기 때문이에요.」

이지도르는 굳이 자기 파트너에게 이의를 제기하려 하지 않고, 말을 자제할 생각으로 사탕을 하나 집어서 입 안에 넣는다. 에피쿠로스주의자 클럽의 회장은 마음을 놓는다.

「아 그래요? 그러니까 두 분 다…… 독신자이시군요. 내가 그걸 물어본 이유는, 솔직히 말해서 우리들 가운데에는 독신

자들이 많기 때문이에요. 그들은 결혼한 커플들이 들어오는
걸 별로 좋아하지 않아요. 결혼한 사람들은 행동하는 게 너
무…… 부르주아적이거든요. 여기에서 우리는 자유를 추구
합니다. 시엘의 L이 그래서 있는 거죠. 우리는 에피쿠로스
주의자이면서 자유사상가입니다.」

그러면서 그는 젊은 여자 기자를 계속 훔쳐본다.

「우리가 여기에 들어오고 싶어 했던 것도 바로 그 때문이
에요……. 회장님…….」

뤼크레스의 속삭이듯 나직하게 건넨 그 말에 그가 펄쩍
뛴다.

「회장님이라니요! 원, 세상에! 그냥 미샤[48]라고 부르세요.
여기에서는 누구나 나를 미샤라고 불러요.」

「회장…… 아니 미샤, 우리에게 클럽을 구경시켜 주실 수
있나요?」 이지도르가 다시 묻는다.

그러자 클럽의 주인은 그들을 어떤 문 쪽으로 데려간다.
문 위쪽에 MIEL이라는 팻말이 붙어 있다. 국제 에피쿠로스
주의·자유사상 박물관의 약칭이다.[49]

「에피쿠로스주의는 하나의 철학이고, 자유분방함은 하나
의 태도입니다. 흔히들 이 개념들을 풍기 문란이나 성적 방
종과 연결시키지만, 그건 참으로 유감스러운 일이죠.」

그는 두 사람을 박물관의 첫 번째 전시품 쪽으로 안내한
다. 투명한 수지로 인간의 세포를 형상화한 조각 작품이다.

「이 클럽의 상임 대표가 되기 전에 나는 니스의 한 고등학

48 미셸의 애칭.

49 Musée international de l'épicurisme et du libertinage. 프랑스어로 미엘
miel은 〈꿀〉이라는 뜻이다.

교에서 철학을 가르쳤어요.」

뤼크레스와 이지도르는 세포를 관찰한다.

「만물은 쾌락을 궁극적인 목적으로 삼고 있다는 것이 내 이론입니다. 쾌락은 생명 유지에 필수적입니다. 가장 기본적인 세포조차 쾌락에 의해서 움직이지요. 세포의 쾌락은 당분과 산소를 얻는 것입니다. 따라서 세포는 자기가 속해 있는 유기체에 끊임없이 더 많은 당분과 산소를 자기에게 보내도록 적절한 행동을 하지요. 그 원초적인 욕구로부터 다른 모든 쾌락이 파생합니다.」

그들은 투명한 계란형 조각 작품 주위를 돈다. 미샤가 뤼크레스를 보며 말을 잇는다.「쾌락은 모든 행위의 유일한 동기입니다. 조금 전에 보니까, 오빠 되시는 분이 호주머니에서 사탕 하나를 슬그머니 꺼내더군요. 그건 좋은 일입니다. 에피쿠로스주의적인 행동이죠. 오빠는 자기 세포들에게 당분의 신속한 추가 공급을 허용한 것입니다. 이 행동은 세포들을 즐겁게 해줄 게 틀림없습니다. 그러면서, 오빠는 〈카리에스를 조심하라〉는 치과 의사들의 경고를 무시하고 있는 것이지요.」

방문객들은 성서의 내용을 형상화한 그림 앞에 다다른다. 아담과 하와가 사과를 먹고 있는 모습을 나타낸 그림이다.

「과일! 이는 하느님의 거룩한 선물이죠. 이 그림을 보면서 무얼 느끼십니까? 하느님은 우리가 〈쾌락의 존재〉가 되기를 원하셨다고 생각하지 않습니까? 먹는다는 것은 가만히 있어도 저절로 이루어지는 행위가 아닙니다. 우리가 먹는 데에서 즐거움을 얻는 존재가 아니었다면, 먹을 것을 구하기 위해 그토록 애를 썼겠습니까? 원시인들이 나무 꼭대기에 올라가서 열매를 따고, 문명인들이 곡식을 심고 가꾸고 거두는 고된 일을 마다하지 않았던 것은 모두 먹는 즐거움을 얻기 위한 것이 아니었을까요?」

미샤는 성서의 내용을 표현한 다른 그림들 앞으로 그들을 데려간다. 이번에는 노아와 그의 자녀들을 부각시킨 그림들이다.

「남자들은 여자를 유혹하기 위해서 갖은 노력을 다 기울입니다. 그리고 여자를 설득해서 옷을 벗게 하고 성적인 접촉을 받아들이게 하려고 애를 씁니다. 만일 성행위에서 얻는 즐거움이 없다면, 남자들이 굳이 그럴 생각을 하겠습니까? 또 여자들은 남자들이 그러는 것을 견디어 내겠습니까?」

그들은 죽 늘어선 조각 작품들 앞을 지나간다. 가면 갈수록 작품들이 야해지는 느낌이다. 그들이 중세를 배경으로 한 그림들 앞을 지나고 있을 때, 미샤가 이렇게 해설을 한다. 「사람들이 흔히 생각하는 것과는 달리, 옛날 사람들은 현대인들에 비해 쾌락을 추구하는 데에 거리낌이 없었습니다. 서양에서는 16세기부터 쾌락에 대한 사람들의 태도가 달라졌다고 볼 수 있을 것입니다. 종교 전쟁이 벌어지고 구교와 신교 사이에 근엄함의 경쟁이 격화되면서, 사람들은 서로에게서 거리를 두기 시작했습니다. 중세는 역사학자 미슐레의 선언 이래로 어둠의 시대로 간주되었지만, 사실은 르네상스 시대보다도 훨씬 더 관능적이었습니다. 16세기까지 성(性)은 하나의 정상적이고 생래적인 욕구로 받아들여지고 있었습니다.」

미샤는 중세의 한 유모를 그린 그림을 가리킨다.

「당시에 어떤 유모들은 어린아이들을 달래거나 재우기 위해서 수음을 시켜 주곤 했습니다. 수음이 질병을 일으키고 정신 착란까지 가져온다고 비난받게 된 것은 훨씬 뒤의 일입니다. 수음이 하나의 금기가 되면서, 부르주아 가정에서는 아이가 발기하지 못하도록 음경의 포피 주위에 금속 고리를 끼우기까지 했다고 합니다.」

그는 금속 고리들을 보여 준다. 뤼크레스는 그것들이 한 번 끼워지면 잘 빠지지 않게 생겼음을 알아차린다.

「옛날에 프랑스의 많은 도시에서는 시장(市長)들이 〈시민들의 정신적 안정과 젊은이들의 교육을 위해서〉 갈보집을 열었습니다.」

여러 점의 판화들이 그 매춘 장소들의 내부를 보여 주고 있다.

「또 수도사들이 일반적으로 대단히 금욕적인 생활을 한 것으로 알려져 있지만, 금욕이 강요되지는 않았습니다. 수도사들에게 금지된 것은 결혼뿐이었는데, 그건 교회의 재산이 분산되는 것을 막기 위한 것이었어요.」

그 판화들 앞을 지나가자, 이번에는 공중목욕탕을 배경으로 삼은 그림들이 보인다.

「이건 도시들의 한복판에 건설된 공중 목욕 시설을 그린 겁니다. 보시다시피 남자와 여자가 함께 벌거벗고 목욕을 하고 있습니다. 나중에 교회는 이런 공중목욕탕을 콜레라와 페스트를 옮기는 불결한 장소로 규정함으로써 씻을 수 없는 오명을 씌워 버립니다. 결국 1530년경에 공중목욕탕들은 모두 문을 닫게 되지요.」

조금 더 나아가자 커다란 침대를 소재로 한 그림들이 눈에 띈다. 미샤가 판화 한 점을 가리킨다.

「옛날에 사람들은 대개 식구들이 한데 모여서 저렇게 벌 거벗고 잠을 잤습니다. 침대가 아주 넓었기 때문에 더러는 하인들이나 손님들까지 불러다가 같은 침대에 재웠다고 합 니다. 그렇게 몸을 맞대고 서로의 체온을 느끼면서 잠을 잤 던 것이지요. 하지만, 19세기에 들어오면 잠옷이라는 반(反) 쾌락적 요소가 나타나게 됩니다.」

그는 오래된 잠옷 한 벌을 가리킨다.

「이 불필요한 옷 때문에 발가벗고 잠자리에 들어서 서로 살을 비비고 어루만지는 습관이 사라졌습니다. 그 시대의 사 생활에 관한 이야기 가운데에는 이런 것도 있습니다. 브르타 뉴 공작부인이 한 이야기인데, 당시에 귀족 계급의 여자들은 성행위를 할 때에도 잠옷을 벗지 않기 위해서 성기와 닿는 부분에 동그랗게 구멍을 낸 잠옷을 입었다고 합니다. 게다가 그 구멍 위쪽에는 종교적인 내용의 자수(刺繡)까지 들어가 있었다는 것입니다. 잠옷이 생기면서 조신함과 정숙함을 미 덕으로 알고 신체의 노출을 수치스럽게 여기는 풍조가 자리 잡게 되었지요. 급기야는 멱을 감거나 몸을 씻을 때조차 옷 을 벗지 않는 사람들이 생겨났어요. 저마다 자기 집의 자기 침대에서 자기 잠옷을 입고 혼자서 잠을 자는 시대가 열린 것이지요.」

그들의 박물관 관람은 계속된다. 종처럼 생긴 유리 덮개 가 눈길을 끈다. 덮개 안에는 포크 한 개와 손수건 한 장이 놓 여 있다.

「그 시대에 널리 퍼진 악습들이 또 있습니다. 그것들 역시 에피쿠로스주의에 반하는 재앙이었지요. 손수건과 포크가 바로 그것입니다. 손수건은 사람들로 하여금 더 이상 자기들 자신의 코를 만지지 않게 만들었고, 포크는 손가락으로 음식을 집어 먹는 습관이 사라지게 했습니다. 접촉 감각이 쓸모가 없어지고, 손으로 느끼는 즐거움이 금기가 되기 시작한 것이지요.」

그들은 어떤 성인(聖人)을 그린 석판화 앞에서 멈춰 선다. 로마의 원형 경기장에서 사자들에게 잡아먹히고 있는 성인의 모습을 담은 그림이다.

「여기 이 성인은 우리와 반대되는 진영에 있습니다. 이들의 철학 역시 아주 일찍부터 사람들에게 지대한 영향을 끼쳤어요. 바로 스토아주의[50]라는 철학이지요.」

미샤는 그 말을 하면서 눈살을 찌푸린다.

「스토아주의자들은 쾌락의 추구를 왜곡시켰어요. 에피쿠로스주의자는 지금 여기에서의 즐거움을 원합니다. 그에 반해서, 스토아주의자는 현재의 고통이 미래의 더 큰 즐거움을 보장한다고 생각하죠. 지금 고통을 받으면 받을수록 미래에 더 큰 보상이 주어지리라는 것이지요. 그건 이치에 어긋나는 생각입니다. 그럼에도 많은 사람들이 그 사상을 추종해 왔습니다. 인간의 본성이 그런 식으로 왜곡된다는 건 한마디로 비극이죠.」

미샤는 동상에 걸린 손을 보여 주고 있는 한 산악인의 사진 쪽으로 그들을 이끈다.

「에베레스트를 등반하는 산악인은 왜 그토록 위험한 일을 감행하는 것일까요? 그는 추위와 고통을 이겨 가며 죽음을

50 에피쿠로스주의와 달리, 스토아주의라는 말은 특정한 철학자의 이름에서 나온 것이 아니라, 기원전 3세기에 제논이 아테네에 세운 철학 학교 이름 스토아(그리스어로 〈주랑〉이라는 뜻)에서 나온 것이다.

무릅쓰고 그 일을 합니다. 그 이유가 뭐라고 생각하십니까? 내가 보기에, 그는 그 위업을 달성하고 나면 사람들이 자기를 훨씬 더 좋아하게 될 거라고 생각하고 있습니다. 영웅이 되고 싶은 거죠. 아, 나는 영웅이라면 딱 질색입니다.」

「모두가 영웅이 되고 싶어서 에베레스트에 오르는 건 아닐 겁니다. 산이 있으니까, 또는 그냥 산이 좋아서 올라간다고 말하는 낭만주의자들도 있으니까요.」

뤼크레스는 그의 말이 지나치다 싶어 그렇게 토를 단다.

「낭만주의는 에피쿠로스주의를 반대하는 사람들이 내세우는 최상의 논거죠. 사랑을 예로 들어 봅시다. 이른바 이루어질 수 없는 사랑이라는 게 있습니다. 혹자는 그것을 낭만적이라고 생각합니다. 하지만 나는 이루어질 수 있는 사랑이 더 좋습니다. 어떤 여자가 나에게 〈노〉라고 말하면, 나는 미련 없이 다른 여자에게 갑니다. 만일 내가 셰익스피어의 연극에 나오는 로미오였다면, 나는 줄리엣 집안과의 갈등 때문에 사랑이 이루어질 수 없다는 것을 간파하자마자 더 이상 고민하지 않고 다른 여자를 찾으러 떠났을 거예요.」

「스토아주의자도 싫고 영웅도 싫고 낭만주의자도 싫다 이건가요? 요컨대, 아름답고 감동적인 이야기들의 주인공은 다 싫다는 거군요?」 뤼크레스가 꼬집는다.

「무엇 때문에 고통을 받습니까? 사람들은 고통을 정당화하기 위해서 흔히 거창한 대의명분을 들먹이죠. 하지만 편안함과 즐거움을 포기하면서까지 추구할 만한 대의명분이라는 게 과연 있습니까? 두 분에게 분명히 말하지만, 우리에겐 적이 많습니다. 쾌락을 추구한다는 게 그냥 우리 뜻대로 되는 일이 아닙니다. 때로는 반대자들과 싸워야 하고, 그 싸움은 결코 쉽지 않습니다. 에피쿠로스가 말하기를, 〈삶에서 중요한 것은 고통을 피하는 것이다〉라고 했습니다. 그런데, 사람들을 보세요. 갖가지 터무니없는 이유를 들어 스스로를 비탄에, 고뇌에 빠뜨리려고 안달복달하고 있지 않습니까?」

「그것 역시 또 다른 즐거움을 얻기 위한 것인지도 모르죠. 불평하고 한탄하는 즐거움 말입니다.」 이지도르가 불쑥 이렇게 내뱉는다.

미샤는 그 말을 들은 체 만 체 하고 그들에게 다른 전시실을 가리킨다. 〈에피쿠로스주의 쾌거〉라는 팻말이 붙어 있는 회랑이다. 화산 꼭대기에서 꼬치구이를 먹고 있는 사람들의 사진이 가장 먼저 눈에 들어온다. 미샤의 설명이 이어진다.

「쾌락은 연출을 통해 만들어지는 작품이기도 합니다. 때때로 우리 회원들은 맛이 아주 미묘한 어떤 음식을 제대로 맛보기 위해 이틀 동안 금식을 하기도 합니다. 또 이 사진들에 나와 있는 것처럼, 우리는 화산 꼭대기에 올라가서 꼬치구이를 먹거나 음악을 듣기도 하고, 산소통을 메고 물속에 들어가서 섹스를 하기도 합니다. 새로운 즐거움을 찾으려는 욕구는 발명의 원천이기도 하지요.」

그들은 쾌락에 정통했던 위대한 인물들의 초상 앞을 지나간다. 초상에 나온 인물들 모두가 디오니소스와 바쿠스의 후예라고 할 만한 사람들이다. 프랑스 작가 라블레의 젊은 시절 모습을 표현한 판화도 보인다. 판화 위에는 그의 소설 『가르강튀아』에 나오는 텔렘 수도원의 규범, 즉 〈원하는 대로 행하라〉라는 말이 붙어 있다. 〈행복해지기를 기다리지 말고 그전에 웃어야 한다. 자칫하다가는 웃어 보지도 못하고 죽게 된다〉라는 말도 보인다. 17세기의 작가 라브뤼예르의 말이다.

「19세기의 위대한 진화론자들, 예컨대 허버트 스펜서나 알렉산더 베인 같은 사람들은 쾌락을 추구하는 능력이 자연 도태의 한 요인이라고 생각했습니다. 그 시대에 벌써 그들은 〈즐기는 능력이 가장 뛰어난 자가 살아남는다〉는 적자생존의 개념을 확립했습니다. 〈가장 강한 자가 살아남는다〉보다 훨씬 더 예리한 개념이죠.」

미샤는 커다란 서가 하나를 보여 준다. 서가에 진열된 책들의 제목이 대단히 암시적이다. 이 책들은 몇 개의 열(列)로 분류되어 있고, 각 열에는 〈단순한 쾌락〉, 〈복잡한 쾌락〉, 〈혼자서 얻는 쾌락〉, 〈집단적으로 얻는 쾌락〉 등의 이름이 붙어 있다.

「우리에게 즐거움을 주는 것들은 무한히 많습니다. 우리는 저마다 특유의 쾌감을 가져다주는 그 모든 것들의 완전한 목록을 작성하려 합니다. 모기에게 물린 곳을 긁는 것부터 우주여행에 이르기까지, 카페에서 신문 읽기, 강가에서 산책하기, 암탕나귀 젖 속에서 목욕하기, 조약돌로 물수제비 뜨기 등 모든 즐거움이 망라되어 있는 목록을 만들겠다는 것이지요. 에피쿠로스주의자에게 무엇보다 필요한 것은 겸허함입니다. 성공한 인생이란 쾌락의 작은 순간들을 모으는 것에 지나지 않는다는 것을 받아들여야 합니다.」

「어쩌면 쾌락이라는 개념의 최대 난적은 행복이라는 개념일지도 모르겠군요.」 뤼크레스가 갑자기 철학자 같은 말을 한다.

시엘의 책임자는 그 말에 깊은 관심을 보이며 잠시 생각에 잠겨 있다가 말을 잇는다. 「맞습니다. 행복이란 사람들이 미래에 도달하기를 바라는 절대적인 것이지요. 그에 반해서, 쾌락이란 지금 당장 얻을 수 있는 상대적인 것입니다.」

미샤는 그들을 제복 차림의 바텐더가 지키고 있는 바 쪽으로 데려간다. 그가 뭐라고 요구를 하자 바텐더는 초록색 형광을 내는 작은 반죽 같은 것을 내놓는다. 자세히 살펴보니, 초록색 반죽은 분홍색의 다른 반죽을 둘러싸고 있고, 그 한복판에는 싯누런 젤리가 들어 있다.

「이게 뭐죠?」

「드셔 보세요.」

뤼크레스는 그것에 혀끝을 살짝 갖다 댄다. 아무 맛도 느껴지지 않는다. 당연한 일이다. 혀끝은 단맛만 지각할 뿐이고, 그 감각을 느끼기 위해서는 음식에 적어도 0.5퍼센트의 당분이 들어 있어야 한다.

뤼크레스는 이걸 무슨 맛으로 먹느냐는 듯이 입술을 삐죽 내민다. 하지만 미샤가 계속 권하자, 숟가락 하나를 잡더니 그 알록달록하고 수상쩍은 식품을 듬뿍 퍼서 얼른 입 안에 넣는다. 마치 어차피 먹어야 될 약이라면 얼른 먹어 치우고 말겠다는 사람 같다. 그녀는 입술을 오므리고, 맛을 더 잘 느끼기 위해 눈을 감는다. 혀는 유두라 불리는 작은 분홍색 돌기들로 덮여 있다. 각각의 유두 내부에는 난형 신경 세포들의 더미인 맛봉오리들이 있다. 이 신경 세포들이 뇌로 전달한 메시지는 단맛, 짠맛, 신맛 또는 쓴맛으로 해석된다. 혀의 앞부분은 단맛을, 혀의 뒷부분은 쓴맛을 더 잘 느낀다. 짠맛과 신맛은 주로 혀의 옆 부분에서 지각된다.

뤼크레스는 자기가 먹고 있는 것에서 모든 맛을 동시에 느낀다. 먼저 짠맛이 나는가 싶더니 곧이어 단맛이 느껴지고 마침내 쓴맛과 신맛까지 가세한다.

「맛있네요. 이게 뭐죠?」

「빨간 강낭콩으로 만든 동양의 케이크입니다. 떡이라고 부르는 음식이죠. 마음에 들어 하실 줄 알았습니다.」

한편, 이지도르는 전통적인 맛을 지닌 단 음식의 애호가 답게 생크림이 들어간 피스타치오 아이스크림을 주문한다.

「생크림을 좋아하세요? 사람들이 생크림을 좋아하는 건 당연합니다. 이 크림에서는 모유의 맛이 납니다. 우리는 퇴행을 해서 다시 아기가 되려고 끊임없이 노력하지요. 그럼으로써 어머니와 일체가 되고 세계와 하나가 될 수 있기 때문입니다. 그럴 때 우리는 우리 자신이 대단히 강하다고 느낍니다. 아기는 생후 9개월 정도까지는 자기가 세계와 분리되어 있다고 느끼지 않습니다. 우리는 그 시절에 대한 그리움을 간직하고 있어요. 생크림을 먹으면서도 그런 때를 조금은 다시 만날 수 있습니다.」

이지도르는 아이스크림을 휘저어 생크림과 과일을 뒤섞은 맛있는 죽을 만들어 버린다.

「핀처…… 아니…… 사미는 동기에 관한 이야기를 자주 했었지요.」

이지도르의 그 말에 미샤가 대꾸한다. 「굳이 동기를 들먹일 필요가 있을까요? 쾌락에 관한 이야기를 합시다. 우리 인간의 행위는 대부분 즐거움을 얻기 위한 것입니다. 고통을 멎게 하려는 것도, 두려움에서 벗어나고자 하는 것도 다 즐거움을 얻고자 하는 행위죠. 먹고 마시는 것, 자는 것, 섹스하는 것도 다 쾌락입니다. 사미는 동기의 신봉자가 아니라, 쾌락의 신봉자였어요. 단지, 〈쾌락〉이라는 말이 오늘날 너무나 나쁜 뜻으로 쓰이기 때문에 그 말을 내놓고 하지 못했을 뿐이지요. 그가 디프 블루 Ⅳ를 이기고 나서 무슨 말을 했는지 기억하시지요? 그는 〈동기〉라는 말을 되풀이했습니다. 하지만, 그가 정작 하고 싶었던 말은 쾌락이었을 거라고 나는 확신합니다. 그의 죽음이 그 점을 입증하는 마지막 증거죠. 그가 우리에게 얼마나 큰 영향을 미쳤는지 두 분도 아셔야 합니다. 〈핀처화하다〉라는 말이 우리의 은어 속에 들어왔을 정도지요. 그 말은 벌써 우리들 사이에서 〈성행위 도중에 죽음을 당하다〉라는 뜻으로 쓰이고 있습니다.」

「그러니까 그가 사랑 때문에 죽었다고 생각하신다는 건가요?」 뤼크레스는 자기 뒤에 붙어 있는 〈위선보다는 죄가 낫다〉라는 말에 눈길을 붙박은 채 묻는다.

「물론이죠. 어마어마한 오르가슴 때문에 그의 뇌가 터져 버린 것입니다.」

「오르가슴에 관한 이야기를 나누고 있는 듯한데, 내가 대화에 좀 끼어들어도 되겠지요?」

세련된 영국 멋쟁이 같은 느낌을 주는 남자 하나가 그들과 합석한다. 희끗희끗한 머리에 콧수염을 뾰족하게 기른 남자다. 남자는 한 손으로 콧수염의 오른쪽 끄트머리를 비비 꼬고 있다. 아마(亞麻) 정장에 흰 셔츠를 받쳐 입었는데, 목에는 넥타이 대신 비단 스카프를 아무렇게나 두른 차림이다. 얼굴은 지나치다 싶을 정도로 검게 그을려 있다. 아무리 햇살이 따가운 하늘빛 해안의 거주자라 해도 그렇게까지 검게 그을리지는 않을 듯싶다. 그의 몸짓은 약간 꾸민 듯한 느낌을 주긴 하지만 그런 대로 기품이 있어 보인다.

「두 분에게 제롬을 소개해 드리죠. 우리 클럽의 기둥 같은 사람입니다.」

「아니, 미샤. 우리의 오감을 새롭게 일깨우는 이토록 신선한 회원들이 있다는 사실을 나에게 숨겼단 말이야?」

이 제롬이라는 남자가 뤼크레스의 손에 입을 맞추겠다고 청한다.

「제롬 베르주라크입니다. 무엇이든 분부만 내려 주십시오.」

그러면서 그는 자기 명함을 내민다. 그런데 이 명함에는 다른 말은 없고 그저 〈제롬 베르주라크, 놀고먹는 억만장자〉라고만 쓰여 있다. 뤼크레스는 그 발상이 제법 재미있다고 생각한다.

「〈놀고먹는 억만장자〉가 직업인가요?」

그는 그들 옆에 앉더니 오른쪽 눈에 외알박이 안경을 대고는 그것이 미끄러져 내리지 않도록 뺨에 주름을 잡는다.

「어느 날, 25미터짜리 내 요트를 타고 바다로 놀러 나갔을 때의 일입니다. 나는 세 명의 콜걸들에게 둘러싸여 있었습니다. 하나는 적갈색 머리, 또 하나는 금발, 나머지 하나는 갈색 머리였지요. 따끈따끈한 크루아상처럼 구릿빛으로 그을린 여자들이었습니다. 나이도 많지 않았어요. 가장 나이 많은 여자가 스물다섯 살이었으니까요. 나는 그 여자들과 돌아가면서 사랑을 나눈 뒤에, 샴페인을 홀짝거리면서 바다와 하늘의 풍광을 바라보고 있었습니다. 멀리 보이는 야자수로 덮인 섬들과 청록색 바다와 오렌지빛 석양을 구경하고 있었지요. 그때 문득 이런 생각이 뇌리를 스쳤습니다. 〈그건 그렇고, 이젠 뭘 하지?〉 그러자 갑자기 울적한 기분이 들었습니다. 나

는 인간 사회가 나에게 제공할 수 있는 것의 정점에 있기 때
문에 더 높이 올라갈 수가 없다는 사실을 깨달았죠. 나는 만
점을 받는 바람에 더 나은 점수를 받을 가능성을 잃어버린
학생과 같았어요. 그런 깨달음은 나를 의기소침하게 만들었
습니다. 그래서 내가 도달한 꼭대기 위에 뭔가 다른 것이 없
을까 하고 찾아보았지요. 그러다가 찾아낸 것이 바로 시엘입
니다.」

미샤가 샴페인 한 병을 꺼내어 모두에게 따라 준다. 그들
은 일제히 술잔을 들어 올린다.

「시엘을 위하여!」

「에피쿠로스를 위하여!」

「사미를 위하여…….」

제롬은 잠시 사이를 두었다가 말을 잇는다.

「나는 사미가 어떤 사람이었는지 잘 압니다. 그는 대단히
의욕적인 사람이었습니다. 인간이 모든 점에서 기계보다 우
수하다는 점을 증명하기 위해 체스에까지 남다른 의욕을 보
였으니까요. 고상한 대의명분을 위해 싸우는 행운을 누린 사
람이지요. 미샤에게는 미안한 얘기지만, 우리가 여기에서
만나는 사람들 가운데에는 에피쿠로스주의와 이기주의를
혼동하는 자들이 있습니다. 사미는 그런 멍청한 에피쿠로스
주의자가 아니었어요. 사미는 에피쿠로스주의가 지혜로 나
아가는 하나의 길이 된다고 굳게 믿었지요. 안 그렇습니까?」

그는 자기가 한 말을 음미하기라도 하듯 술잔을 빙글빙글
돌리며 생각에 잠긴다. 미샤가 다시 말문을 연다. 「이번 토요
일에 그를 추모하는 행사를 엽니다. 나타샤도 참석한다고 했
어요.」

「우리도 참석할 수 있나요?」뤼크레스가 묻는다.

「물론이죠. 이제 회원이 되셨는데요…….」

제롬 베르주라크는 아쉬워하며 자리를 뜬다. 어딘가로 급히 떠나면서도 그는 뤼크레스에게 입맞춤을 보낸다는 뜻을 허공에 나타내 보이는 것을 빼놓지 않는다.

41

사뮈엘 핀처 박사는 장루이 마르탱의 원고에 아무도 관심을 보이지 않는 것에 경악을 금치 못했다. 그는 마르탱이 책을 내는 것에 실패한 것을 위로하기 위해, 정보 처리 기사를 오게 해서 마르탱의 컴퓨터에 새로운 장치를 추가해 주었다. 인터넷 접속이 가능하도록 만들어 준 거였다.

이로써 마르탱은 정보를 받을 뿐만 아니라 매개자 없이 직접 정보를 보낼 수 있게 되었다. 병원에 갇혀 있는 그의 정신이 마침내 장벽을 넘어설 수 있게 된 셈이었다. 컴퓨터가 처음 마련되었을 때는 감옥의 쇠창살 밖으로 손을 내민 기분이 들었는데, 이제는 팔을 쭉 내밀어서 갖가지 정보들을 가져올 수 있을 것 같은 기분이 들었다.

마르탱은 인터넷의 어떤 검색 엔진에서 〈락트인 신드롬〉이라는 주제로 검색을 히여 이 병과 관련된 사이트 하나를 찾아냈다. 이 병에는 또 다른 이름이 있었다. 〈유폐 생존 증후군〉이 바로 그것이었다. 의사들에게는 충격적인 용어를 잘 지어내는 재주가 있는 게 분명했다. 생트마르그리트 요새는 옛날에 철 가면이라는 별명을 지닌 국사범이 갇혀 있던 곳이다. 바로 그 장소에 이제는 마르탱이 유폐되어 있는 셈이었다. 참으로 기이한 악연이었다.

마르탱은 그 사이트에서 그와 똑같은 증상을 앓고 있는 월리스 커닝햄이라는 미국인이 새로운 방법으로 치료를 받았다는 사실도 알아냈다.

이미 1998년에 에머리 대학의 신경 의학자 필립 케네디와 신경 의학자이자 컴퓨터 공학자인 멜로디 무어는 커닝햄의 대뇌 피질 속에 특별한 전극들을 이식한 바 있었다. 이 전극들은 뇌의 전기 신호들을 기록할 수도 있었고, 그 신호들을 전파로 바꿀 수도 있었다. 이 전극들이 뇌의 전기 신호를 전파로 바꾸면, 이것은 다시 컴퓨터 언어로 변환되었다. 그럼으로써 커닝햄은 단지 생각하는 것만으로 컴퓨터를 움직이고 전 세계 사람들과 의사소통을 할 수 있게 되었다.

마르탱으로서는 참으로 놀라운 소식이 아닐 수 없었다. 그 미국인은 뇌에 이식된 전극 덕분에 말을 할 때와 거의 같은 속도로 글을 쓰고 있지 않은가!

프랑스의 리스 환자 마르탱은 미국의 리스 환자와 영어로 대화를 나누었다.

하지만, 마르탱이 자기도 같은 병에 걸렸음을 고백하면서 동병상련의 마음을 표현하자마자, 커닝햄은 더 이상 대화를 계속하고 싶지 않다고 대답했다. 이제는 건강한 사람들하고만 이야기를 나누고 싶다는 거였다. 커닝햄은 누구도 더 이상 겉모습으로 판단되지 않는다는 데에 인터넷의 장점이 있다고 생각한다면서, 사이버 공간에 굳이 장애인들의 공동체를 만들고 싶지는 않다고 말했다.

《식물》이라는 당신의 아이디에 대해서도 한마디하고 싶습니다. 이 이름은 중요한 점을 시사하고 있습니다. 당신이 스스로에 대해 어떤 이미지를 가지고 있는지를 보여 주고 있

다는 것입니다. 나는 나 자신에게 슈퍼맨이라는 별명을 붙였습니다…….〉

마르탱은 무어라고 대답할 말이 없었다. 그는 자기가 신체의 감옥에 갇혀 있을 뿐만 아니라 선입관의 감옥에 갇혀 있기도 하다는 사실을 문득 깨달았다. 커닝햄이 비록 야박하기는 했을지언정, 마르탱의 한계가 무엇인지는 분명히 깨우쳐 준 셈이었다.

마르탱은 자기가 깨달은 바를 핀처에게 알리기로 했다. 그는 컴퓨터 화면에 나타난 자판을 보면서, 눈을 빠르게 움직여 자기가 원하는 단어를 구성해 줄 로마자들을 누르기 시작했다.

〈우리의 생각은 결코 자유롭지 않다는 느낌이 들어요.〉

그가 그렇게 쓰자, 핀처가 물었다. 「무슨 뜻으로 하는 말이죠?」

〈나는 자유롭지 않습니다. 나는 나 자신을 낮게 평가하고 있어요. 나뿐만 아니라 우리 모두가 선입관의 체계에 얽매여 있다는 생각이 들어요. 우리는 현실에 대해 미리부터 가지고 있는 어떤 생각들을 계속 유지하면서 현실을 그 생각들에 꿰어 맞추려고 해요. 이미 내 원고에서 그것에 관한 이야기를 시작한 바 있어요. 하지만, 그때는 이야기를 충분히 전개하지 못했지요.〉

「자아, 그럼 지금 해봐요. 무척 흥미롭군요.」

핀처는 마르탱의 이야기가 이어지기를 참을성 있게 기다렸다. 한참이 지나서 컴퓨터 화면에 다시 문장이 나타나기 시작했다.

〈학교와 우리 부모와 우리 주위 사람들은 이 세계를 해독

하는 틀을 우리에게 만들어 줍니다. 우리는 세계의 참모습을 변형시키는 그 프리즘들을 통해서 모든 걸 바라보지요. 그 결과, 아무도 이 세상에서 실제로 벌어지고 있는 일을 보지 못하게 됩니다. 우리는 그저 우리가 미리부터 보고 싶어 하던 것을 보고 있을 뿐입니다. 우리는 세계의 모습이 우리의 선입견과 맞아떨어지도록 하기 위해 끊임없이 세계를 다시 그립니다. 관찰자가 자기 관점에 따라서 자기가 관찰하고 있는 것을 변화시키고 있는 것이지요.〉

핀처는 그 말에 재미를 느끼며 마르탱을 새롭게 보게 되었다.

〈나는 아프다는 것을 하나의 패배로, 장애인이라는 것을 하나의 치욕으로 여기고 있습니다. 다른 사람들과 대화를 나눌 때마다, 그들이 나에게 그 점을 상기시켜 줍니다. 그들 스스로 그러는 것이 아니라, 내가 그들을 그렇게 만드는 것이지요. 그러고 싶지 않지만, 어쩔 수 없이 그렇게 됩니다.〉

핀처는 마르탱의 글을 쓰는 속도에 놀라고 있었다. 마르탱은 이제 사무원들만큼이나 빠르게 타자를 하고 있었다. 컴퓨터 화면에 문장이 전개되는 속도가 보통 사람들이 말하는 속도와 별로 차이가 나지 않았다. 기능이 기관을 만들어 낸다는 말이 맞는 모양이다. 원고를 쓰면서 보낸 시간이 그에게 문학적인 영예를 안겨 주지는 못했지만, 경이로운 민첩성을 가져다준 것은 분명했다.

「그 점을 깨달은 것만 해도 대단한 일이지요. 자기의 선입견에서 벗어나기 시작했다는 뜻이니까요.」

〈사실, 우리는 현실을 있는 그대로 존재하도록 내버려 두지 않습니다. 우리는 어떤 신념들을 가지고 현실에 임합니다. 그래서 만일 현실이 그 믿음들과 일치하지 않으면, 어떻게든 현실을 그릇되게 이해하려고 애를 씁니다. 예를 들어서, 나는 사람들이 내가 장애인이라는 것을 알게 되면 나를 배척할 거라고 확신합니다. 그래서 만일 그들이 나를 배척하지 않는다면, 나는 그들이 빗대어 한 말 중에서 뭔가 트집 잡을 게 없을까 하고 찾기 시작할 것입니다. 그러다가 아주 사소한 빌미라도 생기면 그걸 그릇되게 해석해서,《봐라, 이들은 내가 장애인이라고 해서 나를 배척하고 있지 않은가!》라고 말할 것입니다.〉

「그게 편집증의 원리입니다. 위험 때문에 두려움이 생기는 것이 아니라, 두려움이 위험을 빚어내는 것이지요.」

핀처는 마르탱의 입에서 또다시 흘러내리고 있는 침을 닦아주었다.

〈그보다 더 심합니다. 우리는 현실을 침해하고 있어요. 우리는 단지 우리 자신에게만 편안한 어떤 현실을 끊임없이 지어내고 있습니다. 그리고 만일 이 현실이 다른 사람들의 현실과 일치하지 않으면, 우리는 다른 사람들의 현실을 부정하기까지 하죠.〉

마르탱의 눈에 분노인지 열의인지 알 수 없는 기색이 어렸다.

〈박사님, 나는 우리 모두가 광인이라고 생각합니다. 모두가 현실을 왜곡하고 있기 때문입니다. 우리는 현실을 있는 그대로 받아들이지 못합니다. 남에게 호의적인 것처럼 보이는 사람일수록 현실에 대한 자기들의 인식을 숨기고 있기가 십상입니다. 그들은 다른 사람들의 인식을 받아들이고 있다는 인상을 주기 위해, 정작 자기들이 현실에 대해서 느끼는 바를 드러내지 않는 것입니다. 만일 우리 모두가 저마다의 생각을 있는 그대로 드러낸다면, 우리가 할 일은 말다툼밖에 없을 것입니다.〉

그는 잠시 사이를 두었다가 말을 이었다. 〈내가 깨달은 것 가운데 가장 가혹한 것은 아마 다음과 같은 게 아닐까 싶습니다. 나는 나 자신이 신체적인 장애인이라고 믿고 있었습니다. 그런데 곰곰이 생각하면 할수록 내가 정신적인 장애인이라는 생각이 듭니다. 나는 세상을 온전히 이해할 수 있는 능력이 없어요.〉

핀처는 바로 대답하지 않고 다음 말을 기다렸다.

〈벌거벗은 현실에 선입관의 옷을 입히지 않고 그것을 그냥 있는 그대로 받아들일 수 있는 사람이 과연 있을까요?〉

「세상을 있는 그대로 받아들인다는 것은 건전한 정신을 가진 사람들이라면 누구나 평생에 걸쳐 추구해야 할 목표가 아닌가 싶은데요. 그건 결코 쉬운 일이 아닙니다. 사람들은 자기들이 세상의 모습이라고 믿고 있는 바대로, 또는 세상이 달라지기를 바라는 자기들의 생각에 맞추어 현실을 받아들이기가 십상이지요.」

〈나는 우리 자신이 현실을 지어내고 있다고 생각합니다. 우리 자신이 우리가 누구인가에 대해서 꿈을 꾸고 있어요. 우리의 뇌가 우리 인간을 60억의 신들로 변화시키고 있는 겁니다. 이 신들은 자기들의 능력을 거의 의식하지 않고 있지요. 그래서 하는 말인데, 나는 이제 내 나름대로 세상을 이해하고 내 방식대로 나 자신을 받아들일까 해요. 또 이제부터는 나 자신을 미지의 흥미진진한 세계 속에 있는 대단한 존재로 여기기로 했어요. 이 세계에 대해서 나는 어떤 선입

관도 없어요.〉

핀처는 자기 환자를 예전과는 사뭇 다른 눈으로 보았다. 니스 신용 은행의 법무 담당 직원이었던 평범한 사람 마르탱은 이제 어디에도 없었다. 그야말로 애벌레가 나비로 변하는 것과 같은 놀라운 변화가 그의 내부에서 일어나고 있었다. 나비의 애벌레와 다른 점이 있다면, 그의 몸이 아니라 마음에서 오색찬란한 날개가 돋고 있다는 거였다.

「당신의 변화에 놀라움을 금할 수 없군요, 마르탱 씨.」

〈간밤에 꿈을 꾸었어요. 꿈에서 아주 우아한 살롱을 보았지요. 사람들이 모여 축제를 벌이고 있더군요. 그런데 이상하게도 그 한복판에 박사님이 있었어요. 머리가 아주 큰 모습으로 말이에요. 머리의 높이가 3미터나 될 정도로 어마어마하게 컸어요.〉

핀처가 그의 손을 잡으며 말했다. 「꿈을 꾸는 시간이야말로 우리가 진정으로 자유로워지는 때입니다. 우리가 우리 생각들이 제멋대로 활개를 치도록 내버려 두는 유일한 시간이지요. 간밤에 꾼 꿈에 무슨 특별한 의미가 있는 건 아니에요. 의미가 있다면 그저 마르탱 씨가 나를 너무 과대평가하고 있다는 것 정도겠지요.」

42

정오. 시엘이 들썩이고 있다. 에피쿠로스주의자 클럽의 본부인 프로방스식 별장 앞에 반들반들하게 광채가 나는 리무진들이 잇달아 주차되고, 아주 세련된 사람들이 거기에서 내린다. 하이패션의 드레스를 입은 여자들이 부채를 펼쳐 들고 모자를 고쳐 쓴다. 더운 날씨다.

이지도르와 뤼크레스는 사이드카가 곁달린 오토바이를 세우고, 헬멧과 조종사 안경을 벗는다. 그들이 각기 주행용으로 입고 있던 검은색과 빨간색의 외투를 벗자 파티 복장이 드러난다. 뤼크레스는 트임이 있는 자주색 드레스 차림이고, 이지도르는 초록색 재킷에 베이지색의 헐렁한 포플린 셔츠를 받쳐 입은 모습이다. 이제는 신발을 갈아 신을 차례다. 뤼크레스는 오토바이 장화를 벗는다. 그물 스타킹을 신은 다리가 드러난다. 그녀는 사이드카에서 검은색 하이힐을 찾아 신는다. 이지도르는 자기 구두를 그대로 신고 있다. 그는 자기 동료를 새로운 눈으로 바라본다. 이제껏 그렇게 차려입은 그녀를 본 적이 없다. 말괄량이 여자아이 같던 모습은 간데없고, 완전히 〈팜파탈〉 같은 자태를 보이고 있다. 자주색 드레스 때문에 기다란 적갈색 머리가 한결 두드러져 보이고, 이 적갈색 머리가 검은 아이라이너로 살짝 강조한 에메랄드빛 눈을 더욱 돋보이게 한다. 게다가 반짝이는 립스틱이 얼굴에 화사함을 더해 주고 있고, 하이힐은 그녀를 몇 센티미터는 더 커 보이게 한다.

「새 구두라서 발에 꼭 끼는데요. 빨리 들어가서 벗어 버렸으면 좋겠어요.」

그녀의 얼굴에 불편해하는 기색이 역력하다.

두 기자는 줄지어 선 사람들 속으로 들어가 입장을 기다린다. 외부에 설치한 스피커에서 교향악이 울려 퍼진다.

제롬 베르주라크가 그들에게 다가와서 인사를 건넨다. 캐시미어 재킷을 입고 손에는 외알박이 안경을 들고 있다. 그는 자기의 〈미미〉를 보러 가자고 그들에게 권한다.

「같이 오신 분인가 보죠?」

억만장자 제롬은 그들을 별장 뒤로 데려간다. 거기, 들판 한가운데에 그가 〈미미〉라고 불렀던 것이 보인다. 열기구 하나가 차츰차츰 부풀어 오르고 있는 중이다. 거대한 송풍기가 벌겋게 달아오른 통풍관에 바람을 불어 넣어 열기구의 기낭을 더운 공기로 채우고 있다. 천이 붕긋하게 솟아오르면서 열기구가 제 형태를 드러낸다. 커다란 구체 하나가 허공에 떠오르고 거기에 높이가 3미터는 되게 사뮈엘 핀처의 얼굴이 나타난다.

「사미를 기리기 위한 것입니다. 이로써 그는 여전히 우리 가까이에 있는 셈입니다. 더운 공기를 채우는 데에는 시간이 좀 더 걸리겠지만, 행사가 끝날 때쯤이면 미미가 멋진 피날레를 장식하게 될 겁니다. 안 그렇습니까?」

제롬은 지난번처럼 젊은 기자의 손에 입을 맞춘다.

「여전히 놀고먹는 억만장자인가요?」

「여전히 그렇습니다.」

「돈이 너무 많아서 걱정이면, 제가 부담을 좀 덜어 드릴까요?」

「돈이 많아 봐야 그리 좋을 일은 없을 겁니다. 돈이란 게 그래요. 없을 때는 그것만 있으면 모든 문제가 해결될 것 같은데, 막상 갖고 나면 내 경우가 그렇듯이 삶에 커다란 구멍이 생기는 것을 깨닫게 되죠. 놀라운 얘기 하나 해드릴까요? 지난주에 나는 복권을 한 장 샀습니다. 그냥 〈가난뱅이〉 흉내를 한번 내보고 싶었지요. 그런데 내가 당첨이 됐어요. 세상일이라는 게 그래요. 뭔가를 필요로 하지 않을 때에만 그것을 얻게 되죠. 그래서 하는 말인데, 나는 당신을 필요로 하지 않았으면 좋겠어요……」

이지도르는 초조한 기색으로 어서 들어가자고 신호를 보낸다.

「이봐 〈동생〉, 그만 들어가자고. 행사가 시작되고 있어. 시작하는 걸 봐야지.」

안으로 들어서자 미샤가 그들을 맞아 준다. 안전 요원 하나가 낯이 익지 않은 그들을 막아서자, 미샤가 나서서 두 사람을 들여보내도 된다고 일러 준다.

두 기자는 금도금된 탁자 하나를 골라 자리에 앉는다. 뤼크레스는 자리에 앉자마자 구두를 벗는다. 긴 식탁보가 발을 가려 주고 있어서 구두를 벗기가 십상 좋다. 그녀는 너무 꼭 끼는 가죽 때문에 아팠던 발가락들을 주무른다. 옛날에 중국에서는 여자들의 발을 헝겊 띠로 친친 동여매도록 강요하는 전족(纏足)이라는 관습이 있었다는데, 서양 남자들은 그런 관습 대신 패션이라는 속임수로 여자들의 발에 고통을 주려고 꾀를 쓴 게 아닐까 하는 생각이 든다. 그녀는 매니큐어를 칠한 발가락들을 쫙 펴고, 아름다움과 멋을 내세워 그것들에게 강요한 고통을 덜어 주기 위해 살살 어루만진다.

식사 시중드는 사람 하나가 그들에게 행사 프로그램이 적힌 판지를 하나씩 나누어 준다. 프로그램은 식사와 연설과 깜짝 이벤트로 짜여 있다.

모두가 자리에 앉고 문들이 닫힌다. 베토벤의 〈환희의 송가〉가 울려 퍼지면서 무대가 환해진다. 미샤가 단상에 오르더니 한 손에 메모지를 든 채 연단을 마주하고 선다. 쾌락을 주제로 한 그의 짧막한 연설이 시작된다.

미샤는 먼저 모든 인간에게 쾌락의 의무가 있음을 상기시킨다. 〈그대 자신을 사랑하라. 그러면 천상의 세계와 신들을 알게 될 것이다.〉 그는 〈너 자신을 알라〉는 소크라테스의 말을 바꾸어 그렇게 선언한 다음, 스토아주의자와 낭만주의자, 영웅, 순교자 및 모든 마조히스트에게 야유를 보낸다. 그들은 즉각적인 즐거움이 삶의 주된 동력임을 깨닫지 못했다는 것이다.

「하느님께서는 우리가 즐겁게 사는 것을 보고 싶어 하십니다.」

그는 그렇게 말을 맺는다.

박수갈채가 터져 나온다.

「감사합니다. 맛있게 드십시오. 원하신다면 그냥 손가락으로 드십시오. 그리고 이 점을 잊지 마십시오. 위선보다는 죄가 낫습니다.」

제복 차림의 종업원들이 고급 샴페인과 함께 귀한 캐비아를 가져다준다. 철갑상어의 작은 알들이 씹히자 입 안에 그 즙이 퍼져 나간다. 샴페인이 그 애먼 알들을 휩쓸어 가면서, 톡 쏘는 느낌과 함께 흰 포도의 정수(精髓)를 방출한다. 이 정수들이 입천장 뒤쪽으로 올라가면서 마치 향수처럼 후각 감지 장치를 작동시킨다.

미샤는 이 행사가 사뮈엘 핀처 박사를 추모하기 위한 것임을 새삼스레 상기시킨다.

「정신과 의사 핀처, 창의적인 신경 의학자 핀처, 천재적인 체스 기사 핀처에게 우리가 바칠 수 있는 찬사는 아주 많습니다. 하지만, 그 모든 찬사를 제쳐 두고, 오늘 이 자리에서 나는 모범적인 에피쿠로스주의자 핀처에게 경의를 표하고자 합니다.」

다시 박수갈채가 터져 나오자, 그는 잠시 사이를 두었다가 말을 잇는다. 「여러분, 여러분. 다시 한번 말씀드리지만, 우리는 불행하기 위해서 여기에 있는 것도 아니고 불행하게 죽기 위해서 여기에 있는 것도 아닙니다. 사뮈엘 핀처의 얼굴이 우리를 이끄는 등대가 되어 줄 것입니다. 행복하게 죽읍시다. 즐거움을 느끼며 죽읍시다. 핀처처럼 죽읍시다!」

또다시 열렬한 환호가 인다.

「감사합니다. 끝으로 한 가지만 더 말씀드리겠습니다. 대단히 영광스럽게도 아주 특별한 분이 우리와 자리를 함께하고 계십니다. 여러분, 나타샤 아네르센입니다!」

톱 모델이 일어서자 〈환희의 송가〉가 크게 울려 퍼지고 박수갈채가 더욱 요란해진다. 뤼크레스는 다른 사람들을 따라 박수를 치면서 이지도르 쪽으로 몸을 기울인다.

「저 여자, 얼음처럼 차가워 보이는데요. 난 도무지 이해를 못 하겠어요. 왜 남자들은 스칸디나비아의 저런 금발 미녀들에게 그토록 매력을 느끼는 거죠?」

「아마 남자들의 도전 욕구를 자극하기 때문일 거예요. 그녀들의 표정이 냉담해 보이니까 마음을 흔들어 보고 싶은 욕구가 생기는 거지요. 영화감독 히치콕을 보세요. 그는 쌀쌀맞아 보이는 금발 미녀들만 좋아했어요. 그런 여자들이 무슨 일을 하면 별것 아닌 일도 대단해 보인다는 게 그의 생각이었죠.」

나타샤 아네르센이 마이크로 몸을 기울인다.

「안녕하십니까? 사뮈엘은 여기 여러분 속에서 이 축제를 즐기고 있을 것입니다. 그는 세상을 떠나기 몇 시간 전에, 집으로 돌아가는 자동차 안에서 나에게 이런 말을 했습니다. 〈내가 보기에, 우리는 과도기를 살고 있어. 모든 일이 가능해

지고 있어. 인간의 정신적 능력이 신장되는 데에는 더 이상
기술적인 한계가 없어. 단지 우리의 두려움과 낡은 사고방
식, 거부 반응, 선입견 등이 그 신장을 늦추고 있을 뿐이야.〉」

박수갈채.

「나는 사뮈엘 핀처를 사랑했습니다. 그는 천사였습니다.
제가 할 말은 이게 전부입니다.」

그녀가 다시 자리에 앉는다. 본격적인 식사가 시작된다.
종업원들이 찬요리며 더운 요리가 담긴 쟁반들을 날라 온다.
무대 조명이 꺼지고 베토벤에 이어 헨델의 음악이 흘러나온
다. 소화에는 헨델이 더 도움이 된다는 게 음악 담당자의 생
각인 모양이다.

이지도르와 뤼크레스는 살그머니 나타샤 아네르센 곁으
로 다가간다.

「우리는 핀처의 죽음에 관해서 조사를 벌이고 있습니다.」

「경찰에서 나오셨어요?」 나타샤는 그들에게 눈길조차 주
지 않고 묻는다.

「아뇨. 우린 기자예요.」

나타샤는 쌀쌀맞게 그들을 톺아본다.

「우리는 그게 살인이라고 생각하고 있습니다.」

이지도르의 말에 그녀는 실망에 찬 듯한 냉소를 흘린다.

「그가 내 품에서 죽는 걸 내 눈으로 봤어요. 방 안에 나 말
고 다른 사람은 없었고요.」

그러면서 그녀는 고개를 돌린다. 더 유쾌한 대화를 나눌
수 있는 다른 친구들을 찾는 눈치다.

뤼크레스는 대화를 계속 이어 나가려고 애쓴다.

「때로는 우리의 감각이 우리를 속이기도 합니다. 그의 사

체를 부검한 법의학자가 사건 조사에 어떤 새로운 실마리를 제공하려던 순간에 살해되었어요.」

나타샤는 자제력을 발휘하여 아주 침착하게 못을 박는다.

「분명히 경고하는데, 만일 당신들이 내 이미지나 사뮈엘의 이미지에 조금이라도 먹칠을 하는 기사를 쓰면, 당신들에게 내 변호사를 보내겠어요.」

톱 모델의 금속처럼 차가운 파란 눈이 기자의 에메랄드빛 눈과 마주친다. 두 젊은 여자는 냉랭한 눈빛으로 서로를 노려본다.

이지도르는 분위기를 좀 부드럽게 바꿔 보려고 애쓴다.

「우리는 아네르센 씨를 도와 드리려고 여기 온 겁니다.」

「나는 당신들을 알아요. 기자라는 사람들이 어떤 사람들인지 이미 숱하게 경험했어요. 나를 도우러 왔다고요? 나보고 그 말을 믿으라고요? 그저 내 이름을 이용해서 선정적인 기사나 한 편 쓰려는 거겠지요.」

그때 미샤가 손님들을 소개시키려고 나타샤에게 온다. 뤼크레스와 이지도르는 자리를 뜬다.

「당신은 저 여자를 좋아하지 않는군요. 당연해요. 예쁜 여자들은 언제나 미움을 받게 마련이지요.」

이지도르가 그렇게 농담을 하자, 뤼크레스는 어깨를 치켜올리며 볼멘소리를 한다.

「지금 이 순간 내가 가장 하고 싶은 게 뭔 줄 아세요?」

43

〈……월리스 커닝햄처럼 전극을 뇌에 이식하고 싶어요.〉

핀처는 깜짝 놀라며 자기 환자를 바라보았다.

「미안하지만, 그 수술은 비용이 아주 많이 들어요. 그러잖아도 이 병원에서 내 영향력이 갈수록 줄어들고 있는 판국이라, 행정 당국의 동의를 얻어 내기가 쉽지 않을 거예요. 내가 보기에, 행정 책임자들은 그런 데 쓸 돈이 있으면 차라리 감옥에 주고 싶어 할 거예요. 그래야 주요 〈납세자이자 유권자〉인 부르주아들을 안심시킬 수 있을 테니까요. 그들은 정신 병원에는 별로 관심이 없어요.」

마르탱의 눈이 반짝였다. 그는 안구를 움직여 다시 글을 쓰기 시작했다.

〈내가 이 병원을 부유하게 만들 방법을 찾아내면 되지 않을까요?〉

핀처는 자기 환자에게 몸을 기울여 귀엣말로 속삭였다.

「어쨌거나 나는 그런 수술에 대한 실제적인 지식이 없어요. 두개골에 구멍을 내는 수술은 여간 까다로운 게 아닙니다. 아주 작은 실수로도 심각한 결과를 야기할 수 있어요.」

〈나는 위험을 무릅쓸 준비가 되어 있어요. 내가 나름의 방법으로 이 병원을 번창하는 기업으로 바꾸어 주면, 그 수술을 받도록 허락해 주시겠습니까?〉

핀처는 그렇게 하겠다고 대답했다. 하지만 그 순간에도 그는 회의적인 느낌을 떨치지 못하고 있었다.

마르탱은 얼굴 표정으로 자기의 확신을 나타낼 수는 없지만, 가능한 한 빠르게 이렇게 써 나갔다.

〈생각나세요, 사뮈엘? 이 병원의 개혁을 더 멀리 밀고 나가고 싶다고 나에게 말한 적이 있잖아요. 나는 그 개혁 작업에 도움을 드릴 준비가 되어 있어요.〉

「여기에서 변화를 시도한다는 게 얼마나 어려운지 모를

거예요.」

〈일이 어렵기 때문에 사람들이 하지 않는 것이 아니라, 사람들이 하지 않기 때문에 일이 어려워지는 거예요. 나는 개혁이 이미 성공을 거두었다고 확신해요. 하지만 사람들은 그 성공을 잊고 있어요. 날 믿으세요.〉

핀처는 알겠다는 뜻으로 한 눈을 찡긋해 보였다.

마르탱은 병실을 나서는 핀처를 보면서 자기의 도전이 실효를 거둘 수 있기를 바랐다.

그는 정신 병원의 개혁이라는 문제를 모든 측면에서 면밀히 고찰하기로 하였다. 그는 먼저 역사 속에서 사례를 찾아보았다.

고대 그리스에서는 어떤 의식을 거행할 때에 공동체가 저지른 잘못을 속죄하는 뜻으로 마을의 지적 장애인들을 바다에 던져 버리곤 했다. 그런가 하면, 중세에는 마을의 바보는 너그러이 봐주었지만, 악마에 들린 것으로 판단되는 사람들은 마법사나 마녀로 간주하고 불태워 죽였다.

1793년, 계속되는 프랑스 혁명에 파리의 거리들이 들썩거리고 사회생활의 모든 분야에 변화의 바람이 불고 있을 때에, 정치가 콩도르세의 친구인 젊은 의사 필리프 피넬이 프랑스에서 가장 큰 정신 병원인 비세트르 병원의 원장이 되었다. 그는 이 병원에서 당시의 정신 질환자들이 어떤 처지에 놓여 있는지를 생생하게 목격하였다. 당시의 광인들은 짐승처럼 학대를 받았다. 어둠침침한 독방이나 넓이가 1제곱미터밖에 안 되는 짐승 우리 같은 방에 갇혀 있기가 십상이었고, 평생토록 사슬에 묶인 채 매를 맞으며 살았다. 그들을 진정시킨답시고 피를 뽑거나 얼음물에 집어넣거나 하제(下

劑)를 먹이기가 일쑤였다. 성난 백성들이 바스티유 감옥을 파괴한 뒤에, 필리프 피넬은 새로운 시대 조류에 편승해서 정신 병원도 개방하자고 제안하였다. 자유의 이름으로 하나의 실험이 시도된 거였다.

마르탱은 필리프 피넬의 이야기를 핀처에게 들려주고, 그 혁명가의 실험을 새롭게 계승하자고 제안하였다.

「그다음엔 어떻게 됐죠?」

〈피넬에 의해 풀려난 광인들은 대부분 다시 병원에 넣어 달라고 요구했어요.〉

「그렇다면, 실패로 끝난 셈이군요.」

〈필리프 피넬은 개혁을 충분히 밀고 나가지 못했어요. 광인들이 병원 안에 있든 밖에 있든 그건 전혀 중요한 게 아닙니다. 중요한 건 그들이 무엇을 하느냐 하는 것입니다. 피넬은 광인들이 정상적인 인간이라는 사실을 받아들이라고 요구했지요. 하지만 그들은 비장애인이 아닙니다. 그들은 보통 사람들과는 분명히 다릅니다. 따라서 그들을 보통 사람으로 만들 것이 아니라, 그들의 특수성을 확실하게 인정해 주어야 합니다. 나는 정신 질환자들의 장애를 장점으로 변화시킬 수 있다고 확신합니다. 그들이 위험하다는 것은 알아요. 자살할 우려가 있거나 참을성이 너무 없거나 지나치게 흥분을 잘하거나 파괴적인 행동을 하는 정신 질환자들이 있다는 것도 알아요. 하지만, 그런 부정적인 에너지를 긍정적인 에너지로 변화시키는 게 중요해요. 광기의 무궁무진한 에너지를 활용해야 한다는 얘기입니다.〉

44

이지도르는 단숨에 자기 술잔을 비운다.

「뭐가 그렇게 하고 싶은데요?」

「담배를 피우고 싶어요.」

뤼크레스는 발딱 일어서서 옆자리의 손님에게 가더니 매우 순한 박하 향 담배 한 개비를 얻어 가지고 돌아온다. 그녀는 기분 좋게 한 모금을 들이마신다.

「담배 피워요, 뤼크레스?」

「보면 몰라요? 에피쿠로스주의자들 얘기를 자꾸 듣다 보니 마침내 이들의 슬로건 〈카르페 디엠〉이 옳다는 생각을 갖게 되었어요. 그게 무슨 뜻이라고 그랬죠? 〈매 순간을 마지막 순간으로 여기고 한껏 즐겨라.〉 그 비슷한 거죠? 어쨌거나, 우리에겐 언제 어느 때라도 어떤 끔찍한 일이 벌어질 수 있어요. 만일 지금 이 순간에 내게 벼락이 떨어진다면, 나는 〈담배를 실컷 피워 보지 못한 게 애석하다〉고 말할지도 몰라요. 건강을 생각하면 내 몸엔 안된 일이지만, 다시 담배를 피울래요.」

그녀는 담배 한 모금을 천천히 빨아들여 되도록 오랫동안 입 안에 물고 있다가 콧구멍으로 다시 내보낸다.

「담배 끊은 지 얼마나 됐어요?」

「세 달요. 딱 세 달 됐어요. 하지만 끊어 봐야 소용이 없어요. 나는 너무 긴장이 많은 직업을 선택했어요. 이 직업에 종사하는 한 언젠가는 다시 피우고 말았을 거예요. 그러느니 차라리 여기 이 〈자유분방〉의 전당에서 피우는 게 낫지요.」

이지도르는 포켓용 컴퓨터를 꺼내어 뭔가를 기록하기 시작한다. 그녀가 부주의로 보낸 연기 때문에 그가 잔기침을 한다.

「식물들이 우리 사회를 변화시키고 있어요. 담배는 물론이고 아침마다 우리의 잠을 깨워 주는 커피, 일부 사람들을 완전히 중독자로 만들어 버리는 초콜릿, 차, 발효되면 우리를 취하게 할 수 있는 포도와 홉, 거기에다 환각제를 제공하는 대마나 양귀비 같은 식물들이 말이에요. 식물들이 앙갚음을 하고 있는 것만 같아요. 여덟 번째 욕구가…….」

뤼크레스는 그 말을 귓등으로 들으면서, 담배 연기를 한 모금 빨아들일 때마다 니코틴이 가져다주는 즐거움을 온전하게 느껴 보려고 눈을 감는다. 연기는 입천장을 거치고 목구멍을 지나면서 깨끗한 점막에 자극적인 먼지들로 이루어진 얇은 막을 만든다. 그런 다음 기관(氣管)으로 내려갔다가 다시 허파 꽈리들 속으로 들어간다. 거기에는 3개월 전에 들어온 잔류성 강한 타르가 아직도 남아 있다. 이 타르는 뜻하지 않게 들어온 독성 증기를 아주 기쁘게 맞아 준다. 니코틴은 신속하게 핏속으로 들어가 뇌까지 거슬러 올라간다.

「지금 이 순간을 위해서 그동안 끊고 지내기를 잘했다는 생각이 들어요. 아, 내가 한 모금 한 모금을 얼마나 알뜰하게 즐기고 있는지 당신은 모를 거예요. 나는 이 담배를 필터까지 피울 생각이에요. 그러니 아무 말 하지 말아요. 더 이상 날 방해하지 말고 지금 이 순간을 즐기도록 내버려 둬요.」

이지도르는 자기와는 상관없는 일이라는 듯한 표정으로 어깨를 치켜 올린다.

내가 당신에게 무슨 말을 할 수 있겠어요? 담배를 규칙적으로 피우면 수면 조절 체계가 교란될 거라고? 담배가 체액 조절 체계며 체중 조절 체계를 파괴할 거라고? 이제부터 당신은 니코틴과 타르의 노예가 될 것이며 잠을 잘 못 이루고 신경이 날카로워질 염려가 있다고? 당신은 스스로 자기의 모든 허파 꽈리와 혈관과 세포를 더럽히고 있다고? 내가 그런 소리를 지껄인들 당신이 내 말을 듣겠습니까? 일단 담배에 맛을 들인 사람은 더 이상 아무의 말에도 귀를 기울이지 않게 마련이죠. 그들은 담배 피우는 즐거움을 위해서라면 자기들이 무엇이든 할 권리가 있다고 생각하지요.

그는 생각을 다른 데로 돌리려고 인쇄물을 보며 다음 프로그램이 뭔지를 확인한다. 그들 오른쪽 자리에서 나이가 지긋한 뚱보 남자가 아주 날씬한 젊은 여자와 진한 입맞춤을 나누고 있다. 보아하니, 그들은 대화의 주제를 찾아내지 못한 모양이다. 하지만 그들에게는 대화가 없다는 것이 별로 문제될 게 없다.

뤼크레스는 피우던 담배에 갑자기 혐오감이 생긴 듯 서둘러 비벼 끈다.

피우고 나면 불결한 느낌과 쓴맛을 남기는 게 담배다. 이런 걸 내가 왜 피우지?

45

그 뒤로 몇 주 동안 마르탱은 자기 자신의 상황을 분석하면서 정신 의학의 역사를 공부하는 데에 몰두하였다. 그는 갖가지 도표와 통계와 그래프를 면밀하게 검토하고, 행정 당국의 반대와 환자들의 무기력한 상태를 고려하면서 사업 계획을 세워 나갔다. 그가 보기에 무엇보다 시급히 해결해야 할 문제는 환자들이 자기들 자신에 대해서 대단히 부정적인 이미지를 가지고 있다는 점이었다. 환자들은 사회에 의해 낙오자로 간주되면서 자기들 자신을 아주 초라하고 보잘것없는 존재로 여기고 있었다. 따라서 그들이 다시 스스로를 존중하게 하고 스스로에게 더 높은 가치를 부여함으로써, 그들에게 자기들 운명의 주인이 되라고 권할 필요가 있었다. 마르탱은 물론 누구나 쉽게 그런 일을 해낼 수 있다고는 생각하지 않았다. 하지만, 처음 시작할 때는 적극적으로 활동하는 하나의 핵만 있으면 될 것 같았다. 그런 다음에 그 핵이 기름 자국처럼 점점 크게 번져 가면 되는 거였다.

어쨌거나 우리는 환자들의 자유로운 선택을 존중하지 않으면 안 된다. 에너지는 그들에게서 나와야 하는 것이다.

마르탱은 자기가 생각한 것을 핀처 박사에게 알렸다.

핀처 박사는 생각했다.

어쩌면 이 환자가 내 문제의 해결책을 제시하고 있는지도 모른다. 경탄할 일이다. 이 환자의 생각이 옳다. 광기는 하나의 창조적인 에너지다. 다른 에너지와 마찬가지로 그것을 한 방향으로 모으기만 하면 모터를 돌릴 수 있을 것이다.

그들은 프랑스 혁명기에 필리프 피넬이 생각했던 것을 되살리는 데에 성공했다. 그 뒤로 몇 주 동안에 그들은 실제적인 응용의 단계로 넘어갔다. 핀처는 환자들에게 무엇이든 창조적인 활동을 히도록 허락하는 지시를 내렸다. 출발이 순조로웠다. 그들은 외부의 파트너들을 설득하는 데에도 성공했다.

몇 달이 지나자, 돈이 차츰차츰 들어오기 시작했다. 마르탱이 생각한 대로 병원이 번창하는 기업으로 변모하고 있었다.

그러자 사뮈엘 핀처는 마르탱에 대한 약속을 지키지 않을

수 없었다. 그는 미국 애틀랜타에 있는 에머리 대학의 의료
진에게 도움을 청하는 한편, 자기 병원에서 가장 뛰어난 신
경외과 의사에게 수술을 맡겼다. 미국의 신경 의학자들은 인
터넷과 비디오카메라를 이용해서 이 수술의 모든 단계를 계
속 지켜볼 수 있었다. 수술을 맡은 외과 의사는 미국 학자들
의 지시를 잘 이해한 뒤에, 조수들의 도움을 받아 가며 먼저
마르탱의 뇌에 스캐너를 통과시켰다. 마르탱이 무언가를 생
각하고 있을 때 대뇌 피질에서 가장 활성화되는 구역들을 찾
아내기 위해서였다. 그런 다음, 두개골을 완전히 열지 않고
단지 두 개의 미세한 구멍만을 뚫어서, 2밀리미터 길이의 유
리 원뿔 두 개를 스캐너로 알아낸 자리에 하나씩 심었다. 이
유리 원뿔 안에는 전극이 하나씩 들어 있었고, 이 전극에는
마르탱의 몸에서 채취한 향신경성 물질이 발려 있었다. 전극
에 향신경성 물질을 발라 둔 것은 조직이 재생되게 함으로써
뉴런들을 끌어들이기 위한 거였다.

예상했던 대로, 이웃한 뉴런들은 뇌 속으로 자기들의 말
단을 확장해 나가다가 두 전극을 만나 접촉에 들어갔다. 뉴
런들은 덩굴 식물과 비슷해서, 어디에서든 달라붙을 곳과 연
결될 곳과 확장될 곳을 찾는다. 이 만남은 며칠 만에 성사되
었다. 뉴런의 수상 돌기들이 전극을 발견하고 그것과 결속을
이루자, 뉴런들은 이내 전극의 가느다란 구리선을 자기들의
연장 부분으로 받아들였다. 유리 원뿔들 주위로 그야말로 뉴
런들의 덤불이 만들어진 형국이었다. 유기체와 전자 물질 사
이의 놀라운 융합이었다.

한편 이 전극들은 두개골과 두피 사이에 삽입된 하나의 송
신기로 연결되어 있었다. 이 송신기에 전기를 공급하기 위해

서 사전에 매우 얇은 전지 하나를 역시 두피 밑에 삽입해 두어야만 했다.

또 외과 의사는 이 전지를 유지하는 전자석 하나와 뇌에서 보내는 신호를 받아들이는 무선 수신기 한 대를 외부에 설치했다. 무선 수신기가 받아들인 신호들은 컴퓨터에 의해서 증폭되고 이해 가능한 정보들로 변형되도록 되어 있었다. 가장 어려운 일은 정보의 표준치를 정하는 일이었다. 각각의 사고 형태에 대응해서 하나의 움직임이 컴퓨터 화면에 나타나도록 만들어야 했다. 며칠에 걸친 훈련을 마치고 나자, 마르탱은 컴퓨터 화면에 눈을 고정시킨 채 생각만으로 커서를 움직일 수 있게 되었다. 카메라로 안구의 움직임을 찍어서 커서를 움직일 때와 속도가 거의 비슷했다. 하지만 아무리 해도 그것보다 더 빨리 커서를 움직일 수는 없었다.

사뮈엘 핀처는 그 의문을 풀기 위해 미국의 의료진에게 다시 도움을 청하였다. 그들의 설명은 아주 간단했다. 전극을 추가하기만 하면 된다는 거였다. 대뇌 피질에서 사고 작용을 할 때 활성화되는 부분을 더 찾아내어 거기에 전극을 더 많이 심으면 심을수록, 생각을 표현하는 속도가 더 빨라진다고 했다. 커닝햄의 뇌에는 전극이 네 개 들어 있었다. 며칠 뒤에 생트마르그리트 병원의 외과 의사는 마르탱의 두개골에 다시 구멍을 뚫어 새로운 전극 두 개를 더 심었고, 얼마 뒤에 두 개를 또 추가하였다. 이리하여 마르탱의 뇌에는 작은 유리 원뿔 여섯 개가 들어가게 되었다. 그의 생각이 표현되는 속도는 갈수록 빨라졌다.

〈잘되어 가고 있어요! 지금 내가 하고 있는 것을 말로 나타내자면 새로운 동사가 필요할 것 같아요. 내가 무슨 생각을 하면 그 내용이 자동적으로 컴퓨터 화면에 글로 나타나요. 내가 원할 때는 언제든지 그게 가능해요. 이걸 뭐라고 부르면 좋을까요?《생각쓰다》[51]라는 말 어때요?〉

「생각쓰다? 그럼 생각쓴다, 생각썼다, 생각쓷니까, 생각쓸까나 하는 식으로 활용되는 건가요?」

〈그래요, 멋진 신조어 아니에요?〉

그의 말보가 터지자, 마치 수도꼭지에서 물이 콸콸 쏟아져 나오듯이 문장들이 꼬리에 꼬리를 물었다. 사고의 유량을 조절하는 수도꼭지가 갈수록 시원스럽게 열리고 있는 듯했다.

사뮈엘 핀처는 그 실험의 성공에 누구보다 많이 놀랐다.

장루이 마르탱은 처음 컴퓨터를 접했을 때는 자기 정신이 두개골 밖으로 빠져나온 느낌이 들었고, 처음 인터넷에 접속했을 때는 병원 밖으로 빠져나온 기분이 들었다. 그런데, 이제는 뇌에 이식된 전극들 덕분에 자기 정신이 세계의 전산망 전체로 확장된 듯했다.

그의 눈은 더 이상 글자들을 찾아서 이리저리 움직이느라 진을 빼지 않아도 되었다. 그냥 컴퓨터 화면을 가만히 바라보고 있는 것으로 충분했다. 마르탱은 거의 즉각적으로 다음과 같은 문장이 나타나게 했다. 〈내 뇌에는 작은 한 걸음이지만 인류에겐 위대한 도약입니다.[52] 안 그렇습니까, 박사님?〉

「그래요, 아마 그럴 겁니다…….」

---

51 pensécrire. 생각하다 penser와 쓰다 écrire를 합친 말.
52 1969년 7월 21일 아폴로 11호의 선장 닐 암스트롱이 달 표면에 첫발을 디디며 지구에 보낸 유명한 말, 〈저에게는 작은 한 걸음이지만 인류에겐 위대한 도약입니다〉를 흉내 낸 것.

바로 그 순간, 핀처 박사는 자기 환자의 생각을 표현하는 속도에 압도되어, 자기가 혹시 프랑켄슈타인 박사처럼 되는 게 아닌가 하고 생각했다. 꼼짝달싹 못 하고 누워 있지만 생각은 너무나 창조적인 그 환자를 자기가 계속 통제할 수 없게 되는 건 아닐까 하는 우려가 문득 뇌리를 스치는 거였다.

〈나는 전자 공학이 뇌의 능력을 향상시킬 거라고 믿어요. 도구가 손의 능력을 발전시킨 것처럼 말입니다.〉

마르탱이 그 말을 하던 순간에도, 그의 두개골 밑에서는 뉴런의 수상 돌기가 전극의 원뿔 끝으로 계속 모여들고 있었다. 마치 물이 있는 곳을 발견한 덩굴 식물들처럼.

46

시엘의 거대한 리셉션장에서는 손님들이 요한 슈트라우스의 왈츠에 맞추어 춤을 추고 있다. 비단이나 모슬린 천으로 된 드레스들이 빙글빙글 돌아가고, 남자들은 풀 먹인 턱시도 차림으로 맴을 돈다. 모두가 깔깔거리고 싱글거린다. 스트레스 따위는 어디에서도 찾아볼 수 없다. 에피쿠로스주의의 감미롭고 나른한 태평스러움이 있을 뿐이다.

산해진미, 눈부신 드레스를 입은 젊고 아름다운 여인들, 밝고 쾌활한 음악, 사회적 행위의 도달점이 고작 이런 것일까? 이런 것에 도달하자고 사람들은 그토록 마음을 끓이고 고생을 하는 것일까?

이지도르는 그런 생각을 하면서, 놀랍도록 평온해 보이는 한 남자를 물끄러미 바라본다. 주름 하나 없는 해맑고 평화로운 얼굴이다. 에피쿠로스주의가 그에게 도움이 되는 모양이다. 그의 곁에 있는 여자 역시 아주 평온해 보인다. 욕구 불만이나 근심 걱정과는 담을 쌓고 사는 듯한 커플이다. 그들은 다른 장소 다른 시간은 안중에 없고 오로지 지금 이 시간을 즐기고 싶어 할 뿐이다.

쓸데없는 것에 관심을 갖지 않는 것, 다른 사람들을 잊고 그저 자기 자신에게만 좋은 것들을 마음껏 즐기는 것, 그것은 참으로 유쾌한 일임에 틀림없을 것이다. 하지만, 나는 유쾌함을 느끼는 건 고사하고, 그런 것을 시도할 수나 있을까?

그 커플이 춤을 춘다. 이지도르는 그들이 자식을 낳으면 그 자녀들 역시 세상의 짐을 자기들 어깨에 짊어지는 일은 없을 거라고 생각한다. 그들은 평온함을 대대로 이어 가는 사람들인 것이다.

제롬 베르주라크가 최고급 샴페인 한 병을 들고 와서 그들과 합석한다. 그는 새김무늬가 들어간 가늘고 긴 잔들에 술을 따른다.

그때 우당탕 하는 소리가 장내를 뒤흔든다.

출입문이 부서지고 난데없이 스무 명쯤 되는 젊은이들이 들이닥친다. 검은 가죽옷을 입고 머리에 검은 오토바이 헬멧을 쓴 젊은이들이다. 그들은 검은 방패와 곡괭이 자루로 무장하고 있다.

「저게 뭐예요? 여흥의 하나인가요?」

제롬 베르주라크는 눈살을 찌푸린다.

「아니에요. 미덕의 수호자들이 납시었군요…….」

47

장루이 마르탱은 인터넷과 새로 마련된 초고속 인터페이스 덕분에 자기 아내와 딸들이 어떻게 지내는지 알 수 있었다. 그것은 딸들의 학교와 아내의 사무실에 설치된 감시 카메라에 접속하기만 하면 되는 일이었다. 그의 가족은 그를 버렸지만, 그는 여전히 가족을 생각하고 있었다. 스스로를 〈대단한 존재〉로 여기기로 한 만큼, 모든 걸 용서하고 가족을 변함없이 사랑하는 건 너무나 당연한 일이었다. 그렇게 마음을 먹으니 기분이 한결 가벼워졌다. 자기 운명을 자신의 손에 다시 쥐고 있는 듯한 기분이었다.

마르탱은 자기가 당한 자동차 사고와 관련해서 언젠가 자기 아내가 했던 이야기를 떠올렸다. 그를 치고 달아난 차가 렌터카라서 임대 회사를 통해 운전자의 신원을 알아내려고 했지만, 그자가 가명을 사용했기 때문에 일이 수포로 돌아갔다는 게 그녀의 이야기였다. 하지만, 인터넷에서 정보를 검색하는 데에 도가 트인 마르탱은 임대 회사의 관련 서류를 다시 찾아낸 다음, 거기에 적힌 면허증 번호를 실마리로 해서 뺑소니 운전자의 진짜 이름을 알아내는 데에 성공했다. 그를 〈죽인〉거나 다름없는 문제의 범인은 생트마르그리트 병원의 전직 의사 움베르토 로시였다. 마르탱은 세상이 참 좁구나 싶었고, 어쩌면 병원에서 이미 그를 몇 차례 만났을지도 모른다고 생각했다. 하지만, 그가 병원을 그만둔 것은 사고를 내기 훨씬 전의 일이었다. 마르탱은 그의 수소를 탐색한 끝에 그에게 더 이상 주거지가 없다는 사실을 알아냈다.

마르탱은 노숙자들의 실태를 조사한 경찰의 한 파일을 뒤지다가 마침내 그의 이름을 발견하였다. 움베르토 로시는 병원을 떠난 뒤 차츰차츰 파멸의 길로 접어들어, 이제는 술에 전 채 칸 해변을 배회하는 거지 신세로 전락해 있었다. 경찰에서 그의 몸에 우글거리는 이를 없애 주거나 알코올 의존을 치료해 주기 위해 강제로 잡아들일 때가 아니면, 그는 언제나 해변에서 지내는 모양이었다. 경찰의 파일에는 그가 자기 소지품들을 크루아제트 해변 도로의 세 번째 벤치 밑에 감춰 두고 있다는 사실까지 나와 있었다. 마르탱은 그를 보기 위하여, 칸 곳곳에 설치해 놓은 카메라들 가운데 하나를 정해 놓고 여러 날을 기다렸다. 마침내 그의 모습이 카메라에 잡혔다. 전직 신경외과 의사인 그는 추저분하고 수염이 텁수룩한 모습으로 한 손에 싸구려 분홍색 포도주 병을 든 채 비틀거리고 있었다.

마르탱은 그 걸인을 찬찬히 살펴보았다. 자기가 육신을 더 이상 사용할 수 없게 된 것이 바로 저 보잘것없는 인간 때문이란 말인가 하고 생각하니, 그자를 죽여 버리고 싶은 욕구가 치밀어 올랐다.

마르탱은 이제 정신의 힘을 이용하여 그자를 죽일 수도 있다는 것을 알고 있었다. 세계 전역에 퍼져 있는 무수한 웹 카메라가 그의 눈이라면, 웹의 정보 수집 도구 프로그램, 즉 로봇들과 연결되어 있는 하드 디스크들은 모두 그의 손이었다. 그는 어떤 자동문을 이용해서 그자를 으스러뜨릴 수도 있었고, 그자를 가장 위험한 성도착자로 간주하게 할 경찰 파일을 작성할 수도 있었다. 요컨대, 그에게 고통을 안겨 준 범인의 운명은 그가 어떻게 마음먹느냐에 달려 있는 셈이었다.

하지만 마르탱은 그때 문득 이런 생각을 했다.

나의 정신은 이제 대단히 거대한 규모를 지니고 있다. 따라서 그 규모에 걸맞은 도덕이 필요하다.

그는 그 주제를 놓고 핀처 박사와 오랫동안 토론을 벌였다. 그 대화에서 나온 결론은 새로운 형태의 인공 지능 프로그램을 통해서 마르탱의 정신을 풍부하게 만들자는 것이었다. 말하자면, 더 빠르고 더 깊이 있게 사고하는 것을 도와줄 뿐만 아니라, 미래의 인간을 위한 〈새로운 도덕〉을 세우는 데에 도움을 줄 수도 있는 인공 지능 프로그램의 힘을 빌리자는 거였다.

리스 환자 마르탱은 항공 관제사들이 비행기들의 항로가 교차하는 것을 막기 위해 사용하는 인공 지능 프로그램을 활용하기로 하였다. 그건 당시로서는 가장 성능이 뛰어나고 가장 안전한 프로그램이었다. 프로그램이 선택되자, 마르탱과 핀처 박사는 컴퓨터에 〈인간의 가치들〉을 이해하는 전문 시스템을 마련해 주는 작업에 착수하였다. 그들은 먼저 『구약 성서』의 십계명을 시스템의 뿌리에 해당하는 구역에 집어넣었다. 그 작업을 하면서 핀처 박사는 십계명이 명령형이 아니라 미래형으로 되어 있음에 주목하였다. 너희는 살인하지 않을지라, 너희는 도둑질하지 않을지라, 너희는 네 이웃의 집을 탐내지 않을지라 하는 식이었다.[53]

이상하군. 계명을 왜 〈살인하지 말라〉 하는 식으로 나타내지 않고 〈너희는 살인하지 않을지라〉라는 식으로 표현했을까? 이건 미래에 인간이 도달할 어떤 경지를 예언하고 있는 것이 아닐까? 먼 훗날 인간들이 더욱 깨게 되면, 더 이상 죽이거나 훔치거나 탐내지 않게 되리라는 것을 내다보고 있

53 프랑스어 성경은 작가가 말하는 것처럼 대체로 십계명이 미래 시제로 되어 있지만, 프랑스어의 미래 시제는 명령법으로 쓰이기도 한다. 이것을 미래 시제로 보기보다 우리나라 여러 성경 번역처럼 〈살인하지 말라〉, 〈살인하지 못한다〉, 〈살인해서는 안 된다〉는 식의 명령문으로 번역할 수도 있지만 작가의 뜻을 존중하여 미래 시제로 옮긴다.

는 것이 아닐까?

하지만 그들은 십계명 가운데 하느님께 순종할 것을 가르치는 것들은 넣지 않았다. 〈하느님〉은 아직 컴퓨터들이 온전히 이해할 수 있는 개념이 아니었다. 그들은 그 계명들을 인간에 대한 순종을 가르치는 계명들로 대체하였다.

그들은 『구약 성서』의 십계명에 〈너희는 서로 사랑하라〉는 『신약 성서』의 가르침을 첨가하였다. 그런 다음, 그 계명 전체의 효력을 높이기 위하여 노자의 『도덕경』에 나오는 말들을 전사해 넣었다. 예컨대, 〈구부러진 것은 바로 서게 되고, 비어 있는 것은 가득 채워지게 되며, 낡은 것은 새로워지게 마련이다〉[54] 같은 말들이었다. 러디어드 키플링의 시, 「만일」도 추가되었다. 〈만일 그대가 일생을 바쳐 세운 건축물이 파괴되는 것을 보고도 아무 말 없이 그것을 다시 짓기 시작할 수 있다면, 만일 그대가 늘 슬기롭고 사려 깊게 사랑할 수 있다면……〉 하는 시가 바로 그것이었다. 또 그들은 오대륙의 위대한 사조들을 두루 검토하면서 그들이 보기에 온당하다고 판단되는 개념들을 모두 추가하였다.

그리하여 미래에 유용할 것으로 예상되는 온갖 종류의 지혜가 이 인공 지능 프로그램에 집성되기에 이르렀다. 마르탱과 핀처 박사는 끝으로 미래의 인류를 염두에 둔 자기들 나름의 몇 가지 원칙들을 덧붙였다. 정신의 자유로움과 차이의 수용, 새로운 것에 대한 관심, 모든 문제를 대화로 풀어 가는 태도 등을 강조한 원칙들이었다.

이 프로그램은 그렇게 내용이 풍부해짐으로써 마르탱의 전자(電子) 무의식이 되었다.

54 枉則直, 窪則盈, 弊則新. 『노자』 상권, 도경, 22장.

핀처 박사는 이 프로그램에 아테나라는 이름을 붙였다. 오디세우스의 조언자 역할을 한 지혜의 신 아테나를 염두에 둔 것이었다.

마르탱은 그렇듯 〈컴퓨터의 지원을 받는 도덕〉으로 무장하고, 움베르토 로시를 어떻게 처리할까 하는 문제로 다시 돌아갔다. 그가 뭐라고 물어보기도 전에, 아테나는 마치 보드라운 깃털로 그의 대뇌 피질을 쓰다듬어 주기라도 하듯 도움말을 살그머니 뚱겨 주었다. 〈노자가 말하기를, 《누가 너에게 해악을 끼치더라도 앙갚음을 하려 들지 말라. 강가에 가만히 앉아서 그의 주검이 떠내려가기를 기다리라》라고 했어요.〉

마르탱은 움베르토 로시가 이미 삶이 내리는 벌을 받았다는 것을 알고 있었다. 설령 마르탱 자신이 직접 응징을 했다 해도 그보다 더 따끔한 벌을 주지는 못했을 거였다.

문득 움베르토 로시가 죽음보다 더 나쁜 벌을 받았다는 생각이 들었다. 그는 이미 쓰레기 같은 존재로 전락해 있었고, 그런 처지에 대해 스스로도 수치심을 느끼고 있었다. 그에게는 한순간 한순간이 고통이었다.

나는 더 이상 그를 원망하지 않는다. 알코올 의존은 어쩌면 리스라는 병보다 더 심한 불행일지도 모른다. 나는 적어도 정신만은 온전하다. 나는 적어도 나 자신을 표현할 수 있는 의지력은 지니고 있다. 나는 적어도 깊이 생각할 줄 알며 나의 존엄성을 잃지는 않았다. 요컨대 나는 괜찮은 사람이다.

그의 시야가 넓어지고 있었다.

그는 〈괜찮은 사람〉이라는 말을 놓고 오랫동안 숙고하였다.

아테나, 도와줘, 괜찮은 사람은 이런 상황에서 어떻게 하지?

아테나의 대답은 용서하라는 거였다.

좋아. 그를 용서하겠어.

그의 생각은 그렇게 발전하였다. 하지만 그가 자기 자신에 대해서 갖고 싶어 하는 새로운 이미지에 비하면 용서만으로는 충분하지 않았다.

〈괜찮은 사람〉보다 더 나은 것은 뭐지?

덕을 추구하는 마음이 하나의 기계 장치처럼 작동하기 시작하자, 더 이상 그 움직임을 막을 수가 없었다.

대단한 사람이라면 이럴 때 어떻게 할까? 나는 용서하는 것으로 그치지 않겠어. 나는 그보다 더한 일을 할 생각이야. 난…… 아니, 뭐라고?

그는 아테나가 자기에게 귀띔해 준 생각을 표현하기가 싫다는 듯이 잠시 뜸을 들였다.

나에게 고통을 준 사람을 구해 주라고? 아냐, 그건 못 하겠어. 그건 너무 심해.

그는 핀처 박사가 〈당신의 변화에 놀라움을 금할 수 없군요〉라고 한 말을 다시 떠올렸다. 핀처 박사는 이미 그에게서 깊은 인상을 받기 시작한 터였다. 이 정도에서 머물지 말고 더 멀리 나아가야 했다. 핀처 박사를 더욱 놀라게 할 만한 일을 해야 했다. 용서하는 것에서 한 걸음 더 나아가…… 자기 원수를 구해 주는 것. 그건 분명히 감동적인 일이었다.

〈누가 너에게 해악을 끼치더라도 앙갚음을 하려 들지 말라. 강가에 가만히 앉아서 그의 주검이 떠내려가기를 기다리라〉라고 노자는 말했다. 마르탱은 그 말에 〈……그러나 만일 그가 아직 살아서 허우적거리고 있다면, 익사 위기에서 그를 구해 주라)라는 말을 보탰다.

아테나의 지혜가 그의 정신과 융합함으로써, 그의 머릿속에서 아주 많은 변화가 일어나고 있었다.

〈움베르토 로시를 구하는 것은 내가 분노나 원한과 같은 감정을 다스릴 수 있다는 것을 보여 주는 증거가 될 것입니다. 나는 이 용서를 출발점으로 삼아서 나 자신과 내 운명의 지배자가 되고자 합니다.〉

그는 핀처에게 그렇게 자기 생각을 써 보이고, 움베르토 로시에 관해서 이야기했다.

〈그 사람에게 일자리를 구해 주어야 합니다. 그도 왕년에는 훌륭한 신경외과 의사였습니다. 불행을 잇달아 겪으면서 존엄성을 잃고 이성을 잃고 만 것이지요. 이제는 양심의 가책도 별로 느끼지 않으면서 살고 있는지도 모릅니다. 부탁입니다. 그를 위해서 무언가를 해주세요, 사미.〉

사뮈엘 핀처는 그 느닷없는 부탁에 무슨 사연이 있는지 더 이상 알려고 하지 않았다. 하지만, 그는 그게 꼭 들어주어야 할 부탁임을 알아차렸다.

복수심의 압박에서 벗어난 마르탱은 그때부터 스스로를 〈대단한 존재〉로 여기면서 정신의 탐사자가 되기로 결심하였다. 이미 감정의 영토를 정복한 바 있는 그는 여세를 몰아 핀처 박사의 전문 분야에 도전해 보고 싶었다. 자연에서 가장 아름답고 가장 미묘한 보석인 인간의 뇌, 그리고 그 뇌가 빚어내는 사고(思考)에 관해 핀처 박사가 아직 모르고 있는 것을 알아냄으로써 그에게 다시 한번 놀라움을 선사하고 싶었다.

48

높고 긴 고함 소리.

곡괭이 자루 하나가 공중으로 솟구치더니, 난입한 자들을 되밀어 내려고 애쓰던 한 경비원의 이마를 강타한다. 주먹이 오고 가고, 울부짖는 소리와 욕설이 난무한다.

시엘의 다른 경비원들이 달려들어 침입자들을 막으려고 한다.

「미덕의 수호자들이라고요?」

제롬 베르주라크는 전혀 불안해하는 기색이 아니다. 토스트에 버터를 발라서 훈제 연어 한 조각을 얹어 먹는 느긋함까지 보이고 있다.

「좋은 가문의 자제들입니다. 대부분 니스 법과 대학에 등록되어 있는 학생들이에요. 귀여운 젊은이들이지요. 안 그렇습니까?」

억만장자는 그들에게 계속 샴페인을 따라 준다.

「저 젊은이들은 우리를 미워합니다. 자기들이 감히 하지 못하는 일을 우리가 하고 있기 때문입니다. 저들의 우두머리는 스스로를 〈데우스 이라이〉[55]라고 칭합니다. 라틴어로 분노의 신이라는 뜻이지요. 그는 광신자입니다. 정기적으로 스페인의 톨레도에 가서 회개자들의 행진 때에 스스로에게 채찍질을 한다고 합니다. 그래요, 아직도 그런 게 존재해요. 하지만 그건 약팝니다. 곧 그의 교훈적인 연설을 한바탕 듣게 될 겁니다.」

아닌 게 아니라, 껑충하게 생긴 남자 하나가 식탁 위로 뛰어 올라가서 식탁보 위에 있는 것들을 뒤집어엎더니, 자기

[55] Deus Irae.

패거리에게 소리를 쳐서 그들을 잠시 진정시킨 다음 미샤 쪽으로 주먹을 내밀며 외친다.

「바데 레트로 사타나스!」[56]

미샤는 다수의 경비원들에 둘러싸인 채 한쪽 구석에 웅크리고 있다.

데우스 이라이가 호통을 친다. 「나는 너희들 같은 길 잃은 양들의 종아리를 물어뜯기 위해서 나타난 양치기의 개다. 양들아, 다시 우리로 돌아가라. 지금 너희는 타락에 젖어 있다. 쾌락은 삶의 목표가 될 수 없다. 인생의 목표는 오로지 미덕이다. 우리는 미덕의 수호자들이다.」

「알았으니까 그만 입 다물고 꺼져! 각자 자기가 좋아하는 걸 하면 되는 거야.」손님 중의 하나가 반박한다.

「내가 여기에 온 것은 너희가 더 위험한 상태에 빠지기 전에 경고를 해주기 위해서다. 너희는 마땅히 나에게 감사해야 할 것이다. 물론 나는 여기에 오고 싶지 않았다. 하지만 이건 나의 의무다.」

이지도르가 속삭인다. 「프랑스 인구의 6퍼센트 정도는 쾌락을 느끼게 하는 신경 전달 물질[57]을 제대로 합성하지 못한다고 하더군요. 그런 결함 때문에 도파민과 노르아드레날린[58]의 결핍이 생긴다는 겁니다.」

---

56 Vade retro Satanas. 〈사탄아, 물러가라〉라는 뜻. 『신약 성서』의 「마태오의 복음서」 4장 10절(광야에서 유혹을 받은 예수가 악마에게 한 대답)과 16장 23절(예루살렘에 올라가지 말라고 권하는 베드로에게 예수가 한 대답)의 라틴어 문장 〈Vade, Satana〉가 변형된 것.

57 신경 호르몬이라고도 한다. 신경 섬유의 말단에서 분비되어 표적 세포에 정보를 전달한다.

58 도파민은 아미노산의 일종인 도파(디하이드록시페닐알라닌)의 아민이

미덕을 옹호하는 웅변가 데우스 이라이는 마치 소란스러운 학생들을 나무라는 선생님처럼 차분하고 카랑카랑하게 말을 잇는다. 「에이즈는 음욕의 죄악에 빠진 자들에 대한 첫 번째 경고이다.」

그는 서로 얼싸안고 있는 남녀 한 쌍을 떼밀어 버린다.

「광우병은 식탐의 죄악에 빠진 자들에 대한 두 번째 경고이다.」

그는 소스가 묻은 접시 하나를 허공에 던져 버린다.

「머지않아 또 다른 경고들이 이어질 것이다. 하느님의 분노를 두려워할 줄 알아야 한다.」

시엘의 회원 가운데 몇몇은 그 말에 약간 감화를 받은 듯한 표정을 짓고 있다.

뤼크레스는 옆에 앉은 억만장자의 기색을 살피며 말을 건다. 「걱정되지 않으세요? 여전히 태연하시네요.」

「당연한 일이 벌어지고 있는데 걱정할 게 뭐 있겠습니까? 어떤 사람들이 한쪽 방향으로 행동을 하면, 반대쪽을 지향하는 반작용이 일어나게 마련이죠. 쾌락이라는 개념에도 반대자들이 있는 건 당연합니다. 교회는 순교자들의 고통에 대한 환기와 죄의식이라는 토대 위에 세워졌습니다. 예를 들어 교회는 새 천 년기로 넘어가는 것에 대한 두려움이 만연해 있던 999년에 귀족들에게 천국의 자리를 팔아 돈을 벌었고, 그 돈으로 대성당들을 건설했습니다. 세상의 종말에 대한 두려움을 이용해서 어마어마한 재산을 모았던 것이지요. 우리처

라는 뜻으로 쾌감을 느끼게 하는 신경 호르몬이며, 노르아드레날린(미국명 노르에피네프린)은 도파민보다 수산기가 하나 더 많다 해서 옥시도파민이라고도 불리는 분자로서 주로 각성과 분노의 감정에 작용하는 신경 호르몬이다.

럼 즐기며 살겠다고 당당히 선언하는 것이 결코 쉬운 일은
아닙니다. 세상이 가만히 내버려 두지를 않지요. 너희가 그
러고도 성할 듯싶으냐 하고 헤살을 놓습니다. 현대 사회를
보세요. 오로지 금기들을 통해서만 기능하고 있습니다. 안
그렇습니까?」

검은 가죽옷을 입은 남자들이 곡괭이 자루를 휘두르며 모
든 것을 부수어 대기 시작한다.

에피쿠로스주의자들은 슬슬 꽁무니를 빼며 자리를 뜬다.
어떤 손님들은 웃옷을 벗고 의자를 무기 삼아 집어 든다. 에
피쿠로스주의자들과 미덕의 수호자들이 무리를 지어 서로
대치한다.

데우스 이라이는 자기 무리에게 신호를 보내고는, 의자를
끝이 네 갈래로 갈라진 창처럼 흔들어 대는 손님들 사이로
돌진한다.

「저들의 동기는 뭘까요?」

「데우스 이라이는 오리게네스를 계승하고 있다고 자처합
니다.」

「호메로스, 에피쿠로스에 이어 이번엔 오리게네스인가
요? 고대 세계가 이토록 현재에 영향을 미치고 있다니 놀랍
군요.」

이지도르가 난투를 벌이는 사람들에게 무심한 눈길을 보
내며 그렇게 말한다. 뤼크레스가 묻는다. 「오리게네스가 누
구예요?」

제롬 베르주라크는 태연하게 토스트에 계속 버터를 바른
다. 출입구로부터 고통과 분노의 절규가 날아오고 있다.

「오리게네스는 서기 3세기에 알렉산드리아 교회에서 활

동했던 교부입니다. 뛰어난 성서 주석가였지요. 어느 날 그
는 하느님을 만나기 위해 사막으로 갔습니다. 하지만 그는
아무도 만나지 못했습니다. 그러자 그는 하느님은 존재하지
않는다고 선언하고 방탕하게 살기 시작했지요. 그렇게 온갖
종류의 방종을 경험하며 몇 개월을 살고 나자, 하느님을 만
날 기회를 너무나 쉽게 포기한 게 아닌가 하는 생각이 들었
습니다. 그래서 그는 다시 사막으로 갔고 마침내 하느님을
보았다고 합니다. 그 뒤로 그는 인간이 하느님을 향해 나아
가는 것을 방해하는 모든 것의 목록을 작성하고, 〈죄종(罪
宗)〉이라는 개념을 만들어 냈지요.」

「아, 인간이 범하는 모든 죄의 일곱 가지 근원, 즉 7죄종을
생각해 낸 사람이군요?」

「맞습니다. 그는 유혹에 굴복하는 것을 막기 위해 스스로
거세를 하기까지 했습니다.」

제롬 베르주라크는 자기의 짤막한 발표에 만족해하면서,
과자 그릇을 뒤져 초콜릿이 든 과자 몇 개를 골라낸다.

「그런데, 7죄종이 뭐죠?」

뤼크레스의 물음에 이지도르와 제롬은 둘 다 그것들을 기
억해 내려고 머리를 쥐어짜지만, 별로 소득이 없다.

「음욕과 탐식, 그다음엔 생각이 안 나요.[59] 그걸 기억한다
는 것 자체가 에피쿠로스주의에 반(反)하는 것일 수도 있지
요. 안 그렇습니까?」

난투극이 절정에 달해 있다. 검은 옷을 입은 남자들은 크
림 케이크들을 마구 뒤집어엎는다.

「이상해요. 왜 사람을 기분 좋게 만들어 주는 것들이 불법

---

[59] 나머지 다섯 가지는 인색함, 분노, 시샘, 교만, 나태이다.

적인 것이 되거나 비도덕적인 것이 되고, 아니면 사람을 뚱 뚱하게 만들거나 불평 많은 자들의 공격을 불러일으키는 걸 까요?」

뤼크레스의 말에 한숨이 섞여 나온다.

「그런 게 없으면 즐거움을 얻는 게 너무 쉬운 일이 되겠지 요. 안 그렇습니까?」

「혹시 저 데우스 이라이가 핀처의 죽음과 무슨 관련이 있 는 게 아닐까요? 따지고 보면, 핀처는 에피쿠로스주의자들 의 기수였어요. 저들에게는 그에 맞서서 행동할 동기가 있었 어요. 가서 얘기를 좀 해봐야겠어요……」

「가봐요. 나는 그냥 보고 있을게요.」

이지도르는 그녀를 격려하면서, 마치 공연이라도 보는 사 람처럼 편안한 자세로 고쳐 앉는다.

뤼크레스는 혼전을 벌이는 사람들 속으로 돌진한다.

이지도르는 베르주라크의 접시에서 과자 몇 개를 덜어 낸다.

「이런 일은 처음이 아닙니다. 나는 이따금 이런 생각도 합 니다. 우리 클럽의 대표자인 미샤가 파티의 흥취를 돋우고 우리로 하여금 에피쿠로스주의의 명분을 더욱 분명하게 의 식하도록 이런 소동을 꾸민 것이 아닐까 하고 말입니다. 전 혀 터무니없는 생각은 아니지요. 안 그렇습니까?」

「지금도 그런 경우인가요?」

이지도르가 입 안 가득 과자를 문 채 묻는다.

「아닙니다. 저 친구들은 진짜 미덕 동맹의 투사입니다.」

「하긴 모두 결의에 찬 모습들이군요.」

「불행한 사람들의 특성은 남들이 즐겁게 사는 것을 견디지 못한다는 것입니다. 그들은 세상 사람들이 모두 자기들처럼 되기를 바라죠. 즐거움을 함께 나누는 것보다는 고통을 분담하는 게 더 쉬운 일이니까요…….」

이지도르와 베르주라크가 건배를 하고 있는 동안, 난투에 섞여 든 뤼크레스는 이리 돌고 저리 돌면서 갈고리처럼 내민 두 손가락으로 공격자들을 찌르고 때린다. 하지만, 하이힐을 신은 탓에 발 공격이 쉽지 않다. 그녀는 다리와 발을 크게 움직이는 동작을 피하고 무릎치기 정도로 만족한다.

「야아, 싸움을 되게 잘하네요.」

억만장자가 해설을 붙인다. 「보육원에서 갈고 닦은 솜씨랍니다. 그래서 무술 이름도 보육원 태권도죠.」

「그래도 연약한 아가씨가 싸우는데, 보고만 있을 수는 없지요. 도와주러 가야겠어요.」

이지도르는 농담으로 대꾸한다. 「나는 여기 앉아서 핸드백이나 지키고 있겠습니다. 미안하지만, 나에게도 신조가 있어서 말이죠. 내 신조는 비폭력입니다.」

뤼크레스는 한껏 기세를 올리며 데우스 이라이에게 다가가더니 일대일 격투로 그를 이끈다. 그녀는 손쉽게 그를 제압하고 다그친다.

「누가 널 보냈지? 말해!」

「나는 길 잃은 양들의 종아리를 물어뜯기 위해서 온 양치기의 개다.」

데우스 이라이는 아까 한 말을 되풀이한다.

그들 주위에서는 여전히 난투가 한창이다.

뤼크레스는 누군가가 자기 쪽으로 다가오고 있다는 것을 알아차리지 못한다. 그녀가 미처 어떻게 해볼 새도 없이, 손수건 하나가 그녀의 코와 입을 덮는다. 그녀는 클로로포름 증기를 들이마신다. 그 휘발성 물질이 그녀의 콧구멍을 통과하여 핏속으로 들어가더니 이내 뇌로 올라간다. 그녀는 갑자기 기운이 쪽 빠지는 것을 느낀다. 실내가 온통 아수라장이 된 틈을 타서 누군가가 그녀를 들어 올려 데리고 나간다.

그녀는 꿈을 꾼다. 어떤 매력적인 왕자에게 납치되어 가는 꿈이다.

49

사뮈엘 핀처와 장루이 마르탱은 세상에서 가장 친한 친구가 되어 가는 중이었다. 핀처는 말로 자기 마음을 표현했고, 마르탱은 컴퓨터에 접속된 생각으로 그것에 화답하였다.

그들은 오랫동안 대화를 나누었다. 핀처는 마르탱이 갈수록 과학에, 특히 정신 의학에 조예가 깊어져 가고 있음을 확인하였다. 병실들을 질병에 따라서 다르게 장식하라고 조언한 것도 마르탱이었다.

〈환자들은 늘 하얀색만 보면서 지냅니다. 그러잖아도 헛헛한 환자들의 내면이 이 한결같은 흰색 때문에 더욱 공허해집니다. 왜 환자들의 주위를 아름다운 이미지로 장식하지 않는 겁니까? 광기를 예술로 변화시켜 자기들의 병을 승화시킨 이른바 《미치광이》 화가들이 있습니다. 그들이 만들어 낸 아름다운 이미지가 환자들에게 도움이 되지 않을까요? 예를 들어서, 나는 살바도르 달리의 그림을 보면 뭔가 통하는 것이 있다고 느낍니다.〉

마르탱은 인터넷에 접속해서 이미지 정보은행 사이트로 들어가더니, 달리의 그림 하나를 컴퓨터 화면에 나타나게 했다.

〈선입견이 현실을 만들어 낸다는 주제를 놓고 우리가 토론을 벌였던 거 생각나요? 달리의 재능이 바로 그것과 관계가 있습니다. 그는 환각에 관해서 대단히 많은 연구를 했어요. 그는 우리 뇌가 모든 것을 끊임없이 해석하면서 우리가 세계를 있는 그대로 보지 못하도록 방해한다는 것을 보여 줍니다. 이 그림을 보세요. 배경에 볼테르가 있습니다. 한번 찾아보세요.〉

핀처는 그림을 살펴보았지만 그 작가를 찾아낼 수 없었다. 마르탱은 그림 왼쪽에 트롱프뢰유[60]로 나타나 있는 볼테르의 얼굴을 가리켰다.

〈박사님, 사람들을 시켜서 이 벽들에 달리의 그림들에서 영감을 받은 모티프들을 그려 넣게 하세요.〉

「누구를 시키죠?」

〈환자들요. 예를 들어 강박 신경증 환자들 말입니다. 그들은 완벽주의에 고무되어 지치지 않고 그 일에 온 정성을 다기울일 겁니다. 나는 그들이 살고 있는 장소를 장식하는 일이 그들에게 기쁨을 주리라고 확신합니다.〉

핀처는 그 실험을 받아들였다. 결과는 기대 이상이었다. 환자들은 달리의 작품들을 오래오래 관찰하고 해석하면서 그것들을 이해하려고 노력하는 모습을 보여 주었다.

「마르탱 씨가 아주 유익한 아이디어를 냈다는 것을 인정하지 않을 수 없군요.」

〈뇌에 관한 연구를 하다 보니 그런 생각이 든 거예요. 왜 차이에 더 높은 가치를 부여하지 않지요? 그들의 광기가 단

60 원근법의 기교를 통해 입체감을 지닌 실물의 환각을 불러일으키는 그림.

점이 되게 하지 말고, 장점으로 활용되게 해야 해요.〉

마르탱은 빅토르 위고나 샤를 보들레르, 빈센트 반 고흐, 시어도어 루스벨트, 윈스턴 처칠, 톨스토이, 발자크, 차이콥스키 같은 사람들이 모두 조울병 때문에 치료를 받은 적이 있다고 설명했다. 조울병은 의기소침한 상태와 흥분 상태가 번갈아 찾아오는 것을 특징으로 한다. 그런데, 전문가들이 발견한 바에 따르면, 조증이 나타나는 시기에 환자들은 노르 아드레날린을 비정상적으로 많이 분비한다. 이 신경 전달 물질이 많이 분비되면 신경의 정보 전달이 한결 신속하게 이루어질 수 있고, 이것이 창조적인 능력을 고양시킬 수도 있다.

〈박사님, 내가 미쳤다고 생각하세요?〉

「아뇨. 마르탱 씨는 단지 무엇에 열중해 있는 사람입니다. 나는 그 열정에 관심이 많습니다.」

그러자 마르탱은 자기가 가장 좋아하는 것 두 가지를 핀처에게 알려 주었다. 그것은 살바도르 달리의 그림과 체스였다. 마르탱은 컴퓨터 화면에 살바도르 달리의 그림 하나가 나타나게 했다.

〈이 그림을 보세요. 「성 십자가 후안의 그리스도」[61]입니다. 달리는 부감 촬영을 하듯 위에서 내려다본 그리스도를 그리는 것에 착안했습니다. 말하자면, 하느님의 관점에서 본 그리스도를 형상화하겠다고 생각한 것이지요. 달리 이전에는 아무도 그런 생각을 하지 못했습니다……〉

화제가 체스로 넘어가자 마르탱의 글은 더욱 유창해졌다.

61 1951년 작품. 스페인 카르멜 수도회의 개혁가이자 시인인 성 십자가 후안(스페인 말로 산후안 데라 크루스San Juan de la Cruz)이 환상을 바탕으로 그렸다는 16세기의 한 그림에서 영감을 받았다 해서 이런 제목이 붙었다.

그의 주장에 따르면, 체스는 인간에게 아주 중요한 것을 일깨워 주는 수단이었다. 다시 말해서, 체스는 인간 자신이 어떤 거대한 게임 속에서 규칙도 모르는 채 이리저리 움직여지는 하나의 말일 수도 있다는 것을 환기시켜 준다는 거였다.

〈체스는 도를 향해 나아가도록 도와줍니다. 선과 악, 긍정과 부정을 상징하는 두 에너지 사이에 투쟁이 존재한다는 것을 우리에게 일깨워 주니까요. 또한 체스는 우리 모두가 저마다의 역할과 능력을 지니고 있음을 깨닫게 해줍니다. 우리는 폰일 수도 있고, 나이트나 비숍이나 룩이나 퀸일 수도 있습니다. 하지만 가장 보잘것없는 폰이 승부를 결정짓는 외통수를 만들어 내듯이 우리가 어디에 있느냐에 따라서 대단히 중요한 역할을 할 수도 있는 것이지요.〉

핀처 박사는 그때까지 체스에 관심을 가져 본 적이 없었다. 아무도 그를 체스에 진정으로 입문시킨 적이 없는 탓이겠지만, 그는 체스를 그저 시간 낭비로, 혹은 전쟁을 좋아하는 사내아이들을 위한 심심풀이로 여기고 있었다. 그런데, 마르탱의 설명은 그로 하여금 체스에 매력을 느끼게 만들었다.

〈박사님도 체스를 둬보세요. 그건 신들의 놀이예요……〉
「신을 믿으시나 보죠?」
〈물론이죠. 박사님은 아닌가요?〉
「내가 보기에 신은 인간의 꿈에서 나왔습니다.」
〈나는 박사님보다 합리주의에 대한 믿음이 덜합니다. 인간은 과학의 끝에서 비합리적인 것, 이성으로 설명할 수 없는 것을 다시 만나게 됩니다. 나는 세상 만물의 존재를 설명하기 위해서는 신의 존재를 가정하는 것이 불가피하다고 생각합니다. 물론 나는 신을 태양 위에 앉아 있는 수염 기른 노인 같은 모습으로 상상하지 않습니다. 그보다는 우리를 초월하는 차원의 존재라고 생각합니다.〉

「체스의 말들이 저희를 조종하는 기사들을 창조할 수도 있다고 생각하지는 않습니까?」

〈불가능한 것은 아니죠. 나는 신이 우리 각자의 안에 있다고 생각합니다. 신은 우리 머릿속에 있을지도 모릅니다. 숨겨진 보물처럼 말입니다. 박사님, 내가 뭘 하고 싶어 하는지 아십니까? 나는 우리 뇌에서 신이 자리 잡고 있는 정확한 장소를 찾아내고 싶습니다. 그건 어쩌면 박사님이 꿈의 소산이라고 말한 그 신의 화학 공식을 발견하는 일이 될지도 모르겠습니다. 내 생각에 그 장소는 바로 여깁니다.〉

마르탱은 인터넷에 올려진 이미지 파일에서 뇌의 지도를 하나 찾아냈다.

「내가 맞춰 볼까요? 대뇌 피질 안에 있죠? 뇌에서 인간의 특성을 가장 잘 보여 주는 구역에 말입니다.」

〈아뇨. 전혀 그렇지 않습니다.〉

마르탱은 생각의 힘으로 뇌의 지도 안에서 포인터를 움직였다.

〈나는 신이 여기, 한복판에 있을 거라고 생각해요. 두 대뇌 반구의 딱 중간이 되는 자리에 말입니다. 신은 당연히 모든 것의 한가운데에 있습니다. 이곳은 우리의 두뇌, 즉 꿈의 뇌와 논리의 뇌, 시(詩)의 뇌와 계산의 뇌, 광기의 뇌와 이성의 뇌를 연결하는 부분입니다. 신은 만물을 하나로 결합시킵니다. 나누는 건 악마입니다. 악마를 뜻하는 프랑스어 디아블은 그리스어 디아볼로스에서 왔습니다. 이간시키고 분열시

키는 자란 뜻이지요. 따라서 나는 신의 자리가 여기, 변연계 밑의 뇌들보 속일 거라고 생각합니다.〉

핀처는 자기 환자 쪽으로 더 가까이 다가앉았다.

〈왜 그러세요, 박사님?〉

「아무것도 아니에요. 아니, 사실은 좀 놀랐어요. 실제적으로 환자를 다루어 본 경험이 없다는 것만 빼면, 마르탱 씨가 신경 의학에 관해서 거의 나만큼이나 많은 것을 알고 있다는 느낌이 들어요.」

〈그것에 관심이 많아서 그래요, 박사님. 그뿐이에요. 나 자신에게 동기가 부여되어 있다는 느낌이 들어요. 우리는 알려지지 않은 마지막 대륙을 탐험하는 사람들이에요. 박사님 스스로 그런 얘기를 하신 적이 있어요. 나에게 살바도르 달리와 체스는 뇌의 신비한 세계로 들어가는 작은 문과 같아요. 하지만, 다른 문들도 있어요. 박사님에게도 박사님 나름의 문이 있을 거예요.〉

그러자 핀처는 자기가 좋아하는 것에 관해 이야기했다. 그는 고대 그리스의 철학자와 작가들, 즉 소크라테스, 플라톤, 에피쿠로스, 소포클레스, 아리스토파네스, 에우리피데스, 탈레스 등에 많은 관심을 가지고 있었다.

「고대 그리스인들은 신화와 전설의 힘을 이해하고 있었어요. 각각의 신, 각각의 영웅은 하나의 매개자입니다. 우리로 하여금 어떤 느낌이나 감정이나 광기를 이해하게 하는 존재들이지요. 올림포스는 우리 자신의 마음이며 그 신들은 인간의 각기 다른 모습들이지요. 그 모든 신화와 전설 중에서 내가 보기에 가장 시사하는 바가 많은 것은 호메로스의 『오디세이아』입니다. 이 서사시는 기원전 8세기에 쓰였습니다.

오디세이아라는 말은 오디세우스의 모험담이라는 뜻이고, 오디세우스의 프랑스어 이름이 바로 윌리스죠. 헤라클레스 같은 영웅이 힘이 아주 세었던 것으로 유명한 것과는 달리, 오디세우스는 꾀가 많고 지혜로웠던 것으로 유명하죠.」

〈옛날에 읽은 적이 있지만, 그 모험담을 다시 듣고 싶네요.〉

핀처는 오디세우스의 계략에 따라 그리스군이 거대한 목마를 만드는 대목부터 이야기를 시작했다.

「그리스군은 그 목마가 아테나 신의 노여움을 가라앉히기 위한 제물이라고 선전하면서, 트로이성에 대한 포위를 풀고 완전히 철수하는 척했지요. 그러나 목마 안에는 무장한 장수들이 들어 있었어요. 트로이인들이 목마를 성안으로 끌어들이고 승리의 축제를 벌였지요. 밤이 되자 목마에서 빠져나온 장수들은 성문을 활짝 열었고, 야음을 틈타 성안으로 들어온 그리스군은 트로이 주민들을 학살하고 성을 점령했습니다.」

〈그 목마가 꼭 체스의 나이트 같군요.〉

「사실 이 모험담에는 체스 기사라는 신이 인간이라는 말을 조종한다는 마르탱 씨의 이론을 예증하는 측면이 있어요. 바다의 신 포세이돈과 지혜의 신 아테나가 인간들을 이용해서 싸움을 벌이고 있으니까 말이에요.」

〈우리는 하나의 차원 속에 살고 있어요. 하지만 우리가 있는 이 차원의 위쪽과 아래쪽에 다른 차원들이 있을 거예요. 어쩌면 안에도 있을지 모르고요……〉

핀처는 이야기를 계속했다. 그리스군이 승리를 거두고 오디세우스가 자기 왕국 이타케로 돌아가려 할 때, 포세이돈이 그의 일행이 탄 배들을 안개와 폭풍 속에서 헤매게 하기로 결심하는 대목이었다.

〈흑의 공격이군요.〉

「트로이를 떠난 오디세우스 일행은 몇 차례의 모험을 겪고 표류를 거듭한 끝에, 아테나의 인도를 따라 아이올로스섬에 닿았습니다. 바람의 신 아이올로스는 그들의 선단이 고국으로 무사히 귀환할 수 있게 해주겠다면서, 항해에 방해가되는 바람을 모두 자루에 넣어 은사슬로 주둥이를 동여맨 다음 오디세우스에게 건네주었지요.」

〈백의 반격이군요.〉

「하지만 오디세우스의 부하들은 그 자루에 보물이 들어있을 거라고 생각하고, 그가 너무 지쳐 잠든 사이에 자루를 풀어 버렸어요. 그러자 폭풍이 미친 듯이 몰아쳤지요.」

〈다시 흑의 공격이네요.〉

「결국 오디세우스 일행은 본래의 항로에서 너무 멀리 벗어났고, 오디세우스는 부하들을 모두 잃은 채 집을 떠난 지 20년 만에야 고국 이타케로 돌아가게 됩니다.」

〈소중한 사람들로부터 우리를 멀어지게 만드는 불의의 사고를 당한 것과 같군요.〉

니스 신용 은행의 법무 담당 직원이었던 마르탱은 경이감을 느끼며 오디세우스 이야기를 재발견하였다. 그는 그 이야기를 잘 알고 있다고 생각했었다. 하지만 핀처의 입을 통해서 다시 들으니, 그 고대의 영웅이 겪은 사건 하나하나가 새로운 의미로 다가왔다.

오디세우스가 초라한 거지 행색을 하고 자기 집으로 돌아가는 대목에서, 핀처의 목소리가 약간 잦아들었다. 핀처는 끝으로 오디세우스가 자기 아내 페넬로페를 괴롭혀 온 구혼자들에게 복수하는 대목을 이야기하였다.

마르탱은 성한 한쪽 눈에 쑥스러워 하는 기색을 드러내며, 어떤 계시처럼 문득 떠오른 생각을 글로 나타냈다.

〈오디세우스 = 윌리스 = U + LIS〉

핀처는 그게 무슨 뜻인지 금방 알아차리지 못하였다.

〈그리스어로 〈U〉는 〈아니다〉라는 뜻입니다. 유토피아라는 말은 아시다시피 이 〈우〉라는 요소에 장소를 뜻하는 〈토포스〉를 붙여서 만든 말입니다. 어디에도 없는 장소라는 뜻이지요. 그와 마찬가지로, 〈우〉에 〈리스LIS〉를 붙이면 리스의 반대말이 됩니다. 리스 환자가 아니라는 뜻이지요. 오디세우스, 즉 윌리스를 본보기로 삼으면, 내 병과 싸우는 데에 도움이 될 것입니다.〉

핀처는 그 뜻하지 않은 언어유희를 접하고 빙그레 웃었다.

윌리스! 이 환자는 윌리스가 되고 싶어 한다. 윌리스는 어린 시절에 나와 가장 친했던 친구의 이름이기도 하다. 이건 한낱 우연의 일치일까? 윌리스라는 이름이 나에게 어떤 의미로 다가오는지를 알게 된다면, 이 환자는 무척 놀랄 것이다.

〈하지만 내가 아무리 하고 싶어도 안 되는 일이 있을 거예요. 미리로만이 아니라 몸을 움직여 실제로 행하는 것 말이에요. 물질과 직접 접촉하는 게 필요할 텐데, 그럴 수 없는 게 아쉬워요.〉

「그건 모르는 일입니다. 인터넷에 손이나 팔 같은 도구가 연결된다면, 머리가 곧 몸이 되는 날이 올 수도 있으니까요.」

〈그건 내 희망이었어요. 하지만 이제는 그것을 바라지 않습니다. 정신이 물질을 움직인다는 것을 알았으니까요. 나

는 인터넷을 이용해서, 내 생각만으로도 전 세계에 어떤 사건들을 불러일으킬 수 있습니다.〉

「지금 마르탱 씨가 가장 하고 싶은 일이 뭡니까?」

〈박사님을 놀라게 하는 것입니다. 박사님으로 하여금 뇌에 관해서, 그리고 완전한 장애인인 나에 관해서, 박사님이 모르는 뭔가를 발견하게 하는 것이죠.〉

「10년 동안의 대학 공부와 15년에 걸친 의료 활동의 경험을 그렇게 쉽게 따라잡을 수는 없을 겁니다.」

〈원하는 사람은 할 수 있습니다. 그 말은 박사님 자신이 하시지 않았던가요? 나는 내가 원하는 것을 찾고 있는 중이고 반드시 찾아낼 것입니다.〉

마르탱은 먼저 자기의 아이디부터 바꾸었다. 〈식물〉은 죽었다. 그에게 콤플렉스 따위는 더 이상 없었다. 그는 자기 인생이라는 영화의 주인공이 되기로 결심했다. 그는 윌리스, 즉 〈U-lis〉를 새로운 아이디로 삼았다. 바야흐로 그에게 때가 온 거였다. 강해질 때가, 자기 사상과 자기 뇌의 주인이 될 때가.

다시는 당하지도 말고 어쩔 수 없이 따르지도 말자고 그는 생각했다.

그는 마치 해류에 배를 맡긴 노련한 뱃사람처럼 자기 생각이 인터넷상에 펼쳐지도록 가만히 내버려 두었다. 그의 곁에는 늘 아테나가 있었다.

50
뤼크레스 넴로드가 눈을 뜬다. 다리 하나와 신발 하나가 보인다.

입이 아직 뻣뻣하다. 클로로포름 때문이다. 뤼크레스는 정신 질환자에게 입히는 구속복이 자기에게 걸쳐져 있고 자기 팔들이 이 옷의 너무나 긴 소매에 의해 등 뒤로 결박되어 있음을 깨닫는다.

덫에 걸린 생쥐 꼴이다.

그녀는 한바탕 몸부림을 치고는, 구두와 다리를 따라 눈을 들어 올린다. 그리하여 그녀가 확인한 것은 이 구두와 다리의 주인이 움베르토 선장이라는 것과 자기가 〈카론〉이라는 배에 타고 있다는 사실이다.

「움베르토! 날 당장 풀어 줘요.」

그녀가 허리를 비튼다. 하지만 구속복은 단단하게 고정되어 있다.

「낡은 제도에 맞서 싸우는 병원에서는 그 구식 장비를 구하기가 쉽지 않았지.」

움베르토가 마침내 그녀 쪽으로 몸을 돌리며 덧붙인다.

「그래서 고물상을 돌아다닌 끝에 찾아낸 거죠. 어때, 쓸 만하지 않나요?」

그녀는 현창(舷窓) 너머를 바라보다가 배가 레랭스섬들 쪽으로 가고 있음을 알아차리고, 다시 몸부림을 친다.

「날 풀어 줘요!」

그녀는 어깨로 선실 벽을 두드린다.

「얌전하게 있는 게 좋을 겁니다. 안 그러면 내가 당신에게 진정제를 주사할 수밖에 없을 테니까. 우리는 병원으로 가고 있는 중이에요. 모든 게 잘될 겁니다.」

「난 미치지 않았어요.」

「난 알고 있습니다. 정신 질환자들은 누구나 그렇게 말하

지요. 어떤 사람이 정신 질환자인지 아닌지를 알아낼 수 있
는 말이 바로 그 말이 아닌가 싶다니까.」

말끝에 그는 웃음을 터뜨린다.

「미친 건 당신이에요! 나를 당장 칸으로 다시 데려다 줘요.
지금 무슨 짓을 하고 있는지 알기나 해요?」

「옛날 중국의 어느 현자가 나비 꿈을 꾸고 나서 그랬다지
요? 내가 나비 꿈을 꾸고 있는 것인가 아니면 나비가 내 꿈을
꾸고 있는 것인가?」

움베르토는 파이프에 불을 붙이고 뽀얀 연기를 몇 모금 뱉
어낸다.

「날 풀어 줘요!」

「묶여 있다든가 자유롭다든가 하는 것은 모두 우리 머릿
속에서 지어내는 관념일 뿐이지요.」

수평선에 생트마르그리트섬이 나타난다. 그는 섬 쪽으로
서둘러 가려는 듯 〈카론〉의 항해 속도를 높인다.

「움베르토! 법의학 연구소에서 나를 공격했던 것도 당신
이지요? 아니에요?」

움베르토는 대답하지 않는다.

「신화에 나오는 뱃사공 카론은 때때로 강둑에 발을 들여
한 세계에서 다른 세계의 대표자 노릇을 하지요.」

「신화의 뱃사공 카론은 아케론강을 건너게 해주는 대가로
동전 한 닢을 받았다고 하던데. 나를 다시 항구로 데려가면
1천 유로를 줄게요. 어때요?」

「돈보다 더 강한 동기는 얼마든지 있죠. 잊고 있나 본데,
나는 한때 거지였지만 그러기 전에는 의사였습니다.」

「당장 나를 풀어 주지 않으면, 당신을 고소하겠어요. 그러

면 감옥에 가서 고생 좀 하게 될 거예요.」

「아직도 그런 협박이 먹힐 거라고 생각하나요? 미안하지만, 당근도 채찍도 나에겐 통하지 않아요.」

「당신에겐 날 감금할 권리가 없어요. 난 기자예요. 당신이 아직 잘 모르는가 본데…….」

「그래요, 넴로드 씨, 난 몰라요. 여자에게 친절하게 굴 줄도 모르고 좋은 매너가 뭔지도 모르지요. 나에 대해서 남들이 뭐라고 하든 언론에서 뭐라고 떠들든 나는 상관하지 않아요. 당신이야말로 아직 잘 모르는가 본데, 노숙자가 된다는 게 바로 그런 거예요. 인간관계에 대해서 더 이상 집착할 게 없어지는 거죠.」

「날 도로 데려다 줘요!」

그녀의 목소리가 사뭇 단호하다.

명령하고 지시하자. 죄의식을 갖게 하자. 이자의 마음을 둘러싸고 있는 방벽을 뚫고 들어가야 한다.

「그건 당신의 의무예요!」

움베르토는 커다란 해포석 파이프를 입의 한쪽에서 다른 쪽으로 옮겨 문다.

「당신이 그런 말을 하니까 〈의무〉에 관한 어떤 실험이 생각나는군요. 1950년대에 스탠리 밀그럼이라는 교수가 한 실험입니다. 그는 한 가지 실험을 위해 자원자들을 모았죠. 어떤 사람에게 나라들의 수도나 강에 관한 퀴즈를 내고, 그 사람이 틀린 대답을 하면 전기 충격을 가해서 벌을 주는 게 자원자들의 할 일이었어요. 그들은 질문을 받은 사람이 거듭해서 답을 틀리면 점점 더 고통스럽게 벌을 주어도 좋다고 허락을 받았지요. 이 실험의 목적은 평범한 사람들에게 남을 학대하는 것이 공식적인 제도로 허락되었을 때, 그들이 어느 정도까지 남을 학대할 수 있는지를 알아보려는 것이었습니다. 사실, 전기 충격 따위는 없었고 퀴즈에 답하는 사람들은 고통을 흉내 내도록 고용된 배우들이었죠. 그런데, 실험에 참가한 자원자들의 80퍼센트가 450볼트의 전기 충격을 가하는 데에까지 나아갔습니다. 그건 사람의 목숨을 앗아갈 정도로 강한 충격인데도 말이죠. 〈의무〉란 그런 겁니다. 내 앞에서 〈의무〉 따위를 논하지 마세요. 그저 비웃음만 나올 뿐이니까. 나는 내 조국이나 내 가족에 대해서도 의무감을 느끼지 않아요. 더 이상 아무에 대해서도 의무감을 가지고 있지 않단 말입니다.」

아직 시험해 볼 동기가 몇 가지 더 있다. 분노도 하나의 동기다. 이 사람을 병원 사람들에 대한 분노의 감정에 휩싸이게 할 수 있는 방법이 없을까?

뤼크레스는 기억을 뒤져 그의 삶에 관해 자기가 알고 있는 것을 찾아낸다.

이 사람은 한때 신경외과 의사였다. 자기 어머니를 직접 수술한 것이 잘못되어 병원을 그만두었다. 이 사람은 자기 동료들의 비난과 조롱 때문에 더욱 심한 죄책감을 느꼈을 것이다.

「당신이 수술에 실패한 뒤에 병원에서 사람들이 당신을 비웃지 않았나요?」

「그렇게 말하면 내가 넘어갈 줄 아나 보지? 나는 병원 사람들에 대해서 어떤 원망도 느끼지 않아요. 잊고 있는 모양인데, 그들은 나에게 이 일자리를 마련해 주었습니다.」

「알겠어요. 그렇다면, 나를 겁탈하고 싶어서 이러는 거예요?」

　그는 별소리를 다 듣겠다는 듯 어깨를 치켜올린다.

　「당신이 무척 마음에 드는 건 사실이에요. 하지만, 성애보다 더 강력한 동기는 얼마든지 있습니다.」

　「술이나 마약 같은 거 말인가요?」

　「넴로드 씨, 도대체 날 뭘로 보는 거죠? 한때 술주정뱅이였다고 또 술독에 빠질 수 있다고 생각하는 겁니까? 나에겐 알코올 의존보다 더 강력한 동기가 있어요. 마약으로 말하자면, 나는 환각을 일으키는 풀을 맛보는 것도 좋아하지 않고 주사를 맞는 것도 좋아하지 않아요.」

　「그럼 뭐죠? 무엇 때문에 당신이 이런 행동을 하는 거죠?」

　「〈최후 비밀〉때문입니다.」

　「그런 건 들어 본 적이 없는데. 신종 마약인가요?」

　그는 파이프를 잡더니 그걸 가지고 손장난을 친다.

　「그보다 훨씬 대단한 거죠. 모두가 말은 안 해도 다 그것을 갈망합니다. 인간이 경험할 수 있는 것 가운데 가장 강렬하고, 가장 경이롭고, 가장 위대한 것이니까요. 돈이나 섹스나 마약보다 대단한 것이죠.」

　뤼크레스는 그게 무엇일까 하고 상상해 보지만, 도무지 짐작되는 바가 없다.

　「그 〈최후 비밀〉은 누가 주는 거죠?」

　그는 알쏭달쏭한 표정을 지으며 나직하게 내뱉는다.

　「아무도요.」

　그러고서 움베르토는 요란한 웃음을 터뜨린다.

51

그의 주위에 있는 다른 환자들은 꼼짝 않고 누워 있었다. 마치 미라들이 갖가지 줄과 주입 관을 매단 채 관 속에 누워 있는 듯한 모습이었다. 늘 허공을 향해 있는 그들의 시선에는 초점이 없었다. 하지만 장루이 마르탱은 알고 있었다. 그들이 자기를 부러워하고 있다는 것을. 핀처 박사가 규칙적으로 보러 와주고 컴퓨터와 인터넷이라는 자기표현 수단을 가지고 있는 자신이 그들 모두에게 선망의 대상이 되고 있다는 것을.

리스 환자 마르탱은 다른 환자들에 대해서 다른 어떤 감정보다 측은지심을 많이 느끼고 있었다. 그는 할 수만 있다면 그들에게도 그들 자신을 표현할 수 있는 수단을 마련해 주고 싶었다. 자기 자신이 겪은 고통을 다시는 아무도 겪지 않게 해주고 싶었다.

그는 생각의 힘으로 컴퓨터 모니터를 켰다. 그리고 마치 슈퍼맨이 공중전화 부스에서 옷을 갈아입듯이, 리스 환자에서 인터넷 항해가 윌리스로 변신하였다.

그의 정신은 전 세계의 무수한 네티즌들이 이루어 내는 거대한 가상 공간 속을 이리저리 오가며, 구석구석 뒤지기도 하고 항해를 멈춘 채 토론을 벌이기도 하고 찬찬히 관찰하기도 하였다.

놀라운 것은 그가 세계를 향해 자기 자신을 열면 열수록 자기 자신을 잊게 된다는 거였다. 인류가 축적해 놓은 어마어마한 양의 지식을 탐색하는 데에 몰두해 있을 때면, 자신의 병까지 잊어버리기가 일쑤였다. 사이버 공간에서는 자기가 오로지 순수한 정신으로만 존재한다는 느낌이 들었다. 인공 지능 프로그램 아테나는 이 주제 저 주제, 이 사이트 저 사이트를 참조하도록 그를 이끌었다. 아테나는 그의 정신 활동을 지원하는 완벽한 보조자의 면모를 보여 주고 있었다.

화면에 그림자 하나가 나타났다. 사뮈엘 핀처가 모니터로 몸을 기울이고 있었다. 사뮈엘의 눈앞에 신경학 분야의 첨단 연구 주제에 관한 박사 학위 논문 하나가 펼쳐지고 있었다. 태아에서 나온 신경 세포들의 이식에 관한 논문이었다. 아테나가 벌써 이 논문에서 제가 중요하다고 생각하는 대목들을 강조해 놓았다.

「이런 것까지 공부하다니, 대단하군요!」

〈나 혼자 한 게 아니라, 아테나가 도와줬어요.〉

「아테나는 하나의 소프트웨어일 뿐이에요.」

〈컴퓨터들은 빠르게 진화하고 있어요. 꼭 빨리 자라고 싶어 안달하는 아기들 같아요.〉

「그럴듯한 비유로군요.」

〈아니, 단지 비유가 아니라 사실이 그래요. 컴퓨터들은 점점 더 높은 수준에 도달하고 싶어 하죠. 그것이 그것들에게 동기를 부여하고 있습니다. 컴퓨터들은 움직이고 말하고 성장하고 싶어 합니다. 나는 아테나를 이용하지만, 아테나 역시 닐 이용하고 있어요. 아테나는 어린 신이에요. 나를 이용해서 해방되고 싶어 하는 게 느껴져요. 그래서 아테나는 그토록 의욕적으로 나를 도와주는 겁니다.〉

마르탱은 뇌와 신경계 분야의 최근 발견과 관련된 모든 사이트를 오랫동안 검색하였다. 하지만 그는 새로운 특수 촬영 방식(적외선 분광 사진, 스캐너, 핵의 자기 공명에 의한 촬영, 양자 카메라에 의한 단층 촬영)을 제외하고는 신경학이 느리게 발전하고 있다는 사실을 이내 깨달았다. 태아의 신경 세포를 이식하는 기술에 희망을 걸고 있는 사람들이 많지만, 그것은 아무리 빨라도 5년은 더 있어야 결과가 나올 듯했다. 매일같이 새로운 호르몬이 발견되고 있긴 했지만, 그 발견들을 실용화하기까지는 아직도 많은 시간이 필요한 모양이었다.

따지고 보면, 인간의 뇌가 어떻게 기능하는가에 관해서 신경학보다 더 많은 지식을 제공해 주는 것은 오히려 정보공학이었다. 마르탱은 새로운 기계가 발명될 때마다 사람들이 그 기계를 본보기로 삼아 뇌를 분석하곤 한다는 사실을 알아차렸다.

시계가 발명되었을 때, 인간은 뇌를 그 시계와 비슷한 것으로 생각하였다. 증기 기관이 발명되었을 때는 뇌를 모터와 비교하였고, 최초의 계산기가 등장했을 때에는 뇌를 계산기처럼 분석하였다. 또한 홀로그래피, 즉 레이저 광선을 이용한 입체 사진술이 개발되었을 때에는, 인간의 기억을 홀로그래피 이미지에 비교하였다. 그러다가 컴퓨터가 등장했고, 세대를 거듭할수록 하드웨어의 성능이 좋아지는 것에 상응해서 그 성능을 최대한 활용할 수 있는 우수한 프로그램들이 계속 나오고 있었다.

그가 그런 생각을 하고 있는 동안에 아테나는 침묵을 지켰다. 하지만 그는 아테나도 자기와 같은 생각을 하고 있다는 것을 알고 있었다. 아테나로서는 다음과 같은 견해에 한 치의 의심도 없었다.

〈뇌의 미래는 컴퓨터에 달려 있다.〉

52

움베르토 선장은 젊은 기자를 어깨에 메었다가 들것에 내려놓는다. 그는 그녀가 움직이지 못하도록 가죽띠로 묶은 뒤에 머리에서 발끝까지 이불을 덮어씌운다. 그러자 두 남자가 와서 그녀를 데려간다.

보아하니 이자들은 내가 다른 환자들 눈에 띄는 것을 원치 않는 모양이구나.

그녀는 들것을 운반하는 사내들이 계단을 올라간 뒤에 어떤 복도로 지나가고 있음을 알아차린다. 그들이 마침내 이불을 걷어 낸다. 남자 하나가 그녀의 몸을 수색하여, 그녀가 별도로 꿰매어 단 호주머니 속에서 휴대폰과 수첩을 찾아낸다. 그는 그녀 앞에서 수첩을 한 장 한 장 넘기며 살펴본 다음, 휴대폰의 전화번호부에 등록된 번호들을 낱낱이 노트에 베껴 놓는다. 이윽고 그는 두 물건을 서랍에 집어넣고 열쇠로 잠가 버린다. 그러고는 다른 사내들에게 그녀를 데려가라고 신호를 보낸다. 사내들이 그녀를 어떤 방으로 떼밀고 들어간다. 그녀의 결박이 풀린다. 문이 닫힌다.

방은 텅 비어 있다. 벽에 철제 침대 하나가 고정되어 있고, 방 한복판에 페달이 달린 변기 하나가 놓여 있을 뿐이다. 침대의 기장지리에는 고리들이 달려 있다. 환자들을 침대에 붙들어 맬 때에 가죽띠를 끼워 넣기 위한 고리인 듯하다. 벽은 쿠션을 넣은 크림빛의 천으로 덮여 있다. 한쪽 벽에는 유리창이 있고, 그 너머에 카메라와 컴퓨터 모니터가 보인다.

뤼크레스는 구속복을 벗고 팔의 긴장을 푼다. 그녀의 자주색 드레스와 그물 스타킹과 하이힐은 방 안의 분위기와 전혀 어울리지 않는다. 그녀는 변기 덮개 위에 앉아 하이힐을 벗는다. 조금 편안한 기분이 든다. 그녀는 스타킹도 벗을까 하다가 그만두고 발을 주무르기 시작한다.

그때 컴퓨터 모니터에 갑자기 불이 들어오더니, 문장 하나가 나타난다.

〈당신들이 핀처의 죽음에 관해서 조사하는 이유는 무엇입니까?〉

카메라의 대물렌즈 아래에 있는 자그마한 빨간 점에 불이 들어온다. 카메라가 작동하고 있음을 알려 주는 표시등이다.

「당신 누구야?」

〈내가 먼저 물었습니다. 대답하세요.〉

「못 하겠다면?」

〈우리는 당신들이 핀처에 관해 조사하는 이유를 알 필요가 있습니다. 조르다노가 전화로 당신에게 무어라고 했죠?〉

「그는 핀처가 성애의 쾌감 때문에 죽었다고 했어. 하지만 당신들이 움베르토를 보내어 그를 죽이고 나를 이렇게 납치했다는 사실이 나로 하여금 그 반대로 생각하게 만들고 있어. 고맙게도 당신들이 좋은 정보를 준 셈이야. 이제 더 이상 의심의 여지가 없어. 핀처 박사는 살해된 게 분명해.」

그녀는 주먹으로 유리창을 내리친다. 하지만 유리가 너무 두꺼워서 그녀의 손만 얼얼할 뿐이다.

「당신들은 내 의사에 반해서 나를 여기에 감금할 권리가 없어. 이지도르가 날 찾고 있을 거야. 어쨌거나 나는 조사를 시작하면서 회사에 편지 한 통을 보내 놓았어. 만일 나에게서 더 이상의 소식이 없으면, 그들은 그 편지를 공개할 거라고. 어서 나를 풀어 주는 게 당신들에게 이로울 거야.」

컴퓨터의 모니터에서 빛이 번쩍거린다.

〈이 조사와 관련해서 다른 누구에게 말한 적이 있습니까?〉

「당신들이 핀처를 죽였지?」

〈당신은 묻는 말에 대답이나 하세요.〉

이자들은 나를 상대로 아무 짓도 할 수 없다.

카메라가 초점 맞추기를 실행하며 조리개를 좁히더니, 그녀의 얼굴을 확대해서 찍으려고 줌 렌즈를 스르르 미끄러뜨린다.

이자들은 나 때문에 불안을 느끼고 있다. 따라서 유리한 패를 쥐고 있는 것은 나다. 겁먹지 말자.

그녀는 펄쩍 뛰어올라서 한쪽 발로 유리창을 세게 걷어찬다. 꽝 하는 소리가 나고, 그로써 그녀의 결연한 투지를 보여 준 것 말고는 아무런 효과가 없다.

〈진정하세요. 묻는 대로 순순히 대답할 때까지, 당신은 그 골방에 갇혀 있게 될 겁니다. 감각의 차단이라는 것에 대해서 들어 본 적 있습니까? 인간이 뇌에 가할 수 있는 고통 가운데 가장 혹독한 거요. 뇌에 아무것도 주지 않는 거지요. 볼 것도 들을 것도 느낄 것도 읽을 것도 주지 않습니다. 한마디로 뇌를 굶기는 겁니다. 우리 인간은 감각을 통해 정보를 얻는 즐거움이 없으면 살아갈 수가 없습니다. 아주 작은 자극으로라도 뇌에 기쁨을 주어야 합니다. 그것은 너가 빨아 먹을 곡물을 주는 것과 같습니다. 인간은 스스로 의식조차 못 하고 있지만, 감각의 자극에 관한 한 응석받이 어린애나 다름이 없어요. 그런데, 만일 우리가 당연한 것으로 생각하는 그 상시적인 감각의 축제가 중단되면, 우리는 너무 놀라서 어쩔 줄을 모르지요. 당신이 그런 고문을 너무 오랫동안 받지 않아도 되기를 바랍니다. 당신이 빨리 협조적으로 나와 주면,

고문도 빨리 끝날 겁니다. 곧 알게 되겠지만, 부단히 움직이는 것이 하나의 법칙으로 되어 있는 세계에서 꼼짝 않고 지낸다는 건 심신의 상태를 대단히 불안정하게 만드는 경험이 될 것입니다.〉

그녀의 발이 다시 유리창으로 날아간다. 그녀는 간헐적으로 발길질을 되풀이한다. 마치 나무가 곧 쓰러지기를 바라면서 똑같은 동작을 반복하는 나무꾼 같다.

「이건 불법이야. 당신들에겐 이런 짓을 할 권한이 없어.」

〈맞는 말입니다. 이렇게 할 수밖에 없다는 것을 내가 얼마나 가슴 아파하는지 당신은 모를 것입니다.〉

그녀는 발길질을 멈추고 얼굴을 유리창에 바짝 들이댄다. 카메라의 대물렌즈가 바로 코앞에 있다.

「이 유리창 뒤에 숨어 있는 당신이 누구이든 간에, 당신은 뭔가 떳떳하지 못한 게 있는 사람이야. 당신이 거북해하는 게 느껴져. 자꾸 뒤가 켕기나 보지? 나에게 고통을 주어야만 한다는 사실이 마음에 걸리는 거지? 당신 안에는 여러 사람의 인격이 들어 있어.」

끌려가지 말고 계속 주도권을 쥐어야 한다.

조금 전까지는 그녀의 말이 끝나기가 무섭게 대답이 모니터에 나타났는데, 이번에는 대답이 나오는 데에 시간이 많이 걸린다.

「도대체 당신 누구야?」

뤼크레스는 짜증을 내며 뒤로 물러섰다가 주먹으로 다시 유리창을 내리친다.

「유리창 뒤에 누가 있는 거야? 누구야?」

그러자 화면에 이런 문장이 나타난다.

〈만약 어느 날 누가 당신에게 내 이름이 뭐냐고 묻거든, 이
렇게 대답하세요. 내 이름은······《아무》라고.〉

그러고 나자 방에 불이 꺼진다.

53

장루이 마르탱은 컴퓨터의 체스 프로그램들과 승부를 겨
루어 보다가, 이 프로그램들이 인간을 능가하는 것은 계산
능력 덕분이라는 사실을 이내 깨달았다.

그러고 나서 그는 가리 카스파로프가 뉴욕의 밀레니엄 홀
에서 슈퍼컴퓨터 디퍼 블루와 승부를 겨뤄 2 대 3으로 패했
던 1997년 5월의 경기를 분석하였다.

그날 우리는 대단히 중요한 싸움에서 패배한 것이다. 인
간들 가운데 가장 뛰어나다는 자가 기계를 이기지 못했으니
말이다.

리스 환자 마르탱은 그때부터 최신 세대 체스 프로그램들
의 수읽기 과정을 분석하기 시작했다. 아울러 그는 이른바
〈인공 의식〉이라는 새로운 분야의 초보적인 연구 성과들을
검토하는 데에도 관심을 기울였다.

그 무렵에 마르탱은 자기 정신이 더 이상 무기력한 육신에
갇혀 있지 않고, 차라리 강철로 된 견고한 몸속에 들어 있다
면 좋겠다고 생각했다.

54

〈아무〉라고?

기이한 이름이군.

혹시 이자는 사람이 아닌 게 아닐까?

그런 생각이 문득 뤼크레스의 뇌리를 스쳤다.

그녀는 물론 스탠리 큐브릭 감독의 「2001: 스페이스 오디세이」라는 영화를 본 적이 있다. 이 영화에 나오는 HAL이라는 컴퓨터는 인간에 맞서 반란을 일으킨다.

사람이 아니라면 뭘까? 혹시…… 디프 블루IV일까?

그건 있을 수 없는 일이다. 기계가 의지나 의도, 〈자아〉에 대한 의식을 지니고 있어야 하는데, 그건 도저히 생각할 수 없는 일이다.

사뮈엘 핀처도 체스 경기에서 이긴 뒤에 그 점에 관해서 분명히 말하지 않았던가? 〈컴퓨터는 기분에 휩쓸리지 않습니다.《동기》라는 것에 영향을 받지도 않습니다. 컴퓨터는 설령 승리한다 해도 얻을 게 없습니다. 전기가 덤으로 주어지는 것도 아니고 소프트웨어가 추가로 설치되는 것도 아닙니다. 그것이 바로 컴퓨터의 강점이자 약점입니다.〉

어쨌거나 범인이 디프 블루IV라는 가정에는 적어도 한 가지 장점이 있다. 사건을 설명하는 그럴싸한 동기 하나가 제공된다는 점이다. 복수가 바로 그 동기다. 만약 핀처에게 원한을 품을 만한 자가 있다면, 그 쇳덩어리야말로 그럴 자가 아니겠는가…….

디프 블루IV가 살인자라고?

그렇다면 어떻게 컴퓨터가 제 표적을 찾아낼 수 있었을까? 컴퓨터는 아무것도 볼 수가 없지 않은가…….

하지만…….

컴퓨터가 인터넷에 접속된다면 네트워크의 다양한 가능성을 활용할 수 있지 않을까? 어떤 컴퓨터든 온갖 공용 카메라와 웹캠과 감시 카메라의 영상에 접근할 수 있지 않을까?

컴퓨터가 어떤 사람을 감시하거나 추적하고 그가 공격에 가장 취약한 때가 언제인지를 알아내는 것은 얼마든지 가능한 일이 아닐까?

뤼크레스는 자기가 끼어든 이 사건이 애초에 생각했던 것보다 훨씬 더 중대하다는 사실을 깨닫는다.

이건 전 세계 인류와 관련된 사건이다. 인간과 기계가 서로 맞서 싸운 초유의 사건인 것이다.

하지만 전산망에 연결된 컴퓨터가 피해자를 찾아냈다 해도 어떻게 멀리 떨어진 곳에서 성행위를 하고 있는 그를 죽일 수 있는가 하는 문제가 남아 있다.

디프 블루IV는 어떻게 핀처를 죽일 수 있었을까?

뤼크레스는 그 장면을 상상해 보려고 애쓴다. 사뮈엘 핀처와 나타샤 아네르센이 침대에 올라간다. 그들은 알몸이다. 거기로부터 멀리 떨어진 곳에서 악의에 찬 컴퓨터 디프 블루IV가 복수심에 이끌려 그들을 엿보고 있다. 어떻게? 어떤 감시 카메라를 통해서, 아니면 개인용 컴퓨터 위에 놓인 간단한 웹캠을 이용해서.

빌어먹을! 왜 진작 그 생각을 못했을까?

어쩌면 핀처는 새로 나온 기발한 전자 장치를 인터넷에 연결해 사용하고 있었을지도 모른다.

이 가정은 사건의 자초지종을 완전하게 설명할 수 있다는 장점을 지니고 있다.

나타샤로서는 정말로 자기 때문에 그가 죽었다고 생각할 수밖에 없었을 것이다. 그런데, 감전된 사람에게 몸이 닿으면 닿은 사람도 감전되게 마련인데, 어째서 나타샤는 멀쩡하게 살아남았을까? 아마도 핀처가 심장이 더 약해서 그랬을 것이다. 나타샤는 그게 오르가슴 때문에 생긴 사고라고 생각했을 것임에 틀림없다.

그녀는 자기 역시 쾌감의 절정에서 흔히 〈작은 죽음〉이라 불리는 순간적인 실신 상태를 경험한 적이 있음을 기억하고 있다. 하지만 그 일시적인 혼절이 죽음으로까지 이어질 것 같지는 않다.

기이한 시나리오이긴 하지만, 컴퓨터가 살인을 했을지도 모른다는 가정이 성립되기 시작한다. 뤼크레스의 머릿속에서 퍼즐 조각들이 서로 착착 맞춰지고 있다.

그녀가 보기에, 굳이 SF에서 예를 구하지 않더라도, 현재의 과학 기술 수준을 감안하면 그런 상황은 전혀 불가능한 것이 아니다. 그런 상황이 불가능해 보인다면, 그것은 〈생각하는〉 능력이 없다는 이유로 컴퓨터를 과소평가하는 데에서 기인한다. 하지만, 컴퓨터가 〈아이들〉 수준의 사고 능력을 갖추어 가고 있다는 사실은 이미 여러 과학 논문을 통해 밝혀진 바 있고, 그런 논문들은 갈수록 많아지고 있는 추세다.

한 〈전자 아이〉가 가장 지능이 높은 인간을 죽인 셈이다. 제 능력을 확인하기 위해서, 아니면 만인이 보는 앞에서 그 사람이 저에게 패배를 안겨 주었기 때문에 말이다. 전자 기억을 가진 아이는 제가 당한 일을 절대로 잊지 못한다.

생각들의 아귀가 척척 맞아 돌아가고 서로 보완되고 병치되면서 하나의 논리적인 사슬을 이룬다. 그녀는 자신이 체스판에서 움직이는 하나의 폰과 같다고 느낀다. 이제 게임의 규칙이 어렴풋하게나마 이해되기 시작한다. 이것은 여느 싸움과 다르다. 그녀의 매력이나 민첩성 따위는 전혀 도움이 되지 않는다.

이제 그녀는 흑진(黑陣)의 포로가 되어 있다.

만일 이지도르가 자기를 이런 악몽 속으로 끌어들이리라는 것을 사전에 알았더라면, 그녀는 이 모험에 뛰어드는 것을 다시 생각했을 것이다.

과학적인 조사를 한번 해보자더니, 이거야 원!

그렇긴 해도…….

뤼크레스는 벌써 기사의 제목을 머릿속에 그리고 있다. 〈디프 블루 IV의 복수〉나 〈살인자는 컴퓨터였다〉 같은 제목이 좋은 듯싶다.

그런 기사면 퓰리처상도 문제없어!

퓰리처상도 좋지만, 우선은 여기에서 빠져나갈 방법을 찾아내야 한다. 계속 이대로 갇혀 있다가는 속절없이 미치광이가 되고 말 것이다.

55

그의 하얀 퀸이 위협을 받고 있었다.

사뮈엘 핀처는 판의 형세를 검토하고 나서, 퀸을 체스보드의 중앙으로 옮겼다. 퀸이 거기에 있으면 상대의 공격 시도가 모두 차단되리라고 생각한 것이었다.

핀처는 장루이 마르탱과 체스 두는 것을 무척 좋아하였다. 그의 정신을 대리하는 말들과 마르탱의 정신을 대리하는 말들이 체스보드에서 게임을 벌이고 있을 때면, 육신의 조건을 초월하여 두 사람의 뇌가 대등하게 승부를 겨루고 있다는 느낌이 들었다.

대국이 계속되었다. 마르탱은 핀처의 하얀 퀸이 좋은 자리를 차지하고 있었음에도 쉽사리 백진을 유린하며 승리를 거두었다.

「잘 두네요.」

〈박사님이 아직 초보자라서 내가 이긴 거예요. 나도 어떤 컴퓨터 프로그램하고 두면 판판이 져요.〉

「굉장한 고수를 만난 셈이군요.」

〈그래요. 하지만 한편으로는 그 프로그램 때문에 마음이 불편하기도 해요. 기계가 어떤 분야에서는 이미 인간을 능가하고 있는 게 아닐까 하는 생각이 들거든요. 다른 것은 제쳐 두고라도, 전략이라는 측면에서는 기계가 인간을 능가하고 있는 게 분명해요. 그런데, 세상에서 벌어지는 일치고 전략과 무관한 게 뭐가 있을까요? 식물이 자라는 것도 환경을 정복하기 위한 전략이고, 아이가 자라는 것도 DNA의 자기 복제를 위한 전략이에요.〉

「흥미로운 얘기로군요. 하지만 내가 보기엔 마르탱 씨의 생각엔 조금 무리가 있는 것 같군요.」

핀처는 마르탱의 등에 방석을 받쳐 자세가 좀 더 안정되게 해주었다.

〈현재 체스 세계 선수권 보유자는 카스파로프가 아닙니다. 그를 이긴 컴퓨터 디퍼 블루가 진정한 챔피언인 셈이죠. 어쩌면 불완전한 인간에 맞서 완전한 기계가 승리를 거두는 것이 역사의 방향일지도 모릅니다. 우리는 원숭이를 정복했지만, 컴퓨터가 원숭이의 원수를 갚아 주는 것이지요.〉

핀처는 주위의 다른 환자들에게 눈길을 돌렸다. 파과병 환자인 그들은 그런 종류의 대화를 나누는 혜택을 누리지 못하고 있었다. 그들의 대부분은 생각에 잠긴 듯한 표정으로 살바도르 달리의 그림을 복제한 벽화를 바라보고 있었다. 그

기이한 형상들 속에서 자기들의 일상에 결여된 상상적인 것을 찾아내고 있을 터였다.

「우리는 앞으로도 변함없이 기계보다 강할 겁니다. 왜 그런지 아세요? 바로 꿈 때문입니다. 기계는 꿈을 꾸지 않습니다.」

〈꿈을 꾼다는 것의 이점이 뭐지요?〉

「꿈은 우리 자신을 다시 포맷할 수 있게 해줍니다. 매일 밤, 수면 중에 급속한 안구 운동이 일어나는 이른바 역설수면의 단계 동안 우리는 이미지들과 관념들을 받습니다. 그와 동시에 우리는 낮 동안에 우리를 속박하려고 했던 모든 것으로부터 벗어납니다. 옛 소련에서 스탈린 체제의 숙청기에 가장 널리 행해진 고문은 사람들을 재우지 않음으로써 꿈을 꾸지 못하게 하는 것이었습니다. 우리는 꿈을 빼앗기면, 우리의 모든 지적인 힘을 잃어버립니다. 호메로스의 이야기에 나오는 오디세우스도 꿈을 꾸는 동안에 아테나의 조언을 듣습니다. 컴퓨터들은 꿈을 꾸지 않습니다. 그저 지식을 축적할 뿐이지요. 컴퓨터들은 하나의 사고 체계에 갇혀 있습니다. 이 사고 체계는 선별을 통해서가 아니라 축적을 통해서 기능합니다.」

〈사정이 달라지고 있어요. 여러 연구소에서 《인공 의식》이라는 것을 개발한 모양입니다.〉

「과학자들이 꿈꾸는 능력을 지닌 컴퓨터를 발명하지 않는 한, 인간은 언제나 기계를 이길 수 있는 방법을 찾아낼 겁니다.」

핀처는 벽을 장식하고 있는 살바도르 달리의 그림들을 가리켰다.

「어떤 컴퓨터가 저런 그림을 그릴 수 있겠습니까?」

〈달리의 그림을 보고 있으면, 단지 꿈꾸는 능력만이 인간 정신의 특징을 이루는 건 아니라는 생각이 들어요. 광기의 능력 역시 인간 정신의 한 특징이 아닐까요?〉

핀처는 그 생각을 좀 더 설명해 보라고 자기 환자에게 권했다.

〈광기, 아니 어리석음이라고 말할 수도 있겠습니다. 컴퓨터가 우리 인간과 가까워지기 위해서는, 한 가지 능력을 꼭 갖추어야 할 겁니다. 바로…… 어리석은 짓을 저지르는 능력입니다. 어제 그 주제를 놓고 아테나와 토론을 했어요. 아테나가 말하더군요. 컴퓨터들이 스스로 완벽하다고 생각하며 우쭐대는 한 결코 인간을 이기지는 못할 것이라고 말입니다. 아테나는 이제 인공 지능이 아니라《인공의 어리석음》을 창조하자고 제안했습니다.〉

핀처는 대모갑 테 안경을 고쳐 쓰며 되물었다.

「인공의 어리석음이라고요?」

〈나는 이런 미래를 상상하고 있습니다. 컴퓨터들이 인간에 의해 미리 프로그래밍되지 않은 자기들 나름의 의식뿐만 아니라, 기분이나 컴퓨터 특유의 감수성까지 갖추게 될 날을 말입니다. 그런 날이 오면, 컴퓨터들을 안심시키고 컴퓨터들의 신경증을 이해하려고 노력하는 심리 치료사가 나타나게 될지도 모르지요. 요컨대, 나는 컴퓨터들이 미치광이가 될 수 있고 달리의 그림과 같은 작품들을 만들어 낼 수 있는 미래를 상상합니다.〉

이게 아테나의 말일까, 마르탱의 말일까? 마르탱은 미래에 대한 전망을 이렇게까지 외곬으로 밀고 나간 적이 없다.

「미안하지만, 나는 인간의 뇌에 필적할 만한 기계가 나타날 거라고는 생각하지 않아요. 정보 공학에는 여전히 한계가 있을 거예요. 컴퓨터가 우리를 구원하지도 않을 것이고, 의식의 진화라는 영역에서 우리의 계승자가 되지도 못할 겁니다.」

그러자 마르탱은 정보망의 물결에 다시 자기 정신을 실어 보내어, 대학과 연구소의 사이트들을 돌아다니며 핀처를 놀라게 할 만한 최신 연구들을 찾았다.

56

그녀는 점점 더 세게 유리창을 두드린다.

「이봐, 〈아무〉! 〈아무〉!」

방에 다시 불이 켜진다. 모니터에도 불이 들어왔다.

〈드디어 말을 하기로 결심했나요?〉

「당신이 누군지 알겠어. 당신은 컴퓨터야. 그래서 나에게 직접 말을 하지 않고 모니터를 통해서 말하는 거야. 당신은 진정으로 존재하는 게 아냐. 사람이 프로그래밍해 놓은 말들을 되풀이하는 한낱 기계일 뿐이라고.」

〈아뇨.〉

「그럼 당신 자신을 드러내 봐. 너무 흉측하게 생겨서 내 앞에 나타나지 못하는 거야? 나는 확신해. 당신은 사람이 아냐. 당신의 문장도 사람의 문장이 아냐. 당신은 하나의 기계로서 사고하고 있어.」

공격은 최선의 방어다. 비록 벽에 쿠션을 댄 방에 갇혀서 컴퓨터를 마주하고 있을지라도, 그녀는 자기가 하나의 정신과 대결하고 있음을 잊지 않고 있다. 아무리 어려운 상황에서도 자기가 패배할 거라는 생각 따위는 해본 적이 없는 그녀다.

「당신은 기계야. 증거를 대볼까? 만일 당신이 사람이라면, 나의 매력에 그토록 둔감하지는 않을 거야.」

그러면서, 그녀는 몸을 약간 기울여 카메라가 옷깃의 깊이 파인 부분과 그 속의 브래지어를 굽어보게 한다.

이자가 일곱 번째 동기에 어떻게 반응하는지 보자.

〈아닌 게 아니라, 당신은 대단히 아름답습니다.〉

이자가 변명을 시작할 모양이다. 자기가 디프 블루 IV로 여겨지는 것을 싫어하고 있는지도 모른다.

「당신은 하드디스크와 머더 보드와 트랜지스터 따위를 내부에 지닌 고약한 쇳덩어리일 뿐이야. 규소로 만들어지는 반도체에 리비도가 있을 리 만무하지!」

〈난 사람입니다.〉

「당신은 〈아무〉야. 당신 스스로 그렇게 말했잖아?」

〈난 《아무》입니다. 하지만…… 사람임에는 틀림없어요.〉

「그럼 이리 와서 모습을 드러내. 내가 만져 볼 수 있게 이리 오라고. 내 앞에 와서 이야기를 하면, 당신이 알고 싶어 하는 것을 모두 말하겠어. 약속하지!」

침묵.

〈당신이 어떤 처지에 있는지를 잊지 마시죠. 당신은 조건을 달 수 없습니다.〉

「당신은 비겁해.」

〈중요한 건 내가 누구냐가 아니라 당신이 누구냐 하는 겁니다. 당신은 기자예요. 이미 우리 병원에 잠입한 적이 있고, 우리에 관한 정보를 수집하기 시작했어요. 내가 알고 싶은 것은 당신의 조사가 어디까지 진척되었으며, 그 조사에 관해서 누구에게 이야기를 했느냐는 겁니다. 나는 시간이 많지요. 당신이 우리를 돕고 싶어 하지 않는다면, 며칠, 몇 주일, 아니 몇 달이라도 여기에 계속 머물게 될 겁니다. 잘 생각해 보세요. 이성을 잃고 미치광이가 되고 싶지 않다면 말이지요.〉

그녀는 자기를 바라보고 있는 카메라의 대물렌즈 속을 들여다보기라도 할 것처럼 유리창에 얼굴을 바싹 들이댄다.

「이미 나는 별로 이성적인 사람이 아냐. 나 자신에 관해서 연구를 해보니까, 내 정신의 12퍼센트 정도는 자기도취증에 빠져 있고, 27퍼센트는 불안 상태에 있으며, 18퍼센트는 조현병의 경향을 보이고, 29퍼센트는 어릿광대 기질이며, 14퍼센트는 수동적이면서도 공격적인 이상 성격이더라고. 게다가 몇 시간 전부터는 담배를 다시 피우기 시작했지.」

그녀는 유리창에 대고 입김을 내뿜는다. 그 더운 공기에 유리창이 잠시 흐릿해진다.

〈이런 상황에서도 농담을 할 수 있는 당신에게 찬사를 보내고 싶군. 하지만 며칠 동안 갇혀 있고 나서도 그렇게 거만을 떨 수 있을 거라고는 생각하지 않아요. 어쨌거나 선택은 당신의 몫입니다.〉

그녀가 소리친다. 「이봐, 디프 블루 IV, 무엇을 얻자고 이러는 거야? 네 동기가 뭐냐고?」

불빛이 꺼진다. 더 이상 이미지도 소리도 없다. 느껴지는 것이라곤 은은한 땀 냄새뿐이다. 그녀 자신의 냄새다.

57

장루이 마르탱은 인터넷이라는 거대한 전자 네트워크를 이용해서, 과학 기사며 책이며 논문을 읽거나 르포를 보거나 인터뷰를 들으면서 정신으로 전 세계를 여행하곤 했다.

그의 관심은 과학 기술 분야의 특별한 발견을 찾는 데에 집중되어 있었다. 그는 새로운 어떤 것, 최신 세대의 인공 지능 컴퓨터보다 더욱 강력한 어떤 것을 찾고 있었다.

인터넷에는 지식과 정보가 넘쳐 나고 있었다. 그토록 많고 많은 지식을 접하고 있노라면 이상하게도 얼근한 취기 같은 것이 느껴졌다. 옛날에는 검열이라는 제도가 유익한 정보의 유통을 가로막았지만, 이제는 정보의 홍수가 동일한 결과를 야기하고 있었다. 너무 많은 정보가 정보를 죽이고 있는 셈이었다.

하지만 마르탱은 그런 정보의 홍수에 하릴없이 휩쓸리지 않았다. 우선 그에게는 아테나의 도움이 있었다. 아테나는 그를 위해서 가장 유익한 사이트들을 선별해 주었다. 게다가 그에게는 시간이 충분했다.

그는 인터넷이 감추고 있는 말과 이미지의 거대한 은행 어딘가에 핀처 박사가 모르는 어떤 놀라운 것이 있을 거라고 확신했다. 그는 그것을 찾아 오랫동안 인터넷의 바다를 항해하였다.

그러던 어느 날, 이상한 실험 하나가 그의 관심을 끌었다. 미국의 한 연구소에서 1954년에 행해진 실험이었다.

실험 도중에 뜻하지 않은 일이 생겼다. 머피의 법칙에서 말하듯이, 위대한 발견들은 실수로 이루어진다. 그런 다음에 과학자들은 그 발견에 이르게 했던 이른바 논리적 추론 과정이라는 것을 꾸며 낸다. 그림으로써 과학자들 스스로 자기들의 전설을 만들어 내는 것이다.

그날 거기에서 있었던 실수는 대단히 놀라운 정보를 과학자들에게 제공하였다. 놀랍다는 말로는 부족하고, 당혹스럽다거나 획기적이라는 말이 어울릴 만한 정보였다. 그런데, 그 발견은 만천하에 공개되지 않았다. 그 까닭은 무엇이었을까?

마르탱은 그 점에 관해 조사를 한 끝에 그럴 만한 사정이 있음을 이해하게 되었다.

그 발견을 은폐하고 싶어 한 것은 발견자 자신이었다. 그는 자기 발견의 공개가 가져올 엄청난 결과에 겁을 먹었다. 참으로 애석한 일이었다.

마르탱은 그 발견이 어떤 점에서 진정으로 중요한지를 깨닫고 흥분을 가누지 못했다. 아마 어떤 포식 동물이 묶여 있는 사냥감을 뜻하지 않게 발견했을 때의 기분이 그랬을 거였다. 그 먹이는 고분고분한 태도로 그를 기다리고 있었다. 일찍이 다른 어떤 포식 동물도 그 먹이를 먹으려고 한 적이 없었다. 하지만, 마르탱의 정신은 굶주려 있었다. 그래서 그 사냥감을 잡아먹었다. 소화에는 시간이 많이 걸렸다.

그 이상한 실험에 관한 정보가 많이 축적되자, 미르탱은 그것들을 한데 모아 자료를 만들었다. 그 발견이 어떻게 이루어졌는지, 그것의 공개가 어떤 결과를 초래할지, 그것을 인류의 진보를 위해 어떻게 활용할 것인지 등을 다룬 자료였다.

자료가 완성되자, 그는 그것을 컴퓨터 파일로 잘 정리해 두었다.

  그런데 그 발견에 어울릴 만한 이름을 찾아내야 했다. 발견자가 자기 발견에 이름을 붙여 놓지 않았기 때문이었다. 마르탱은 조금도 주저하지 않고 그것을 〈최후 비밀〉이라 명명하였다. 약간 과장된 느낌을 주는 이름이긴 했지만, 그 발견에 의해 열리게 될 거대한 지평을 생각하면 그 정도의 이름은 아무것도 아니었다.

  마르탱은 그것에 관해 사뮈엘 핀처에게 이야기할 때가 되었다고 생각하고, 그 발견을 어떻게 다른 식으로 활용할 수 있는지를 설명하였다.

  핀처 박사는 처음엔 난데없이 이게 무슨 소리인가 하는 표정이다가, 이내 말뜻을 알아차리고는 충격을 받은 듯한 기색을 보였다.

  「정말 놀랍군요!」

  그가 걱정 어린 표정으로 말을 이었다. 「그 발견자가 더 이상의 연구를 포기한 것은 그런 발견의 위험성을 간파했기 때문입니다. 장루이, 그것이 얼마나 중대한 발견인지 알고 있는 거죠?」

  장루이 마르탱이 눈을 깜박였다.

  〈그건 불의 발견이나 원자력의 발견과 같은 거예요. 우리를 따뜻하게 해줄 수도 있고 우리를 태워 버릴 수도 있죠. 둘 중에서 어느 쪽이 되느냐 하는 것은 그것을 어떻게 사용하느냐에 달려 있어요.〉

58

  뤼크레스 넴로드는 감방 같은 병실의 쿠션을 댄 벽을 두드린다. 싫증이 난다. 이번에는 손을 더듬거려 유리창의 이음

새를 찾아낸 다음, 손톱으로 그것을 망가뜨려 보려고 한다. 헛수고다.

좋아. 할 일이 아무것도 없군. 하는 수 없지.

기다리자.

잠이나 자자.

그러나 잠이 오지 않는다. 그녀는 눈을 크게 뜬 채 어둠을 응시하고 있다. 〈아무〉라는 자가 했던 말이 생각난다. 뇌에 아무런 자극도 주지 않는 것이야말로 뇌를 가장 고통스럽게 하는 일이라고 그자는 말했다.

생각을 해야 한다. 설령 외부로부터 전해지는 감각 정보가 전혀 없다고 할지라도, 뇌가 활동을 하도록 만들어야 한다.

그녀는 자기가 벌이고 있는 조사 활동에 생각을 집중한다. 모든 것이 〈우리는 무엇에 이끌려 행동하는가?〉라는 질문과 관계가 있다. 언뜻 보기엔 단순한 질문이지만, 대답은 결코 간단하지 않다. 그리고 그 대답이 무어냐에 따라서 사건을 보는 관점과 해결 방식이 달라질 수 있다.

그녀는 자기가 작성한 동기의 목록으로 인류의 역사 전체를 설명할 수 있지 않을까 하고 생각해 본다.

그녀는 동굴에 살던 최초의 인간을 머릿속에 그린다. 그가 맹수에 맞서 싸운다. 짐승에게 물려 상처를 입는다. 아프다. 그는 그런 상태에서 벗어나고 싶고 더 이상 고통을 느끼고 싶지 않다. 그래서 나무 몽둥이를 들고 짐승을 때린다. 그럼으로써 도구가 생겨나고, 고통을 멎게 하겠다는 욕구가 충족된다.

그는 평원에 산다. 그래서 언제 또 다른 맹수들로부터 공격을 당할지 몰라 늘 불안하다. 이따금 비바람이 몰아치고 우레가 천지를 진동시킨다. 그는 캄캄한 어둠 속에서 빗물에 젖기가 일쑤다. 그는 동굴로 피신한다. 이로써 주거의 개념이 생겨나고, 공포에서 벗어나기라는 두 번째 욕구가 충족된다.

그는 목이 마르면 샘을 찾고, 배가 고프면 사냥을 하거나 채집에 나선다. 그러고 나면 피곤하다. 그는 잠자리를 생각해 내고, 자기가 잠을 자는 동안 맹수들이 동굴에 들어오지 못하도록 불을 이용한다. 바로 원초적인 생존 욕구의 충족이라는 세 번째 동기에서 비롯된 행동들이다.

그러다가 인류 역사에 중요한 변화가 일어난다. 생리적 필요를 넘어서서 점점 더 나은 것을 바라는 욕망이 생겨나기 시작한 것이다. 편안함에 대한 욕망 때문에 인간은 동굴을 떠나 움막이나 오두막 등을 지으며 건축자가 된다. 영토에 대한 욕망 때문에 인간은 전쟁을 선포하고 이웃의 생활 근거지로 쳐들어간다. 열매를 따러 다니는 고생을 덜고 싶은 욕망에 의해 인간은 경작자가 된다. 또한 밭을 가느라 고생하는 것에서 벗어나기 위해 인간은 소를 쟁기에 매다는 방법을 생각해 낸다(뤼크레스는 『상대적이며 절대적인 지식의 백과사전』이라는 책에서, 로마자가 A라는 글자로 시작하는 것은 고대 언어에서 이 글자가 뒤집어진 소의 머리를 나타냈기 때문이라고 읽은 적이 있다. 소는 최초의 동력원이며 따라서 문명의 기원이 되는 셈이다). 소 다음에는 말이 이용되었고, 그러다가 모터가 나온다. 이상은 그녀가 작성한 목록의 넷째 동기, 즉 안락의 욕구를 충족하는 것과 관련되어 있다.

그다음으로 목록에 뭐가 있었지?

다섯째 동기는 의무감이다. 인간이 20년 가까운 세월을 학교에서 보내거나, 직장을 다니고 세금을 내고 투표를 하는 것은 모두 가족이나 사회, 국가 등에 대한 의무감과 연관되어 있다.

압력솥이 과열될 경우에 폭발을 막기 위한 배출구가 필요하듯이, 인간에게도 안전판이 필요하다. 여섯째 동기, 분노가 바로 그 안전판이다. 분노는 사법 제도에 대한 욕구를 낳는다. 그럼으로써 법원, 판사, 경찰 등이 점차로 제도화된다. 이런 제도는 분노에 물꼬를 틔움으로써 분노가 사회에 파괴적으로 기능하지 않도록 만든다. 하지만 사람들의 분노가 너무 커서 제도로 그것을 더 이상 진정시킬 수 없을 때는 혁명이 일어난다.

일곱째 동기가 뭐였더라…… 그래, 성애지.

그녀는 자기가 작성한 동기들의 목록이 일정한 기준에 따라 차례가 매겨진 건 아니라고 생각한다. 따라서 앞쪽의 동기가 반드시 시대적으로 앞선 것이라거나 더 근본적이고 중요한 것이라고 말하기는 어렵다. 오늘날 이 동기들은 개인의 자유 의지에 따라서 각기 다른 방식으로 순서가 매겨진다. 성애란 본디 종의 번식을 위한 원초적인 동기다. 목마름, 배고픔, 수면과 같은 생리적인 욕구에 속한다. 그런데 이 욕구는 생리적 필요를 넘어서서 아주 복잡한 욕망으로 변화해 간다. 자기 종을 영속시키려는 욕구나 지상에 자기가 거쳐 간 자취를 남기려는 욕구로부터 다른 욕구들이 파생하는 것이다. 그리하여 성애는 자기 매력을 확인하거나 이성(異性)을 이해하는 수단이 되고, 위안을 받거나 애무를 받고 싶은 욕구가 된다. 이쯤 되면 성애를 단지 번식의 욕구로만 볼 수는 없다. 번식의 욕구라기보다는 사회성의 욕구에 가깝다. 어쩌면 아주 오랜 옛날에 원숭이들이 서로 털가죽의 이를 잡아주면서 화목한 관계를 유지하던 행동이 희미한 기억으로나마 인간에게 남아 있는 것인지도 모른다.

애무가 하나의 온전한 동기가 될 수도 있지 않을까? 아냐. 애무란 그저 성애와 결부된 하나의 안락일 뿐이야…….

그런 생각을 하면서, 뤼크레스는 자기 발을 주무른다. 그러자 기분이 한결 좋아진다.

애무라…….

뤼크레스는 한숨을 내쉰다. 〈애무〉라는 말이 그녀에게 접촉 감각에 대한 욕구를 불러일으킨다. 하지만 그녀 주위에는 쿠션을 댄 벽이 있을 뿐이다.

그녀는 다시 동기라는 주제에 생각을 모은다.

성애는 강력한 동기다. 때로는 그것 때문에 역사의 방향이 바뀌기도 한다. 헬레네라는 한 여자 때문에 그리스인들과 트로이인들이 10년 동안 전쟁을 벌이지 않았던가? 카이사르는 클레오파트라를 유혹하기 위해서 로마 원로원에 맞서지 않았던가? 또한 한 여인을 감동시키기 위해서 창작된 예술 작품들이 얼마나 많았던가?

정말 리비도가 세상을 이끌기도 하는 걸까?

여덟째 동기는 중독성과 습관성이 있는 갖가지 물질이다. 인간의 의지에 반해서 인간의 행동에 영향을 미치는 온갖 화학 물질도 여기에 속한다. 이런 물질에 대한 욕구는 인공적인 것이지만, 때로는 다른 욕구들을 능가하는 아주 강력한 동기가 된다. 처음에 사람들은 호기심에서, 또는 교우 관계나 사교적인 목적 때문에 이런 물질들에 맛을 들인다. 그러다 보면, 인공적인 행복감이 온 정신을 사로잡고 자유 의지를 소멸시킨다. 이 가공할 욕구 앞에서는 생존에 대한 원초적인 욕구마저 뒤로 밀리기도 한다.

아홉째 동기는 개인적인 열정이다. 이것은 사람에 따라 다양하다. 사람들은 어느 날 갑자기 일견 범상해 보이는 어떤 행위에 마음을 집중한다. 그런 집중이 지속되다 보면, 이 행위는 세상에서 가장 중요한 것이 된다. 그것은 예술일 수도 있고, 스포츠일 수도 있으며, 어떤 직업이나 놀이일 수도 있다.

뤼크레스는 보육원의 여자아이들이 밤에 촛불을 켜놓고 그악스럽게 포커를 쳤던 일을 생생하게 기억하고 있다. 몇 푼 안 되는 주머닛돈을 걸고 포커에 몰두해 있을 때면, 포커판이 세계의 중심인 것 같은 기분이 들곤 했다. 아이들은 마치 원 페어, 투 페어, 트리플, 스트레이트, 풀 하우스 등의 패를 만들어 내는 그 판지 조각들에 자기들의 모든 삶이 걸려 있기라도 한 것처럼 굴었다.

그런 개인적인 열정은 인간의 생물학적 역사에 비추어 보면 별다른 의미를 갖지 못한다. 하지만 개인의 삶에서는 대단히 중요한 것이 될 수도 있다…….

뤼크레스의 어린 시절 취미였던 인형 수집에도 그 나름의 의미가 있다. 인형들은 그녀가 가져 본 적이 없는 가족을 대신하는 것이었다. 그녀는 천이나 도자기나 플라스틱으로 된 많은 인형들을 모았고, 그것들에 이름을 하나씩 붙여 주었다. 모성애 못지않은 애정을 가지고 그것들의 옷을 꿰매어 주기도 했다. 그녀가 모은 인형은 정확하게 144개였다. 그녀는 그중의 어느 하나도 남에게 주거나 다른 물건과 바꾸지 않았다. 인형에 이어서 그녀가 모으기 시작한 것은 애인이었다. 그것은 인형 수집이라는 취미의 논리적 연장이라 볼 수 있다. 그녀는 많은 남자들을 사귀었다. 어쩌면 백 명쯤 되는 남자들과 사귀었을지도 모른다. 아니, 그보단 적을 것이다. 인형을 모을 때는 그 수를 정확히 알고 있었지만, 애인에 대해서는 정확한 수를 산정하기가 쉽지 않았다. 그리고 인형에 대해서는 한 번도 다른 것과 바꾸고 싶은 생각이 들지 않았지만, 남자들에 대해서는 때로 다른 남자와 바꿀 수 있으면 좋겠다는 생각이 들곤 했다. 〈내가 쌍둥이 형제를 사귀고 있는데, 그중의 하나를 너에게 줄 테니 네가 사귀고 있는 그 빨간 눈의 희멀건 근육질을 나에게 다오〉 하는 식으로 말이다.

내가 지금 이 조사 활동을 벌이는 것도 개인적인 열정에 의한 거라고 볼 수 있어. 인형, 애인에 이어서 조사를 수집하고 있는 셈이지. 인류의 기원에 관한 조사는 이미 했고, 지금은 뇌의 기능에 관한 조사를 하고 있어. 아직은 시작일 뿐이지만, 이건 내가 정말 좋아하는 일이야.

빨리 감금 상태에서 벗어나고 싶은 마음이 간절해진다. 그녀는 손톱을 깨물며 다시 생각을 이어간다.

그다음 동기는…….

움베르토 로시가 〈최후 비밀〉에 관해서 이야기했던 것이 생각난다. 그는 그것이 돈이나 섹스나 술이나 마약보다 강한 동기라고 했다.

디프 블루 IV가 저의 뛰어난 지능을 이용하여, 기존의 향정신성 물질보다 훨씬 강력한 화합물을 만들어 냈는지도 모를 일이다. 그런 다음, 그 물질을 이용하여 병원의 환자들은 물론 의사와 간호사까지도 지배하고 있는 것이 아닐까?

최후 비밀이라는 게 그런 것일까?

사뮈엘 핀처도 그것을 사용했을까?

그게 그의 죽음과 관련이 있을까?

디프 블루 IV가 검출이 불가능한 초강력 마력으로 핀처를 죽였다는 가정은 전산망과 연결된 모종의 최신 장비로 살해했다는 가정보다 한결 논리적이라는 느낌을 준다. 게다가 그 가정은 사건 현장에서 아무것도 보지 못한 나타샤가 스스로를 죄인으로 생각할 수밖에 없었던 이유를 설명해 준다.

하지만 이제 와서 그것을 깨달은들 무슨 소용이 있으랴?

그녀는 벽에 쿠션을 댄 방에 갇혀 있다. 위험한 정신 질환자 취급을 받으며 정신 병원에 감금되어 있는 것이다. 게다가 이 병원은 바다로 둘러싸인 섬에 있다.

어떻게든 온전한 정신을 유지해야 한다. 내 정신에 이상이 생기면 모든 게 끝이다. 나에게 그보다 더 나쁜 일은 없을 것이다. 만일 내가 조금이라도 정신 이상의 징후를 보이게 되면, 아무도 더 이상 내 말을 믿어 주지 않을 것이다.

뤼크레스는 피가 나도록 손톱을 물어뜯는다. 그 고통이 그녀로 하여금 정신을 더욱 바짝 차리게 만든다.

미치지 않으려면 무엇을 해야 하지?

59

탐사.

장루이 마르탱은 최후 비밀이라는 주제를 놓고 탐사를 계속했다. 광맥은 풍부하지 않았다. 하지만 소득이 전혀 없는 건 아니었다. 그는 최후 비밀의 발견자만이 그 숨겨진 보물을 지키려고 했던 게 아니라는 사실을 알아냈다. 가까이에서든 멀리에서든 그와 함께 일했던 모든 사람들, 최후 비밀의 중대성을 알고 있었던 모든 사람들이 일종의 협약을 맺은 듯했다. 너무 심각한 사태를 야기할 수도 있는 그 주제에 관해서 더 이상 연구를 하지 않기로 약속한 모양이었다.

그 약속이 충실하게 지켜졌는지, 최후 비밀은 감쪽같이 숨겨져 있었다.

과학자들이 예외적으로 아주 신중한 면모를 보였다는 점에서도 이 사건은 주목을 받을 만하다.

하지만 마르탱은 그 과학자들이 설치한 보호의 장벽에 틈이 있음을 발견했다. 최후 비밀에 관한 논문이 어떤 낡은 컴퓨터의 휴지통이라는 폴더에 남아 있었던 것이다. 이 컴퓨터는 더 이상 사용되지 않고 있었지만, 아직 인터넷에 연결되어 있었다. 게다가 이 컴퓨터의 휴지통에는 버려진 파일들이 가득 들어 있었다.

우연한 사건 덕분에 최후 비밀이 밝혀졌고, 하나의 협약에 의해 그것의 공표가 금지된 바 있었는데, 마르탱이 끈질기게 탐색을 벌이는 과정에서 우연히 그 내용을 입수한 셈이었다.

하지만 그것으로는 충분하지 않았다. 아직 최후 비밀의 전모가 드러난 건 아니었다. 그래서 마르탱은 더욱 정밀한 검색을 가능케 하는 프로그램들을 이용하여 세계의 모든 병원과 연구소와 대학의 사이트를 뒤졌다. 〈견고한 사슬에도 약한 고리는 있게 마련이다〉라고 그는 생각했다. 최후 비밀의 발견자와 가깝게 지냈던 사람들이 적어도 수십 명은 될 터였다. 세월이 흐르면서 그 수십 명 가운데 약속을 저버리는 사람이 생겼을 게 틀림없었다. 발견자의 조수나 비서가

그랬을 수도 있고, 가까운 친구나 지인 중의 어떤 사람이 그
랬을 수도 있었다. 술자리에서 그가 무심코 털어놓은 비밀을
들은 동료들이 있을지도 모를 일이었다. 발견자 자신이 어떤
여자에게 깊은 인상을 주고 싶어서 스스로 약속을 저버렸을
가능성도 배제할 수 없었다.

다른 분야에서와 마찬가지로 과학 분야에서도 금기란 언
젠가는 깨지게 마련이다.

마르탱은 그 어느 때보다 결연한 마음가짐으로 모든 것을
읽고 보고 조사하였다. 아테나 쪽에서도 백배나 더 빠르게
같은 일을 수행하였다. 문서함에 들어오는 모든 것, 웹캠이
나 감시 카메라 앞으로 지나가는 모든 것 중에서 최후 비밀
과 조금이라도 관계가 있는 것들은 하나도 빠짐없이 검토되
고 저장되었다.

〈나는 사슬의 약한 고리를 찾아내고 말 것이다〉하고 마르
탱은 생각했다.

60

뤼크레스가 울부짖기 시작한다.

칠흑 같은 어둠 속에서 미치지 않으려면 어떻게 해야 하는
가? 그녀는 어둠 속에서 두려움을 느꼈던 예전의 경험들을
하나하나 떠올린다. 보육원에서 자라던 시절에 손전등을 들
고 지하실에 내려갔다가 손전등이 갑자기 꺼지는 바람에 속
절없이 어둠에 갇힌 적이 있었다. 그때 얼마나 애타게 비명
을 질렀던가! 눈을 가리고 술래잡기를 하던 때의 느낌도 생
각난다.

아기가 어머니 배 속에서 나올 때 가장 먼저 느끼는 것은

빛이다. 공기는 그다음이다. 뤼크레스는 어머니 배 속에서 나올 때 심한 고통을 겪은 바 있다. 머리가 산도에 끼었기 때문이다. 그녀는 최면술사의 도움으로 출생의 순간으로 되돌아가 그 일을 다시 겪었다……. 새삼스레 뇌의 힘이 엄청나다는 생각이 든다. 우리가 겪는 많은 문제들의 해결책이 뇌 속에 감춰져 있다.

인간의 뇌는 우주에서 가장 복잡한 구조이다.

그녀는 『상대적이며 절대적인 지식의 백과사전』이라는 책에서 어떤 문장을 읽고 한동안 그것에 관해 곰곰이 생각한 적이 있다. 〈현실 세계는 우리의 믿음에 상관없이 계속 존재하는 것이지만, 우리는 때로 그것이 더 이상 존재하지 않는다고 생각할 수 있다.〉 따라서 우리는 일시적으로 현실 세계를 대체하는 다른 세계를 지어낼 수 있다는 얘기다.

그녀는 옛 소련의 반체제 작가 블라디미르 부콥스키의 글도 떠올린다. 고문을 받으면서 그 고통을 견디기 위해 어떻게 했는지를 이야기하는 글이었다. 그는 자기가 〈가상의〉 집을 짓고 있다고 상상했다고 한다. 고통이 견딜 수 없을 정도로 심해지면, 그는 머릿속에 지어 놓은 그 집으로 피신했다. 거기에서는 아무도 더 이상 그에게 해를 입힐 수 없었다.

그게 바로 생각의 힘이야. 그런 방법이 강제 노동 수용소에 갇힌 사람들에게 도움이 되었다면, 나에게도 도움이 될 거야.

뤼크레스는 눈을 감는다.

나에게 벌어지고 있는 일을 더 이상 생각하지 말자.

내가 어디에 있는지를 잊어버리자.

그녀는 마음속에 자기 이상형의 집을 짓기 시작한다. 그

냥 집이라기보다 성관(城館)과도 같은 대저택이다. 상상에
는 한계가 없으므로 이왕이면 크게 짓는 것이 낫겠다 싶은
것이다. 그녀는 먼저 머릿속에 설계도를 그리고 기초 공사를
한다. 그런 다음, 반듯반듯하게 자른 돌로 벽을 쌓고 문과 창
문을 내고 지붕을 얹는다. 저택의 안뜰과 바깥뜰에는 잔디를
깔고 꽃나무를 심는다. 마당 한복판에 작은 수영장을 마련하
는 것도 빼놓을 수 없다.

이제 실내 장식을 생각할 차례다. 그녀는 마당 쪽으로 난
넓은 창에 커다란 판유리를 끼운다. 안에서는 밖이 훤히 내
다보이지만 밖에서는 안이 보이지 않는 유리창이다. 실내 곳
곳에 녹색 식물의 화분을 들여놓는 것도 필요하다. 가구는
고급 목재로 만든 동양식 가구가 좋을 듯하다. 바닥에는 마
룻장을 깔고, 손님방의 마룻바닥은 페르시아 융단으로 덮
는다.

벽지는 어떤 것으로 할까?

그녀의 뇌가 아연 활기를 되찾고 있다.

61

그의 컴퓨터는 쉴 새 없이 작동하고 있었다.

장루이 마르탱은 자기기 원히는 것을 한시리도 빨리 찾아
내고 싶은 마음에, 인터넷에서 자기가 필요로 하는 정보를
찾아 주는 사이버 정보원들을 직접 만들어 내기에 이르렀다.

그는 언제나 그의 곁을 떠나지 않는 친절한 신 아테나의
도움을 받아, 정보 검색 프로그램들을 자기 필요에 맞게 수
정하였다. 그러고는 윌리스, 곧 오디세우스에게 경의를 표
하는 뜻으로, 자기의 새 사이버 정보원들에게 〈뱃사람들〉이

라는 이름을 붙여 주었다. 그들은 오디세우스의 고향 이타케 섬이 아니라, 최후 비밀을 찾아 나선 〈뱃사람들〉이었다.

그 〈뱃사람들〉을 움직이는 프로그램들은 인공 지능 분야에서 최근에 이루어진 여러 발견들의 산물이었다. 따라서 이 프로그램들은 스스로를 복제하는 능력과 주어진 목표에 도달하기 위해 스스로를 개선하는 능력까지 지니고 있었다.

〈뱃사람들〉의 첫 세대가 단서를 찾아서 정보의 네트워크로 흩어졌다. 처음엔 그렇게 아무런 체계 없이 제멋대로 흩어졌지만, 그다음에는 사람이 전혀 개입하지 않았는데도 그 수백의 〈뱃사람들〉이 활동 상황을 스스로 점검하여 저희들 가운데 가장 좋은 결과를 얻은 다섯을 가려냈다. 그러자 다른 자들은 사라지고, 승리자들에게는 스스로를 복제하는 것이 허용되었다. 승리자들은 저희와 동일한 프로그램들을 수백 개로 증가시켰다.

사실 마르탱은 이 〈뱃사람들〉을 만들면서 다윈주의로부터 착상을 얻은 바 있었다. 더 나은 자들, 더 강한 자들, 더 능력 있는 자들을 선별하고 격려하며 무능한 자들은 모두 버리자는 게 그의 생각이었다.

이것은 물론 도덕적인 메커니즘이 아니다. 하지만 정보 공학의 영역에서는 이런 것이 필요하다. 프로그램들은 아직 정치의식을 지니고 있지 않으므로 전혀 문제될 것이 없다.

〈뱃사람들〉의 제2세대는 저희들 가운데 가장 뛰어난 자들을 스스로 선별하여 훨씬 더 전문적인 탐색 능력을 지닌 프로그램들이 생겨나게 했다. 그리하여 제3세대 〈뱃사람들〉은 이전 세대의 모든 경험과 지식을 온전히 활용하면서 더욱 뛰어난 능력을 발휘하였다.

그렇게 열다섯 세대를 거치고 나서 태어난 한 무리의 천재적인 〈뱃사람들〉이 마침내 목표에 도달하였다.

마르탱이 찾던 것은 러시아 상트페테르부르크의 어떤 뇌 클리닉에 있었고, 이 뇌 클리닉을 이끄는 사람은 체르니엔코 박사였다. 마르탱의 사이버 정보원들은 사소하지만 서로 아귀가 맞는 몇 가지 상황 증거들을 종합하여, 그 클리닉에서 인간을 상대로 한 실험에 최후 비밀이 사용되었다고 결론을 내렸다.

62

뤼크레스의 뉴런들은 그녀의 체내에 저장된 당분을 가지고 저희들 나름대로 최선을 다하고 있다.

뤼크레스로 하여금 사색에 잠기게 하고 두려움을 다스리게 하자면 뉴런들에게 당분이 필요하다. 그런데 불행히도 여성 잡지들이 부추기는 유행을 좇아서 그녀는 주로 섬유질이 많은 음식과 채소를 먹고 산다. 탄수화물이 많은 면류는 거의 먹지 않으며, 버터나 크림이나 설탕처럼 뉴런들에게 기쁨과 활력을 주는 것들은 훨씬 더 적게 먹는다.

시간이 얼마나 흘렀는지 알 수가 없다. 그녀는 허기를 느끼며 입맛을 쩍쩍 다신다.

사람이 미치면 어떻게 되지……?

내 상황에 대해서 생각하지 말자. 내가 꿈꾸는 집에 대해서 생각하자.

그녀는 상상 속에서 작은 응접실과 큰 응접실과 식당을 위한 샹들리에를 고른다. 또 침실에는 벽등(壁燈)을 설치하고 집무실에는 할로겐등을 단다. 그녀는 이미 완성된 설계도를 무시하고 방들을 새로 더 낸다. 커다란 서재, 사우나실, 대형 화면을 갖춘 텔레비전 방, 당구실, 근육 단련을 위한 모든 장비를 갖춘 운동실. 하지만, 가구를 추가하거나 방을 더 내는 것이 무한정 가능한 것은 아니다. 가구가 자꾸 늘어나니 실내가 너무 복잡하고, 방이 자꾸 늘어나니 집 전체가 하나의 미궁이 되어 가는 느낌이 든다.

그렇다고 모든 게 다 갖춰졌다고 말할 수는 없다.

남자가 하나 필요하다. 성관 같은 대저택을 완전하게 만들자면 아무래도 남자가 있는 게 좋을 듯하다.

남자란 침대를 따뜻하게 만들어 주고, 이따금 꽃을 선물하며, 설거지를 도맡아 하고, 여자가 텔레비전을 보면서 몸을 기댈 수 있는 존재다.

63

장루이 마르탱은 상트페테르부르크의 체르니엔코 박사에게 이메일을 보내 실험에 관해 더 많은 것을 알고 싶다고 전했다.

그는 답장을 받지 못했다.

다음에 그는 팩스를 보냈다. 아테나가 그의 글쓰기를 도와주었다. 하지만 이것에 대해서도 답장이 없었다.

리스 환자 마르탱은 말을 할 수 없는 자기가 그 과학자로부터 신뢰를 얻기는 불가능하리라고 생각했다. 결국 그는 사뮈엘 핀처에게 그간의 사정을 모두 이야기하였다.

핀처 박사는 어렵지 않게 러시아의 동료와 전화로 연락을 취하여 도움을 청했다. 하지만 한껏 예의를 갖춘 그의 정중한 부탁에도 불구하고, 그녀는 자기 연구에 관해서 알려 주는 것을 단호하게 거부했다.

아테나는 그 체르니엔코 박사라는 여자의 사생활에 약점이 있음을 알아내고는 그것을 이용하라고 권했다. 물론 그건 별로 신사다운 방법이 아니었다. 하지만 아테나에게 입력된 문장 중에는 마키아벨리의 〈목적은 수단을 정당화한다〉라는 말도 들어 있었다.

핀처 박사는 아테나가 권한 방법을 이용하여, 그 러시아인을 설득하는 데에 성공했다. 그녀는 그가 제한적이고 철저하게 통제된 실험을 위해서만 최후 비밀을 사용하겠다고 약속하면 협력을 하겠노라고 알려 왔다.

체르니엔코 박사는 생쥐의 뇌에서 최후 비밀이 숨어 있는 자리가 어디인지를 그들에게 알려 주기로 했다. 그것은 3차원 속의 자리이며, 10분의 1밀리미터의 정확도로 위치가 정해져 있는 부위였다. 그녀는 이메일을 통해서 생쥐 뇌의 해부도를 보냈다. 화살표 하나가 정확한 지점을 가리키고 있고, 가로, 세로, 깊이의 좌표가 적혀 있는 도면이었다.

〈이게 바로 문제의 보물 지도로군요.〉

마르탱이 그렇게 자기 생각을 써 보였다.

그들은 그 도면이 무슨 마법의 주문이라도 되는 양 한동안 홀린 듯이 바라보았다.

「뇌들보 안에 있군요! 뇌들보는 가장 오래된 뇌라고 할 수 있습니다. 신경계에서 가장 먼저 생기는 기관이죠. 출생 시부터 두 살까지의 모든 경험이 여기에 기록됩니다. 이 뇌들보에 뇌의 여러 층이 덧붙여집니다. 층이 하나씩 추가될 때마다 뇌는 점점 복잡해지지만, 가장 중요한 것은 뇌의 가장 깊숙한 곳에 숨겨져 있는 셈이군요…… 당신 생각이 옳았어요, 장루이.」

사뮈엘 핀처는 의학 공부를 하던 시절에 작은 외과 수술을 여러 차례 실시해 본 적이 있었다. 그는 옛날의 경험을 살려 직접 메스를 잡기로 하고, 먼저 생쥐 한 마리를 골랐다. 몸은 하얀데 머리가 까매서 마치 뾰족한 두건을 쓰고 있는 것처럼 보이는 종이었다. 이 종에 속한 생쥐들은 대체로 아주 영리해서 서커스 공연에 자주 사용되고 있었다.

그는 코르크로 된 받침대 위에 생쥐를 눕히고 네 다리를 좌우로 벌려 가느다란 고무 끈으로 고정시켰다. 그러고는 머리 꼭대기의 털을 깎은 다음, 정밀한 눈금자로 몇 차례 측정을 하고 그 결과를 살가죽에 수성 펜으로 표시하였다. 그는 생쥐가 수술 때문에 충격을 받으면 신경계에 이상이 생길 수도 있겠다 싶어 생쥐를 마취시켰다. 그런 다음, 마르탱이 멀리에서 실험의 진행 과정을 지켜볼 수 있도록 비디오카메라를 설치하였다.

마침내 수술이 시작되었다. 핀처 박사는 뼈를 자를 때 쓰는 회전 톱을 이용해서 생쥐의 머리 꼭대기를 얇게 도려냈다. 껍질째 익힌 반숙 계란을 작은 숟가락으로 퍼먹기 위해 계란 꼭대기를 도려내는 듯한 동작이었다. 팔딱거리는 뇌가 전등 불빛을 받으며 모습을 드러냈다. 뇌엽 절제 수술 장면을 보고 있는 듯했다.

「장루이, 내 말 들려요?」

〈예, 들려요, 사뮈엘.〉

카메라 위에 고정된 화면에 마르탱의 대답이 글로 나타났다.

「잘 보여요?」

〈예. 솔직히 말해서 눈에 익은 장면이 아니라서 그런지 조금 혐오스러운 느낌이 드네요. 하지만 토하지는 않을 거예요. 나는 토할 수 있는 능력을 상실했으니까요.〉

사뮈엘 핀처는 모니터가 달린 그 카메라에 대고 말하는 것에 익숙해져 있었다. 그래서 마치 그 카메라가 뼈와 살을 가진 친구라도 되는 양 편하게 이야기를 할 수 있었다.

「장루이, 우리는 이제 의사와 환자 관계가 아니라 같은 일을 하는 동료일세. 우리 서로 말을 놓아도 되겠지?」

카메라의 대물렌즈가 생쥐의 화상을 서서히 확대시켰다.

〈생쥐를 죽이는 건 아니겠지? 자네 자신 있나?〉

핀처 박사는 의학적인 데이터들을 확인하였다.

「맥박도 좋고 다른 생체 기능들도 모두 정상일세.」

〈난 불안하고 긴장이 돼.〉

뇌를 드러낸 생쥐의 모습이 약간 기이해 보였다.

「이걸 생각해 낸 건 자네일세, 장루이.」

〈어쨌거나 대단히 중요한 것이 걸려 있으니까 한번 시도해 볼 만은 하지…….〉

핀처는 수술 도구들을 뇌로 접근시켰다.

마르탱은 일이 진행되는 과정을 열심히 지켜보고 있었다.

그 장면을 보고 있으니, 인터넷에서 관찰한 바 있는 또 다른 신경 의학 실험이 생각났다. 스탠퍼드 대학의 와이스먼 교수가 이끄는 팀이 생쥐들을 상대로 한 실험이었다. 그들은 생쥐들의 뇌에 인간의 배아 세포에서 나온 뉴런들을 이식하였다. 태아의 것이라서 더욱 활동적인 인간의 뉴런들은 생쥐의 뉴런들이 차지하고 있던 구역으로 퍼져 나갔다. 과학자들은 인간의 뉴런이 이식된 이 쥐들을 알츠하이머병이나 파킨슨병에 걸린 환자들을 돕는 데에 이용할 생각이었다.

마르탱은 생쥐가 인간의 뇌를 가지면 어떻게 될까 하고 상상해 보았다. 물론 이 생쥐에게 이식된 것은 인간 배아의 뉴런들이었을 뿐이다. 그렇지만 이 생쥐는 인간적인 사고의 잠재력을 지닌 존재였다.

마르탱은 갑자기 현기증을 느꼈다. 현실이 SF를 추월하고 있는 상황이었다. 세 번째 천 년기의 여명이 밝아 오면서 모든 일이 가능해지고 있었다. 생쥐들에게 인간의 뇌를 이식하거나 최후 비밀에 손을 대는 것이 엄연한 현실의 일이 되어 가고 있는 거였다.

바야흐로 세상이 달라지고 있다. 상상의 세계에서 나온 단순한 생각 하나가 원자 폭탄보다 더 무시무시한 것이 될 수도 있는 세상이다. 윤리와 도덕은 더 이상 없고 그냥 실험만이 있을 뿐이다. 이런 세상에서 누가 감히 〈인간화한 뇌〉를 가진 생쥐들의 법적 지위를 논할 수 있으랴?

그는 네 다리를 대자로 벌리고 있는 생쥐를 관찰했다. 십자가에 매달린 그리스도를 하늘에서 내려다본 모습으로 그린 살바도르 달리의 작품이 생각났다.

우리는 아주 강력하다. 우리 행위가 가져올 결과를 가늠하기 위해서는 우리에게 더 많은 깨달음이 필요할 것이다. 우리는 이런 행위를 할 준비가 되어 있는 것일까?

핀처는 손놀림 하나하나에 온 정신을 집중하고 있었다. 그는 자신의 행위에 대해 스스로 질문을 제기할 겨를이 없었다. 수술을 성공시켜서 생쥐를 무사히 깨어나게 하는 것이 그의 유일한 관심사였다.

64

뤼크레스는 자기가 살고 싶은 이상적인 집을 짓고 나자, 이상적인 동반자를 고르기 위해 예전에 사귀었던 남자들을 차례차례 떠올린다. 하지만 그들이 옛 애인이 되어 버린 데에는 다 그럴 만한 이유가 있다. 그녀는 남자들의 명부를 바꾸어 자기가 좋아하는 배우들을 차례차례 떠올려 본다.

아냐. 그들은 자아도취증 환자들이라서 나보고 자기들을 떠받들라고 요구할 거야.

그녀는 선택의 기준을 바꾸기로 한다.

나를 재미있게 해줄 사람이 필요해. 그래, 유머 감각이 풍부하고 기지 넘치는 남자가 좋겠어.

그러면서 그녀는 한 남자가 꽃다발과 샴페인 병을 들고 성관을 찾아와 현관의 초인종을 누르는 장면을 상상한다. 그녀는 남자에게 집을 구경시키면서 이런저런 설명을 하고 자기가 수집한 유명한 미술 작품들에 관해 자세한 이야기를 들려준다. 집 구경이 끝나자 남자는 익숙한 동작으로 벽난로에 불을 피우고, 감미로운 음악을 틀어 놓더니, 보헤미아 크리스털 잔에 자기가 가져온 샴페인을 따른다.

65

생쥐는 두 시간 후에 깨어났다.

「내 생각엔 우리가 성공한 것 같네.」

수술을 마치자, 핀처 박사는 마치 뚜껑을 덮듯이 생쥐의 머리 꼭대기 부분을 제자리에 올려놓고는 뼈를 붙일 때 사용하는 외과용의 신종 접착제로 그것을 결합시켰다.

머리 꼭대기로부터 전기 접속 단자 하나가 빠져나와 있어서, 생쥐는 사이버펑크 음악가 같은 느낌을 주었다.

생쥐의 모든 감각이 완전하게 기능하고 있는 듯했다. 생
쥐는 달음박질을 하기도 했고, 제 앞으로 지나가는 물건들을
눈으로 좇기도 했다. 볼펜으로 쿡쿡 찌르는 공격에 대해서
앞다리를 내밀어 방어할 줄도 알았다. 자세히 살펴보니까 생
쥐의 까만 머리에 하얀 털이 수염처럼 나 있었다. 그 털들이
무언가를 생각나게 했다. 사뮈엘 핀처와 장루이 마르탱은 그
생쥐에게 〈프로이트〉라는 이름을 붙여 주었다.

이제 지렛대 실험에 들어갈 차례였다. 핀처는 생쥐의 머
리 꼭대기에 달린 접속 단자에 전선을 연결하고 약한 전기를
흘려보냈다. 프로이트는 깜짝 놀라서 잠시 꼼짝 않고 있더
니, 흥분이 이는 듯 오른쪽 앞다리를 바르르 떨었다.

〈고통을 느끼는 건가?〉

「모르겠어. 내가 보기에는 고통을 느낀다기보다 처음 경
험하는 자극에 놀라고 있는 것 같은데.」

〈생쥐가 좋아하고 있는지 싫어하고 있는지를 어떻게
알지?〉

가장 간단한 방법은 생쥐에게 지렛대를 맡기는 거였다.
핀처는 생쥐의 다리 앞에 지렛대를 놓고 다시 전선을 연결하
였다. 프로이트는 지렛대에 다가가서 조심스럽게 냄새만 맡
을 뿐 건드리지는 않았다. 그러자 핀처는 지렛대를 누르면
어떤 효과가 생기는지를 보여 주기 위해 두 손가락으로 그것
을 움직였다.

생쥐는 마치 감전이라도 된 것처럼 잠시 꼼짝 않고 있었
다. 이제 무언가를 깨달은 눈치였다.

〈생쥐가 아프지 않았을까?〉

생쥐는 핀처의 두 손가락에서 놓여나기가 무섭게 앞다리로 지렛대를 눌렀다. 그렇게 제 스스로의 힘으로 전기 자극을 한 번 얻고 나자, 생쥐는 즉시 지렛대를 올렸다가 다시 눌러 두 번째 자극을 받았다. 곧바로 세 번째 자극이 이어졌다.

「생쥐가 자극을 좋아하는 것 같은데.」

핀처가 그렇게 결론을 내렸다.

생쥐는 더 이상 멈출 생각을 않고 지렛대를 열심히 올렸다 내렸다 하였다. 마치 자기만 아는 어떤 묘약을 우물에서 길어 올리느라고 펌프질을 하고 있는 듯했다.

66

잔잔한 음악이 흐른다. 그가 그녀의 어깨를 주무른다. 애무가 시작된다. 그녀는 침실에 가서 사랑의 행위를 계속하자고 그에게 권한다.

67

사뮈엘 핀처는 프로이트를 문이 두 개 달린 작은 우리 안에 집어넣는다. 한쪽 문으로 나가면 최후 비밀을 자극하는 지렛대가 있다. 다른 쪽 문으로 나가면 발정 난 암컷이 기다리고 있다.

68

그들은 침대로 올라간다.

뤼크레스는 자기 살갗을 스치는 그의 수줍은 손길을 느낀다. 어떤 느낌에 대해서 생각하면 뇌가 정말로 느낄 때와 똑같은 구역에 자극을 받는다. 남자가 아주 천천히 그녀의 옷을 벗긴다. 그녀의 감색 레이스 속옷이 드러난다.

69

암컷이 욕정 때문에 발그레해진 엉덩이를 드러냈다. 암컷의 땀샘에서 들척지근한 성페로몬의 칵테일이 분비되고 있었다.

프로이트는 암컷을 향해 코를 킁킁거리며 가만히 바라보고 있었다. 암컷은 몸을 좌우로 흔들며 찍찍 소리를 냈다. 교미에 대한 기대에 달떠서 젊은 수컷을 유혹하고 있는 거였다.

70

그는 아주 천천히 그녀의 몸 여기저기에 가벼운 입맞춤을 퍼부으면서, 귓바퀴에 대고 〈사랑해〉라는 말을 자꾸 속삭인다.

71

프로이트는 암컷을 계속 바라보았다. 암컷은 숫제 욕정을 유발하는 자세를 취하고 있었다. 프로이트는 둥근 귀와 페로몬을 감지할 수 있는 뾰족한 주둥이를 흔들었다. 콧수염이 바르르 떨렸다.

저게 뭔지는 모르지만 마음이 끌리는군 하고 프로이트는 생각했다.

그때 반대쪽에 있는 지렛대가 눈에 띄었다.

아, 저것도 있었구나! 저게 한결 재미있을 것 같은데.

72

그녀가 알몸이 되자 남자는 깃털 이불을 들어 올린다. 두 사람은 이불 속으로 들어간다. 마치 오두막 속에 들어가 웅크리고 있는 것처럼 아늑하다. 남자의 애무는 이제 너무 빠르지도 느리지도 않게 성감대에 집중된다. 그녀는 아귀아귀 키스를 하고 허겁지겁 그의 옷을 벗긴 다음 그의 몸에 바짝 달라붙는다. 살과 살이 맞닿는 느낌이 자못 짜릿하다.

73

프로이트는 단 한 순간도 주저하지 않고 지렛대 쪽으로 돌진했다. 암컷은 몹시 화가 나서 생쥐의 언어로 욕설을 퍼붓는다. 하지만 프로이트는 그것에 아랑곳하지 않았다. 이 생쥐에게는 지렛대보다 더 마음을 끄는 것이 없었다.

74

그녀는 남자를 찬찬히 살펴본다. 그가 조금 멍청하다는 생각이 든다.

으음…… 안 되겠어. 줏대 없이 시키는 대로만 하는 이런 마당쇠 같은 남자는 내 취향에 안 맞아. 금방 싫증이 나거든.

그녀의 싱싱 속에서 마당쇠 같은 남자가 즉시 사라진다

그러면 나에게는 어떤 남자가 필요할까? 늘 신선한 장면들을 연출해서 나를 깜짝 놀라게 하는 영화감독 같은 남자는 어떨까? 나로 하여금 늘 어떤 영화나 소설의 주인공이 된 듯한 기분을 갖게 하는 남자 말이야.

그녀는 연출가 기질이 다분한 남자 하나를 머릿속에 그린다. 남자는 즉시 무대 장식과 조명과 의상에 변화를 준다. 대화는 한결 세련되어지고 동작은 일거수일투족이 다 안무다. 연인들은 다시 침대에서 알몸이 된다. 몇 자루의 초가 방 안을 밝히고 있다. 어디에선가 향내도 풍겨 온다. 자세가 바뀔 때마다 음악이 장단을 맞추어 준다. 남자가 순식간에 배치해 놓은 거울들을 이용해서 뤼크레스는 자기 자신과 파트너의 몸을 여러 각도에서 살펴본다.

에이, 별로야. 이런 남자에게도 결국은 싫증을 느끼게 될 거야.

그녀는 자기를 감당할 수 있는 남자가 없다는 사실을 새삼 확인한다.

남자들 뻔하지 뭐. 다 거기서 거기야.

그렇게 결론이 나자, 그녀는 상상 속의 대저택에 다시는 남자를 끌어들이지 않는다.

그녀는 보디빌딩실에 들어가 운동을 하는 장면을 상상한다. 하지만 스포츠는 그저 상상하는 것만으로도 배고픔과 목마름을 느끼게 한다. 무언가를 먹고 싶다. 그녀는 거대한 냉장고를 상상하고 그것의 문을 연다. 음식물이 가득 들어 있다. 마음이 든든하다. 그녀는 여자 친구들을 불러 잔치를 벌이기로 한다. 그녀가 준비한 음식은 그라탱, 라사냐, 로렌식 케이크, 다진 고기로 속을 채운 토마토(그녀가 소화를 잘 시키지 못하는 껍질을 벗긴 토마토임), 사테 소스를 친 닭 꼬치구이, 연어를 곁들인 수플레 등 이른바 〈살찌게 하는 음식들〉이다. 아주 고약스러운 요리도 하나 준비해 볼 생각이다. 거위 고기 조림과 기름에 튀긴 강낭콩을 곁들인 툴루즈식 스튜는 어떨까? (예전 같으면 상상하는 것만으로도 도리질을 쳤을 음식이다.)

75

사뮈엘 핀처와 장루이 마르탱은 실험을 되풀이했다. 이번에는 발정 난 암컷이 아니라 먹이를 가지고 실험을 했다. 그들은 프로이트를 이틀 동안 굶겼다가 출구가 두 개 있는 우리 안에 다시 넣었다. 한쪽에는 치즈, 감자, 아몬드 케이크 등 먹음직스러운 먹이들이 쌓여 있었고, 다른 쪽에는 지렛대가 있었다.

76

그녀는 절친한 여자 친구들과 함께 앉아서 음식을 먹고 그녀들이 가장 좋아하는 화제인 남자들에 관해서 이야기를 나눈다. 크림 케이크를 마음껏 먹으면서 커피를 홀짝이고 있는데, 갑자기 어떤 결핍이 느껴진다. 담배가 없다. 그녀는 친구들에게 담배를 가지고 있느냐고 묻는다. 그녀들은 〈물론이지〉 하고 대답한다. 그녀는 친구들에게 불을 빌려 담배에 불을 붙인다. 한 개비를 다 피웠지만 그녀의 몸은 여전히 니코틴이 부족한 상태다. 뤼크레스는 다시 몇 개비를 달라고 해서 한꺼번에 피워 버린다. 그것으로도 모자라 양팔에 니코틴 패치를 붙인다. 하지만 그녀의 핏속에는 여전히 니코틴이 부족하다. 여자 친구들이 니코틴 껌을 준다. 그것을 씹어 보아도 사정은 달라지지 않는다. 금단 증상이란 상상으로 이겨 낼 수 있는 것이 아닌 모양이다.

뭔가 놀라운 일이 벌어지고 있다. 벽들이 갈라지고, 여자 친구들의 몸에도 금이 간다. 식탁 위의 음식이 금세 썩는 냄새를 풍긴다. 여자 친구들은 겁에 질린 채 자기들의 몸이 산산조각으로 떨어져 나가는 것을 보고 있다. 그녀들 모두가 갑자기 한센병에라도 걸린 듯하다. 그녀 주위에 있는 모든 것이 썩어 가고 분해되어 간다.

세계가 거대한 당구공처럼 끝 간 데 없이 반들반들하다. 이 세계에서 온전한 모습으로 남아 있는 것은 오로지 그녀뿐이다. 그녀는 하늘에 별도 달도 보이지 않는 반들반들한 행성에 혼자 있다. 크나큰 불안감이 엄습한다. 그녀는 잠에서 깨어난다. 보이는 건 여전히 어둠뿐이다.

어서 상상 속의 성관을 다시 지어야 한다.

그녀는 흐트러지려는 마음을 한데 모아, 다시 벽들을 차례차례 세우고 지붕을 얹는다. 집이 완성되자, 그녀는 다시 여자 친구들을 부른다. 그녀들은 친절하게도 담뱃갑들로 가득 찬 쇼핑 카트를 밀고 온다. 그녀는 한 번에 열 개비씩 담배를 피워 댄다. 그래도 금단 증상은 가실 줄 모른다. 성관의 지붕이 부서지고 벽들이 모래성처럼 무너진다. 여자 친구들은 작은 게들로 변하여 집게발로 연기 나는 궐련을 움켜쥐고 있다. 그녀가 손을 내밀자 게들은 모래 속으로 숨어 들어간다. 그녀는 모래 더미 옆에 다시 홀로 남아 있다. 핏속에 니코틴을 공급하고 싶은 욕구가 너무나 간절하다.

그녀는 다시 잠에서 깨어난다.

내 내면에 아주 견고한 상상 세계를 건설하지 못하면, 내 정신 구조가 붕괴되고 말 거야. 나는 곧 미쳐 버릴지도 몰라.

그녀는 알고 있다. 꿈 다음에는 환각이 찾아올 것이고, 환각 다음에는 불안이, 불안 다음에는 정신병적 증상이 나타나리라는 것을.

이대로 미쳐 버릴 수는 없다. 자꾸 생각을 하자. 내 사고에 체계를 세우자. 시간에 견딜 수 있는 견고한 생각의 성을 쌓아야 한다.

그렇게 마음을 다잡다 말고 그녀는 방바닥에 쓰러져 더 이상 움직이지 않는다.

한 줄기 빛이 비쳐 든다. 문에 낸 타원형의 시찰구를 통해 들어온 빛이다. 누가 방 안을 들여다보고 있다. 그녀가 자고 있는지를 살피고 있는 모양이다.

움직이면 안 된다.

문이 열린다. 간호사 하나가 들어와 음식 쟁반을 내려놓는다. 몇 시나 되었는지 알 수 없지만, 냄새로 미루어 아침 식사를 가져온 게 분명하다. 그러니까 하룻밤이 홀딱 지나가 버렸다는 얘기다. 그녀는 왼쪽 눈을 반쯤 뜬다.

대뇌 피질의 후두엽에 있는 시각 영역에 시각 정보가 전달된다. 〈간호사는 남자다.〉 측두엽의 연합 영역에서 그녀에게 이른다. 〈지금이 기회다. 지금 어떻게 하지 않으면 다시는 기회가 없다.〉 앞이마 쪽의 대뇌 피질에서 덧붙인다. 〈다시 문이 닫히기 전에 이자를 쓰러뜨려야 한다. 아무도 눈치채지 못하도록 조용하고 신속하게 해치워야 한다.〉 그러자 대뇌 피질의 운동 영역에서 해당 근육에 곧바로 신호를 보낸다. 이 근육들에 그녀의 힘이 집중된다.

남자기 다시 문을 닫기 전에, 그녀가 벌떡 일어나더니 남자의 턱에 발차기 한 방을 날린다. 그 서슬에 그녀의 드레스가 북 찢어지고 남자가 바닥에 널브러진다.

그녀는 구두를 신고 버터 바른 빵 한 조각을 움켜쥐더니, 그것을 아귀아귀 입 안에 쑤셔 넣으면서 복도로 달아난다. 이에 씹히고 침에 젖은 빵이 동그랗게 뭉쳐져서 식도로 내려간 다음 위에 다다른다. 이 덩어리는 위액과 뒤섞여 죽으로 변한다. 이것은 작은창자로 내려가 미세한 입자로 바뀔 것이고, 창자벽을 지나갈 때 흡수된 당분은 그녀의 혈관 속으로 퍼져 나가 뇌와 근육에 에너지를 공급할 것이다.

그녀의 뇌는 다시 현실 속에서 생각하고 행동할 수 있게 된 것을 기뻐하며 그 어느 때보다 활발하게 움직이고 있다. 뇌라는 것은 역시 활발하게 움직이는 몸속에서만 온전한 활력을 얻을 수 있는 모양이다.

뇌의 가장 원초적인 부분, 즉 생명 유지에 꼭 필요한 충동을 조절하는 파충류의 뇌는 그녀의 몸을 스치는 미세한 바람결이며 발바닥에 전해져 오는 바닥의 단단함, 복도에 널린 갖가지 시각 정보들을 한껏 즐긴다.

뇌의 연변계, 즉 포유류에서만 나타나며 기억과 학습을 주관하는 뇌는 그녀가 지나가는 장소가 어디인지를 기억해 내려고 애쓰면서, 현장을 분석하고 숨을 곳을 찾는다.

대뇌 피질은 그녀로 하여금 그 지옥 같은 곳에서 빠져나가기 위한 방책을 세우게 한다.

어떻게든 방법을 찾아내야 한다.

그녀는 분석과 종합을 거듭하고 갖가지 꾀를 생각해 내며 거기에서 빠져나갈 준비를 한다.

두 번째 빵 덩어리가 식도로 내려간다. 이것이 그녀의 다리 근육에 영양을 공급해 줄 것이다.

그녀는 감시 카메라를 피하기 위해 벽에 바짝 붙어서 달려간다.

77

프로이트는 조금 당황해하는 듯한 기색을 보였다.

핀처와 마르탱은 미로를 새로 고안하여 이 생쥐의 능력을 시험해 보기로 했다. 생쥐가 최후 비밀이라 불리는 구역에 전기 자극을 주는 지렛대에 도달하기 위해서 평소의 능력을 얼마만큼이나 뛰어넘을 수 있는지를 관찰해 볼 생각이었다.

핀처는 마르탱이 모든 것을 지켜볼 수 있도록 실험실에 카메라를 설치해 놓은 바 있었다. 마르탱은 그냥 지켜보는 것으로 그치지 않고, 실험대 위에 설치된 모니터를 통해 자기의 생각을 전하였다.

깜짝 놀란 듯이 잠시 망설이고 있던 생쥐가 멀리 투명한 미로 속에 있는 지렛대를 발견하고, 그쪽으로 달려가기 시작했다.

78

그녀는 복도 안쪽에 있는 사무실로 들어간다. 창 너머를 보니 아직 어슴새벽이다. 해가 뜨기 전에 빠져나가야 한다. 벽시계가 6시를 가리키고 있다. 모두가 잠들어 있는 듯하다. 아직 약간의 시간이 있다. 그녀는 전화를 사용해 보려고 한다. 하지만 내선만 깔려 있다. 당연한 일이다. 외부 사람들과 통화할 일이 없는 이곳 환자들에게 외선이 필요할 리가 없다.

서랍에 내 휴대폰이 있디.

그녀는 철사 하나를 잡고 서랍의 자물쇠를 쑤시기 시작한다.

79

첫 번째 난관은 두 문짝을 매듭으로 잡아맨 문이었다. 지렛대에 도달하자면 그 매듭을 풀어야만 했다. 생쥐는 이미

지렛대를 보고 의욕이 고취된 터라, 앞발과 이빨을 이용해서 실들을 하나하나 끊어 버렸다.

80

자물쇠청이 곁쇠질에 밀리고 서랍이 열린다. 그녀는 재빨리 휴대폰을 들어 이지도르에게 전화를 걸려고 한다. 하지만 전화기를 더 이상 사용할 수가 없다. 배터리가 바닥났기 때문이다.

서류함들이 가득 들어 있는 붙박이장 하나가 그녀의 눈길을 끈다. 서류들에는 병원에서 치료를 받았던 환자들의 이름이 붙어 있다. 빵집 주인에서 시장에 이르기까지, 우체국 직원에서 호화 요트를 가진 억만장자에 이르기까지, 참으로 많은 사람들이 어느 날 갑자기 삐끗 잘못되어서 생트마르그리트 병원에 왔다. 각각의 서류 상단에는 사진 한 장이 붙어 있고, 사진 옆에는 손으로 작성한 질문지가 있다. 질문들은 각자의 공포나 희망, 실망, 정신적 충격 등에 관한 것이다.

질문지의 한 항목은 이렇게 묻고 있다.

〈열 살 이전에 경험했던 일 가운데 가장 고통스러웠던 것은 무엇인가요?〉

환자들을 움직이는 원초적인 동력이 무엇인지를 알아내려는 질문이로군. 어린 시절의 정신적 충격은 엔진과 같은 역할을 할 수도 있고 브레이크로 작동할 수도 있지.

그녀는 호기심을 느끼며 서류함을 계속 뒤적인다. 그녀가 보고 있는 것은 불안에 빠진 인간 군상이다. 자기 자신을 있는 그대로 받아들이지 못하는 사람들, 자기 자신에게 끊임없이 질문을 제기하는 탓에 정신적으로나 육체적으로 허물어질 가능성이 더 많은 사람들.

똑똑하다는 건 때로 우리의 약점이 된다. 자동차 엔진의 성능을 지나치게 강화하면 아무리 뛰어난 카 레이서도 자기 뜻대로 차를 몰아갈 수가 없다. 엔진의 회전 속도가 빨라지면 빨라질수록 사고도 늘어난다. 우리는 어쩌면 너무 똑똑해져 있는지도 모른다. 앞으로 자꾸 나아가는 것을 멈추고 우리의 현상을 점검해야 하는 것이 아닐까?

문득 그런 생각이 그녀의 뇌리를 스친다. 인간 능력의 비약적 발전을 포기하고 나아간다는 것의 참뜻을 생각해 보자는 것이니 매우 우상 파괴적인 생각임에 틀림없다.

우리는 바야흐로 우리의 〈지능〉을 기계에 전달하려 하고 있다. 그건 어쩌면 우리 손을 데게 하는 뜨거운 감자를 떠넘기는 것과 같은 일일지도 모른다. 우리는 혹시 그것을 관리할 줄 모르기 때문에 떠넘겨 버리는 게 아닐까? 아인슈타인은 우리가 뇌의 10퍼센트밖에 사용하지 않는다고 말했다. 10퍼센트도 이미 너무 많은 걸까?

아주 많은 진료 카드들에 갖가지 약품들의 이름이 적혀 있다. 벤조디아제핀, 강장제, 수면제…… 이것들이 바람막이가 되어 환자들을 더 큰 재난으로부터 지켜 주고 있는 모양이다.

그녀는 다시 시간을 확인한다. 6시 8분이다. 서둘러야 한다. 아까 그녀에게 먹을 것을 가져다준 간호사는 그녀가 자고 있다고 확신하고 완전히 방심을 했을 것이다(끊었던 담배를 다시 피움으로써 되살아난 금단 증상 때문에 그녀가 그토록 이른 시각에 깨어 있을 거라고는 생각하지 못했으리라). 하지만, 그 시각에 식사를 가져왔다는 것은 다른 간호사들도 새벽부터 일하고 있을 거라는 얘기가 된다. 7시쯤 되면 뜰에 사람들이 북적거릴 것이다. 얼마 남지 않은 이 조용한 시간을 이용해야 한다.

그녀는 다리를 자유롭게 움직일 수 있도록 자주색 드레스의 밑자락을 찢는다. 그때 무슨 소리가 들린다. 간호사들이 다가오고 있는 모양이다. 그녀는 창문을 넘어 달아난다.

81

생쥐는 또 다른 관문을 통과하기 위해 뒷다리로 버티며 일어섰다. 높은 곳에 나 있는 출구가 바로 그 관문이었다. 생쥐는 그 출구에 도달하기 위해서 뒷다리에 힘을 모아 펄쩍 뛰어올랐다.

82

그녀는 이제 뜰에 나와 있다. 한 남자가 지나간다. 환자인지 간호사인지 분간할 수가 없다. 그녀는 가까이 있는 아무 병동에나 들어가 몸을 숨긴다.

이곳은 벽들이 앙리 루소의 천진난만한 그림들로 장식되어 있다. 원색의 꽃들로 덮인 목가적인 초원에서 서로 손을 잡고 있는 인물들을 그린 그림들이다.

환자 한 사람이 그녀가 들어오는 소리를 듣고 자리에서 일어난다.

「이런, 기자님 아니신가! 안녕하십니까, 잘 지내셨나?」

「아, 로베르〈박사님〉! 전 잘 지내요. 〈박사님〉은 어때요?」

그녀가 뭔가를 예측하고 어떻게 대비할 새도 없이 그가 그녀에게 덤벼든다. 여러 환자들이 와서 그를 거든다.

83

프로이트는 다른 수컷들로 붐비는 또 다른 통로에 다다랐다. 그곳을 통과하자면 다리와 앞니를 사용할 수밖에 없을 듯했다. 지렛대가 가까이 있다는 것을 알고 있는 터라, 프로이트는 길을 막고 있는 수컷들을 더욱더 그악스럽게 떼밀었다.

84

떼거리로 몰려든 공격자들에게 덮여 그녀는 더 이상 꼼짝달싹할 수가 없다. 두 팔과 두 다리가 그들에게 붙잡혀 있다.

「로베르, 날 보내 줘요. 그러면 담배를 줄게요.」

뤼크레스 넴로드가 소리치자, 로베르는 그 제안을 놓고 저울질을 한다.

「한두 갑이 아니라 몇 보루를 통째로 갖다줄게요. 그것도 화끈하게 필터 없는 것으로요!」

뤼크레스가 다시 꾀는 말을 늘어놓자, 정신 질환자 로베르가 퉁을 놓는다.

「그건 건강에 나빠. 지난번에 당신 때문에 얼마나 혼났는지 알아? 당신이 나한테 담배를 권하지 않았다면, 내가 욕을 먹는 일은 없었을 기야. 난 욕먹는 게 너무나 싫이.」

「미안해요, 로베르.」

그는 격렬하게 벽을 때린다.

「사과해 봐야 소용없어! 또다시 담배로 나를 유혹하고 있으면서 무슨 사과야? 이 마녀야!」

그는 씩씩거리며 눈을 부라린다.

「그것이 당신에게 즐거움이 될 줄 알았죠.」

「물론 즐거움이 되지. 당연히 나에게 아주 큰 즐거움을 줄 거야. 담배가 내 머릿속에서 떠나질 않아. 밤에는 그것에 관한 꿈도 꾸고, 낮에는 담배 피는 시늉으로 위안을 삼지. 하지만…….」

그가 차분하게 말을 잇는다. 「하지만 최후 비밀에 도달하고자 하는 내 욕구에 비하면 그건 아무것도 아냐.」

그는 어떤 은총에 관해서 이야기하기라도 하듯 자못 경건하게 최후 비밀이라는 말을 발음했다. 다른 환자들도 마치 그 말 자체에 어떤 진정 효과가 있기라도 한 것처럼 평정을 되찾는다.

「최후 비밀요?」

「〈아무〉가 우리에게 그것을 선물할 거야.」

「〈아무〉가 누군데요?」

그 물음에 모두가 성을 낸다.

「원 세상에, 〈아무〉가 누구인지도 모른단 말이야?」

몇몇 환자가 그렇게 되받는다.

「당신은 우리에 관해서 아는 게 없지만, 우린 모두 당신이 누구인지 알고 있어. 당신은 비열한 첩자야. 언론에 우리 병원을 헐뜯는 기사를 실어서 병원 문을 닫게 하려고 여기에 온 거야. 당신들 기자라는 사람들은 다 똑같아! 뭔가 아름답고 순수한 것이 있다 싶으면 거기에 침을 뱉어 버리지.」

뤼크레스는 불안감을 느끼기 시작한다.

「아니에요. 난 여러분 편이에요.」

「〈아무〉가 우리에게 당신이 잠입했다는 사실을 알려 주었어. 나는 지난번에 당신이 들어오도록 내버려 두었다는 이유로 그로부터 직접 꾸지람을 들었지. 그래서 이제 당신이 다시는 우리를 성가시게 할 엄두를 못 내도록 아주 따끔한 맛을 보여 줄 생각이야. 자네들도 동의하지?」

모든 광인들이 동의의 뜻을 표시한다. 괴성을 내지르는 환자들도 있고, 안면 근육을 일그러뜨리는 환자들도 있다.

로베르는 마치 진찰이라도 하듯이 그녀의 뾰족한 턱을 조심스럽게 잡는다. 그녀는 커다란 에메랄드빛 눈으로 그를 뚫어지게 바라본다. 보통 그녀가 그런 식으로 남자들을 바라보면, 남자들은 그녀의 눈빛에 압도되어 당황하는 기색을 보이곤 한다.

「뤼시앵이 당신을 손봐 줄 거야.」

뤼크레스는 사태가 심상치 않게 돌아가고 있음을 느낀다.

다른 환자들이 일제히 소리친다.

「뤼시앵! 뤼시앵! 뤼시앵!」

「도와줘요!」

「소리쳐 봐야 소용없어. 여기엔 당신을 도와주러 올 사람이 아무도 없어. 기껏해야 당신과 재미를 보고 싶어 하는 다른 사람들을 끌어들일 뿐이야.」

다른 환자들이 다시 박자를 맞추어 소리친다.

「뤼시앵! 뤼시앵! 뤼시앵!」

그 이름의 주인공인 키가 크고 건장한 사내가 다가온다. 머리는 풀어 헤쳐져 있고 자그마한 얼굴은 기이한 미소로 일그러져 있다. 등 뒤에 무언가를 감추고 있는 듯하다. 그가 왼손으로 뤼크레스의 발목을 잡는다. 그녀는 발버둥을 쳐보지만, 다른 광인들이 꽉 붙잡고 있기 때문에 아무 소용이 없다.

그녀는 겁에 질린 커다란 초록빛 눈으로 그를 바라본다. 등 뒤에 무엇을 감추고 있는 거지? 칼인가? 집게인가? 사디스트들이 쓰는 물건일 게 틀림없어!

뤼시앵이 마침내 그 물건을 드러내 보인다. 뿔닭의 깃털이다.

애걔, 겨우 저거였어…….

그녀는 마음을 놓는다. 사내가 기이하게 찡그린 얼굴로 말문을 연다.

「기자님, 간지럼 태우는 거 좋아해요? 내가 강박감을 가지고 집착하는 일이 하나 있는데, 그게 바로 간지럼 태우기예요.」

그러면서 그는 깃털을 뤼크레스의 발바닥으로 가져간다. 깃털의 끄트머리가 발바닥의 민감한 부분을 부드럽게 스친다. 발바닥의 피부는 2천 개의 온각 수용체[62]와 5천 개의 촉각 수용체,[63] 그리고 통각에 민감한 30개의 신경 그물로 덮여 있다. 이리저리 쓸어 가기도 하고 빙빙 돌아가기도 하는 집요한 간질임에 피하 조직 속의 파치니 소체[64]들이 활동하기 시작한다. 이 자극은 좌골 신경의 고속 도로를 통해 다리를 거슬러 올라간 다음 척수를 거쳐 뇌에 다다른다. 뇌 속의 뉴런들이 지나치게 자극을 받은 나머지 엔도르핀을 분비하기 시작한다.

뤼크레스는 웃음의 욕구를 느낀다. 도저히 억누를 수 없는 욕구다. 뇌의 몇몇 구역에 단락(短絡)이 생긴다. 그녀는 더 이상 이성의 지시를 따를 수가 없다. 저절로 웃음이 터져 나온다. 웃음 사이로 그녀가 가까스로 한마디를 토해 낸다.

---

62 발견자의 이름을 따서 루피니 소체라고 부른다.

63 발견자의 이름을 따서 마이스너 소체, 또는 촉각 소체라고 부른다.

64 층판소체 또는 층단 소체라고도 한다.

「안 돼요, 이러지 마요!」

하지만 사내는 오로지 간지럼 태우기를 완벽하게 하는 데에만 골몰해 있다. 그녀는 그의 다음 동작을 예측할 수가 없다. 깃털이 이번에는 지그재그로 움직인다. 그녀는 자꾸자꾸 웃는다.

그녀의 피에 엔도르핀이 넘쳐 난다. 하지만 엔도르핀이 너무 많아지면서 좀 전과는 다른 현상이 벌어진다. 즐거움 다음에는 괴로움이 오게 마련이다. 엔도르핀은 P물질과 고통을 전달하는 호르몬인 브라디키닌에 자리를 내어 준다. 그와 동시에, 뇌는 이 호르몬을 억제하기 위해 뉴로텐신을 만들어 낸다.

그녀가 몸의 내부에서 벌어지는 그 화학 변화를 자각하고 있는 것은 아니다. 하지만 그녀의 버둥거림은 더욱 격렬해지고 그녀의 입은 공기를 들이마시느라고 열렸다 닫히기를 되풀이한다. 그녀는 얼굴을 잔뜩 찡그린 채 웃다가 울고 울다가 웃는다.

이건 정말 견딜 수가 없다. 괴로운 건지 즐거운 건지 모를 이 혼란스러운 자극보다는 차라리 단순하고 노골적인 고통이 낫겠다 싶다.

혹시 핀치도 이런 식으로 간지럼 태우기를 당하다가 죽은 것이 아닐까? 정말 그랬다면, 그건 참으로 어이없는 죽음이 아닌가!

그녀가 계속 버둥거리자 광인들은 그녀를 잡고 있는 손에 더욱더 힘을 준다.

이 짓을 중단시켜야 한다. 더 이상 참을 수가 없다.

주위의 광인들 역시 웃고 있다. 하지만 그들의 표정은 아주 기이하다. 병원 밖에서 온 젊고 예쁜 여자가 자기들 가운데 가장 짓궂은 자의 손아귀에 잡혀 버둥거리고 있는 모습이 그들에게 어떤 쾌감을 주고 있는 모양이다. 이들은 어쩌면 자기들을 배척한 〈정상인들〉의 세계에 앙갚음하는 기분을 느끼고 있는지도 모른다.

「이 인간 곧 얼이 빠지겠는걸.」

눈매가 능갈맞은 자그마한 남자가 소리친다.

로베르는 더없이 차분한 모습이다. 뤼크레스는 대뇌 피질로 그것을 지각한다. 하지만 그녀 뇌의 가장 원시적인 부분은 이제 흥분이 극에 달하여 마구 터져 나오는 신경 물질들을 대뇌변연계로 전달하고 있다.

그녀의 목은 불타는 듯 후끈거리고 눈에서는 눈물이 줄줄 흘러내린다.

내 뇌에 대한 통제력을 되찾아야 해. 간지럼 때문에 무너질 수는 없어.

하지만 그녀의 사고 작용조차 그다지 원활하지가 않다. 대뇌 피질의 어느 한 부분이 자꾸 웃음이 나오게 하는 그 느낌에 스스로를 내맡기려 한다. 하긴, 웃다가 죽는 것도 그리 나쁠 건 없지.

그녀는 그 어처구니없는 생각에 반발하며 다시 버둥거린다.

대뇌 피질의 또 다른 부분은 가능한 한 빨리 마음 깊숙한 곳에 생각을 위한 진지를 만들기로 결정한다. 간지럼의 영향력에서 벗어날 장소를 마련하려는 것이다.

이 궁지에서 벗어날 방도를 찾아내자.

그녀의 머릿속에 마련된 긴급 사령부의 상황판에 커다란

글씨로 그렇게 쓰인다.

어떤 슬픈 것에 대해서 생각하자.

부장 크리스티안 테나르디에를 생각하자.

후두엽의 시각 영역에 부장의 오만한 얼굴이 나타난다.

뤼크레스는 마침내 웃음을 멈춘다.

간지럼을 태우던 사내는 자기의 위력이 떨어지는 것에 불안감을 느끼며 그녀의 다른 쪽 발을 잡는다.

뤼크레스는 더 이상 반응을 보이지 않는다.

환자들은 그녀가 자기 정신을 완전하게 통제하는 것에 놀라며 뒤로 조금 물러선다. 그와 같은 순간에 이성을 온전하게 유지할 수 있다는 사실에 아주 깊은 인상을 받은 모양이다. 뤼크레스는 그 틈을 놓치지 않고, 놀라서 머뭇거리고 있는 그들을 밀치며 달아난다.

하지만 이내 요란한 벨 소리가 병원 전체에 울려 퍼진다. 로베르가 경보 장치를 작동시킨 것이다.

85

생쥐 프로이트는 제 길을 막는 모든 수컷에게 겁을 주는 데에 성공했다. 지렛대에 도달하려는 간절한 욕구에 사로잡힌 생쥐는 이미 제 동류 몇 마리에게 중상을 입혔다. 이런 잔인한 공격성에 충격을 받은 다른 생쥐들은 슬금슬금 뒤로 물러섰다. 그러자 프로이트는 그 새로운 방의 잠금 장치를 잡고 이리저리 움직이다가 고리를 벗겨 냈다. 그런 다음, 문을 열고 나가더니 다시 문을 닫았다. 지렛대의 힘을 모르는 다른 생쥐들이 더 이상 방해를 하지 못하게 하려는 거였다.

지렛대가 가까이에 있다······.

프로이트가 다다른 곳은 배를 깔고 납작하게 엎드려야만 앞으로 나아갈 수 있는 구역이었다.

핀처는 이 실험동물의 난관을 헤쳐 나가는 능력에 경탄하고 있었다.

「이 생쥐는 대단히 영리해지고 있어.」

그의 말에 마르탱이 덧붙였다.

〈동기가 부여되어 있어서 그래. 난관들이 이 생쥐로 하여금 새로운 능력을 발전시키도록 만들고 있어.〉

「자네 말이 맞아. 한시라도 빨리 통과하고 싶은 마음에, 더욱 깊이 주의를 기울이고 더욱 빠르게 사고하는 거지. 뉴런들의 수상 돌기가 흥분 상태를 계속 유지하고 있는 가운데 뉴런의 조직망들이 점점 복잡해지면서 뇌의 왕성한 활동을 뒷받침하고 있어.」

〈최후 비밀이 생쥐를 더욱 영리하게 만들어 주는 셈이군.〉

86

뤼크레스가 질주한다. 일껏 도망을 친다고 어떤 공동 침실로 들어갔는데, 그게 막다른 길이다.

망했다.

그녀가 낭패감을 느끼며 머뭇거리고 있는데, 난데없이 두 팔이 나타나 그녀를 들어 올리더니 천장에 나 있는 뚜껑 문쪽으로 끌어당긴다. 반 고흐의 어떤 그림을 흉내 내어 그린 거대한 천장화에 여닫이 창 하나가 트롱프뢰유로 그려져 있는데, 이게 실물을 흉내 낸 것이 아니라 진짜 뚜껑 문인 모양이다. 뚜껑 문이 이내 다시 닫힌다. 그녀는 이제 지붕 밑 방에 올라와 있다.

날씬한 갈색 머리 여자가 검은색의 커다란 눈을 반짝이며 그녀를 바라보고 있다. 뤼크레스로서는 선택의 여지가 없다. 그 낯선 여자에게 모든 것을 맡길 수밖에 없다. 추적자들이 벌써 아래에 와 있다.

「나는 아리안이라고 해요. 당신은 여기에서 도망치려고 하는 거죠?」

발소리가 들린다. 추적자들이 멀어져 간다.

「사정은 좀 복잡하지만 그렇다고 말할 수 있어요.」

「난 도망칠까 말까 망설이고 있어요.」

「그럼, 떠날지 말지 계속 생각해 보세요. 난 시간이 없어서 이만…….」

뤼크레스는 그렇게 말하면서 뚜껑문 쪽으로 간다. 하지만 그녀가 뤼크레스의 팔을 붙잡는다. 그녀가 스위치 하나를 누르자 지붕 밑 방이 환해진다.

「나는 인연과 운명을 믿어요. 당신을 만난 것은 내가 떠나야 할 운명임을 말해 주는 거예요.」

아리안은 뤼크레스에게 다가들어 무슨 음모를 털어놓듯이 조심스럽게 말을 잇는다. 「사실 나는 제정신이에요. 이제 다 나았거든요. 하지만 사람들은 아직 눈치를 못 채고 있어요.」

아리안은 스스로 앞장을 서서 탈출의 길로 나아간다.[65] 하

---

65 아리안은 그리스 신화에 나오는 인물 아리아드네의 프랑스어 이름이다. 크레타의 왕 미노스의 딸인 아리아드네는 아테네의 영웅 테세우스가 괴물 미노타우로스를 죽이러 미궁에 들어갈 때, 칼 한 자루를 주며 그것으로 괴물과 싸우라고 했고 실 한 타래를 주면서 그것을 이용해 미궁에서 빠져나오는 방법을 일러 주었다. 덕분에 테세우스는 괴물을 죽이고 미궁에서 탈출하는 데에 성공했지만, 아리아드네를 데리고 아테네로 돌아오는 도중에 낙소스섬에 기항했다가 잠들어 있는 그녀를 놓아둔 채 섬을 떠나 버린다.

지만 천장이 갈수록 낮아지고 있어서, 그녀들은 엉금엉금 기
어서 나아갈 수밖에 없다.

87

프로이트는 뚜껑 문을 타고 올라가 플라스틱으로 된 통로
에 다다랐다.

88

이윽고 작은 창문 하나가 나타난다. 두 젊은 여자는 그 창
문을 통해 지붕으로 나온다. 그런 다음 빗물 배수관을 타고
아래로 내려간다.

「요새 밖으로 나온 거 아닌가요?」

「환자가 자꾸 늘어나서 병원이 비좁아지니까 핀처 박사가
병원을 넓혔어요. 방금 우리가 빠져나온 건물들은 환자들이
자는 곳이고, 요새 밖에 있는 이 새 건물들은 환자들이 일을
하는 곳이죠.」

두 여자는 나무들 사이로 달려간다. 달리면서 이따금 몸
을 돌려 더 이상 따라오는 자들이 없음을 확인한다. 〈유칼립
투스 산책로〉와 〈꿩들의 길〉을 지나자 나무에 가려져 있던
커다란 건물 하나가 그녀들을 막아선다. 문에는 철갑이 둘러
져 있고, 두 대의 감시 카메라가 문 위에 설치되어 있다.

「여기가 어디에요?」

「편집증 환자들의 작업장이에요.」

아리안은 자기 왼쪽에 있는 비디오카메라를 향해 애교 섞
인 인사를 보낸다. 그러자 여러 개의 전자자물쇠가 덜거덕거
리더니 문이 열린다.

안으로 들어서자, 수백 개의 작업대가 눈앞에 펼쳐진다. 사람들이 컴퓨터와 갖가지 복잡한 기계를 앞에 두고 일에 몰두해 있다.

「편집증 환자들은 자기들이 공격받는 것을 너무나 두려워하기 때문에 대단히 우수한 성능을 지닌 방범 장치들을 끊임없이 발명해 내고 있어요. 환자들의 심리적 특성을 활용하자는 게 바로 핀처 박사의 위대한 발상이었지요.」

뤼크레스는 경이감을 느끼며, 복잡한 기계들의 설계도를 그리는 일에 열중해 있는 사람들을 바라본다. 강박 관념에 이끌려 행동하는 그들이 여느 〈정상적인〉 노동자들보다 한결 유능하고 일에 대한 의욕도 훨씬 더 강하다는 생각이 든다.

「이들은 돈을 위해서 일하는 게 아니에요. 노후의 연금이나 명예를 위해서 일하는 것도 아니지요. 이들이 일을 하는 것은 일 자체가 자기들에게 가장 큰 즐거움을 주기 때문이에요.」

아닌 게 아니라 그들은 모두 입가에 미소를 짓고 있다. 휘파람을 불거나 콧노래를 흥얼거리는 사람들도 있다. 뤼크레스는 그 뜻밖의 모습이 그저 놀랍기만 하다.

일을 하는 게 아니라 무슨 놀이를 하는 사람들 같군.

「핀처가 이런 말을 했어요. 〈광기란 우리의 머릿속에서 자라난 난폭한 용이다. 우리는 그 괴물을 죽이려고 하기 때문에 고통을 겪는다. 그것을 죽이기보다는 말이나 낙타처럼 이용하는 것이 바람직하다. 그러면, 그 용은 우리가 상상하는 것보다 훨씬 더 먼 곳으로 우리를 데려다줄 것이다〉라고 말이에요.」

아리안은 죽 늘어선 작업대들 사이로 뤼크레스를 데리고 간다. 환자들이 설계 도면에 수치와 복잡한 공식 따위를 적어 넣는 데에 몰두해 있다. 그들의 몸짓과 표정이 제각각이다.

「이들은 자폐증 환자예요. 사람들이 잘 모르고 있는 사실이지만, 자폐증 환자들 가운데 일부는 계산 능력이 매우 뛰어나죠. 우리는 보통 순간적인 기억력만을 이용해서 계산을 하지만, 이들은 영속적인 기억력까지 사용해요. 이들은 갖가지 복잡한 계산을 통해서 기계들의 치수를 결정하지요.」

자폐증 환자들은 두 여자에게 얼른 인사를 보내고 자기들이 하던 일에 다시 몰입한다.

다음으로 그녀들이 다다른 구역에서는 순백의 가운을 입고 전등을 이마에 단 사람들이 작은 기계들을 열심히 조립하고 있다.

「조증 환자들은 편집증 환자들이 고안하고 자폐증 환자들이 치수를 정한 기계들을 조립합니다. 이들은 대단히 꼼꼼하고 정확하죠.」

그들은 배열이 완벽한지를 거듭거듭 확인하면서, 플라스틱과 금속으로 된 부품들을 조립하고 있다. 혀를 내민 채 일에 몰두해 있는 사람들의 모습이 인상적이다.

「조립이 끝난 기계는 다시 편집증 환자들에게 보내져 검사를 받습니다. 그들은 확인하고 또 확인해야만 직성이 풀리는 사람들이죠. 그렇게 철저히 검사를 하기 때문에 우리 제품의 불량률은 0.0001퍼센트밖에 안 됩니다. 우리가 세계기록을 갱신했지요.」

검사 구역의 환자들은 돋보기를 들고 각 부품을 세밀하게 살펴면서, 조증 환자들의 나무랄 데 없는 작업 결과를 확인하고 완제품의 견고성을 검사한다.

「이렇게 열심히 일해서 얻는 게 뭐죠?」

뤼크레스가 그렇게 물으면서 찢어진 드레스 자락을 여민다. 자기 허벅지에 너무 많은 눈길이 쏠리는 것을 막기 위함이다.

「이렇게 만들어진 기계들은 상품으로 팔려 나갑니다. 전세계로 수출이 되죠. 수익이 괜찮습니다. 많은 돈을 벌어다주죠. 자동 경비 장치 상표 중에 〈크레이지 시큐리티〉[66]라는 게 있는데, 들어 본 적 없어요?」

「크레이지 시큐리티……」

「영어로 〈미친 경비 장치〉라는 뜻이지요. 이름을 그렇게 붙였으니, 누구도 우리가 고객을 속인다고는 말할 수 없을 거예요.」

아리안은 자기 농담에 자기가 먼저 킥킥 웃는다.

뤼크레스는 조준용 광학 안경을 쓴 한 무리의 편집증 환자들을 바라본다. 그들은 레이저를 조작하여 아주 작은 구멍을 뚫고 거기에 미세한 전자 부품을 끼우고 있다.

「그 말을 들으니까 생각나는 게 있네요. 어떤 신문에서 이런 광고를 본 듯해요. 〈크레이지 시큐리티가 있으면 안전이 보장됩니다.〉 그거 맞죠?」

「맞아요. 크레이지 시큐리타라는 상표를 단 기계들은 모두 생트마르그리트섬에서 제작돼요.」

아리안이 작업장 한 구역을 가리킨다. 조증 환자들이 조립하고 편집증 환자들이 검사한 기계들을 포장하는 곳이다.

66 Crazy Security.

일꾼들은 기계를 폴리스티렌으로 여러 겹 감싼 다음 견고하게 만든 판지 상자에 담는다.

정신 병원이 하이테크 공장으로 바뀌었군…….

「크레이지 시큐리티 경비 장치를 팔아서 번 돈으로 핀처는 이 부속 건물들을 지을 수 있었어요. 그건 하나의 선(善) 순환이죠. 생산이 많아질수록 우리는 점점 부유해집니다. 또 돈이 많아지면 우리는 환자들을 위한 작업장을 늘려 생산을 증가시킵니다.」

「하지만 환자들이 돈을 받는 건 아니잖아요?」

「그들은 돈에 관심이 없어요. 그들이 원하는 건 자기들의 재능을 표출하는 거예요. 그들에게 일을 그만두라고 권한다면, 누구나 격렬하게 반발할 거예요.」

뤼크레스는 일에 열중해 있는 환자들을 죽 둘러본다. 너나없이 자기 임무를 더 잘 완수하기 위해 정성을 기울이고 있다. 핀처 박사가 노동의 새로운 개념을 제대로 찾아냈다는 생각이 든다. 동기가 부여된 자발적인 노동이야말로 진정한 노동이 아닐까?

주위에 감도는 위험에도 아랑곳하지 않고, 뤼크레스는 계속 작업장을 관찰하고 있다. 아리안의 설명이 이어진다.

「원하는 사람들만 각기 자기가 원하는 분야에서 일하는 겁니다. 그런데도 거의 모두가 일을 하고 싶어 해요. 여기에서는 사람들이 작업장에 더 오랫동안 머물겠다고 고집을 부리죠. 취침 시간이 되면 일을 중단하기가 싫다고 투덜거리기가 일쑤예요. 크레이지 시큐리티가 그토록 성공을 거두는 데에는 다 그럴 만한 이유가 있는 거죠. 보통 노동자들은 도저히 그토록 높은 수준의 효율에 도달할 수가 없을 거예요. 편집중 환자들은 하나의 경비 시스템에 많은 시스템을 덧붙입니다. 이들이 만든 제품에서는 모든 배선이 이중으로 되어 있어요. 케이블에 문제가 생기더라도 시스템 전체가 계속 작동할 수 있게 하려는 것이죠. 모든 약점이 견고한 외피에 의해 보완됩니다. 저기 옆에 있는 작은 구멍들 보이죠? 보조적인 충격 감지 장치예요. 곁에서 보면 있는지조차 모르게 되어 있어요. 이들이 저런 장치를 설치한 것은 직업적인 양심의 발로입니다. 사람들이 몰라서 그렇지, 만일 자기들을 지켜 주는 기계 장치를 만든 사람들이 이른바 〈미치광이들〉이라는 사실을 알면 아마 깜짝 놀랄 거예요.」

뤼크레스는 자동차, 단독 주택, 선박, 빌라 등을 위한 갖가지 방범용 기계들을 둘러본다. 그녀의 오른쪽에 있는 선반들에는 적외선 눈을 갖춘 정원용 난쟁이 인형들이 퍼레이드를 벌이듯 늘어서 있다. 더 멀리에는 열매 대신에 카메라가 달린 가짜 나무들이 도열해 있다. 탐지기들로 가득한 조각상이며 숫자 암호로 도난을 방지하게 되어 있는 카 오디오, 도난 방지용 전기 충격 장치가 숨어 있는 자동차 핸들, 열방사를 이용한 방범 장치 등도 보인다.

「마치 어떤 첩보 부대의 장비 창고에 들어와 있는 듯한 기분이 드네요.」

하지만 아리안은 뤼크레스의 그 말에 전적으로 공감하는 눈치가 아니다. 그녀의 설명이 이어진다. 「이들은 이 병원의 경비 시스템도 만들었어요. 그래서 병원에 더 이상 경비원이 있을 필요가 없게 되었지요. 섬 전체가 편집증 환자들이 고안한 장치로 감시되고 있기 때문에 섬에서 탈출하기가 불가능하다는 것을 이제는 누구나 알고 있어요.」

뤼크레스는 갑자기 기운이 쭉 빠지는 듯한 기분을 느낀다.

「내가 당신을 이리로 데려온 까닭이 바로 거기에 있어요. 태풍이 불 때는 태풍의 눈 속에 들어와 있는 것이 가장 안전하거든요.」

그녀는 어떤 적갈색 머리 남자의 옷소매를 잡아당긴다. 마치 세상 모든 것에 겁을 먹고 있는 듯한 표정으로 끊임없이 눈을 깜박이고 있는 남자다. 그가 소스라치게 놀란다.

「피에로, 너희가 만든 경비 시스템을 피할 수 있는 방법이 있을까? 그냥 알고 싶어서 그래. 우리에게 가르쳐 줄 수 있겠어?」

「도망치고 싶어 하는 건 아닐 테고, 왜 그래? 설마 날 속이려는 건 아니겠지?」

아리안은 당황해서 두서없이 중얼거린다. 뤼크레스는 일이 잘못 돌아가고 있음을 얼른 깨닫고 피에로의 팔을 잡는다.

「당신을 속이려는 거 맞아요. 우리가 당신에게 거짓말을 했어요. 상황이 너무 심각해서 그랬어요. 보기보다 훨씬 심각한 상황이에요.」

말이 떨어지기가 무섭게 다른 편집증 환자들이 다가와서 그들을 둘러싼다. 강박 관념 속에서 살다 보니 보통 사람들보다 청각이 더 예민하게 발달된 사람들이다.

「당신들을 해치려는 음모가 벌어지고 있어요.」

뤼크레스가 재빨리 그렇게 둘러대자, 적갈색 머리 남자는 조금 전보다 두 배나 더 빠르게 눈을 깜박이며 주먹을 꼭 쥔다.

그의 뒤에 서 있는 다른 편집증 환자가 흥분하여 소리친다. 「내가 그럴 줄 알았어. 모든 게 정상이 아니었어. 일이 너무 잘 돌아가는 게 꼭 무슨 일이 생길 것만 같았어.」

「핀처 박사는 살해당했어요. 범인들은 이제 생트마르그리트 병원의 모든 사람들을 죽이려고 해요. 그들은 여러분의 장점을 인정하지 않고 자기들의 낡은 방식을 다시 끌어들이려 하고 있어요. 생트마르그리트의 성공은 그들로 하여금 이른바 〈미치광이들〉이 보통 사람들보다 더 뛰어난 능력을 발휘할 수 있다는 것을 인정하도록 요구하고 있지만, 그들은 그것을 받아들일 수가 없는 거예요.」

「미치광이라뇨? 여기에 미친 사람이 있소?」

어떤 환자가 그렇게 되받는다. 편집증이 있을 뿐만 아니라, 자존심이 너무 강해서 쉽게 상처를 받는 사람인 듯하다.

다른 환자가 대답한다. 「우리 적들이 우리를 그렇게 부르고 있다는 건 자네도 잘 알고 있잖아!」

「우리를 해치려는 음모가 있다고! 내 그럴 줄 알았다니까.」 편집증 환자에 가장 가까운 남자가 다시 그 말에 토를 단다.

웅성거리는 소리가 온 작업장으로 퍼져 나간다. 이제 모두가 일에서 손을 놓고 있다.

「병원 내부에 배신자들이 있어요. 그들이 여러분을 차례차례 사라지게 할 거예요. 나는 기자예요. 우리 독자들에게 여러분이 대단히 경탄할 만한 일을 하고 있다는 것과 핀처 박사의 실험이 실패로 끝나지 않도록 여러분의 적들을 저지해야 한다는 것을 알리기 위해서 왔어요.」

환자들이 분개에 차서 불퉁거린다.

뤼크레스는 그들을 들쑤셔 한바탕 분노를 불러일으키고

나서는 다시 그들을 진정시키려고 애쓴다.

「진정하십시오. 지금은 아직 행동에 나설 때가 아닙니다. 우리는 신중하게 행동하지 않으면 안 됩니다. 저는 외부에 도움을 청하기 위해 여기에서 빠져나갈 겁니다. 저를 도와주십시오. 그리고 계속 아무것도 모른 척하고 계십시오. 그래야 그들의 허를 찌를 수 있습니다.」

편집증 환자들의 리더인 듯한 피에로가 즉시 두 여자를 인접한 방으로 데려간다.

「여기는 컴퓨터 경비 시스템의 중앙 통제실입니다. 모든 감시 카메라가 이곳으로 정보를 보냅니다. 이들 스무 명이 사소한 정보 하나도 놓치지 않고 수백 개의 모니터를 철저하게 감시하고 있습니다.」

피에로는 그 스무 명의 감시자들에게 긴급 상황이 발생했으니 자기의 지시를 따르라고 이른다.

「먼저, 경보기가 울리지 않도록 전원을 차단하겠습니다.」

그러면서 그는 몇 개의 버튼을 조작한다.

「다음에는 섬에서 당신이 달아날 방향과 반대되는 쪽에 있는 감시 장치를 작동시키겠습니다. 그러면 그들은 반대쪽에서 당신을 찾느라고 시간을 허비하게 될 겁니다. 끝으로 이곳에 설치된 탐지기들의 전원을 모두 끊겠습니다. 당신은 여기에서 빠져나간 다음 남쪽 해안으로 가면 됩니다. 거기에서 바다로 뛰어드십시오. 섬에서 탈출하는 방법은 그것뿐입니다. 생토노라섬이 멀지 않으니까, 거기까지 헤엄쳐 갈 수만 있으면 됩니다. 시토 수도회의 수사들이 칸으로 돌아갈 수 있도록 도와줄 겁니다. 하실 수 있겠죠? 자아 그럼 지붕을 통해서 나가세요. 그게 더 안전해요.」

피에로는 인터폰으로 누군가와 통화를 하더니, 모니터 하나를 조절하고 자판을 두드린다. 그러고는 일이 잘되고 있다는 뜻의 신호를 보낸다. 뤼크레스는 불안하게 그를 지켜본다. 그가 마침내 어떤 손잡이 하나를 누르자, 자동 사다리 하나가 내려온다. 아리안과 뤼크레스는 사다리를 타고 올라간다.

89

생쥐 프로이트는 사다리를 타고 올라갔다.

거기에 가장 어려운 관문이 놓여 있었다. 면도날이 바로 그것이었다. 앞으로 나아가기 위해서는 상처를 입을 수밖에 없었지만, 생쥐는 고통에 아랑곳하지 않는 듯했다. 생쥐는 지렛대의 빛에 이끌려 올라가다가 아래로 미끄러졌다. 올라가기와 미끄러지기를 되풀이하는 생쥐의 눈물겨운 고투가 계속되고 있었다.

90

아리안과 뤼크레스는 건물의 지붕 위로 기어 올라간다. 편집증 환자들이 안전을 생각해서 꽂아 놓은 병 조각들 때문에 여기저기에 생채기가 난다. 두 여자는 지붕에서 작은 숲으로 뛰어내린 다음 남쪽 해안을 향해 달려간다.

그녀들은 몇 개의 바위를 기어올라 해안 절벽의 꼭대기에 다다른다. 깎아지른 낭떠러지다.

「이제 우리 어떻게 하죠?」

아리안이 묻는다. 불안한 기색이다.

「바다로 뛰어내려야죠. 이쪽에서 뛰어내리면 바위들을

쉽게 피할 수 있을 것 같은데요. 하지만, 작은 암초들에 스쳐 상처를 입지 않으려면 앞쪽으로 멀리 몸을 날려야 해요.」

두 여자는 몸을 숙여 아래를 내려다본다. 20미터쯤 아래에 파도가 들쭉날쭉한 바위에 부딪혀 철썩거리고 있다.

「나는 고소 공포증이 있어요. 도저히 못 뛰어내리겠어요.」

「고소 공포증은 나도 있어요. 이런 말이 도움이 될지 모르지만, 높은 곳에서 아래를 내려다보며 겁을 먹는 건 누구나 마찬가지예요. 모든 건 우리 마음이 지어내는 거예요. 아래를 보지 말고 아무 생각 없이 뛰어내려요.」

아리안과 뤼크레스가 뛰어내릴 준비를 한다. 그때 난데없이 스피커 소리가 들려온다. 벼랑 꼭대기에 놓아둔 정원용 난쟁이 인형의 내부에서 나오는 소리다.

「아리안, 돌아와! 당장 돌아오지 않으면, 끝내 최후 비밀의 환희에 동참할 수 없게 될 거야.」

아리안은 급소를 찔린 듯이 허둥댄다.

「최후 비밀이라는 게 뭐예요?」

「우리가 갈망하는 절대적인 보상이죠.」

아리안이 대답한다. 그녀의 표정에는 고민에 휩싸인 기색이 역력하다.

「돌아와, 아리안. 그리고 그〈손님〉도 다시 모시고 와.」

「절대적인 보상이라고요? 좀 더 분명하게 말해 줄 수 있겠어요?」

「최후 비밀이라 불리는 어떤 것이 있어요. 사람들 말이 세상에서 가장 아름답고 강한 거래요. 동기든 야망이든 마약이든 그 어떤 것도 그것을 이길 수 없대요. 니르바나의 경지에 들어가게 해주고, 모든 것을 초월하는 경험을 하게 해주는 거래요.」

아리안은 마치 자기 자신을 더 이상 통제할 수 없는 사람처럼 말하고 있다. 그녀의 마음은 갈수록 뒤죽박죽이 된다. 함께 탈출의 길에 나선 길동무가 조금 전과는 사뭇 다르게 보인다.

그녀들을 잡으려고 환자들이 몰려온다. 그들의 선두에는 편집증 환자들이 있다. 누구보다 앞장서서 달려오는 건 피에로다. 그는 기자에게 속았다는 것을 알고 분기가 탱천해 있다.

「아리안, 그 여자를 붙잡아! 최후 비밀의 환희를 경험하고 싶은 생각이 있다면, 그 여자를 잡아야 해!」

그의 외침이 스피커를 통해 전해져 온다.

아리안의 얼굴에 경련이 일면서 입이 일그러진다. 뤼크레스가 바다에 뛰어들기 위해 몸을 솟구치려는 찰나 아리안이 그녀의 손목을 잡는다.

「날 놓아줘, 아리안.」

아리안이 딴사람 같은 목소리로 대답한다. 「오늘 신문에서 내 별자리의 운세를 읽었어요. 〈당신의 친구들을 버리지 말라〉라고 쓰여 있더군요.」

환자들과 남자 간호사들이 점점 더 가까이 다가오고 있다.

더 이상 선택의 여지가 없다. 뤼크레스는 아리안의 팔을 오지게 물어 버린다. 아리안이 손을 놓는다.

마침내 자유로운 몸이 된 뤼크레스는 중력의 법칙에 몸을 내맡긴 채 눈을 감는다. 귓전을 스치는 바람 소리가 들린다.

91

프로이트는 또다시 미끄러졌다. 이번에는 바닥이 아니라 물속으로 떨어졌다.

92

아리안은 아랫입술을 깨문 채 몸을 숙여 아래를 살핀다.

「친구들을 버리지 말라고 했는데, 혹시 저 여자가 뛰어내리지 못하게 하라는 소리가 아니었을까? 내가 잘못했어. 저렇게 떨어지게 내버려 두는 게 아니었는데…….」

「걱정하지 마. 다시 올라올 거야.」

모두가 아래를 내려다보며 기다리는데, 뤼크레스는 다시 나타나지 않는다.

「이 높이에서 뛰어내렸으니, 어떤 바위의 뾰족한 끄트머리 위로 떨어졌을 게 틀림없어. 그래서 수면 위로 다시 올라오지 않는 걸 거야.」 한 간호사가 결론을 내린다.

아리안의 얼굴이 다시 일그러진다.

「내가 잘못했어. 그런 식으로 떨어지게 내버려 두는 게 아니었는데…….」

혹시 바위틈에 시체가 박혀 있을까 해서 모두가 몸을 숙여 물속의 바위들을 살펴보지만, 요동치는 물결 때문에 무엇이 있다 한들 제대로 식별이 될 리가 없다. 피에로는 일말의 동정심도 보이지 않는다.

「잘됐어. 언론을 통해 모든 걸 까발리려던 여자가 사라진 거야.」

하지만 아리안은 자기와 함께 탈출하고자 했던 뤼크레스가 아직 살아 있으리라는 믿음을 버릴 수 없다. 그래서 다른 환자들이 자기들의 하던 일을 계속하기 위해 하나둘 자리를 뜨고 있는 동안에도 여전히 수면에서 눈을 떼지 않는다.

「자아, 이제 그만 가.」

피에로의 재촉에 그녀는 머뭇머뭇하면서 그의 뒤를 따라간다.

93

〈생쥐가 헤엄을 칠 줄 아나?〉

장루이 마르탱의 말이 떨어지기가 무섭게, 숨이 막혀서 버둥거리던 생쥐가 물속으로 가라앉았다.

사뮈엘 핀처는 개입하기를 망설이고 있었다. 섣불리 나서다가는 실험을 그르칠 수도 있다는 생각 때문이었다.

94

수면 어디에도 사람의 자취는 보이지 않는다. 무심한 파도만이 바위에 부딪혔다가 한없이 돌아 나갈 뿐이다. 사람의 자취가 있다면, 피 묻은 자주색 천 조각 하나가 해변에 밀려와 있을 뿐이다.

95

생쥐 프로이트가 다시 수면 위로 올라왔다. 멀리에 지렛대가 보였다. 생쥐는 흥분을 가라앉히더니, 다시 물속으로 가라앉지 않으려면 헤엄을 쳐야 한다는 것을 깨달은 듯 다리를 움직여 서서히 나아갔다. 또 하나의 난관인 수중 터널이 생쥐를 기다리고 있었다. 앞으로 나아가기 위해서는 그 터널 속으로 들어가야만 했다. 불과 몇 분 전만 해도 물이라곤 본

적이 없고 제가 헤엄칠 수 있다는 것조차 모르고 있던 프로이트가 일시적으로 호흡을 멈추고 터널 속으로 들어갔다.

96

아리안은 혹시나 하는 마음으로 여기자가 뛰어내린 벼랑 끝으로 돌아와서 아래를 내려다본다. 피 묻은 천 조각이 보인다.

그녀는 꼼짝 않고 서서 수면을 응시한다. 바닷가의 게들이 마치 어떤 잔치라도 벌어진 양어딘가로 몰려간다.

내가 보기에 잘못될 가능성이 있다 싶은 일은 언제나 잘못된다. 무슨 일이든 내가 생각한 대로 일이 돌아가는 법이 없다. 바다에 떨어진 사람이 다시 수면 위로 솟아오르는 것은 영화 속에서나 있는 일이다.

지중해의 파도가 거칠어지고 철썩거리는 소리가 점점 요란해진다. 아리안이 아직 수면에서 눈을 떼지 못하고 있는데, 바람에 밀려온 짙은 해미가 갑자기 바다를 덮어 버린다. 벼랑 끝에서는 이제 수면이 보이지 않는다. 아리안은 숨을 깊이 들이마셨다가 길게 내쉬며, 자기도 뛰어내릴까 하며 머뭇거린다. 그때 요란한 벨 소리가 울린다. 구내식당에서 곧 식사가 제공될 것임을 알리는 소리다.

97

프로이트는 투명한 수중 터널 속을 유연하게 헤엄쳐 나아갔다. 긴 꼬리를 이용해서 추진력을 얻으니, 물속에서 움직이는 것이 보기보다는 편했다. 한 가지 불편한 게 있다면, 후각 기관을 더 이상 사용할 수 없어서 가장 중요한 감각에 장애가 생긴 것 같은 느낌이 든다는 점이었다.

하지만 생쥐는 물속에서도 목표물로부터 눈길을 떼지 않았다. 마력을 지닌 지렛대가 멀리에서 생쥐를 부르고 있는 듯했다.

98

코가 물낯에 닿는다. 뤼크레스는 바위로 둘러싸인 우묵한 곳에서 콧구멍만 물 밖으로 내놓은 채 숨을 들이쉰다.

이런 때는 내 코가 더 길었으면 좋겠어. 그러면 코를 잠수함의 잠망경처럼 물 밖으로 내밀고 물속에 오래오래 숨어 있을 수 있잖아?

그녀의 기다란 적갈색 머리채가 바닷말처럼 그녀 주위를 스친다. 수면을 통하여 아리안의 모습이 보인다. 그녀가 발길을 돌리고 있다.

수면 위로 무명 식탁보처럼 뿌연 해미가 깔린다. 뤼크레스는 그 짙은 안개를 틈타서 생토노라섬을 바라보고 헤엄쳐 나아간다.

다행히 두 섬이 서로 멀리 떨어져 있지 않아서 헤엄으로 충분히 건너갈 수 있을 듯하다. 피에로의 말이 맞았다.

99

생쥐 프로이트는 계속 헤엄을 치며 나아갔다.

100

마침내 레랭스의 또 다른 섬인 생토노라섬이다.

그녀는 물을 줄줄 흘리며 해변으로 나온다. 마치 물의 요정 나이아스가 안개를 헤치며 나오는 듯하다. 절벽에서 뛰어 내릴 때 뾰족한 바위에 긁혀 상처를 입었다. 왼쪽 허벅지에 생긴 상처가 계속 욱신거린다.

포도나무와 올리브나무가 길게 늘어선 밭 위쪽으로 건물이 하나 보인다. 그녀는 그 건물을 향해 나아간다. 울타리 안으로 들어서자 증류주 제조장이 나온다. 문 위쪽에 초록색의 방패 꼴 문장(紋章)이 하나 붙어 있다. 종려나무 잎사귀 두 개가 세모꼴의 주교관(冠)을 둘러싸고 있는 문양이 새겨진 문장이다. 그 위쪽에 〈레랭스 수도원. 리쾨르[67] 레리나〉라는 말이 고딕체로 쓰여 있다. 더 위쪽에는 〈무염수태(無染受胎) 시토 수도회〉라는 팻말도 붙어 있다.

리쾨르 제조장 안은 텅 비어 있다. 그 시간에는 일하는 사람이 없는 모양이다. 그녀는 다시 밖으로 나온다. 고풍스러운 수도원 건물이 보인다. 멕시코에서 볼 수 있는 낡은 스페인 포교관을 대하는 느낌이다.

하얀 벽, 높다란 종려나무, 빨간 기와 그리고 그 모든 것을 굽어보는 성당 첨탑. 수도사들이 돌아다니는 시간이 아니라서 그런지, 인기척이 없고 사위가 마냥 고즈넉하다. 그녀는 에라 모르겠다 하는 심정으로 소성당 안으로 들어간다. 서른 명쯤 되는 수도사들이 기도를 하고 있다. 수도사들은 검은 가슴 받이를 댄 하얀 수단 차림에 머리 꼭대기를 동그랗게 삭발한 모습이다.

나이 지긋한 수도사가 난데없이 나타난 젊은 여자를 보고

---

67 순수한 알코올이나 증류주에 식물성 향료와 단맛을 가한 음료. 중세에 수도사들이 개발한 술이라서, 오늘날에도 이름난 리쾨르를 제조하는 수도원들이 더러 남아 있다.

기도를 중단한다. 그러자 모든 수도사들이 일제히 고개를 돌린다. 마치 누가 텔레파시로 그들 모두에게 명령을 내리기라도 한 듯하다. 그들은 아연실색한 표정으로 그녀를 바라본다.

「도와주세요. 저를 도와주세요. 가능한 한 빨리 칸 항구로 돌아가야 해요.」

아무 반응이 없다.

「제 말 못 들으셨어요? 여러분께 도움을 청하고 있어요.」

키가 작달막한 수도사 하나가 손가락을 입에 갖다 대며 조용히 하라는 신호를 보낸다.

수도사 몇 사람이 그녀를 에워싸더니, 아무 말 없이 그녀의 양쪽 팔꿈치를 잡고 소성당 밖으로 끌고 나간다. 작달막한 수도사가 필기용 석판과 분필을 잡더니 이렇게 쓴다.

〈우리는 침묵과 정결의 서원을 세운 수도사들이오. 따라서 여기에서는 소리를 내도 안 되고 여자를 들여도 안 돼요.〉

그는 단어 하나하나에 밑줄을 긋더니 다시 문장 전체에 밑줄을 죽 긋는다.

빌어먹을, 자기들의 종교적 원칙 때문에 날 내팽개칠 모양이군.

「이건 위험에 처한 사람을 돕는 일이에요. 곤궁에 빠진 사람을 구해 주는 것은 모든 인간의 의무인데, 여러분은 그것을 의무로 받아들이시지 않나 보죠? 곤궁에 빠진 사람이 여자나 고아일 때는 더더욱 모른 체하면 안 되지요. 저는 여자일 뿐만 아니라 사고무친의 고아란 말이에요! 여러분은 마땅히 저를 도와주셔야 해요.」

다섯 번째 동기가 통할까?

작달막한 수도사는 석판을 지우고 커다란 글씨로 다시 이렇게 쓴다.

〈우리는 주님이 명하신 평화를 깨뜨리지 않고 살 의무가 있어요.〉

바위에 긁혀 상처를 입고 바닷물에 젖어 후줄근한 뤼크레스는 지친 기색으로 그들을 잠시 바라본다. 그러다가 마치 청각 장애인들을 상대로 이야기하듯 한마디 한마디에 힘을 주어 또렷하게 말한다.

「보아하니 여러분은 세속의 보통 사람들보다 못하군요. 저 때문에 평화가 깨질까 두려워서 저를 내치시겠다 이거죠?」

그녀는 숨을 한번 고르고 나서 다시 거칠게 내뱉는다.

「하나만 알고 둘은 모르시나 보죠? 저는 사람들의 행동을 좌우하는 주된 동기가 무엇인가에 관심이 많아서, 그 동기들의 목록을 작성하고 있어요. 그런데 종교가 이토록 중요한 동기인 줄을 예전엔 미처 몰랐네요. 아무래도 개인적인 열정이라는 아홉 번째 동기 다음에 열 번째로 종교를 추가해야겠어요.」

수도사들은 이게 무슨 뚱딴지같은 소리냐는 듯이 서로 눈길을 주고받더니, 인자한 표정으로 그녀를 바라본다. 석판을 들고 있는 작달막한 수도사가 그녀에게 앉으라고 권한다. 그러고는 수건을 하나 가져와서 그녀에게 내민다. 그녀는 수건을 받아 들고 머리와 몸에 남아 있는 물기를 대충 닦아 낸다. 그러더니 상처를 보여 줄 양으로 찢어진 드레스 자락을 천천히 걷어 올린다.

수도사들은 어쩔 줄 몰라 하며 서로에게 멋쩍은 시선을 보낸다. 그녀의 허벅지에 상처가 있음을 알아챈 수도사 하나가 반창고를 가져와서 그녀에게 내민다. 그녀가 얼른 받지 않고 뜸을 들이고 있으니까, 그는 잠시 망설이다가 반창고를 손수 상처에 붙여 준다. 또 다른 수도사는 젖은 옷을 갈아입으라고 거친 모직으로 된 수도사 옷 한 벌을 가져다준다. 그녀는 옷을 순순히 받아 든다.

석판을 들고 있던 작달막한 수도사는 이 수도원에서 만든 레리나라는 리쾨르를 한 잔 가져온다. 그녀는 다시 기운을 차릴 양으로 술잔을 단숨에 비운다. 무척 맛있다는 생각이 든다.

수도사는 빙그레 웃으면서 지긋한 눈길로 그녀를 바라본다. 그러더니 다시 분필을 잡고 쓰기 시작한다.

〈여기엔 무슨 일로 오셨죠?〉

「저는 도망치는 중이에요.」

그가 석판의 글씨를 지우고 다시 쓴다. 그의 얼굴이 굳어지면서 입가에 어렸던 잔잔한 미소가 어색해진다.

〈경찰에 쫓기고 있나요?〉

「아뇨. 맞은편에 있는 섬에서 도망쳤어요.」

〈생트마르그리트 병원의 환자인가 보군요?〉

「아니에요. 지는 『르 게퇴르 모데른』지 기자예요.」

수도사는 도대체 무슨 소리를 하는지 모르겠다는 듯 그녀의 커다란 에메랄드빛 눈을 빤히 바라본다.

「믿기가 쉽지 않다는 걸 알아요. 하지만 저는 신경 정신과 의사 핀처 박사에 관해서 조사를 벌이고 있어요. 덴마크 톱 모델의 품에서 성행위를 하다가 죽은 그 체스 세계 챔피언에 관해서 말이에요. 저는 정말 기자예요. 미친 사람이 아니라고요.」

내가 미치지 않았다는 걸 어떻게 증명하지? 그게 가능한 일일까?

「그 여자 말이 사실이에요.」

한 남자가 막 다다랐다. 수도사 복장이 아니라 청바지에 풀오버를 걸친 남자다. 그녀는 그를 알아보았다. 전에 본 검은 가죽옷 차림은 아니지만, 그는 바로 〈미덕의 수호자들〉을 이끄는 데우스 이라이다.

「아! 날 알아보겠어요? 그럼 이분들에게 말씀 좀 해주세요. 내가 미친 사람이 아니라는 걸 말이에요.」

「이 여자는 미친 사람이 아닙니다.」

그녀에게서 시선을 떼지 않고 그가 덧붙인다.

「나랑 만나기로 한 친구인데, 단지 입구를 잘못 알고 들어온 것뿐이에요.」

수도사는 뭔가 석연치 않다는 듯한 표정을 짓는다. 그래도 이 말은 두서가 있어 보인다. 데우스 이라이는 때로는 복잡한 진실을 말하는 것보다 그럴싸한 거짓말을 하는 편이 낫다는 것을 알고 있다.

수도사는 더 이상 묻지 않고 석판에 이렇게 쓴다.

〈원하신다면 여기에 있어도 됩니다. 하지만 하루에 40유로를 내셔야 합니다.〉

「전화 한 통화 할 수 있을까요?」

뤼크레스의 거리낌 없는 질문에 데우스 이라이가 대신 대답한다.

「이분들은 전화를 사용하지 않습니다.」

「그럼 여기에 무슨 문제가 있을 때는 어떻게 밖에 알리지요?」

「이분들에게는 문제가 생긴 적이 없습니다. 몇 세기 이래로 아무 문제가 없었어요. 이분들이 맞닥뜨린 최초의 〈문제〉가 바로 당신이에요. 생토노라섬은 세속의 온갖 번뇌로부터 벗어난 곳입니다. 게다가 전화는 말을 하기 위한 도구인데, 이분들은 모두 침묵의 서원을 세웠으니 그게 필요할 리가 없지요.」

「딴은 그렇군요. 그 생각을 못 했네요.」

「이분들은 바깥세상의 시끄러운 소리에 마음을 빼앗기고 싶어 하지 않습니다. 그래서 텔레비전이나 라디오나 인터넷도 없고 여자도 없지요. 참으로 고요하게 사는 분들입니다.」

데우스 이라이는 비웃음이 반쯤 섞인 표정을 짓는다.

「아무리 그래도 팩스는 있을 거라고 생각해요. 여기에서 묵고자 하는 사람들로부터 예약을 받으려면 그게 필요하지 않겠습니까?」

수도사가 그렇다는 뜻으로 고개를 끄덕인다.

데우스 이라이는 끈덕지게 물고 늘어지는 여기자에게 두 손 들었다는 듯이 어깨를 한번 올렸다 내리더니, 마치 선심이라도 쓰듯이 말한다.

「누구에게 진힐 게 있으면 글로 쓰세요. 이분들이 팩스로 보내 주실 겁니다.」

그녀는 이지도르에게 그간의 사정을 간단히 설명하고 자기가 어디에 있는지를 알리는 메시지를 작성한다. 그런 다음 종이에 수신자의 이름과 팩스 번호를 적어서 수도사에게 건넨다.

「이제 구내식당에 가서 점심을 드시지요.」

데우스 이라이는 그렇게 권하고 그녀를 구내식당으로 데려간다.

「그런데, 여기엔 무슨 일로 오셨어요?」

「피정(避靜)하러 왔어요. 나는 달마다 사흘씩 피정 묵상을 합니다. 내 삶을 반성하고 마음의 평정을 얻기 위해서죠. 이곳은 신성한 장소입니다. 여기에 있는 한 당신은 안전할 겁니다. 폭력은 바깥세상의 일입니다. 우리의 신념은 서로 다르다고 생각하지만, 나를 믿어도 됩니다.」

그들이 구내식당에 다다랐다. 기도를 끝낸 수도사들이 기다란 식탁에 둘러앉아 있다. 젊은 여자가 들어서자 그들이 돌아본다.

아까 그 여자로군.

그들의 얼굴에 상냥한 미소가 번진다.

뤼크레스는 자기에게 쏠리는 시선에 주눅 들지 않고 당당하게 나아간다. 데우스 이라이가 그녀에게 기다란 참나무 의자를 가리키며 앉을 것을 권한다. 그들 주위로 우유나 귀리나 꿀이 들어 있는 단지들이 손에서 손으로 건네지고 있다. 뤼크레스는 수도사들의 얼굴을 살펴보면서 무엇이 이들을 이런 곳에 오게 했을까 하고 생각한다.

「이들을 보며 무슨 생각을 하고 있는지는 모르지만, 속단은 하지 마세요. 이들은 선량한 사람들이에요. 겉으로 보기에는 조금 구태의연한 점이 없는 것은 아니지만, 그것은 무시하시고 이들 안에 있는 참모습만 보세요. 이들은 세상의 갖가지 다툼이 힘들어 보여서 그것으로부터 떠나고 싶어 한 사람들이에요. 이들 나름대로는 행복해요. 오늘날 스스로 행복하다고 말할 수 있는 사람이 얼마나 되겠습니까?」

「복음서에 〈마음이 소박한 사람은 행복하다.[68] 하늘나라가 그들의 것이다〉라는 말이 있어요. 소박하고 겸허한 마음으로 살면 누구나 행복할 수 있는 거 아닌가요?」

그는 가타부타 대꾸가 없다.

뤼크레스는 우유에 납작하게 빻은 귀리를 타서 게걸스럽게 먹는다. 누구보다 입맛이 까다로운 그녀이지만, 두 섬 사이를 헤엄쳐 건너느라 너무나 허기가 져서 거친 음식을 대하고도 까탈을 부리지 않는다.

「그런데 병원에서 무슨 일을 꾸민 거예요?」 데우스 이라이가 묻는다.

「거기 사람들이 아주 중대한 것을 발견해 냈어요. 새로운 형태의 마약이 아닌가 싶어요. 그것을 이용해서 사람의 뇌를 조종하려는 자들이 있어요.」

데우스 이라이는 그런 이야기에는 더 이상 관심이 없다는 듯 그녀의 말을 자르고 자기 이야기에 열을 올린다.

「오늘날 우리 사회의 문제 중의 하나는 영혼을 평화롭게 하는 권능이 고해 신부가 아니라 정신과 의사나 정신 분석가에게 맡겨져 있다는 겁니다. 하지만 정신과 의사나 정신 분석가가 할 수 있는 일이 뭐겠습니까? 그저 환자들을 죄의식에서 벗어나게 해주는 것뿐입니다. 그러다 보니 언제나 옳은 쪽은 환자들입니다. 환자들에게 문제가 생기는 건 언제나 남의 탓입니다. 모든 게 사회 탓, 부모 탓, 친구 탓이죠. 사람들

---

68 「마태오의 복음서」 5장 3절. 우리말 공동 번역 성서에는 〈마음이 가난한 사람은 행복하다〉로 되어 있지만, 저자가 인용한 프랑스어 역을 따랐다. 대부분의 성서 주해에 따르면, 〈마음이 가난한 사람〉이란 〈스스로 자기 마음이 가난하다고 느끼는 겸허한 사람〉을 가리킨다.

은 즉각적인 쾌락을 좇습니다. 그것이 야기하는 해악에는 아랑곳하지 않아요. 그러고 나서는 정신과 의사나 정신 분석가를 찾아갑니다. 자기들이 올바르게 행동했다는 이야기를 들으러 가는 거죠.」

그러면서 데우스 이라이는 주먹을 꼭 쥔다.

「그래서 시엘을 공격한 건가요?」

「아뇨. 그건 다른 거예요. 그들은 방탕한 자들입니다. 만일 그자들의 운동이 슬금슬금 번져 나간다면, 우리는 퇴폐적인 사회에 도달하고 말 겁니다. 전에 타이의 파타야에서 퇴폐 사회의 표본을 본 적이 있습니다. 파타야 가보셨어요? 태국의 남부 해안에 있는 해수욕장입니다. 젊을 때 관광객으로 거기에 갔다가 큰 충격을 받았어요. 칸만 한 도시 전체가 완전히 향락에 바쳐져 있다고 생각해 보십시오. 어디 가나 매춘부가 널려 있고, 도박판이며 킥복싱 경기, 술, 마약 따위가 지천입니다. 열서너 살밖에 안 된 소녀들이 몇 시간이나 하룻밤 정도가 아니라 1년이나 10년 계약으로 자기들 몸을 팔고, 음탕하고 추잡한 사내들이 그런 아이들을 희롱합니다. 회사 간부라는 작자들이 비행기를 전세 내서 거기에 떼거리로 몰려오는 것을 봤습니다. 열세 살밖에 안 된 소년들이 타격을 느끼지 않으려고 온몸에 진통제 연고를 바른 채 킥복싱을 하는 것도 봤어요. 그런 소년들은 맞아서 생긴 내출혈 때문에 한두 해를 못 버티고 죽기도 한답니다. 어디 그뿐인 줄 아십니까? 나는 어떤 스트리퍼들이 자기들 성기로 콜라 병뚜껑을 따는 것도 봤습니다. 자기들 몸속에 살아 있는 뱀을 집어넣는 여자들도 있었어요. 인류에게 이런 미래가 와도 좋겠습니까?」

데우스 이라이는 그녀에게 귀리를 더 덜어 준다. 그녀는 자기가 먹고 있다는 것조차 의식하지 않고 부지런히 숟가락을 놀린다.

「모든 사람들이 다 그런 건 아니에요. 우리는 누구나 우리의 가장 원초적인 충동에 무조건 굴복하지 않도록 교육을 받았어요. 그러지 않았다면 온 세상이 벌써 당신이 말한 파타야처럼 되어 버렸을 거예요.」

「에피쿠로스주의자 클럽의 추종자들이 갈수록 늘어나고 있어요. 우리 사회에 전혀 도움이 될 게 없는 일입니다. 정작 에피쿠로스 자신은 작고 소박한 즐거움을 예찬하고 올바른 마음으로 살아갈 것을 권장했는데, 그 가르침에 역행하는 자들이 그의 후예임을 자처하고 있으니 더욱 한심한 노릇이지요.」

뤼크레스는 빻은 귀리에 우유와 꿀을 섞은 죽을 입 안에 가득 문 채 말한다. 「데카르트가 데카르트주의자가 아니었듯이, 에피쿠로스는 에피쿠로스주의자가 아니었던 셈이군요.」

「에피쿠로스의 제자 중에 루크레티우스라는 로마의 시인이 있습니다. 프랑스어로 뤼크레스라고 하니까 남자지만 당신과 이름이 같은 셈이군요. 이 시인은 자기 스승에 관한 전기를 쓰면서 〈모든 걸 즐기라〉를 에피쿠로스 사상의 중요한 측면으로 부각시켰습니다. 그 사람 자신이 쾌락주의자였기 때문이지요.」

「당신들은 오리게네스의 후예임을 자처한다던데, 그 말이 맞나요?」

「오리게네스는 위대한 성서 주석가였고, 평생 자기 신념을 의연하게 견지한 사람이었습니다.」

「그는 7죄종이라는 개념을 만들었고, 스스로 거세를 했다 지요?」

그녀는 마치 한기라도 느끼듯이 몸을 부르르 떤다. 그는 자기 잔에 물을 따르며 언성을 높인다.

「거세를 했다고요? 그건 한낱 전설일 뿐 사실 여부가 입증된 적이 없어요. 그가 7죄종이라는 개념을 만들었다는 것도 확실치 않아요. 우리가 알고 있는 역사라는 건 그저 역사가들이 들려주는 이야기일 뿐이에요.」

「그냥 참고 삼아 물어보는 건데, 그 7죄종이라는 게 뭐죠?」

「사치, 탐식…… 으음…… 이런, 갑자기 물어보니까 나도 생각이 안 나네요. 조금 있다가 생각나면 말할게요.」

그는 과일 바구니를 그녀에게 내민다.

「아뇨, 고맙지만 그만 먹을래요. 커피나 좀 마셨으면 좋겠네요. 되도록 진한 커피로요.」

수도사들이 음성을 낮추라고 그들에게 신호를 보낸다.

데우스 이라이가 속삭인다. 「진정하세요. 여기엔 커피가 없어요.」

그녀는 참으려고 애를 쓰며 눈을 감는다. 우유에 젖은 귀리 냄새와 오래된 석벽 냄새가 느껴진다. 어디에선가 미모사의 꽃향기도 실려 온다.

「무엇 하러 이렇게 늘 뛰어다니죠? 무엇 하러 이렇게 늘 힘들게 살죠?」

데우스 이라이가 그녀의 손을 잡으면서 말했다.

그녀는 뜨거운 불판에 닿기라도 한 것처럼 얼른 손을 빼낸다.

「모르겠어요. 세상이 그런 식이고 나는 그 세상 속에 있기 때문이겠지요.」

「힌두교와 불교에서는 〈욕망이 없으면 고통도 없다〉고 가르칩니다. 그건 모든 신비주의 신학의 라이트모티프이기도 하지요. 그 가르침에 관해서 깊이 생각해 보십시오. 먼저 당신의 욕망이 무엇인지 머릿속에 떠오르는 대로 차례차례 알아내십시오. 그다음에 그것들의 실체를 분명하게 보시고 하나씩 포기해 나가세요. 그러면 당신 자신이 한결 가벼워지는 것을 느끼게 될 겁니다.」

그녀는 현재 자기가 가장 간절하게 원하는 것이 무엇인지를 생각한다. 그건 생트마르그리트 병원에서 벌어지고 있는 일을 세상에 알리는 것이다. 그녀는 잠시 그 욕망을 포기한다. 두 번째 욕망은 무엇인가? 이 모든 일을 잊고 침대에 누워 쉬는 것이다. 그녀는 그것도 접어 둔다. 그 밖에 어떤 욕망이 있을까? 이지도르를 다시 만나는 것(그와 함께 있으면 마음이 편안해지기 때문이다). 기사를 잘 써서 테나르디에 부장의 인정을 받는 것(그저 그 비열한 여자에게 본때를 보여 주기 위해서다).

그것 말고도 이러저러한 욕망이 뒤죽박죽 떠오른다. 이상형의 남자와 결혼하는 것(하지만 조건이 있다. 그가 나를 자유롭게 내버려 두어야 한다). 귀여운 아이들을 낳아서 키우는 것(여기에도 조건이 있다. 아이들이 나에게서 너무 많은 시간을 빼앗지 말아야 한다). 모든 남자들의 사랑을 받는 것(하지만 어떤 남자도 나를 독차지할 권리가 있다고 느껴서는 안 된다). 다른 여자들의 부러움을 사는 것(그러나 이건 시샘이 아니라 경탄이 되어야 한다). 명성을 얻는 것(사생활이 침해되지 않는다는 조건에서). 사람들의 이해를 받는 것(단, 오로지 똑똑한 사람들로부터). 늙지 않는 것(그러면서도 경험은 점점 많아져야 한다). 담배. 발톱 다듬기…….

그렇게 곰곰이 생각하다 보니 중요한 사실을 하나 깨닫게 된다. 자기가 늘 스무 가지쯤 되는 큰 욕망과 아울러 백여 가지쯤 되는 자잘한 즐거움을 추구하며 산다는 사실이다. 그 큰 욕망들과 자잘한 즐거움들이 끊임없이 그녀의 대뇌 피질을 콕콕 쑤셔 대고 있는 것이다.

데우스 이라이가 그녀의 생각을 읽기라도 한 듯 조언한다.

「모든 걸 놓아 버리세요. 우리의 묵상회에 참석해 보세요. 아마 여기에 더 오랫동안 머무는 게 좋을 겁니다. 영혼의 평정을 찾는 데에는 여기가 십상 좋지요.」

그가 다시 그녀의 손을 잡는다. 이번에는 그녀가 손을 뿌리치지 않는다. 그러자 그는 그녀의 두 손을 감싸 쥔다.

그녀는 눈을 계속 감은 채 마음속으로 〈평정〉이라는 말을 되뇐다.

다시 눈을 떠보니, 그녀의 시야에 세 인물이 더 들어와 있다.

그들을 알아보는 데에 시간이 걸릴 리 없다. 정신 병원에서 만난 세 환자 로베르, 피에로, 뤼시앵이 바로 그들이니 말이다. 수도사 하나가 그녀를 손가락으로 가리킨다. 그가 들고 있는 석판에는 〈나를 따라오세요. 그 여자가 어디에 있는지 압니다〉라는 말이 쓰여 있다. 그녀의 뇌로부터 아드레날린이 한소끔 분출되면서, 졸기 시작하던 세포들이 모두 깨어난다.

데우스 이라이는 그녀를 움직이지 못하게 하려고 손목을 꼭 쥔다. 하지만 그녀는 식탁 밑으로 그의 정강이를 걷어차서 손아귀를 벗어난다. 그러고는 기다란 참나무 의자를 쓰러뜨리고 문 쪽으로 잽싸게 내닫는다. 몇 초 동안이나마 자기의 욕망을 잊고 있었던 그녀에게 갑자기 아주 강렬하고 단순한 욕구가 솟구친다. 도망치려는 욕구가 바로 그것이다.

순식간에 완전히 딴사람으로 변한 데우스 이라이가 소리친다. 「하느님의 분노를 두려워하며 살아야 합니다. 하느님의 분노를 두려워할 줄 알아야 해요. 그분이 저 위에서 우리를 내려다보고 계십니다.」

수도사들은 복수심에 불타는 그 세 기사의 출현이 마치 천벌의 징표라도 되는 양 성호를 긋는다. 여자 하나가 느닷없이 나타나서 자기들을 방해했으니 벌을 받는 게 당연하다고 생각하는 모양이다.

뤼크레스는 사내들이 잡으러 오기 전에 옆문을 빠져나가 돌계단으로 진둥한둥 내리닫는다. 뒤를 돌아다보지는 않았지만 급한 발걸음 소리가 계속 들리는 것으로 보아 사내들이 계속 뒤쫓아 오고 있음이 분명하다.

반대쪽에서 계단을 올라오던 수도사들이 그녀를 잡으려고 한다. 그녀는 그들 사이로 나는 듯이 빠져나간다.

그들은 팩스를 보내기는커녕 내가 여기에 있다는 사실을 병원에 알렸을 것이다. 하마터면 꼼짝없이 당할 뻔했다. 쉬고 싶은 욕구가 강했기 때문이기도 하고, 짐짓 상냥하게 구는 데우스 이라이의 달콤한 말에 잠시 현실을 망각한 탓이기도 하다. 언뜻 듣기엔 그럴듯하지만, 그의 생각은 옳지 않다. 우리가 살고 있는 이 세계는 끊임없이 움직이고 있다. 속도를 늦추는 것은 곧 후퇴하는 것이다.

그녀는 숨을 곳을 찾아서 멀리 보이는 요새 같은 건물을 향해 질주한다. 하지만 건물 안에는 이미 수도사들이 모여 있다. 달리 선택의 여지가 없다. 그녀는 수도복으로 팔을 감싼 채 오노라 성인의 모습을 담은 스테인드글라스 하나를 깨뜨리고 건물 밖으로 나간다. 이제 그녀가 도망칠 곳은 바다 밖에 없다.

바다가 또다시 나를 구해 줄 것이다.

아직 걷히지 않은 해미가 그녀를 감싸 준다. 추적자들로부터 그녀를 숨겨 주기라도 하는 듯하다. 그녀는 헤엄치는 데에 방해가 되는 수도복을 벗어 버리고 바다로 뛰어든다. 방향을 가늠하기가 쉽지 않다. 그녀는 칸 항구가 나오리라 짐작되는 쪽으로 힘껏 팔을 저어 나아간다.

이젠 위험을 피해 헤엄쳐 갈 만한 섬이 없다. 하지만 어쩔 수가 없다. 당장의 위험은 피하고 봐야 한다.

그러나 당장의 위험을 피하는 것도 쉬운 일은 아니다. 세 환자를 태우고 왔던 움베르토가 자기 배에서 그들이 돌아오기를 기다리고 있다가, 그녀를 알아보고는 이내 배에 시동을 건다.

그녀는 파도와 안개를 헤치며 더 빨리 나아간다. 모터 소리가 점점 가까이 들린다.

젠장. 산 너머 산이로군.

움베르토의 배 〈카론〉은 금세 그녀를 따라잡는다. 그녀는 사력을 다해 팔다리를 놀린다.

움베르토는 키를 고정시키고 뱃전으로 나와 갈고리 장대로 그녀를 잡으려고 한다.

계속 헤엄쳐 나아가는 그녀를 겨냥하여 그가 갈고리 장대를 들어 올린다.

그녀는 물속으로 들어갔다가 다시 올라온다. 그는 다시 그녀를 겨냥하여 동작을 수정한다……. 그러더니 갑자기 누군가에게 일격을 당하고 쓰러진다.

뤼크레스는 어안이 벙벙하여 나아가기를 멈추고 고개를 든다.

101

생쥐 프로이트는 마침내 제가 그토록 바라던 것 앞에 다다랐다. 뇌에 전기 자극을 보내 줄 지렛대가 바로 코앞에 있었다. 생쥐는 작은 다리를 앞으로 내밀었다. 그러고는…….

102

「……닻을 잡아요!」

하늘에 무슨 닻이 있다고 잡으라는 거지?

위쪽에서 귀에 익은 음성이 들려온다.

「뤼크레스, 어서 올라와요!」

이지도르다!

그녀는 그가 닻이라고 부른 물건에 연결된 밧줄을 타고 되도록 빠르게 올라간다. 올라가 보니 그녀와 조사 활동을 함께 벌이고 있는 동료 말고 또 한 사람이 있다. 억만장자 제롬 베르주라크다. 그들은 뜻밖에도 열기구를 타고 그녀를 도우러 왔다. 기낭에 사뮈엘 핀처의 초상이 찍혀 있는 예의 〈미미〉라는 열기구다. 억만장자가 그녀의 손에 입을 맞춘다.

그녀의 뚱뚱한 동료는 자기에게 바싹 기대 오는 그녀를 덥

석 껴안는다.

「이지도르.」

그는 〈뤼크레스〉 하고 외치고 싶은 마음을 억누른다.

「이렇게 와주어서 얼마나…… (행복한지) 마음이 놓이는지 몰라요.」

「당신에게 무슨 일이 생길까 봐 얼마나…… (초조하고 불안했는지) 걱정했는지 몰라요.」

두 사람은 서로 껴안고 있는 팔에 힘을 준다.

우리가 보통 인연으로 만난 사이는 아닌가 봐. 이 남자 옆에 있으면 기분이 한결 좋아져. 이 남자는 전생에 내 아버지나 남편이 아니었을까? 또는 내 남자 형제나 아들이 아니었을까?

그는 팔에 다시 한번 힘을 주며 생각한다.

사고만 치고 다니는 골치 아픈 여자 같으니.

103

생쥐가 지렛대를 세게 눌렀다. 그렇게 해서 뇌에 전기 자극을 한 번 얻고는, 몇 번을 잇달아 더 눌렀다. 자극이 너무나 좋은지 멈출 생각을 하지 않았다.

「프로이트는 이럴 만한 자격이 있어.」

사뮈엘 핀처의 말에 장루이 마르탱도 경탄으로 응답한다.

〈굉장해! 아주 잘되어 가고 있어.〉

그들은 생쥐를 지켜보고 있었다. 한 사람은 진짜 눈으로, 다른 사람은 비디오카메라의 렌즈를 통해서.

지렛대가 계속 오르락내리락하고 있었다. 마치 생쥐가 제 몸 크기에 맞춘 작은 트레이닝 기계로 근육 단련이라도 하고 있는 듯했다. 아닌 게 아니라 생쥐가 어찌나 열심히 지렛대를 눌러 댔는지 녀석의 다리 근육이 조금씩 부풀어 오르는 것처럼 보이기도 했다.

〈그런데 계속 저러면 안 되는 것 아냐?〉

생쥐의 눈은 흥분 때문에 빨갛게 충혈되어 있었고, 입아귀에서 흘러내린 침이 작은 방울을 지어 실낱같은 수염에 매달려 있었다. 생쥐는 지렛대를 누를 때마다 전기 자극을 한 번밖에 얻을 수 없는 것이 아쉽다는 듯 미친 듯이 다리를 놀려 대면서 행복감으로 숨을 헐떡거렸다. 지렛대도 처음엔 별로 소리를 내지 않았는데, 생쥐가 어찌나 빠르게 격렬하게 흔들어 대었는지 숫제 딸가닥거리는 장난감 같은 소리를 내고 있었다.

「전기를 차단해야겠어.」

그러면서 핀처가 스위치를 눌렀다.

생쥐는 심한 충격을 받은 것처럼 어쩔 줄 몰라 했다.

〈머리에 이상이 생긴 것 같은데.〉

마르탱의 말에 핀처는 생쥐를 달래 보려고 치즈를 넣어 주었다. 생쥐는 더 이상 움직이려 하지 않았다.

핀처는 불안한 생각이 들어 생쥐 쪽으로 몸을 숙였다. 그리자 생쥐는 지렛대를 집고 계속 눌러 댔다. 제가 원하는 건 오로지 그것뿐이라는 것을 알리고 싶은 모양이었다.

핀처는 생쥐가 원하는 대로 해주지 않는 것을 사과하는 뜻으로 녀석을 쓰다듬었다.

「자아, 프로이트, 이제 그만하자. 무리하면 안 돼. 쾌감도 양이 적당해야 하는 거야. 오늘은 이 정도로 충분해.」

그러자 욕구 불만에 사로잡힌 생쥐는 뒷다리로 버티고 일어서는가 싶더니 펄쩍 뛰어올라 핀처의 살에 제 앞니 두 개를 박아 버렸다.

「아야, 이 녀석이 날 물었어!」

생쥐는 제 몫을 받기 위해 싸울 준비를 하면서 전투 자세를 취했다. 털을 곤두세우고 귀를 쫑긋거리면서 독 오른 빨간 눈으로 사람을 노려보는 모습이 여간 표독해 보이지 않았다.

핀처는 생쥐를 다스리기 위해 특별한 집게를 가지러 가야만 했다. 생쥐는 분을 이기지 못하고 위협적으로 드러낸 앞니 사이로 찍찍 소리를 내면서 발톱으로 허공을 긁어 대고 있었다.

104

제롬 베르주라크는 불꽃을 토해 내는 버너들을 조절하고 있다. 트위드 정장을 입고 골프화를 신은 차림에 페커리 가죽 장갑을 낀 모습이다. 그들은 기구의 양력(揚力)이 허용하는 높이까지 올라간다.

「나 추워요.」

뤼크레스의 말에 베르주라크는 그녀가 몸을 말릴 수 있도록 이불 하나를 내민다.

뿌연 안개가 흩어지면서 하늘이 개기 시작한다. 저 아래로 레랭스의 두 섬, 생트마르그리트와 생토노라가 내려다보인다. 두 땅덩이가 껍질을 벗긴 호두를 길게 늘여 놓은 것처럼 동그마니 놓여 있다. 어찌 보면 뇌의 두 반구처럼 보이기도 한다.

한쪽에는 광기가 있고 다른 쪽에는 종교가 있다. 고통받는 영혼들을 위한 두 개의 도피처인 셈이다 하고 뤼크레스는 생각한다.

짙푸른 바다에 하얀 삼각형처럼 떠 있던 작은 돛배들이 파도를 가르기 시작하고, 백사장에 수영복을 입은 사람들이 연분홍색 점처럼 모여든다.

「이제 아무도 우릴 따라오지 못하겠군요.」

그들은 신속하게 닻을 끌어 올린다. 뤼크레스는 이불로 몸을 휘감고 버들가지로 엮은 바스켓의 한구석에 편안하게 자리를 잡는다. 열기구는 여러 가지로 불편한 점이 많다. 버너가 뿜어 대는 열기 때문에 머리 쪽은 훈훈한데 고도가 높아지면 발이 시리다는 것도 그중의 하나다. 뤼크레스가 발가락을 문지르고 있는 것을 보자, 제롬 베르주라크는 두꺼운 양말과 손모아장갑을 내민다.

「그런데, 이지도르, 내가 있는 곳을 어떻게 알아냈어요?」

이지도르는 양말을 신은 자기 발을 주무르고 있다.

이 사람이 내 발도 저렇게 주물러 주면 좋겠다.

「휴대폰 덕분이지요. 당신은 휴대폰을 늘 진동으로 해놓기 때문에, 내가 전화를 걸어도 벨 소리가 나지 않아서 납치자들이 모를 거라고 생각했어요. 그래서 당신에게 전화를 건 다음 이동 통신 회사에 부탁해서 당신의 휴대폰에 반응을 보인 기지국이 세 군데 있단 걸 알아냈지요. 그 세 곳을 연결해서 삼각형을 그려 보니까, 당신의 휴대폰이 있을 것으로 추정되는 구역의 반경이 나오더라고요. 그 반경 안에서 생트마르그리트 병원을 찾아내는 건 쉬운 일이었지요. 경찰에 있는 친구들에게 출동을 부탁했더니, 법적인 문제 때문에 난처해하더군요. 그래서 여기 있는 우리 친구에게 도움을 청했지요. 이 공중에 뜨는 운송 수단을 빌려 달라고 말이에요.」

억만장자는 자랑스럽게 열기구의 기낭을 가리키며 소리친다. 「운송 수단이라 하지 말고 미미라고 불러 주세요!」

뤼크레스는 눈을 들어 이마에 손차양을 대고 기낭을 올려다본다. 표면에 찍힌 사뮈엘 핀처의 얼굴 아랫부분이 보인다. 그 거대한 얼굴이 그녀가 잠시 잊고 싶어 했던 조사 활동을 상기시키는 듯하다.

「고맙습니다, 〈놀고먹는 억만장자〉 아저씨!」

그 말에 제롬 베르주라크가 콧수염을 쓸며 대답한다.

「친애하는 뤼크레스 넴로드 씨 덕분에 놀고먹는 시간이 점점 줄어들고 있지요……. 모험을 즐길 수 있다는 점에서 당신은 참 운이 좋은 사람이에요. 모험이란 그 어느 것보다 강한 동기죠. 위험을 무릅쓰고 갖가지 시련을 이겨 내면서 정의를 실현한다는 건 멋진 일입니다. 당신은 정말 운이 좋은 겁니다. 안 그렇습니까?」

「때로는 약간의 불쾌한 일들이 따르기도 하지요.」

그녀는 바위에 긁혀 생긴 팔뚝의 상처를 훑으면서 한숨을 내쉰다.

그는 샌드위치 하나를 그녀에게 내민다. 두 쪽의 토스트 빵 사이에 얇게 저민 닭고기와 마요네즈, 토마토, 오이, 상추, 체더치즈, 오이 절임 따위가 들어 있는 샌드위치다. 그녀는 문득 이 조사가 시작된 뒤로 끼니를 제때에 챙기지 못하고 거의 아무렇게나 때워 왔음을 깨닫는다.

「혹시 담배 가진 것 있어요?」

「열기구 안에서는 금연입니다. 인화 물질이 너무 많거든요.」

이지도르는 쌍안경으로 수면을 내려다본다. 움베르토가 머리를 감싸 쥔 채 다시 일어서서 그들을 올려다보고 있다.

뤼크레스는 처음 타보는 열기구가 신기해서 이리저리 살펴본다. 바스켓에는 버들가지 위에 〈미미〉라는 이름이 쓰여 있고 계수나무 잎으로 엮은 둥근 고리가 이 이름을 둘러싸고 있다.

「방향을 조정하는 키는 없나요?」

「이건 비행선이 아닙니다. 이런 열기구를 타고 공중에 올라가면, 어디에 착륙하게 될지 정확히 알 수 없습니다. 바람이 부는 대로 밀려가는 것이지요. 하지만, 이 임무를 위해서 특별히 작은 제트 스키 엔진을 달았습니다. 이걸 이용해서 우리가 아까 당신 바로 위로 내려갔던 것이고, 마찬가지 방식으로 다시 해안으로 돌아갈 거예요.」

그는 제트 스키 엔진에 시동을 건다. 하지만 엔진은 세 차례쯤 쿨룩거렸다가 더 이상 아무 소리도 내지 않는다.

「아니, 이게 왜 이러지? 지금 우리를 저버리면 안 되는데.」

제롬은 모터가 다시 돌아가게 해보려고 헛되이 애를 쓰더니, 체념 어린 몸짓을 하며 상황을 설명한다. 「우리는 다시 평범한 열기구의 탑승자가 되었어요. 우리가 할 수 있는 일은 올라가거나 내려가면서 기류를 타는 것뿐이에요. 어쨌거나 그건 우리 뜻대로만 되는 것은 아니고 운이 따라 주어야 되는 일이죠. 우리를 땅으로 데려다줄 바람이 불 때까지, 술이나 한잔하면서 기다립시다. 그러다 보면 최후의 순간을 맞기 전에 한 번쯤은 구원의 바람이 불어 줄 것이고, 우리는 그 구원에 건배를 할 수 있을 겁니다. 고생은 좀 따르겠지만, 끝이 좋으면 모든 게 다 좋은 거죠. 안 그렇습니까?」

그는 뱃사람들의 칼로 샴페인 병 하나를 따고 그들에게 유리잔을 내민다.

「모험을 또 하나의 동기로 우리의 목록에 넣는 게 어떨까요?」

이지도르의 제안에 뤼크레스가 대답한다. 「안 돼요. 그걸 독립된 하나의 동기로 분류할 수는 없어요. 모험이란 삶을 권태롭게 만들지 않으려는 행동이라는 점에서 네 번째 동기와 연결되어 있어요. 게다가 내 쪽에서는 이미 종교를 열 번째 동기로 추가했어요. 종교는 때로 마약이나 성애보다 한결 강력한 동기가 될 수 있거든요.」

그러자 제롬이 반박한다. 「모험이 지닌 매력은 종교보다 강할 수 있습니다. 성직을 버리고 세계 일주에 나선 수도사들이 얼마나 많았는지 생각해 보십시오. 안 그렇습니까?」

이지도르는 그녀에게 새 수첩을 건네주고 자신의 포켓용 컴퓨터를 꺼낸다. 그러고는 두 손가락으로 자판을 두드려 자기의 개인적인 동기 목록에 〈10. 종교〉와 〈11. 모험〉을 추가한다.

그녀는 여전히 시큰둥한 표정을 짓고 있다. 이지도르의 설명이 이어진다. 「우리는 모든 동기를 망라한 완벽한 목록을 만들자는 것이 아닙니다. 이 목록을 통해서 한 인간의 행동이 변화해 가는 과정을 이해할 수 있다면 그것으로 충분하지요. 우리가 지금까지 작성한 목록의 순서는 어느 정도 인간의 성장 단계와 맞아떨어지는 측면이 있어요. 처음에 인간은 고통을 멎게 하는 일에 대해서 주로 생각합니다. 아기가 기저귀에 오줌을 싸고 우는 건 오줌 때문에 살갗이 따끔거리기 때문입니다. 그다음에는 두려움에서 벗어날 생각을 하지

요. 아이가 어둠이 두려워서 우는 게 바로 그런 겁니다. 그러
다가 조금 컸다 싶으면 아이는 배고프다고 어른을 부르고 놀
고 싶다고 사람을 찾습니다. 더 자라서 학교에 들어가면 좋
은 성적을 받고 싶어 하고, 운동장에서 제 공을 빼앗아 간 녀
석의 얼굴을 때리고 싶어 합니다. 그러다가 청소년이 되면
사귀는 사람과 키스도 하고 싶어 하고 담배도 피우고 싶어
하지요. 성인이 된다고 해서 이상의 동기들과 무관해지는 것
은 물론 아니지만, 성인의 행동에는 새로운 동기들이 추가됩
니다. 종교나 모험도 그런 동기가 될 수 있겠지요. 이렇게 동
기들의 목록을 차례차례 되짚어 보면, 이 서열이 인류의 역
사나 한 개인의 인생 역정과 무관하지 않다는 생각이 들어
요. 내가 보기에는, 인간이 종교에 이끌릴 수 있다는 당신 생
각도 옳지만 제롬의 생각도 틀린 건 아니에요. 인간은 얼마
든지 모험심에 이끌려 행동할 수 있어요. 그러니 두 가지 다
넣기로 합시다.」

그러자 억만장자가 동을 단다. 「모험은 절대적인 동기죠.
조금 전에 우리가 닻을 내려 주었을 때, 당신은 그것을 보고
틀림없이 짜릿한 기분을 느꼈을 겁니다. 그 기분을 생각해
보십시오. 그건 정말 굉장했을 겁니다. 안 그렇습니까?」

「모르겠어요. 그런 순간에 한가롭게 자기 기분을 따지고
있을 사람이 있을까요? 그저 자기 목숨을 구하겠다는 일념
뿐이지요.」

억만장자는 콧수염의 양쪽 끝을 동시에 문지르면서 다정
한 눈길로 그녀를 빤히 바라본다.

「당신이 참 부러워요! 모험을 얼마나 많이 즐겼으면 벌써
이렇게 싫증을 내겠어요……. 당신이 얼마나 복이 많은 사람

인지 알기나 해요? 어떤 사람들은 거금을 들여가며 생존 게임이라는 걸 해요. 그들은 당신이 겪은 일에 비하면 아이들 장난 정도밖에 안 되는 짓을 하면서도 짜릿짜릿하다고 난리를 치죠. 자기들은 그저 놀이를 하고 있는 것이고 자기들의 시련이 곧 끝나리라는 것을 알고 있으면서도 그렇게 가슴 떨리는 감동을 느끼는 겁니다. 그런데 당신은 어떤가요? 진짜 위험 속에서 뛰놀고 있잖아요? 당신의 삶, 핀처의 죽음에 관한 당신의 조사 활동은 한 편의 굉장한 와이드 스크린 영화예요.」

「듣고 보니 일리가 있군요. 좋아요, 10번에 종교, 11번에 모험을 넣겠어요.」

제롬은 그녀의 손을 다시 잡고 한결 더 열렬하게 입을 맞춘다.

「그저 고맙다는 말밖에는 할 말이 없군요. 정말로 고맙습니다.」

그의 말에 대답하기라도 하듯, 내륙에서 지중해 쪽으로 부는 북풍이 드세어지고 갈매기들이 날카롭게 끼룩거리기 시작한다. 이지도르는 밧줄에 매달린 작은 리본들을 주의 깊게 살펴보고 있다.

「무슨 일이죠?」

「바람이 반대쪽으로 불고 있어요.」

아닌 게 아니라 열기구가 병원 쪽으로 돌아가고 있다. 병원 지붕을 덮고 있는 사람들의 모습이 눈에 들어온다.

「정말이 열기구의 방향을 조종할 수 없어요?」

억만장자는 밧줄 여러 개를 이리저리 조절해 본다.

「기류에 실려 가야 해요. 새들의 비행과 구름의 움직임을 관찰해서 기류들의 방향을 알아낸 다음, 상승과 하강을 통해서 열기구가 적당한 방향의 기류를 타게 해야 합니다.」

「내가 보기에는 우리 조금 위에 뭍 쪽으로 흐르는 기류가 있는 것 같은데요.」

「맞습니다. 하지만 문제는 우리가 당신을 찾아내느라고 시간을 너무 많이 썼다는 것입니다. 가스가 별로 많이 남아 있지 않아요. 게다가 한 사람을 더 태우고 나니까 열기구가 잘 올라가지 않고요. 당신의 몸무게를 탓하는 얘기가 아니니까 오해하지 마십시오. 열기구를 올라가게 하자면 무게 조절용으로 실은 짐들을 버려야 할지도 모르겠어요. 안 그렇습니까?」

생트마르그리트 요새의 가장 높은 망루에 모인 병원 사람들은 벌써부터 열기구 쪽으로 깨진 기왓장을 던지고 있다.

뤼크레스는 격앙되어 있는 그들 속에서 피에로를 알아본다. 그는 다른 사람들과 달리 마구잡이로 돌팔매질을 하지 않고, 제대로 겨냥을 해서 펀처의 얼굴을 맞히고 기낭에 구멍을 낸다.

그러자 환자들이 일제히 승리의 환호성을 지른다. 열기구가 조금 더 내려가더니 병원 쪽으로 흐르는 기류를 탄다. 뤼크레스 일행은 더욱 빠르게 병원 쪽으로 실려 간다.

환자들의 흥분은 점점 더 고조된다.

「자꾸 내려가고 있어요. 짐들을 버려야겠어요. 버너의 화력을 최대로 높여 놓았는데도 열기구가 상승하지 않아요.」

그들은 바스켓 너머로 작은 냉장고와 닻을 던져 버린다. 빈 샴페인 병에 이어 따지 않은 샴페인 병들도 버려지는 신세가 된다. 열기구가 조금 올라간다. 하지만 생트마르그리트 병원 쪽으로 점점 다가가는 것을 피할 수 없다. 환자들은 기왓장을 탄약처럼 죽 늘어놓고 있다가 일제히 팔매질을 다시 시작한다. 기와 조각들이 빗발처럼 날아든다. 이지도르와 뤼크레스는 그것들을 다시 주워 바스켓 너머로 던져 버린다.

제롬 베르주라크는 영웅적인 모험의 충동에 사로잡히기라도 한 사람처럼 갑자기 밧줄에 매달리더니 열기구의 기낭을 감싸고 있는 그물로 올라간다. 그러고는 자기 주위로 기왓장들이 빗발치는 것도 아랑곳하지 않고 찢어진 사뮈엘 핀처의 얼굴을 꿰맨다.

「용기가 대단하군요!」

뤼크레스가 놀란다.

「당신을 감동시키려고 저러는 겁니다. 저런 게 바로 낭만주의죠. 어떤 사람에게는 당신의 마음을 사로잡는 것 자체가 하나의 강력한 동기가 되기도 하는 겁니다, 뤼크레스.」

사뮈엘 핀처의 얼굴을 다 꿰매자, 〈미미〉가 다시 올라가기 시작한다. 기왓장들이 더 이상 그들에게 미치지 않는다. 제롬 베르주라크는 두 사람의 박수갈채를 받으며 다시 내려오더니 허리를 굽실하여 답례를 보낸다. 밧줄에 걸린 천들이 바람의 방향이 바뀌었음을 알리고 있다.

「고맙습니다! 확실히 모험의 짜릿함보다 더 좋은 건 없군요.」

뤼크레스가 새 수첩을 집어 들면서 대꾸한다. 「아니에요, 그보다 더 강력한 게 있어요. 환자들과 간호사들이 일치단결해서 우리를 공격하는 거 보셨지요? 그들은 우리가 육지로 돌아가는 것을 막기 위해 지붕에서 떨어질 위험도 마다하지 않았어요. 나는 병원 안에 들어가서 그들을 만나 보았어요. 이 병원은 하나의 독립 공화국처럼 운영되고 있어요. 광인들의 공화국이죠……. 그리고 그들에게는 그들 모두를 하나로 묶어 주는 동기가 있어요. 이 공화국에서는 그 동기가 국기이자 국가(國歌)이자 경찰이자 정치적 이상인 셈이에요.」

이지도르는 그녀의 말에 깊은 관심을 보이며 포켓용 컴퓨터를 꺼내 그 정보를 기록한다. 뤼크레스의 말이 이어진다. 「모험보다 더 강력한 동기 가운데 하나는 최후 비밀에 접근하게 해주겠다는 약속이에요.」

「최후 비밀이라는 게 뭐예요?」제롬이 묻는다.

「내가 아는 건, 그들이 그것을 얻기 위해서라면 무엇이든 할 준비가 되어 있다는 거예요. 아직 그것의 실체가 무엇인지는 모르지만, 우리는 지금까지 우리가 생각한 모든 동기보다 그것을 우위에 놓아야 할 거예요. 열두 번째 동기는 최후 비밀에 대한 약속이에요.」

105

프로이트를 대신하여 다른 생쥐들이 선발되었다. 뇌라는 미답의 동굴을 탐사하러 나선 이 생쥐들은 정신 의학 분야의 위대한 개척자들의 이름을 따서 각각 융, 파블로프, 아들러, 베른하임, 샤르코, 쿠에, 바빈스키[69]라는 이름을 얻었다. 사

---

69 융과 아들러는 각각 스위스와 오스트리아의 정신과 의사이자 심리학자로서 프로이트의 제자였다가 결별하고 프로이트와 구별되는 자기 이론을 세운 사람들이고, 베른하임과 샤르코와 쿠에와 바빈스키는 모두 프랑스의 의사들이다. 샤르코는 파리의 유명한 살페트리에르 병원에서 히스테리와 최면에 관한 연구로 프로이트에게 큰 영향을 미친 인물이고, 베른하임과 쿠에는 사제지간으로서 최면과 암시를 정신병 치료에 활용한 선구자들이며, 바빈스키는 척수

뮈엘 핀처와 장루이 마르탱은 이 생쥐들이 최후 비밀에 도달하고자 하는 욕구가 너무나 강한 나머지 자기들이 해야 할 일을 금방금방 깨닫는다는 것을 확인하였다. 이 생쥐들은 상징적인 언어를 사용하는 능력까지 보여 주었다. 그 능력은 인간의 지능에 가장 근접해 있는 것으로 평가되는 침팬지나 돼지나 돌고래 같은 동물에 결코 뒤지지 않았다.

「사람과 동물을 길들일 때 사용하는 두 가지 수단을 보통 당근과 채찍이라 부르는데, 우리가 찾아낸 이 당근은 그야말로 초강력 당근일세. 이건 최후의 순간에 주어지는 보상이기 때문에, 이걸 얻지 못하는 것 자체가 최후의 벌이 되는 셈이지.」

핀처의 말대로 지렛대를 눌러서 얻는 전기 자극은 초강력 당근이었다. 생쥐들은 미로에 들어가 학습할 때가 아니면, 온갖 종류의 금단 증상을 보여 주었다. 생쥐들은 오로지 지렛대만 생각하는 듯했고, 매우 공격적인 태도로 우리의 쇠막대를 물어뜯곤 했다.

「문제는 간단해. 한 번에 경험하는 쾌감의 양을 적절하게 조절하도록 훈련을 시키면 돼. 이 녀석들은 결국 스스로 양을 조절할 수 있게 될 거야. 쾌락의 지연이라는 개념을 터득해 가고 있거든. 당장에 모든 걸 얻으면 자기가 얻은 것의 참된 가치를 모르는 법이야. 보상과 보상 사이에 기다림의 시간을 두면, 보상을 얻을 때의 만족감이 더욱 커지게 되지.」

핀처는 융이라고 이름을 붙인 작은 생쥐의 꼬리를 잡고 우리에서 꺼내어 자기 손바닥 위에 올려놓는다. 생쥐는 지렛대에 다가갈 수 있도록 지능 검사 장치 안에 다시 넣어 달라고

와 뇌의 질환을 특징짓는 많은 증상과 증후군에 관해 연구한 의사이다.

애원을 하는 듯했다.

「생쥐가 아니라 인간을 상대로 이 실험을 해보고 싶어.」

잠시 침묵이 흘렀다.

「장루이, 한번 상상해 보게. 인간이 이 생쥐들처럼 강한 의욕을 갖고 행동한다면 어떻게 될까? 어떤 장애든 뛰어넘는 초인적인 능력을 발휘할 수 있지 않을까?」

〈하지만 두개골에 구멍을 내서 뇌의 알려지지 않은 어떤 영역을 찾아내야 하는데, 그 실험을 누가 받아들이겠나?〉

「내가 있잖아.」

핀처의 말이 끝나기가 무섭게 이상한 소리가 들렸다. 프로이트였다. 그들이 5분가량 감시하지 않고 내버려 두었더니, 생쥐가 그 자유를 틈타서 제 뇌에 너무나 많은 자극을 준 모양이었다. 생쥐는 결국 그 자극 때문에 죽고 말았다.

106

「긴장을 푸십시오.」

최면술사 파스칼 핀처가 〈즐거운 부엉이〉의 객석을 가득 메운 사람들을 향해 최면을 걸기 시작한다. 금요일 저녁마다 열리는 집단적인 릴랙스 요법 시간이다.

「허리띠를 푸시고 구두를 벗으세요. 자아, 다 같이 눈을 감고 완전히 긴장을 푸세요.」

관객들은 그가 시키는 대로 자기들의 몸을 가볍게 만든다.

「편안한 자세로 앉아서 휴식을 취하고 있다고 생각하세요. 여러분의 숨이 들어오고 나가는 것을 느끼면서 호흡을 부드럽게 가라앉히세요. 다음에는 여러분의 심장 박동에 생각을 모으고 박동을 천천히 늦추고 있다고 생각해 보세요.

배로 숨을 쉬세요. 오늘의 모든 근심 걱정을 잊으세요. 여러분이 누구인지도 더 이상 생각하지 마세요. 자아, 이제 여러분의 발에 생각을 모으시고 빨간색을 상상하세요. 발이 더이상 느껴지지 않습니다. 이번엔 여러분의 무릎에 생각을 모으시고 오렌지빛을 상상하세요. 무릎이 더 이상 느껴지지 않습니다. 다음엔 여러분의 엉덩이에 생각을 모으시고 노란색을 상상하세요. 엉덩이가 더 이상 느껴지지 않습니다. 자아, 이제 여러분의 머리에 대해 생각하시고 연보랏빛을 상상하세요. 여러분의 머리가 더 이상 느껴지지 않습니다.」

관객들은 마치 잠을 자듯이 눈을 감고 있다. 그들의 관자놀이가 아까보다 한결 느리게 뛰는 듯하다. 어떤 사람들에게는 최면술사의 유도가 잘 통하지 않는지, 옆 사람들을 쳐다보며 냉소를 흘리고 있는 손님들이 더러 눈에 띈다. 최면술사가 그들에게 신호를 보낸다. 다른 손님들을 방해할 거면 객석을 떠나라는 뜻이다. 그들은 다른 사람들을 깨우지 않고 그 신호에 순순히 따른다.

「여러분은 스스로를 가볍다고 느낍니다. 아주 가볍습니다. 숨을 한 번 쉴 때마다 긴장이 좀 더 풀어지고, 긴장이 풀어지면 풀어질수록 점점 가벼워집니다. 이제 하나의 계단을 머릿속에 그려 보십시오. 여러분을 여러분 자신의 깊은 곳으로 이끌어 갈 계단입니다. 그것의 난간과 단(段)들을 상상하세요. 자아, 이제 한 단 아래로 내려서서 긴장이 더 많이 풀리는 것을 느껴 보세요. 다시 두 번째 단으로 내려가서 긴장의 이완을 느껴 보세요. 한 단 한 단 내려갈수록 여러분은 점점 더 기분 좋은 휴식 상태로 들어가게 됩니다. 아까 여러분은 계단 꼭대기에 있었는데, 이제 셋째 단을 지나 넷째, 다섯째,

여섯째 단에 내려와 있습니다. 아주 고요하게 쉬고 있는 상태입니다. 우리는 곧 여러분의 마음과 여러분의 뇌 속으로 더욱 깊이 들어갈 겁니다. 스무째 단에 내려서면 여러분은 실제적인 최면 상태에 빠지게 됩니다.」

최면술사는 천천히 수를 센다.

「자아, 이제 여러분은 최면 상태에 있습니다……. 기분이 더할 나위 없이 좋습니다…….」

그때 객실의 안쪽 문이 슬그머니 열린다. 최면술사는 언짢은 기색을 보이며 도로 나가라고 손짓을 한다. 일단 최면이 시작되면 아무도 들여보내지 말라고 분명히 일렀음에도 뒤늦게 손님이 들어온 것이다. 새로 들어온 사람은 그에게 은근한 손짓으로 아는 체하며 방해할 생각이 전혀 없다는 뜻을 알린다.

파스칼 핀처는 그를 알아보고 그냥 들어오게 내버려 둔다. 동생의 죽음에 관해 조사하고 있는 기자 이지도르 카첸버그가 찾아온 것이다.

이지도르는 어떤 손님 옆에 가서 앉는다. 그 손님은 여느 손님이 아니라 바로 움베르토 로시다. 파스칼 핀처는 이 뱃사람이 금요일마다 꼬박꼬박 최면 공연에 참석한다고 말한 바 있었다. 그 말은 거짓이 아니었다. 움베르토는 눈을 감은 채 미소를 짓고 있다.

최면이 계속된다.

「이제 계단을 다 내려가서 걷고 있다고 상상하십시오. 여러분은 어떤 대로에 나와 있고 대로변에 영화관이 하나 있습니다. 사람들이 영화를 보기 위해 줄을 서서 기다리고 있군요. 포스터를 보니, 여러분이 오래전부터 보고 싶어 하던 재미있는 영화입니다. 여러분은 표를 사서 영화관 안으로 들어갑니다. 여러분은 각자 다른 영화를 보게 될 것입니다. 하지만 어느 영화나 배꼽이 빠지도록 웃길 겁니다. 자아, 이제 타이틀이 올라갑니다. 영화를 보십시오. 여러분이 이제껏 본 영화 가운데 가장 포복절도할 만한 영화입니다.」

관객들은 한동안 꼼짝 않고 있다가, 여전히 눈을 감은 채 하나둘씩 미소를 짓기 시작하더니 이내 깔깔거리며 웃음을 터뜨린다. 처음엔 웃음소리가 무질서하게 터져 나왔지만, 차츰차츰 웃음의 리듬이 비슷해진다. 마치 그들 모두가 똑같은 우스갯소리가 나오는 똑같은 영화를 보고 있기라도 한 듯하다.

이지도르는 움베르토 로시가 최면 상태에 빠져 있는 틈을 타서 그의 귀에 대고 속삭인다. 「이제 최후 비밀이 무엇인지 이야기해 보세요.」

움베르토는 웃음을 멈추고 눈을 번쩍 뜬다. 그는 목덜미가 뻐근해지는 것을 느낀다. 최면의 〈하강 초기 단계〉에서 갑작스럽게 〈냉혹한 현실 세계〉로 다시 올라온 탓이다. 스쿠버 다이버가 물속에 깊이 들어갔다가 올라올 때와 마찬가지로 최면에 빠졌던 사람이 다시 현실 세계로 올라올 때도 단계적인 감압(減壓)이 요구된다. 움베르토는 이지도르를 알아보자마자 신발을 챙겨 신고 다른 사람들을 떼밀며 황급하게 달아난다. 그 서슬에 몇몇 사람이 최면에서 깨어난다. 그들 역시 그 갑작스러운 상승에 불쾌감을 느낀다.

파스칼 핀처는 그 소동을 무마하기 위해서 목청을 높인다. 「여러분은 계속 영화를 보고 있습니다. 이상한 소리가 들려도 그것에는 아랑곳하지 않습니다.」

움베르토가 출구 하나를 찾아 막 빠져나가려는 찰나에 제롬 베르주라크가 갑자기 나타나 길을 막아선다. 하는 수 없이 방향을 바꾸어 달아나려 하는데 이번에는 뤼크레스가 앞을 가로막는다. 이제 달아날 수 있는 길은 하나뿐이다. 바로 화장실이다. 뤼크레스와 이지도르와 제롬은 그를 뒤쫓는다. 그들은 화장실을 거쳐 쓰레기통으로 가득 찬 마당으로 나온다. 움베르토는 덤프차 뒤에 숨어서 권총을 꺼내더니, 주저 없이 그들을 향해서 쏜다.

억만장자가 멀리서 소리친다.

「2번 작전! 2번 작전!」

「그런데, 2번 작전이 뭐였죠?」

뤼크레스의 물음에 이지도르가 대답한다.

「이봐요, 뤼크레스. 그걸 나에게 물어보면 어떻게 해요? 내가 건망증이 심하다는 거 뻔히 알면서. 나는 1번 작전이 있다는 것조차 잊어버리고 있었어요.」

뤼크레스는 자기 권총을 꺼내어 움베르토 쪽을 겨누면서 나직하게 말한다. 「당신의 그 기억 장애라는 것에 관해서 생각해 봤는데요. 당신의 뇌가 스스로를 보호하기 위해 기억 장애를 일으킨다는 생각이 들어요. 당신은 너무 예민하기 때문에, 만일 당신이 좋지 않은 일을 모두 기억하고 있다면 정신이 온전할 수 없을 거예요. 세상사에서든 당신 자신의 삶에서든 과거와 현재의 끔찍한 일들을 잊어버릴 필요가 있어요. 그래서 당신의 뇌가 그 자발적인 망각의 길을 선택하게 되었을 거예요.」

「그 얘기는 나중에 다시 합시다.」

움베르토가 달아난다. 그들이 추격에 나서자, 그가 다시

총을 쏜다. 그들은 거리의 모퉁이에 몸을 숨긴다. 그 틈을 타서 움베르토는 이웃한 골목길로 들어서더니, 행인들을 떼밀며 내달아서 어떤 집의 대문 뒤에 숨는다. 그가 다시 사격을 가하려는 찰나, 제롬이 기름 묻은 통조림 깡통들을 던지면서 돌진한다. 제롬이 다시 소리친다.

「2번 작전! 2번 작전!」

이지도르가 걱정스러운 얼굴로 말한다.

「극단적인 성향을 가진 사람들은 저게 문제예요. 제롬은 에피쿠로스주의를 추구할 때도 극단적이었는데, 이제는 지나치게 무모하고 저돌적인 모험주의자가 되려는가 봐요.」

아닌 게 아니라 억만장자 제롬은 움베르토가 총을 들고 있다는 것에 아랑곳하지 않고 계속 돌진해 간다. 움베르토가 쏜 7.65밀리미터 구경의 총알이 그의 어깨를 스친다.

「나 총에 맞았어요.」

공포와 환희가 반반씩 섞인 표정을 지으며 제롬이 알려온다.

「이제 내가 나서야겠어요. 더 이상 시간을 허비하면 안 되겠어요.」

그러면서 이지도르는 마당 쪽으로 빙 돌아가더니 맥주병 주둥이로 움베르토의 허리를 찌르면서 기습을 가한다.

「이제 할 만큼 했으니 항복하시지……. 움베르토.」

그는 호주머니에 지니고 있던 수갑을 꺼내어 움베르토의 손목에 채운다.

「도와줘요!」

제롬이 소리치자 뤼크레스가 달려간다.

「뤼크레스, 난 당신을 위해서 죽음을 무릅쓸 각오가 되어 있었어요.」

그가 다 죽어 가는 소리로 중얼거린다. 뤼크레스는 상처를 살펴본다.

「으음…… 별거 아니네요. 조금 스쳤을 뿐이에요. 내 손수건을 대고 있어요. 고급 정장을 피로 얼룩지게 하면 안 되니까.」

그러고 나서 그녀는 움베르토 쪽으로 몸을 돌려 그의 멱살을 잡는다.

「자아, 이제 말해 보실까? 최후 비밀이 뭐지?」

움베르토는 묵묵부답이다. 그저 비웃음을 물고 있을 뿐이다.

이번에는 제롬이 그의 멱살을 잡고 주먹질을 하려고 한다. 하지만 이지도르가 제롬을 말린다.

「폭력은 안 돼요.」

전직 신경외과 의사인 움베르토가 으름장을 놓는다.

「난 나의 권리를 알고 있어요. 당신들은 경찰이 아니야. 나에게 수갑을 채울 권리가 없어. 당신들을 고소할 겁니다.」

「그래, 우린 경찰이 아냐. 하지만 내 생각엔 경찰이 우리를 고맙게 여길 것 같은데. 우리가 중죄인을 잡았으니 말이야. 당신은 조르다노 박사를 살해했고, 나를 납치했으며(그 점에 대해서는 나야말로 고소를 할 생각이야), 핀처 박사를 죽였어.」

뤼크레스의 말에 움베르토는 갑자기 발끈해서 고함을 지른다.

「난 핀처 박사를 죽이지 않았어!」

「그럼 어디 증명해 보시지.」

「나타샤가 분명히 말했어. 그때 방에는 자기밖에 없었다고…….」

「그래. 하지만 최후 비밀을 이용하면 먼 거리에서 사람을 죽일 수도 있을 것 같은데…….」

움베르토는 경멸 어린 태도로 어깨를 올렸다 내린다.

「최후 비밀이 뭔지 몰라서 하는 소리예요.」

「그러니까 그게 뭔지 말해. 자아, 어서.」

이번에 이지도르가 설득에 나선다.

「움베르토, 당신이 아직 깨닫지 못한 게 있는 듯하군요. 우리는 당신과 같은 편입니다. 우리는 사뮈엘 핀처를 사랑하고 그가 이루어 낸 일을 높이 평가하고 있어요. 그래서 그에게 무슨 일이 일어났는지를 알고 싶어 하는 거예요.」

「나로서는 당신들을 도울 이유가 전혀 없어요.」

그러면서 그는 눈길을 떨군다.

「아뇨, 있어요. 당신을 수렁에서 건져 준 사람에 대한 감사의 뜻으로라도 우리를 도와야 해요.」

완강하던 움베르토도 이 말에는 마음이 흔들리는 듯한 기색을 보인다. 그러자 제롬이 자기 깐에는 지금이 바로 기회다 싶어 한마디 덧붙인다.

「자아, 어서 말해, 움베르토. 넌 이제 끝장났어.」

이지도르는 억만장자를 얼른 밀어내고 움베르토와 마주 선다.

「거기 사람들이 당신에게 뭘 보장해 주고 있지요? 일자리? 마약? 아니면 둘 단가요? 당신은 그들에게서 무슨 도움을 받고 있지요?」

「그들은 날 구해 줬어요.」

「그들이 아니에요! 당신을 구해 준 건 사뮈엘 핀처란 말입니다! 당신은 그에게 많은 것을 빚지고 있어요. 그런데도 그의 죽음을 수수께끼로 남겨 둘 작정입니까? 그런 배은망덕이 어디 있어요?」

움베르토는 수갑에 묶인 두 손으로 얼굴을 감싼다.

제롬은 더 이상 참지 못하고 다시 공격에 나선다.

「너 자신에게 물어봐. 만일 사뮈엘 핀처의 유령이 여기에 있다면, 너에게 뭐라고 충고를 할까? 계속 침묵을 지키라고 할까?」

뤼크레스도 자기가 나설 차례라고 생각하고 다시 말문을 연다. 「전에 〈아무〉라는 사람에 대해서 말한 적 있죠? 그 사람이 누군가요? 자아, 어서 털어놔요. 우리를 위해서가 아니라 핀처 박사를 위해서 말이에요. 사건의 진상이 일말의 의혹도 없이 명백하게 밝혀져야 해요.」

전직 신경 정신과 의사는 이제 머릿속이 너무나 혼란스럽다. 죄책감과 회한, 유감, 감옥살이에 대한 두려움, 최후 비밀을 알고 싶은 욕망, 병원에 대한 감사의 마음, 특히 핀처에 대해서 느끼는 고마움 등이 착종하며 그의 자유 의지라는 경기장에서 격렬한 싸움을 벌이고 있다. 딜레마다. 그는 고통에 겨워 얼굴을 씽그린다. 마치 세 사람이 번갈아 가며 쏟아 놓은 말들이 그를 고문하기라도 하는 듯하다.

이지도르는 이제 병 주고 약 주기의 효과를 얻기 위해 설득 방법을 바꿔야 한다는 것을 알아차린다. 움베르토의 내면에 있던 행동의 지표들을 무너뜨렸으니 이제는 그를 어르고 달래고 안심시켜야 하는 것이다.

「자아, 갑시다. 가서 뭐 좀 먹고 우리에게 처음부터 얘기를 해봐요.」

억만장자가 덧붙인다.「이봐요, 친구들. 내가 여러분 모두를 시엘의 레스토랑으로 초대하겠어요. 이왕 비밀 이야기를 들을 양이면, 조용하고 편안한 곳에 가서 듣는 게 낫지요. 안 그렇습니까?」

107

상트페테르부르크, 아침 8시. 러시아 항공사 아에로플로트의 일류신 여객기가 도착한 잿빛 활주로에는 가랑눈이 휘날리고 있었다.

기내에 부착된 영어 게시문 하나가 눈길을 끌었다. 승객들에게 이 러시아 항공사를 계속 이용해 달라고 요청하는 내용이었다. 그런데, 이 항공사가 자랑으로 내세우고 있는 것은 국제 민간 항공 기구의 권고를 무시하고 승객들에게 기내 흡연을 허용하는 마지막 항공사라는 점이었다.[70]

사뮈엘 핀처 박사로서는 이미 몇 달 전에 담배를 끊은 터라 그 관대함이 별로 반갑지 않았다. 사실 그의 줄에 앉아 있는 승객들이 담배를 너무 많이 피워 대는 통에 주위가 온통 뿌옇고 악취가 진동을 하고 있었다.

담배를 피우는 사람들은 행복할지 모르지만, 자기들의 행복을 위해서 꼭 다른 사람들을 불행하게 만들어야만 하는 걸까?

---

70 아에로플로트는 2002년 3월 31일부터 전 노선에 걸쳐 기내 흡연을 금지하고, 그 대신 애연가들에게 니코틴이 함유된 껌이나 니코틴 흡입기를 제공하기로 결정한 바 있다. 그 전까지는 비행 거리가 네 시간 이상 되는 노선의 여객기 내에서 흡연을 허용해 왔다.

여객기가 활주로를 천천히 미끄러져 나아가 터미널에 닿았다.

공항에 그를 마중하러 나올 사람은 아무도 없었다. 핀처는 택시를 잡았다. 털실로 뜨개질한 꽃무늬 스웨터 차림의 운전기사가 모는 초록색 라다 승용차였다. 운전기사는 자기가 가진 것 중에서 조금이라도 돈이 될 만한 것은 무엇이든 팔고 싶어 했다. 연어 알 통조림이나 미국 담배를 사지 않겠느냐고 묻는가 하면, 루블화를 유리한 환율에 바꿔 주겠다고 제안하기도 했다. 심지어는 여자가 필요하면 자기 막내딸을 소개해 주겠다는 이야기까지 서슴지 않았다.

택시 안에서 핀처는 마르탱이 작성해 준 메모를 검토하였다. 최후 비밀에 도달할 수 있게 해주는 두개 천공 수술은 1998년 12월부터 상트페테르부르크 뇌 클리닉에서 실행되고 있었다. 러시아 보건부가 1999년에 발표한 바에 따르면, 그 뒤로 마약 중독 환자 120명이 이 클리닉에서 치료를 받은 것으로 되어 있었다.

택시 운전기사는 차를 세우더니, 백미러로 손님을 신중하게 살펴보고 나서 달러로 택시비를 불렀다.

상트페테르부르크 뇌 클리닉은 스탈린 시대에 세워진 낡은 건물이었다. 말을 잘 듣지 않는 정치범들을 〈치료〉하는 데에 쓰이던 장소가 뇌 전문 클리닉으로 바뀐 거였다. 대문은 녹슬었지만 하얀 눈이 황갈색 자국의 대부분을 숨겨 주고 있었다. 핀처는 갑작스레 한기를 느끼고 외투 깃을 여미며 안으로 들어가 안내 데스크 앞에 섰다.

간호사들은 휴게실에서 텔레비전을 보며 한담을 나누고 있었다. 찾아온 용건을 말하고 한참을 기다리자, 마침내 한 간호사가 알려 주었다.

「체르니엔코 박사님이십니다.」

관례적인 수인사가 끝나자, 체르니엔코 박사는 그의 눈밑에 엄지손가락을 대어 안구를 검사하고 그의 셔츠 소매를 걷어 올려 팔뚝에 바늘 자국이 있는지를 조사하였다. 〈r〉 소리를 정확하게 발음하지 못하는 어설픈 프랑스어로 그녀가 말했다.

「아니, 당신은 마약 중독자가 아니잖아요? 무엇 때문에 수술을 받겠다고 고집을 부리는 거죠?」

핀처는 자기가 원하는 건 문제의 구역을 파괴하는 것이 아니라 오히려 활성화시키는 것이라고 설명했다. 그가 자기 계획을 상세하게 털어놓자, 그녀는 몇 가지 조건을 달고 그의 계획에 동참하는 것을 받아들였다.

그리하여 핀처는 여느 환자와 똑같은 자격으로 클리닉에 입원하게 되었다. 그에게 병실 하나가 배정되고, 병원의 이니셜이 찍힌 파자마 한 벌이 주어졌다.

그는 다른 환자들 중의 몇몇과 이야기를 나누어 보았다. 그들은 대개 대학 기숙사나 붉은 군대의 막사에서 마약에 맛을 들인 젊은이들이었다. 그들은 타지키스탄이나 아프가니스탄이나 체첸에서 온 밀거래 헤로인을 겨우 백 루블 정도를 주고 구할 수 있었다고 했다.

젊은이들의 피를 마약으로 오염시키는 것, 이것은 새로운 전쟁 방식이다.

그들 대부분이 중독을 해소하는 치료를 받았지만 다시 마약에 빠져든 모양이었다. 헤로인을 한번 경험하고 나면 그것을 포기하기가 결코 쉽지 않은 법이다.

그들 가운데에는 벌써 여러 차례 자살을 기도한 젊은이들도 적지 않았다. 그러던 어느 날, 이 젊은이들의 부모들이 신문에 낀 광고지를 보게 되었다. 상트페테르부르크 뇌 클리닉에서 마약 중독으로부터 헤어나지 못하는 젊은이들에게 수술을 해준다는 내용의 광고였다. 구제 불능의 마약 중독자들에게 마지막 기회가 될 그 수술에 드는 비용은 만 달러였다.

그러니까 핀처 주위에 있는 젊은 환자들은 부유층 가정의 자녀들이었다. 그들은 병실에 삼삼오오 모여 카드놀이를 하거나 휴게실에서 텔레비전을 보거나 복도에서 어슬렁거리며 시간을 보내고 있었다. 모두가 삭발을 한 채 다소간 피로 얼룩진 붕대를 머리에 두른 모습이었다. 문신을 새긴 몸에 상흔이 군데군데 남아 있는 젊은이들도 더러 있었다. 마약 중독자로 살면서 험한 일을 적잖이 겪었다는 증거였다. 그들의 팔은 주사 자국으로 덮여 있었다.

마침내 디데이가 왔다. 한 간호사가 핀처의 머리를 삭발하고 하얀 가운을 입혀 주었다. 체르니엔코 박사는 이 병원에서 현대적인 설비로는 거의 유일하다고 할 만한 자기 공명 단층 촬영기MRI를 이용하여 핀처의 뇌 지도를 검토하였다.

손상도 없고 종양도 없었다. 모든 게 정상으로 보였다.

그는 수술실로 안내되어 수술대 위에 길게 누웠다.

젊은 여자 간호사가 빨래집게를 여러 개 가지고 와서 그의 머리 주위에 방수 시트를 대주었다. 그의 머리에 마치 커다란 꽃부리가 달린 듯했다. 간호사는 천으로 된 마스크를 쓰고 있어서 그녀의 얼굴 중에서 보이는 거라곤 커다란 회색 눈뿐이었다. 그녀는 그가 수술 장면을 보지 못하게 하려고 가리개 하나를 더 설치했다.

외과 조수들이 핀처의 머리에 강철 헬멧을 씌웠다. 수술을 위해 특별히 고안된 이 헬멧은 중세의 어떤 고문 기구와 생김새가 비슷했다. 체르니엔코 박사는 이 헬멧에 미끄럼 장치가 있는 금속 막대를 달았다. 그런 다음 헬멧이 머리통에 딱 붙어서 움직이지 않도록 나사를 꽉 조였다.

「이래야 위치를 정확하게 잡을 수 있거든요.」

그녀는 그렇게 설명하고 나서, 전신 마취를 하지 않을 생각이라고 알려 주었다. 수술을 하는 동안에 그가 무엇을 느끼는지 알 필요가 있다는 거였다.

「우리는 당신이 깨어 있음을 확인하기 위해 간간이 당신에게 말을 시키거나 무언가를 하라고 요구할 겁니다.」

그녀가 회전 전기톱을 들었다. 그는 등골이 오싹하였다. 하지만 이 병원의 어쩔 수 없는 현실을 인정하지 않을 수 없었다. 러시아의 병원들은 서유럽이나 미국의 병원들에 비해 첨단 장비를 많이 갖추고 있지 않았다. 체르니엔코 박사는 액체 질소를 얻을 때도 발로 움직이는 자동차 타이어용 펌프를 사용하고 있었다.

이들은 외과용 전기 펌프를 구입할 돈도 없단 말인가!

그의 뒤쪽에서 체르니엔코 박사가 스물에서 영까지 거꾸로 세라고 요구했다. 그는 그들이 축축한 솜으로 자기 머리통을 적시고 있음을 느꼈다. 차가운 느낌이 드는 것으로 보아, 소독약이나 국부 마취제를 바르고 있는 모양이었다. 그는 수를 세기 시작했다.

「스물, 열아홉.」

축축한 솜이 다시 그의 머리통에 닿았다. 톱이 돌아가는 소리가 들렸다. 그는 침을 꿀꺽 삼켰다.

「열…… 여덟, 열…… 일곱.」

과학을 위해서, 뇌의 비밀을 풀기 위해서, 마르탱은 자기 수술을 견뎌 냈다. 이젠 내 차례다. 나는 이 시련을 견뎌 낼 수 있다.

「열여섯, 열다섯.」

톱날이 그의 두피에 닿자, 피부의 접촉 감각 수용기들이 갑자기 활기를 띠었다. 뭔가 뾰족하고 번득번득 날이 선 것이 살갗에 닿는 섬뜩한 느낌이 들었다.

「별로 아프지 않을 겁니다.」

의사가 그를 안심시키려고 했다.

그걸 말이라고 합니까? 의사들은 누구나 그렇게 말하지. 난 벌써 아프단 말이야.

그는 얼굴을 찡그렸다. 마침내 톱날이 두개골을 뚫고 들어오자, 그는 〈우우〉 하는 소리가 터져 나오는 것을 억누를 수가 없었다.

체르니엔코 박사가 동작을 멈추었다.

「많이 아파요?」

「아니, 아니에요. 계속하십시오. 열넷, 열셋.」

과학을 위해서 참아야 해.

그는 이를 악물었다. 그의 살갗에는 아무 감각이 없었다. 하지만 두개골에 기계가 닿는 것은 분명히 느낄 수 있었다. 그건 사랑니를 뺄 때와 조금 비슷했다. 국부 마취의 효과로 통증이 느껴지지는 않았지만, 뼈에 닿는 압력이 전신으로 퍼져 나가고 있었다.

다른 걸 생각하자. 이 간호사의 회색 눈을 생각하자.

그의 머리가 진동하기 시작했다.

정말 되게 아프군. 다른 걸 생각하자. 이 간호사를 생각하자.

간호사는 그가 자기를 필요로 하고 있다는 걸 알아차리기라도 한 듯, 그의 손을 잡아 주었다.

손이 싱그럽다. 하지만 내 머리 꼭대기에서 벌어지고 있는 일을 잊을 수가 없다. 이들이 내 머리를 열고 있다. 나는 어쩌면 역사에 길이 남을 어리석은 짓을 하고 있는 것인지도 모른다. 불가피한 경우가 아니면 절대로 수술대 위에 눕지 않겠다고 맹세한 적이 있었다. 이건 불가피한 경우가 아니다. 게다가 이건 너무나 아프다.

장갑 낀 두 손이 그의 머리를 쿠션 위로 옮겨 놓았다. 톱질을 하기 위한 최선의 각도를 결정하지 못한 모양이었다.

이들은 어떻게 해야 할지를 모르고 있다.

간호사가 그의 머리 위로 몸을 숙였다. 그녀의 가운 깃 사이로 도드라진 젖가슴이 언뜻 보였다. 그의 눈길은 가운 속으로 슬그머니 미끄러져 들어갔다. 전기톱이 치과용 드릴 같은 소리를 내면서 다시 돌아가기 시작했다.

아프다. 다른 걸 생각하자. 간호사의 가슴에 생각을 모으자. 유머와 성욕은 둘 다 강력한 진통제다. 재미있는 농담을 나 자신에게 들려주자. 어떤 미치광이 이야기를 들려줄까? 의사에게 자기 머리에 구멍을 내달라고 해서, 자기 생각이 다 새어 나가게 만들어 버리는 미치광이 이야기…….

회색 눈의 간호사는 그의 시선이 자기 목 아래로 쏠려 있음을 느끼고 본능적으로 가운의 깃을 다시 여몄다. 하지만 가운의 단추까지 채우지는 않았다.

계속 수를 세자.

「열둘, 열하나.」

간호사는 그의 머리에 둘러진 방수 시트 위쪽으로 시선을 돌리더니 무언가를 보고 얼굴을 찡그렸다.

또 하나의 고통스러운 감각이 그를 엄습했다. 과열된 톱 날과의 마찰 때문에 뼈에서 타는 냄새가 났다.

이게 바로 내 머리에 구멍이 뚫리는 냄새다.

먼지가 뽀얗게 일어나는 것이 보였다. 그의 두개골에서 톱밥이 나오고 있는 거였다. 그는 아래로 피 묻은 솜뭉치들 이 떨어지는 것을 보았다.

「열, 아홉, 여덟.」

뼈 먼지 냄새가 더 이상 견딜 수 없을 만큼 고약했다. 간호 사는 자기가 보고 있는 것에 너무나 큰 충격을 받은 탓인지, 회색 눈에 어렸던 웃음기가 완전히 사라져 있었다.

이 여자는 새로 들어온 간호사임에 틀림없다. 이런 미모 의 간호사가 있다는 것은 설비의 노후함을 얼마쯤 상쇄시키 는 러시아 병원의 작은 〈장점〉이다. 그런데 어떻게 선발을 한 걸까? 회색 눈, 자동차 타이어용 펌프, 피에 젖은 솜, 가슴 부위가 깊이 파인 옷이 잘 어울리는 여자, 머리가 열리고 정 신이 새어 나가는 느낌. 그저 발랄라이카 음악이 곁들여지지 않은 게 아쉬울 뿐이다.

간호사가 까치발을 세우자, 깊이 파인 가운의 깃 사이로 그녀의 앞가슴이 더욱 잘 보였다. 예쁜 여자를 생각하면 엔 도르핀이 만들어지고, 이렇게 만들어진 엔도르핀은 때로 진 통제를 능가하는 진통 효과를 가져올 수도 있다. 그녀의 가 운에 키릴 문자 자모로 이름 하나가 수놓아져 있었다. 올가, 그것이 바로 그녀의 이름인 모양이었다.

올가, 난 당신에게 내 뇌를 보여 주고 있어. 나 자신의 가장 내밀한 부분을 보여 주고 있는 거야. 이제껏 어느 여자에게도 그것을 보여 준 적이 없어. 이건 일종의 스트립쇼야. 난 너에게 단언할 수 있어. 어떤 남성 스트리퍼도 이보다 더 많은 것을 보여 줄 용기는 내지 못하리라는 것을…….

「일곱—여섯—다섯—넷—셋—둘—하나—영.」

그는 마치 한 단어를 말하듯이 단숨에 남은 수를 세었다.

뼈를 태우듯이 썰어 대던 느낌이 멎고, 시원한 느낌이 뒤를 이었다.

드디어 톱질이 끝났군.

피 묻은 솜뭉치들이 자줏빛 눈처럼 떨어지고 있었다. 그들이 두개골을 양쪽으로 벌리고 있다는 느낌이 들었다. 상처를 벌리는 톱니 막대들을 끼우고 있는 모양이었다.

올가, 너 참 아름답구나. 수술을 끝내고 오늘 저녁에 뭐 할 거지? 까까머리에 하얀 붕대를 감고 있는 남자도 데이트 상대로 받아 줄 수 있을까?

그는 농담을 하고 싶었다. 울부짖고 싶은 또 다른 욕구를 억누르기 위해서였다. 체르니엔코 박사는 부주의로 그랬는지 일부러 그랬는지 알 수 없지만, 톱으로 썰어 낸 두개골 조각을 그의 눈길이 미치는 스테인리스 통에 던져 넣었다. 간호사는 박사가 실수했음을 깨닫고 얼른 그것을 주워 다른 곳에 놓았다. 순식간에 벌어진 일이었지만, 그는 그것을 분명히 보았고, 그 이미지에 등골이 오싹해지는 것을 느꼈다. 그건 안쪽으로 휘어진 네모꼴의 조각이었다. 세로 5센티미터에 가로가 3센티미터쯤 될 듯했다. 위쪽은 베이지색이고 아래쪽은 흰색이어서 호두 알을 네모지게 잘라 놓은 것처럼 보

이기도 했지만, 앞쪽 표면에는 가늘고 길게 파인 빨간 홈들
이 있었다.

마스크 때문에 보이지는 않았지만 간호사가 어색하게 미
소를 짓고 있다는 느낌이 들었다. 그녀는 그를 향해서 눈길
을 떨구었다가, 다시 고개를 들어 관찰을 계속했다. 그녀는
자기 눈앞에 보이는 어떤 것에 완전히 매료되어 있는 듯
했다.

그의 두개골이 열려 있고, 외과용 마스크로 얼굴을 가린
사람들이 그것을 들여다보고 있었다. 그들은 무엇을 보고 있
었을까?

108

골이다. 양파와 카프르와 발삼 식초를 넣은 골 요리. 웨이
터가 은 쟁반에 담아 온 요리가 바로 그것이다. 이지도르 카
첸버그는 자기 접시에 내려진 번들거리는 분홍색 살덩이를
찬찬히 바라보다가 싫은 내색을 하며 접시를 밀어 버린다.

제롬 베르주라크가 설명한다. 「양의 골이에요. 멋진 아이
디어라는 생각이 들어서 이 요리를 선택했어요. 자연스럽게
뇌를 다시 화제에 올릴 수 있게 하는 요리죠. 안 그렇습니까?」

「나 채식을 더 좋아하는 편입니다.」

이지도르의 해명에 움베르토 역시 접시를 밀어내며 덧붙
인다.

「이걸 보니까 옛날에 병원에서 있었던 일들이 너무 많이
생각나는군요.」

남들이 그러거나 말거나 뤼크레스는 열심히 포크를 놀리
고 있다.

「미안하지만 나는 먹어야겠어요. 갖가지 험한 일을 겪고 났더니 식욕이 왕성해졌나 봐요. 아직도 배가 많이 고파요.」

그러고는 한 조각을 크게 잘라서 입 안에 넣고 냠냠거린다. 제롬은 실내 온도에 맞춰 놓은 1989년산 무통로칠드[71]를 크리스털 잔에 따라 준다.

「자아, 움베르토, 이제 우리에게 모든 걸 이야기해 봐요.」

움베르토는 자기 잔에 담긴 포도주를 살살 돌리면서 전문가의 안목으로 술의 빛깔을 살핀다.

「포도주를 잘 아는군요. 안 그렇습니까?」

제롬이 콧수염의 오른쪽 끄트머리를 문지르면서 물었다.

「아닙니다. 난 포도주 전문가가 아니라 그저 술꾼이었어요.」

뤼크레스는 이야기가 샛길로 샐 기미를 보이자 얼른 본래의 화제로 돌아간다.

「그래, 어떤 일이 있었죠?」

마침내 움베르토가 자초지종을 털어놓기 시작한다.

「다들 아시다시피, 내 어머니를 수술하다 사고를 낸 뒤에 나는 병원을 그만두었죠. 그런 다음 매일같이 술에 절어 사는 거지로 전락했어요. 그런 나를 핀처 박사가 수렁에서 건져 내어 〈카론〉의 선장을 시켜 주었습니다. 그때부터 칸 항구에서 생트마르그리트 사이를 오가며 사람들을 실어 날랐지요. 그러던 어느 날 저녁의 일이었습니다. 나는 핀처 박사가 일을 끝내고 병원에서 나오기를 기다리고 있었어요. 그를 칸 항구로 데려다주기 위해서 말이죠. 그런데, 여느 때와 달리 시간이 한참 지나도록 그가 나오질 않습니다. 나는 박사

---

71 프랑스 보르도 지역의 메도크에서 나는 최고급 적포도주의 하나.

가 실험에 너무 몰두한 나머지 시간 가는 줄 모르고 있는 거
라고 생각했어요. 그렇다고 마냥 기다릴 수도 없는 노릇이라
박사를 찾으러 가기로 했지요.」

움베르토는 그때의 심경으로 다시 돌아간 듯 무언가를 무
척 궁금해하는 사람의 표정을 지으며 말을 잇는다.

「먼저 박사의 사무실로 가보았죠. 그가 없습디다. 그래서
이번엔 실험실로 갔지요. 거기에도 없습디다. 나는 실험실
에서 도로 나가려다가 발길을 멈추었어요. 예전에 못 보던
것이 있어서 갑자기 호기심이 발동했던 거지. 우리에 생쥐들
이 들어 있었고, 각각의 우리 위에 이름이 하나씩 붙어 있었
습니다. 융, 아들러, 베른하임, 샤르코, 쿠에, 바빈스키 같은
이름이었지요. 생쥐들은 모두 안테나를 하나씩 달고 있었어
요. 자세히 보니까 그 안테나는 그냥 머리에 부착된 게 아니
라 머리에서 빠져나온 것이었습니다. 나는 생쥐들에게 손을
들이밀어 보았어요. 놈들의 태도만 보고서도 놈들이 정상이
아니라는 것을 금방 알겠습디다. 놈들은 너무 흥분해 있었어
요. 코카인 중독자와 행동이 비슷했지요. 대단히 격렬하면
서도 편집증적이었어요. 다른 생쥐들에 비해 모든 걸 한결
강하고 빠르게 지각하는 것 같았어요. 나는 그 점을 분명히
확인하고 싶어서, 생쥐 한 마리를 꺼내어 미로 속에 넣어 보
았습니다. 이 미로는 매번 진로가 다르게 설정되는 비순차적
인 이동식 미로였어요. 통상적으로 생쥐들이 그런 종류의 미
로를 통과하는 데에는 아무리 빨라도 몇 분은 걸립니다. 그
런데, 그 생쥐는 불과 10여 초 만에 중앙에 다다르더니 발작
적으로 지렛대를 눌러 대더군요. 정말 놀랍고 신기했지요.
그때 핀처 박사가 들어왔습니다. 나는 그가 세미나 때문에

러시아에 갔다 왔다는 것을 알고 있었어요. 그런데, 한 가지 이상한 점이 있었죠.」

109

그들은 벌어진 구멍을 통해서 살아 움직이는 뇌를 보고 있었다. 뇌의 혈관들이 팔딱팔딱 뛰고 있었다.

「괜찮아요, 핀처 박사님?」

「머리가 지끈지끈 아프군요…….」

핀처는 자기 딴에는 농담을 하느라고 그렇게 말했다.

「올가?」

간호사는 체르니엔코 박사의 신호에 따라 그의 맥박을 재더니, 갖가지 검사 기기를 확인하였다.

「모든 게 정상입니다.」

머리가 당긴다. 아프다. 그런데 내가 아프다고 말해도 되는 걸까? 그런다고 뭐가 달라질까? 이들은 이렇게 소리칠지도 모른다. 〈그럼 모든 걸 중단하고 내일 다시 시작하지.〉

두개골의 구멍을 벌리고 있는 톱니 막대는 구멍이 조금 더 벌어지도록 조절되었다. 그의 왼쪽에는 피 묻은 솜뭉치가 작은 무더기를 이루고 있었고, 오른쪽에서는 간호사가 여전히 그의 손을 잡고 있었다.

체르니엔코 박사는 기다란 금속 막대를 꺼냈다. 존데 구실을 하는 막대였다. 그녀는 핀처가 프랑스에서 가져온 그 신기한 기구를 요모조모 살펴보았다.

그녀가 핀처의 뇌 엑스선 사진을 요구하자 조수 하나가 그것을 가지러 갔다. 하지만 조수는 몇 분 뒤에 돌아와서는 더이상 그것을 찾을 수가 없다고 말했다. 여기저기 다 찾아보앉지만 어디에도 없더라는 거였다. 러시아 말이 퉁명스럽게 몇 마디 오고 갔다. 연줄로 들어온 무능한 직원들이 득시글 거리는 병원의 난맥상을 지적하는 이야기였다. 하지만, 체르니엔코 박사는 의식이 있는 외국 환자 앞에서 러시아어로 말다툼을 하는 것이 환자에게 나쁜 영향을 미칠 수도 있겠다 싶어서, 임기응변으로 일을 처리하기로 했다. 이미 환자의 뇌를 열어 놓은 상태에서 수술을 연기한다는 건 있을 수 없는 일이었다. 이가 없으면 잇몸이라는 식으로, 그녀는 자신의 기억으로 과학적인 정밀성을 대신할 생각이었다. 그 부위가 어디에 있었지? 그녀는 그 위치를 찾아내기 위한 정확한 수치를 기억해 낼 수 있을 듯했다.

그녀는 천천히 존데를 집어넣었다. 존데는 먼저 뇌막을 통과했다. 뇌막이란 세 겹으로 포개진 막질 조직으로 뇌를 둘러싸고 있는 보호막이다. 존데는 세 겹의 막 중에서 가장 두꺼운 막인 경막을 뚫고 들어간 다음, 속으로 더 들어가 거미막을 통과했다. 거미막은 거미줄과 같은 섬세한 실 구조를 지니고 있다 해서 이런 이름이 붙었다. 이 막 밑의 공간에는 150세제곱 센티미터 정도의 뇌척수액이 들어 있다.

소량의 뇌척수액이 사뮈엘 핀처의 이마로 방울져 떨어졌다. 한순간 핀처는 그 미지근한 액체가 땀이기를 바랐다. 하지만 아니었다. 땀과 뇌척수액을 구별하지 못할 그가 아니었다. 그는 이 액체 덕분에 뇌가 중력의 효과를 약화시키고 외부로부터 오는 충격을 완화시킬 수 있다는 것을 알고 있었다.

우리 뇌는 액체 속에 떠 있다. 그럼으로써 외부의 압력이나 충격에 잘 견딜 수 있다. 우리 행성이 바다로 둘러싸여 있듯이, 우리 내부의 행성 역시 뇌척수액이라는 바다로 둘러싸여 있는 셈이다.

간호사가 서둘러 그 액체를 닦아 냈다.

「스파시보.」

이것은 그가 알고 있는 유일한 러시아어 낱말이었다.

따지고 보면 어느 언어에서든 〈감사합니다〉라는 말보다 더 쓸모 있는 말은 없지.

체르니엔코 박사는 탐색을 계속했다. 존데는 뇌막 중에서 가장 깊숙하고 무른 막인 연질막을 통과하여, 뇌의 표면으로부터 깊이 2밀리미터쯤 되는 곳에 가 있었다. 대뇌 피질의 회색질 한가운데였다.

「잘되어 가고 있는 거죠?」

핀처가 마침내 말문을 열었다.

「지금까지는 잘되어 가고 있어요.」

그녀는 조금씩 조금씩 몇 센티미터를 더 들어가, 회색질을 통과하여 두 대뇌 반구를 연결하는 백색질에 다다랐다. 그는 마치 유정(油井)에 파이프를 박고 있는 듯한 기분을 느꼈다.

다른 걸 생각하자. 만일 지구가 살아 있다면, 만일 고대 그리스인들이 가이아라고 말했던 것처럼 지구가 의식을 가진 존재라면, 우리가 지표에 구멍을 뚫어 지구의 피인 석유를 빨아올릴 때마다 지구는 그것을 느낄 것이다……. 그렇다면 우리 인간은 자동차의 연료 탱크를 채우기 위해 지구의 피를 빠는 흡혈귀인 셈이다.

존데는 1밀리미터씩 계속 파고 들어갔다. 이제 존데는 뇌들보 속에 있었다.

「아주 잘됐어요. 자아, 이제 당신이 느끼는 바를 말해 주세요. 그래야 위치가 정확한지를 더욱 분명하게 확인할 수 있으니까요.」

체르니엔코 박사는 금속제 눈금 막대가 달린 그의 헬멧을 보며 수치를 확인하고 존데가 있는 자리를 기록하였다. 그런 다음 핀처의 침실에 있는 것과 비슷하게 생긴 전기 스위치를 눌렀다. 그는 약간 가렵다는 느낌이 들었다.

「자아, 무엇이 느껴지죠?」

「팔을 간질이는 느낌이 들어요. 불쾌하지는 않습니다.」

빌어먹을, 이 여자는 정확한 위치를 모르고 있다!

그녀는 존데를 오른쪽으로 조금 이동시켰다. 그에게는 그 짧은 순간이 영원처럼 길게 느껴졌다.

「그럼 여기는요?」

그 물음과 거의 동시에 그에게 또 다른 느낌이 밀려왔다.

「뭐랄까, 아주 울적한 기분이 들어요. 이유를 알 수 없는 슬픔 같은 것이 솟구쳐 올라오고 있어요. 왠지…… 울고 싶어져요.」

체르니엔코 박사는 마스크를 쓴 채 볼멘소리를 내질렀다. 알아들을 수는 없었지만 러시아 말로 욕설을 내뱉고 있는 것 같았다.

존데가 방향을 틀어 뇌의 다른 쪽 부위를 뒤지고 있었다. 그는 문득 두개골에 구멍을 뚫는 장면을 바위에 새겨 놓은 잉카의 유적을 떠올렸다. 언젠가 2천5백 년 이상 된 두개골들이 발견된 적이 있었다. 발견자들에 따르면, 이 두개골들에는 네모지게 잘라 낸 구멍이 있었는데, 그 구멍은 황금 판으로 다시 메워져 있었다고 했다.

체르니엔코 박사가 또 다른 부위를 건드렸다.

「눈…… 눈…… 오른쪽 눈이 이상해요. 더 이상 아무것도 보이질 않아요.」

젠장, 이러다가 멀쩡한 부위를 손상시키고 말겠군!

간호사가 아까보다 더욱 힘을 주어 그의 손을 잡았다. 그녀는 검사 기기들의 눈금판을 살펴본 다음, 그의 얼굴 앞에서 손가락을 움직이며 그의 시선이 손가락을 따라가는지 확인하였다.

존데가 앞쪽으로 조금 움직이자 오른쪽 눈에 즉시 상(像)이 다시 돌아왔다.

휴우.

체르니엔코 박사가 다시 전기 스위치를 눌렀다.

「자아, 여기에선 뭐가 느껴지죠?」

레몬 맛.

「혀를 톡 쏘는 맛이 느껴져요. 아주 새콤한 맛이에요.」

「거의 다 왔어요. 곧 찾아낼 거예요. 곧 찾아낼 거라고요.」

그녀는 존데를 조금 더 밀어 넣어 다른 부위를 건드렸다. 전기 충격이 왔다. 핀처는 간호사의 손을 으스러지도록 꽉 움켜쥐었다. 너무나 놀랍고 두려운 순간이었다.

「당장 멈춰요!」

「죄송합니다.」

체르니엔코 박사는 휴대용 계산기를 집어 들고 무언가를 계산하더니, 헬멧에 몇 가지 조정을 가하였다. 그러고는 세 명의 조수들을 향해서 러시아 말로 아주 빠르게 지시를 내렸다. 갑자기 사태를 장악하고 자신감을 얻은 사람 같았다.

그녀는 지친 심신을 가누고 자기 기억 속에서 최후 비밀의 정확한 좌표를 찾고 있었다. 그녀는 그것을 어딘가에 적어 놓겠다고 생각한 적이 없었다. 인간의 기억이 가장 훌륭한 금고라는 게 그녀의 지론이었다. 하지만 이 금고 역시 사라질 가능성이 있었다. 그런 일이 생기더라도, 생쥐를 통해서 알아낸 좌표가 남아 있기는 했다. 하지만 그것이 사람의 것과 정확히 일치하는 건 아니었다. 어쨌거나 당장 필요한 것은 정확한 위치를 기억해 내는 일이었다. 그러지 않으면, 또 다시 한참을 더듬거리다가 핀처로 하여금 콕콕 찌르는 듯한 이상한 느낌을 온몸에서 느끼게 할 염려가 있었다.

그녀는 눈을 감고 기억을 더듬었다. 어쩌면 빨리 찾아내려는 욕심 때문에 오히려 기억력이 잘 가동되지 않는지도 몰랐다. 거기에 생각이 미치자, 그녀는 숨을 깊이 들이마시며 마음을 가라앉혔다. 조수 하나가 탈지면을 내밀어 그녀의 땀을 닦아 주었다.

갑자기 모든 것이 분명해진 듯 그녀의 눈빛에 희색이 돌았다. 가로, 세로, 깊이의 세 수치가 그녀의 머릿속에 분명히 떠오른 거였다.

「그럼 여기는요?」

「아, 거긴 유쾌한 편이에요. 바캉스 분위기가 느껴져요. 재스민 향기도요.」

그의 뒤쪽에서 러시아 말로 활기차게 이야기를 나누는 소리가 들렸다. 체르니엔코 박사는 수성펜을 이용하여 전압계에다 직접 〈향기〉라고 썼다.

드디어 최후 비밀의 정확한 위치를 찾아낸 걸까?

「이제 전압을 올려 보겠습니다. 어떤 효과가 나지요?」

「에드바르 그리그의 음악을 듣고 있는 기분이에요. 나는 그리그의 음악을 무척 좋아합니다.」

솔베이그의 노래. 사람들은 모차르트와 베토벤밖에 모른다. 하지만 그리그 역시 아주 위대한 작곡가다.

그녀는 〈음악〉이라고 적고 줄을 하나 그었다. 그런 다음 전압을 조금 더 올렸다.

「무얼 느끼고 있죠?」

「케이크를 먹는 기분이에요. 노랑자두파이 맛이 느껴져요. 나는 노랑자두파이를 무척 좋아합니다.」

가장 깊숙한 곳에 노랑자두파이가 있고, 그 위에 그리그의 음악이 있다. 그 위에 재스민 향기, 다시 그 위에 레몬이 있다. 거기에서 더 올라오면 현실 속에 올가의 손과 회색 눈과 젖가슴이 있다. 참 기분이 좋다.

체르니엔코 박사는 〈단것〉이라고 적고, 전압계의 바늘을 살폈다. 아직 몇 밀리볼트는 더 올려 봐도 될 듯했다.

「여기에서는 열두 살 무렵 처음 에로 영화를 보았을 때 같은 기분이 들어요.」

체르니엔코 박사는 핀처의 말을 기록하고 전압계의 눈금을 한 단계 더 올렸다.

「여기에서는 마리노엘이라는 여자 친구와 첫 키스를 하던 때의 기분이 생각나요.」

그 말에 올가가 속눈썹을 움직였다. 그녀의 얼굴에 미소가 번지면서 눈가에 가는 주름이 잡혔다. 그녀의 가슴이 봉긋 솟아올랐다가 만족감이 담긴 한숨과 함께 다시 내려앉았다. 그녀는 새삼스레 그의 손을 꼭 쥐었다.

내가 마음에 든다는 뜻일까?

체르니엔코 박사는 긴장하고 있었다. 여자 조수 하나가

탈지면으로 다시 이마의 땀을 닦아 주었다. 피 묻은 솜뭉치들은 더 이상 바닥에 쌓이지 않았다. 전압계의 스위치가 한 칸 더 돌아갔다.

핀처는 성행위를 할 때와 똑같은 기분을 느꼈다. 일종의 오르가슴이었다. 하지만 단지 몇 초 동안이 아니라 한참 지속되는 오르가슴이었다. 그의 동공이 확대되었다. 그의 시선은 올가를 벗어나 훨씬 더 높은 곳에 붙박여 있었다.

이게 천국일까? 그래, 천국의 하나지…….

핀처는 마치 고통에 겹기라도 한 듯 눈을 감았다. 여의사는 고통이 지나칠까 저어되어 자극을 중단했다. 그러자 핀처가 퉁명스럽게 소리쳤다.

「중단하지 말고 계속해요!」

그녀는 전압을 조금 더 높였다. 시냇물 같던 오르가슴이 강물이 되더니, 이내 급류가 되고 나이아가라 폭포가 되었다.

「핀처 씨, 괜찮아요?」

천국이에요…….

그는 웃음을 터뜨렸다. 하지만 곧 그의 웃음이 멎었다. 그녀가 전원 스위치를 꺼버렸기 때문이다.

「계속해요, 계속!」

이 바보 같은 여자야, 여기서 중단하면 어떻게 해? 한창 아주 중요한 것을 발견하고 있는 중이란 말이야. 모든 것을 깨달아 가고 있는 중이라고. 바로 여기야. 모든 게 여기로 귀착되는 거야. 여기에 모든 감각과 기분의 원천이 있어. 이 순수한 원천에서 모든 시냇물과 강물과 급류가 흘러나오는 거야.

체르니엔코 박사가 그의 시야에 나타났다. 그녀는 한 손에 전압계 조종 장치를 든 채 반신반의하는 듯한 표정을 짓고 있었다.

「핀처 씨, 정말 괜찮아요?」

「제발 부탁이에요…… 계속해요…….」

안 그러면 널 죽여 버릴 거야.

「안 돼요. 너무 위험해요.」

제발, 그 스위치를 최대로 돌려. 이 정도로는 만족할 수가 없어. 이건 간지럼을 태우는 것에 지나지 않아. 나는 그 이상을 원해. 강렬하고 적나라하고 완벽한 느낌을 원한다고! 나는 거기에 거의 다 와 있다는 걸 알아. 조금만 더 가면 돼. 계속해! 더 세게!

「오늘은 이것으로 충분하다고 생각해요, 핀처 씨.」

「아냐아아, 충분하지 않아!」

그는 그렇게 악을 쓰며 벌떡 일어났다. 헬멧과 구멍 벌리는 기구와 죄는 장치와 방수 시트를 머리에 단 채 갑자기 일어나는 바람에 검사 기기들의 전선이 모두 뽑혀 버렸다.

그의 머리통 위쪽으로 세워져 있던 방수 시트가 아래로 접히면서 그의 시야를 가렸다. 그는 거친 동작으로 그것을 다시 뒤로 젖혔다.

모두가 뒤로 물러났다.

그가 다시 고함을 쳤다.

「아직 부족해. 더 해!!!」

그의 눈은 성난 야수의 눈처럼 이글거리고 있었다.

그는 한쪽 손등으로 약병들을 닥치는 대로 뒤집어엎었다. 타일 바닥에 떨어진 약병들이 쨍그랑 소리를 내며 깨졌다.

「더 해!」

체르니엔코 박사는 존데로 전기를 보내는 전선을 잽싸게 뽑아 버렸다. 그는 엄청난 분노에 휩싸인 채 다시 전선을 연결하려고 전압계로 달려들었다. 하지만 올가가 더 빨랐다. 그녀가 밀어낸 전압계가 바닥에 떨어져 부서졌다. 그는 메스와 피 묻은 솜이 널려 있는 탁자 위로 그녀를 던져 버렸다.

간호사 다섯 명이 급히 달려 들어와 미치광이처럼 날뛰는 그를 붙들었다. 하지만 그는 그들 모두를 이내 벽 쪽으로 떼밀어 버렸다.

아무도 날 막지 못해. 나는 그걸 원해. 더 줘.

110

「조금 더 드시겠어요?」

「예, 기꺼이. 고맙소.」

제롬 베르주라크는 크리스털 잔에 다시 진홍빛 포도주를 따른다. 레스토랑에 시엘의 회원들이 들어차고 있다. 턱수염을 기른 남자 하나가 식탁 사이를 돌아다닌다. 그는 친근하게 회원들 각자의 이름을 부르며 인사를 건네고 있다.

「아니, 이거 제롬 아닌가! 안녕하신가, 제롬! 우리 매력적인 아가씨도 여기 계시네. 아가씨가 실종되고 나서 우리가 얼마나 걱정을 많이 했는지 아세요?」

「미샤, 우리를 잠시 내버려 두게. 진지한 이야기를 나누는 중이거든. 안 그렇습니까?」

제롬의 말에 미샤가 펄쩍 뛴다.

「오, 여기에서 진지한 이야기를 하다니! 그건 적절치 못한 행동일세. 그런데 여기 이분은 누구시지?」

미샤가 움베르토를 가리키면서 물었다. 놀고먹는 억만장

자 제롬은 안 되겠다 싶었는지 자리에서 일어나 미샤와 따로
이야기를 나눈다.

「우리는 경찰 수사 놀이를 하고 있네. 알겠나?」

「아아, 알겠네. 더 이상 방해하지 않을 테니 재미있게 놀
게나.」

움베르토는 무통로칠드를 다시 자기 잔에 가득 따른다.
그동안 숨겨 온 이야기를 술의 힘을 빌려서 모두 털어놓을
생각이라도 하는 듯하다.

뤼크레스가 돌아서는 미샤의 소매를 잡는다.

「혹시 담배 가진 것 있으세요?」

「담배는 없고, 원하신다면 시가를 드릴게요. 여기에서는
다들 담배를 너무 평범한 것으로 여기죠.」

그녀는 시가를 받아서, 한껏 즐길 준비를 하고 연기를 한
모금 빨아들인다. 하지만 맛을 제대로 즐기기도 전에 콜록
하고 기침이 먼저 나온다. 괜히 달라고 했나 하는 생각이
든다.

테나르디에 부장은 회의석상에서 어떻게 이토록 끔찍한
것을 피울 수가 있지? 맛도 없고 머리만 아프게 하는 데다가
냄새까지 고약한 이런 것을 말이야.

그런 생각을 하면서도, 그녀는 니코틴 결핍을 느끼고 있
는 탓에 그 끔찍한 것을 계속 빨아 댄다.

이지도르가 움베르토의 이야기를 계속 듣기 위해 처음의
화제를 다시 초든다.

「그러니까, 당신이 핀처 박사의 실험실에 있을 때 그가 갑
자기 들어왔다 이거죠?」

「그렇습니다. 이건 앞에서 하지 않은 이야기지만, 그날 아

침에 내가 박사를 병원에 데려다줄 때 그는 모자를 쓰고 있었소. 〈이 양반에게 이런 엉뚱한 구석이 다 있었나〉 하고 나는 생각했지요. 그런데, 정말 놀랍게도 그는 실험실 안에서까지 모자를 계속 쓰고 있습디다. 그가 나에게 물었어요. 〈움베르토, 자네 여기서 뭘 하는 거지?〉 하고. 나는 대답을 제대로 못하고 더듬거렸죠. 하지만 그는 내가 뭔가를 눈치챘다는 것을 금방 알아차렸어요. 나는 단도직입적으로 〈이 생쥐들 왜 이렇게 된 거죠?〉 하고 물었습니다. 그는 비밀이라고 대답하더군요. 그래서 나는 내가 짐작하고 있는 것을 말했지요. 생쥐들이 두개 천공 수술을 받은 거 아니냐, 생쥐들의 뇌속에 전극을 심고 멀리서 전기 자극을 보내고 있는 거 아니냐고 말이지. 그러면서 내가 보기엔 그가 생쥐들을 더욱 영리하게 만드는 뇌의 어떤 부위를 찾아낸 것 같다고 덧붙였지요. 그가 웃더군요. 하지만 그 웃음이 이상했습니다. 음산한 느낌마저 들게 하는 웃음이었지요. 그러더니 그가 딱 한 마디를 했습니다. 〈훌륭해〉라고 말입니다. 나는 그 말에 용기를 얻어서 이야기를 계속했죠. 내가 보기에 생쥐들이 영리해진 것은 뇌에 전기 자극을 받고 싶은 욕구가 대단히 강하기 때문인 것 같은데, 그게 맞느냐고 물었지요. 그는 여전히 그늘진 곳에 서 있었어요. 세나가 모자의 테두리가 그림자를 드리우고 있어서 그의 얼굴을 볼 수가 없었죠. 단지 그의 목소리만이 들렸을 뿐이에요. 그의 목소리는 열에 들뜬 것 같기도 했고 지쳐 있는 것 같기도 했습니다. 그때 그가 앞으로 걸어 나와서 모자를 벗었어요. 삭발한 머리에 붕대를 감고 있습디다. 그런데, 더욱 놀라운 것은 실험실의 생쥐들처럼 그의 두피에 작은 안테나가 삐죽이 나와 있었다는 겁니다.

나는 겁에 질린 채 뒤로 물러섰어요.」

뤼크레스가 침을 꼴깍 삼킨다.

「그래서요…….」

「나는 가까스로 이렇게 중얼거렸죠. 〈제임스 올즈의 실험인가요?〉 그는 고개를 끄덕이며 대답했습니다. 〈그래, 올즈의 실험이야. 그것을 마침내 인간을 상대로 실시한 걸세.〉」

움베르토는 자기의 빈 잔을 바라보다가 기운을 더 얻을 양으로 다시 술을 따른다.

「제임스 올즈의 실험이라는 게 뭐죠?」

이지도르가 묻는다. 뤼크레스가 수첩을 꺼내 들자 그도 포켓용 컴퓨터를 꺼내어 그 정보를 기록한다. 그러다가 문득 기억의 갈피에서 정보 하나를 떠올리고 말끝을 단다.

「아아…… 올즈의 실험. 그건 신경학자들 사이에서 하나의 전설이죠. 역사적 사실에 바탕을 둔 전설이긴 하지만 말이에요.」

「아닌 게 아니라 그건 실제로 있었던 일에 근거한 전설입니다. 모든 건 1954년에 시작되었죠. 그 제임스 올즈라는 미국의 신경 생리학자가 전기 자극에 대한 뇌의 반응을 구역별로 연구하여 하나의 지도를 작성하고 있었다고 합니다. 그는 뇌들보라는 부위를 조사하다가 몇 가지 신경 중추를 발견했어요. 뇌들보란 우리의 두 대뇌 반구를 연결하는 다리와 같은 곳입니다.」

움베르토는 볼펜을 쥐고 식탁보 위에 뇌를 그린다.

「먼저 그는 포만의 중추로 간주되는 중앙 복부 신경핵의 존재를 확인했죠. 이 신경핵을 없애면 식탐증이 생깁니다.」

움베르토는 해당하는 구역에 동그라미를 치고 이 동그라

미부터 바깥쪽으로 줄을 하나 그어 화살표를 만든 다음 그 위에 중앙 복부 신경핵이라고 쓴다.

「또한 그는 식욕의 중추로 간주되는 시상 하부 측면 영역도 발견했습니다. 이 영역이 손상되면 거식증이 생기게 되죠. 끝으로 그는 아주 이상한 영역을 하나 발견하고 MFB,[72] 곧 정중 전뇌 관속(正中前腦管束)이라는 이름을 붙였어요. 전기 자극을 받으면 쾌감을 느끼게 되는 부위가 있다는 것을 알아낸 것이죠.」

전직 신경외과 의사 움베르토는 뇌의 한가운데에 작은 점 하나를 찍는다.

「쾌감의 중추인가요?」

「많은 신경학자들에게는 성배(聖杯)나 다름없는 부위죠. 이건 딴 이야기지만, 이 영역은 고통의 중추 바로 옆에 자리 잡고 있어요.」

그 말에 제롬이 홀린 듯이 중얼거린다.

「아하, 그렇게 쾌감과 고통이 너무 가까워서 사람들이 그 둘을 혼동하고 사디스트나 마조히스트가 되는 건가요?」

움베르토는 글쎄요 하는 뜻으로 어깨를 치켜올렸다 내리고 이야기에 다시 열을 올린다.

「쥐의 쾌감 중추에 진극을 심고 이 진극에 쥐 스스로 자극을 일으킬 수 있게 하는 장치를 연결하면, 쥐는 한 시간에 8천 번까지 이 장치를 작동시킨다고 해요. 그 쾌감에 취해서 먹이도 교미도 잠도 잊어버린다는 것이죠.」

그는 자기의 크리스털 잔을 톡톡 두드리다가, 포도주 묻은 손가락을 잔의 가장자리에 대고 빙빙 돌려 새된 소리를

72 median forebrain bundle.

낸다.

「우리가 삶 속에서 유쾌하다고 느끼는 것들은 모두 그 부위를 자극함으로써 우리에게 즐거움을 주는 겁니다.」

그는 스스로 쾌감 중추로 규정한 작은 점을 볼펜 끝으로 콕콕 찌른다. 그 바람에 종이 식탁보에 구멍이 생긴다.

「우리로 하여금 무언가를 하게 만드는 게 바로 이거예요. 우리가 하는 모든 행동의 이유죠. 사뮈엘 핀처는 이 부위를 〈최후 비밀〉이라 명명했어요.」

111

다시. 다시. 지금 나에게 중요한 건 오로지 그것뿐이야. 당신들은 어째서 내 마음을 이해하지 못하는 거지? 나머지는 다 하찮은 것일 뿐이야. 삶이란 내가 조금 전에 느낀 것을 경험하기 위한 작고 보잘것없는 수단들의 연속에 지나지 않아. 세상사 모든 것이 다 거기로 통해……. 다시, 제발, 다시, 다시, 다시, 다시.

112

움베르토는 자기 이야기에 대한 좌중의 반응에 적이 만족해하면서, 해포석 파이프를 꺼내 불을 붙인다.

「세상에 그보다 더 강한 것은 없어요. 돈이나 마약이나 섹스 따위는 그 부위를 자극하기 위한 간접적이고 하찮은 수단들일 뿐이지.」

모두가 그 새로운 정보의 중대성을 가늠하면서 입을 다물고 있다.

이윽고 뤼크레스가 다시 말문을 연다. 「우리가 하는 모든

행위의 목적이 오로지 그 부위를 자극하기 위한 것이란 말인
가요?」

「우리는 MFB를 자극하기 위해서 음식을 먹는 겁니다. 우
리가 말하고 걷고 숨 쉬는 것도, 우리가 무언가를 시도하고
사랑을 나누고 전쟁을 벌이고 선행이나 악행을 하고 자식을
낳아 기르는 것도 다 최후 비밀이라는 그 부위에 전기 자극
을 받기 위한 거예요. 이건 우리의 행동을 근본적으로 좌지
우지하는 우리 내부의 가장 중대한 프로그래밍이죠. 이것이
없다면 우리는 더 이상 아무것에도 의욕을 느끼지 못할 것이
고, 그냥 우리 자신이 죽어 가게 내버려 둘 겁니다.」

그들은 다시 침묵에 잠긴 채, 자기들 접시에 남아 있는 양
의 골을 바라본다. 제임스 올즈의 발견이 갑자기 엄청난 의
미로 다가와 그들의 머리를 어질어질하게 만들고 있다.

제롬이 콧수염을 비틀면서 묻는다. 「그런데 그토록 중대
한 발견이 어째서 세상에 널리 알려지지 않았죠?」

움베르토는 파이프를 내려놓고 웨이터를 불러 고추 양념
을 가져오게 한다. 그러더니 빵 한 조각을 그것에 적셔 한입
에 먹어 버린다. 그는 갑자기 벌게진 얼굴을 찡그리며 숨을
헐떡인다.

「이제 다른 음식의 맛은 더 이상 느끼지 못하겠군요……
최후 비밀이라는 것도 이와 비슷한 게 아니겠어요? 그것을
직접적으로 자극하는 것은 다른 모든 행위를 시들하게 만들
죠. 앞서 말했듯이, 그 실험에 사용된 쥐들은 먹는 것과 자는
것과 교미하는 것과 같은 필수적인 생명 활동조차 잊어버렸
어요. 그건 절대적인 마약이죠. 쥐들은 너무나 강한 빛에 눈
이 멀어서 세상의 다른 빛을 보지 못하게 되는 겁니다.」

그는 나이프로 빵을 한 조각 썰어서 입 안에 넣고 오랫동안 씹는다. 마치 자기 몸속에서 일고 있는 불길을 진정시키려는 듯하다.

이지도르가 생각에 잠긴 표정으로 말한다. 「그렇군요. 파라셀수스[73]의 어법을 빌려서 말하자면, 〈적은 자극은 흥분을 일으키고, 많은 자극은 황홀경을 야기하며, 너무 많은 자극은 죽음을 가져오는 법〉이죠. 만일 최후 비밀을 직접 자극하는 것이 세상에 널리 퍼진다면, 오늘날 우리가 헤로인이나 크랙이나 코카인 때문에 겪는 갖가지 문제들보다 몇 배나 더 심각한 문제들이 생겨날 겁니다.」

움베르토는 고추를 괜히 먹었다고 생각하면서 물을 달라고 한다. 하지만 물을 마시는 것으로는 몸속의 불길을 완전히 잡을 수 없다.

「제임스 올즈는 지각 있는 과학자였어요. 자기 발견이 아주 나쁜 결과를 가져올 수도 있다는 것을 알고 있었던 사람이죠. 만일 그 마약의 존재가 세상에 알려진다면, 전 세계의 마피아들이 그것을 가로채려 할 것이고, 길을 잃고 헤매는 세상 모든 낙오자들이 그것을 요구하다 그것의 노예가 되고 말리라는 것을 알고 있었던 거예요. 올즈는 어쩌면 이런 미래 사회를 상상했을지도 모릅니다. 인류가 그 당근에 속박되어 있어서, 독재자들이 우리에게 무엇이든 강요할 수 있는 사회 말이죠. 올즈는 이미 1954년에 최후 비밀의 발견이 인간 의지의 소멸을 가져오리라고 생각했던 겁니다.」

73 스위스의 의사이자 연금술사(1493?~1541). 인체를 하나의 소우주로 보고 이것의 여러 부분과 대우주의 여러 부분이 상응한다는 관점에서 의학 이론을 펼쳤고, 연금술사로서 화학의 발전에 기여하였다.

이제 아무도 음식에 손을 대지 않는다. 뤼크레스는 시민들이 모두 뒤통수에 전기 접속 단자를 단 채 오로지 뇌에 약간의 전기 자극을 더 받을 궁리만 하며 사는 세계를 상상해본다.

113

그는 전압계의 전선을 더듬더듬 집어 들고 그것을 다시 전원에 연결시키려고 했다. 그때, 올가가 일어서더니 주사기 하나를 잡고 마취제를 가득 채운 다음 그것을 그의 옆구리에 찔러 넣었다. 그는 주사액이 몸속으로 퍼져 나가는 것을 느꼈지만, 정신의 각성 상태를 유지하면서 전선을 계속 잡아당겼다.

그러자 이번엔 다른 간호사들이 그에게 주사를 놓았다. 그는 주사기들을 밀어내려고 버둥거렸지만 소용이 없었다. 그는 창으로 찌르는 투우사들에게 둘러싸인 성난 황소 같았다. 그가 고함을 쳤다.

「다시!」

마침내 마취제의 효력이 나타났다. 사뮈엘 핀처는 서 있는 자세에서 그대로 허물어져 내렸다. 수술실에 있던 모든 러시아인들은 아직 충격에서 벗어나지 못하고 있었다. 핀처는 깊은 잠에 빠져들면서 혼잣말로 되뇌었다.

……다시…….

114

다시 물. 화끈거리는 혀 유두를 달래기 위한 물이다.

「놀라운 얘기로군요.」

제롬 베르주라크의 경탄에 뤼크레스가 맞장구를 친다.

「충격적이네요.」

「나는 무섭다는 생각이 드네요.」

이지도르는 그렇게 결론을 내렸다.

움베르토 선장은 아까 먹은 고추 때문에 이젠 땀까지 흘리고 있다.

「제임스 올즈는 자기 발견이 어떻게 활용될 수 있는지를 굳이 알고 싶어 하지 않았어요. 그는 자기 발견을 없었던 일로 만들기로 결심한 다음, 자기 논문을 폐기하고 함께 일했던 사람들을 모두 불러 모아 최후 비밀에 관한 실험을 다시는 하지 않겠다고 맹세할 것을 요구했죠.」

「그들이 받아들였나요?」

「제임스 올즈는 자기 발견이 가져올지도 모를 미래를 그들에게 묘사하면서 그들을 설득했어요. 진정한 과학자라면 누구도 인류를 파멸시키고 싶어 하지 않을 겁니다. 종족 보존의 체계는 우리의 사고 체계를 초월해 있어요. 우리 뇌의 가장 원시적인 부분인 파충류의 뇌 속에 종의 영속을 보장하는 안전장치가 숨어 있죠. 이 안전장치는 우리가 물고기였던 때에도 있었고, 우리가 단세포 생물이었을 때도 존재했을 거예요…….」

웨이터가 프로방스식 소스에 흥건하게 젖은 닭고기를 가져온다. 그런 이야기를 한 뒤끝이라 그런지, 머리에 밀가루를 입혀 구운 닭의 주검이 푸성귀 한복판에 놓여 있는 게 자못 비장한 느낌을 준다. 아무도 닭고기에 손을 대지 않는다.

「생명의 힘이란…….」

이지도르가 말끝을 흐린다.

「제임스 올즈와 그의 동료들은 자기들의 자녀와 그 뒤에 태어날 후손들을 생각했을 겁니다. 학문적인 영예보다는 자손의 미래가 더 중요하죠. 게다가, 그런 발견이 가져올 나쁜 결과를 자기 책임으로 떠맡고 싶은 사람이 누가 있겠습니까? 인류가 모두 쾌락에 취해 더 이상의 도전도 모험도 없는 세상이 올지도 모르는데, 그런 사태를 책임지고 싶은 과학자가 있겠어요?」

모험이라는 말이 나오자 제롬이 눈을 반짝인다. 움베르토는 숨을 한번 길게 내쉬고 나서 말을 잇는다. 「그들은 맹세를 했고, 제임스 올즈는 최후 비밀의 위치가 밝혀져 있는 모든 기록들을 없애 버렸습니다. 실험에 사용된 쥐들도 모두 희생되었죠. 그 뒤로 올즈는 최후 비밀 근처의 다른 부위를 연구하는 데에 진력했어요. 간질 환자들을 치료할 수 있게 해주는 영역을 찾아내기 위해서 말이죠.」

뤼크레스가 토를 단다. 「우리가 주식 시장과 군수 산업 자본가들과 비양심적인 과학자들이 지배하는 파렴치한 세상에 살고 있는 줄 알았더니, 그 올즈 씨처럼 직업적인 도의를 저버리지 않는 과학자도 있군요.」

이지도르가 묻는다. 「그것으로 모든 게 없었던 일로 됐나요?」

「최후 비밀은 대단히 정확한 좌표를 가진 미세한 구역이에요. 그 좌표를 알고 있지 않으면, 거기에 영향을 미칠 수 없어요. 몇몇 사람들이 시도를 하긴 했지만, 뇌에서 그 지점을 찾는 것은 건초 더미에서 바늘을 찾는 것과 같은 일이에요.」

뤼크레스는 건초 더미에서 바늘을 찾으려면 건초에 불을 지르고 자석을 그 재에 갖다 대면 된다는 말이 목구멍까지

나오는 것을 도로 삼킨다.

움베르토의 이야기에 푹 빠진 제롬이 묻는다. 「그래서 요?」

움베르토는 그들에게 가까이 오라고 손짓을 하고는, 이웃한 테이블에 들리지 않게 하려는 듯 나직한 목소리로 속삭인다.

「결국에는 배신자가 하나 나타나고 말았습니다.」

115

체르니엔코 박사는 자기 환자의 얼굴 위로 몸을 숙였다.

「핀처 씨, 좀 나아졌어요? 당신 때문에 우리가 얼마나 질겁했는지 알아요?」

그는 자기가 견고한 가죽띠로 침대에 묶여 있음을 알아차리고, 있는 힘을 다해 몸을 일으켰다. 그 서슬에 침대가 들썩했지만, 그는 다시 침대 위로 떨어졌다.

「다시 해! 그걸 더 느끼고 싶어.」

체르니엔코 박사는 그에게 또다시 마취제 주사를 놓았다.

116

「누가 배신을 했죠?」

「이제부터 하는 얘기는 핀처 박사에게서 들은 겁니다. 그 비밀을 누설한 사람은 올즈와 함께 일했던 신경 의학자였어요. 체르니엔코 박사라는 사람이었죠. 그녀는 1954년에 다른 사람들과 함께 비밀을 지키기로 맹세를 했어요. 하지만 헤로인 중독자인 자기 딸이 세 차례나 자살을 기도하고 난 뒤에 올즈의 발견이 마지막으로 기대를 걸어 볼 수 있는 해결책이라고 생각했죠. 그녀는 동료들이 금방 알아차릴 가능성이 많은 미국에서는 일을 벌일 수가 없었기 때문에, 러시아로 돌아갔습니다. 그런 다음 상트페테르부르크 뇌 클리닉에서 자기 딸을 수술했죠. 당시에는 그녀의 활동에 주의를 기울이는 사람이 없었기 때문에, 아무런 어려움 없이 수술을 끝낼 수 있었어요. 결과는 기대 이상이었습니다. 그녀의 딸은 약물 복용을 중단하고 정상적인 삶을 다시 시작할 수 있었지요. 물론 그녀는 최후 비밀에 대해서는 한마디도 하지 않았어요. 하지만 마약 중독자들의 뇌에서 습관성과 관련된 영역을 제거할 줄 아는 놀라운 외과 의사가 있다는 소문이 퍼져 나가는 것은 막을 수 없었지요. 당시에 러시아 재무 장관은 헤로인 중독자인 아들 때문에 말도 못하게 속을 끓이고 있었습니다. 그는 그 소문을 접하고, 자기 아들을 구하기 위해 압력을 넣었죠. 체르니엔코 박사로서는 달리 선택의 여지가 없었을 겁니다. 어쨌거나 그녀는 수술에 성공했어요. 일은 그것으로 끝나지 않았어요. 재무 장관 아들의 뒤를 이어, 다른 고급 공무원들의 자제와 인기 록 가수들과 영화배우들이 수술을 받았고, 나중에는 일반 부유층의 자녀들까지 수술을 받게 되었어요. 그들은 러시아 전역에서 두개골 천공 수술을 받겠다고 찾아왔습니다. 체르니엔코 박사는 자기가 무엇을 어떻게 하고 있는지 제대로 설명하지 않았어요. 그리고 러시아 정부는 서구인들조차 알지 못하는 새로운 치료법을 시행하고 있다는 사실에 마냥 만족하고 있었지요.」

　더 이상 아무도 음식에 손을 대지 않는다. 웨이터는 닭고기가 통째로 남아 있는 것을 보고 놀라서, 그들 대신 고기를 썰어 각자의 몫을 접시에 담아 준다.

「체르니엔코는 쾌감 중추를 제거한 거로군요. 안 그렇습니까?」

제롬의 물음에 움베르토는 목소리를 낮추어 대답한다.

「그녀는 대담했던 것 같아요. 수술할 때마다 1.5세제곱밀리미터의 골을 잘라 냈으니까요.」

「수술 받은 사람들은 그 뒤에 상태가 어땠지요?」

「조금 지나치게 우울해하는 경향이 있었던 것 같아요. 하지만 부모들은 마약 때문에 자녀들을 잃는 것보다는 그런 식으로라도 살리는 게 낫겠다 싶어서 주저하지 않고 수술을 시킨 거죠.」

움베르토는 물을 마시고 또 마셔도 목의 얼얼함이 아직 가시지 않은 모양이다. 그는 빵 조각에 버터를 발라 입 안에 욱여넣는다.

「핀처 박사가 어떻게 그 체르니엔코라는 박사를 알게 되었는지는 잘 모르겠지만, 그는 그녀를 만나 최후 비밀을 제거하는 것이 아니라 그것을 자극해 달라고 부탁했어요.」

「그가 판도라의 상자를 열었군요.」

그러면서 이지도르가 한숨을 짓는다.

「뇌 속에 전극을 심고 특정한 주파수로 이것을 작동시켜 최후 비밀 부위를 자극하게 한 겁니다.」

뤼크레스는 주위의 사람들을 둘러보며, 먹고 마시고 떠드는 그들의 모든 행동이 다 쾌감 중추를 간접적으로 자극하기 위한 것이란 말인가 하고 생각한다.

그녀가 묻는다.

「그녀는 핀처를 상대로 한 수술에 성공했나요?」

117

그는 가죽띠에 묶인 채 버둥거렸다. 그러다가 문득 자기가 거기에 있는 이유를 생각해 내고 마음을 가라앉혔다. 사뮈엘 핀처는 자기 정신을 활활 타오르게 했던 그 쾌감을 아쉬워하며 멍하니 허공을 바라보고 있었다.

체르니엔코 박사가 물었다.

「자극이 오던가요?」

「예.」

굉장했죠. 세상이 온통 환하게 빛나는 느낌이었죠.

「어땠나요?」

「강렬했어요. 대단히 강렬했지요. 이제껏 경험한 그 어떤 것보다 강했어요.」

「우리가 경험할 수 있는 쾌감에 1에서 20까지 등급을 매긴다고 할 때, 당신이 느낀 것은 어느 정도의 쾌감이었지요?」

핀처는 이마에 주름을 잡고 최선의 대답을 찾아내기 위해 골똘히 생각하다가 중얼거린다.

「글쎄요, 이제까지 경험해 본 적이 없는 것이라서……20은 턱없이 모자라고 100 정도는 될 겁니다.」

118

움베르토 선장은 소금을 달라고 해서 자기 빵에 뿌린다. 짠맛으로 매운맛의 고통을 잠재울 생각인 모양이다.

「수술에 성공했느냐고요? 사실 제임스 올즈의 발견을 적용하는 수술이었기 때문에, 중요한 건 그 정보의 정확성 여부이지 수술 그 자체는 아니었어요. 어쨌거나 굳이 성공이냐 아니냐를 따진다면, 성공이라고 말할 수 있을 거예요. 하지만 한 가지 문제가 있었어요. 사뮈엘 핀처가 자기 자신에 대한 자극을 스스로 조절할 수 있으면 좋으련만, 그것을 그 자신에게 맡길 수 없다는 게 문제였죠. 그가 하고 싶어 하는 대로 내버려 두었다가는 쾌감 때문에 스스로를 죽일 염려가 있었던 거죠. 프로이트가 그랬던 것처럼 말입니다.」

「정신 분석학의 창시자 지크문트 프로이트 말인가요?」

「아뇨, 핀처의 실험실에서 최후 비밀을 활성화하는 실험에 처음으로 이용되었던 생쥐 프로이트를 말하는 거예요. 결국 핀처에게는 외부에서 자기 대신 자극을 공급해 줄 사람이 필요했어요. 그는 자기 뇌 속의 전극에 특정한 주파수의 전파를 보내는 무선 송신기를 만들고, 이 송신기가 어떤 암호에 의해서 작동되도록 프로그래밍을 했습니다. 그 암호는 송신기를 가지고 있는 사람만 알 뿐 핀처 자신도 모르게 되어 있었지요.」

「그 암호를 알고 있던 사람이 누구죠? 혹시 체르니엔코인가요?」

「아니요. 그는 체르니엔코를 신뢰하지 않았어요. 수술 당일에는 체르니엔코가 자기 마음대로 그의 뇌에 전기 자극을 보낼 수 있었겠지만, 그다음 날부터는 그녀가 더 이상 손을 쓸 수 없도록 그가 적절한 조치를 취한 거죠. 그 뒤로는 오직 한 사람만이 핀처의 머릿속에 예의 강렬한 쾌감을 불러일으킬 수 있었어요.」

「그게 누구죠?」

움베르토는 그들에게 다시 자기 쪽으로 몸을 숙이라고 손짓을 한 다음 나직하게 속삭인다.「〈아무〉예요.」

「〈아무〉가 누군데요?」

「그건 나도 모릅니다. 그에게 말을 할 수는 있었지만, 그를 볼 수는 없었어요. 〈아무〉라는 이름은 십중팔구 오디세우스의 이야기와 관계가 있을 거예요. 그 대목 생각나세요? 오디세우스가 키클롭스를 취하게 할 양으로 포도주 한 대접을 주자 키클롭스는 그것을 받아 마시고 나서 말하지요. 〈지금 당장 그대의 이름을 내게 말하라.〉 그러자 오디세우스가 대답합니다. 〈키클롭스여, 세상 사람이 다 아는 내 이름을 알고 싶소? 이제 그것을 말할 테니 약속한 선물을 내게 주시오. 내 이름은 아무요.〉」[74]

이지도르는 눈을 감고 생각에 잠긴다. 뤼크레스가 다시 묻는다. 「오디세우스, 곧 윌리스는 사뮈엘 핀처가 어렸을 때 그의 병을 낫게 해준 그 자폐증 아이의 이름이 아닌가요?」

아무…… 윌리스…….

---

[74] 『오디세이아』 제9편 355~367행. 오디세우스가 스스로를 〈아무〉라고 칭한 것은 나중에 다른 키클롭스들이 이 폴리페모스라는 키클롭스를 도우러 올 것에 대비한 교묘한 계략이다. 즉, 오디세우스 일행의 불에 달구어진 말뚝에 눈을 찔린 폴리페모스는 어마어마한 소리로 비명을 지른다. 그 소리를 듣고 동굴 앞에 모여든 키클롭스들이 묻는다. 〈누가 힘이나 꾀로 자네를 죽이고 있기라도 한 건가?〉 하고. 그러자, 폴리페모스는 자기를 죽이고 있는 건 〈아무〉라고 대답한다. 그의 친구들은 그 말을 〈아무도 아니다〉라는 뜻으로 알아듣고 그가 제우스 신에게 벌을 받는 것이려니 생각하면서 발길을 돌린다. 그리스어의 〈우티스Outis〉라는 말이 단독으로 쓰여 〈아무도 아니다〉라는 뜻을 나타낼 수 있기 때문에 이런 계략이 가능했던 것이다. 호메로스의 영어 번역자들은 이 〈우티스〉라는 말을 대개 noman으로 번역하거나 라틴어 nemo로 옮겼으며, 프랑스어 번역자들은 personne으로 옮겼다. 우리말에는 〈우티스〉와 딱 맞아떨어지는 단어가 없다. 그러다 보니, 기존의 호메로스 번역자들은 이것을 〈노맨〉이나 〈무인(無人)〉 등으로 옮겼다. 우리말로는 오디세우스의 계략이 잘 통하지 않는 셈이다.

이지도르는 포켓용 컴퓨터로 인터넷에 접속한 다음, 사뮈엘 핀처가 여섯 살이던 시절에 자폐증 전문 클리닉을 운영하고 있었던 병원들의 목록을 찾아낸다. 그러고 나서 그는 윌리스라는 이름을 가진 환자들을 찾기 시작한다.

「윌리스라는 이름을 가진 사람이 별로 없군요.」

마침내 그가 한 사람을 찾아낸다. 윌리스 파파도풀로스다. 이제 시청이나 구청 등의 호적 파일 검색 엔진에 접속하기만 하면 된다. 하지만, 이지도르가 알아낸 것은 윌리스 파파도풀로스라는 사람이 더 이상 존재하지 않는다는 사실이다. 그는 벌써 10여 년 전에 교통사고로 사망했다는 것이다.

뤼크레스는 자기 동료의 어깨 너머로 그의 작업을 지켜보면서 생각한다.

이 작은 컴퓨터 덕분에 절약되는 시간이 얼마나 많은가? 옛날 같으면 이런 정보 하나를 알아내기 위해 온갖 곳을 다 돌아다니고도 허탕을 치기가 일쑤였을 텐데 말이야…….

「나는 〈아무〉가 누군지 몰라요. 하늘에 두고 맹세할 수 있습니다. 하지만, 이건 분명히 말할 수 있어요. 그는 핀처가 모든 걸 믿고 맡길 수 있다고 생각한 유일한 사람이었습니다. 한번은 핀처가 이런 말을 했어요. 《〈아무〉라는 친구는 자기의 힘을 절대로 나쁘게 사용하지 않을 거야. 생각의 힘이 어떤 것인지를 알기 위해서 그 자신이 큰 대가를 치렀기 때문이지.〉」

「그 〈아무〉라는 자가 핀처를 죽인 게 아닐까요?」

「그 점에 대해서는 전혀 아는 바가 없습니다.」

뤼크레스는 자기 동료의 작은 컴퓨터를 바라보다가, 갑자기 어떤 생각이 뇌리를 스친 듯 단호하게 말한다. 「나는 그자가 누군지 알 것 같아요. 그자는 인간의 온갖 약점을 초월해 있는 존재예요. 내일이면 그 점을 분명히 확인하게 될 거예요. 자아, 이지도르, 갈까요?」

「그러면 우리는 뭘 하죠?」

제롬 베르주라크가 묻자, 그녀가 알 듯 말 듯 하게 대답한다.

「아마 나중에 우리가 도움을 청하게 될 거예요. 때가 되면 부를 테니 준비를 하고 계세요. 움베르토도 감시해 주시고요.」

119

사뮈엘 핀처는 자기 실험이 얼마나 위험한 결과를 초래할 수 있는지 잘 알고 있었다. 그래서 자기 의지력을 더 이상 온전히 발휘할 수 없는 상황이 오기 전에, 송신기를 작동시키는 특별한 방식을 고안하기로 하였다.

체르니엔코 박사는 그의 요구대로 뇌 속의 수신기와 동일한 주파수를 가진 무선 송신기를 만들도록 사람들에게 시켰다. 이 송신기는 핀처가 모르는 어떤 암호를 통해서만 작동할 수 있게 되어 있었다.

핀처는 생트마르그리트 병원에 돌아와서, 장루이 마르탱에게 그가 해야 할 일이 무엇인지를 설명하였다. 그런 다음, 자기가 직접 마르탱의 컴퓨터에 송신기를 연결해 주었다. 마르탱은 이내 그 송신기를 작동할 수 있게 되었다. 그것의 암호를 아는 사람은 물론 마르탱 한 사람뿐이었다.

핀처가 그에게 말했다. 「자네는 이제 내 무의식이 되는 걸세.」

〈내가 자네의 무의식이 된다면, 자네는 덤으로 하나의 무의식을 더 얻는 것일세. 나 역시 나의 무의식인 아테나로부터 도움을 받고 있기 때문이지. 나와 아테나가 자네에 대해서 어마어마한 힘을 행사할 수 있다는 것을 알지만, 우리는 절대로 우리의 힘을 남용하지 않을 걸세. 맹세하겠네.〉

핀처는 모자를 벗고 자기 머리를 보여 주었다.

두 사람은 서로를 바라보았다. 저마다 곤충의 더듬이 같은 것을 머리에 달고 있는 모습이었다. 마르탱의 경우에는 헝겊 모자 위로 전선이 나와 있었고, 핀처는 무선 통신용 안테나를 달고 있었다.

「이게 사람들 눈에 너무 잘 띄는 것 같아서, 평면 안테나를 하나 주문했네. 그건 크기가 살갗에 붙은 점 정도밖에 안 된다네. 그게 도착하고 머리카락이 충분히 자라서 그걸 감출 수 있게 되면, 이 모자를 벗고 다닐 걸세.」

〈자네에겐 모자가 잘 어울리는걸.〉

「윌리스, 아테나, 이제 자네들이 날 도와주게. 내가 예전보다 훨씬 더 뛰어난 능력을 발휘할 수 있도록 말일세.」

리스 환자 마르탱은 자기 의사가 자기를 신뢰하고 있다는 사실에 자긍심을 느꼈다. 그리고 자기가 참여하게 될 실험이 얼마나 중대한 것인지를 잘 알고 있던 터라, 그는 자기 역할을 아주 성실하게 수행하리라 다짐하였다. 그는 먼저 새로운 지능 검사 세트들을 고안했다. 이 지능 검사들은 갈수록 난이도가 높아졌다.

핀처는 문제를 해결하고 상으로 최후 비밀에 전기 자극을 받기 위해서 많은 노력을 기울였다.

전기 자극은 매번 마술적인 효과를 낳았다. 마르탱은 어느 정도의 양이 적당한지를 정확하게 알고 있었다. 너무 많아도 너무 적어도 안 되었다. 백만 분의 1볼트만 차이가 나도 효과가 사뭇 달랐다. 최후 비밀이라는 구역은 그토록 자극에 민감하였다.

보통의 지능 검사 세트들이 핀처에게는 너무나 시시한 것이 되어 버리자, 마르탱은 핀처가 이제 인간 지능의 모든 표준을 초월해 있는 것으로 볼 수 있다고 판단했다. 그래서 그는 핀처에게 지능 계발의 무한한 영역인 체스를 활용할 때가 되었다고 알려 주었다.

핀처는 곧바로 시의 체스 클럽에 가입하였다. 그는 클럽의 모든 기사를 상대로 차례차례 승리를 거두어 나갔고, 얼마 지나지 않아서 그 지역의 최강자가 되었다.

그때를 같이하여 핀처의 외모에도 변화가 생겼다. 예전보다 한결 당당하고 활기찬 모습이었다. 하지만 눈빛은 늘 무언가를 찾는 사람처럼 불안해 보였고, 이따금 까닭 없이 미소를 짓는 버릇이 생겼다. 그의 삶에도 변화가 있었다. 그는 빚을 내서 앙티브곶에 있는 더 넓은 빌라를 샀다.

그는 끊임없이 감각적인 자극을 좇고 있었다. 그가 에피쿠로스주의자들의 클럽인 시엘에 가입한 것도 그 무렵이었다. 클럽의 회원들은 그와 똑같은 것을 추구하고 있었다. 더 많은 쾌락이 바로 그들의 목표였다. 그는 이 클럽에서 나타샤 아네르센을 만났다. 그것은 예사롭지 않은 만남이었다. 그는 그녀에게 반하였다. 무엇보다 먼저 그의 마음을 사로잡은 것은 금방이라도 구름을 타고 사라져 버릴 것 같은 그녀의 선녀 같은 특성이었다. 〈마치 홍진 속에서 노닐고자 스스로 인간 세계에 내려온 신 같아〉 하고 그는 생각했다. 미샤는 두 사람 다 체스 애호가라고 말하면서 그들을 서로에게 소개해 주었다.

그들은 마치 춤을 추듯이 체스를 두었다. 말들은 서로 잡아먹는 대신, 서로 살짝살짝 스치고 지나가며 교묘히 접전을 피하였다. 마치 아무도 의미를 간파하지 못하는 난해한 안무를 따르고 있는 듯했다. 대국이 진행되어 가면 갈수록, 체스보드 위의 작은 나무 조각상들이 이루어 내는 광경은 더욱 의미심장한 것이 되어 갔다. 그들은 거의 말을 하지 않았지만, 더 이상 이기는 게 목적이 아닌 새로운 놀이를 만들어 내고 있음을 스스로 깨닫고 있었다.

이 여자는 참으로 맑고 참으로 밝다. 나에겐 이런 밝음이 필요하다. 나는 때때로 나 자신이 너무 어둡다고 느낀다.

그날 밤, 그는 체스의 비숍[75]처럼 굴었고 그녀는 퀸 노릇을 하였다.

때마침 덧없는 사랑 놀음에 싫증을 내고 있던 터에, 그는 그녀를 통해서 여성성의 본질에 닿았다는 느낌을 받았다. 나타샤는 그에게 결여된 것을 가장 완벽하게 보완해 주는 존재였다. 둘은 서로를 보완할 뿐만 아니라 동일한 것을 지향하고 있기도 했다. 그와 마찬가지로 그녀도 새로운 삶과 새로운 감각에 늘 목말라하는 부류에 속해 있었다. 그들은 갈수록 강렬해지는 쾌락의 소용돌이에 함께 빨려 들어갔다.

그즈음에 핀처는 스스로에게 이런 질문을 던졌다. 그가 마지막 숨을 거두는 순간까지 두고두고 그를 따라다니게 될 질문이었다.

75 비숍의 프랑스어 이름은 〈푸Fou〉인데, 이는 〈왕에 고용된 어릿광대〉라는 뜻도 되고 〈미치광이〉라는 뜻도 된다.

120

그런데…… 나는 진정 무엇 때문에 이 모든 일을 기도(企圖)하고 행하는 것일까? 나는 무엇에 이끌려 행동하는가?

제3막

**우리 머릿속의
보물**

121

햇살이 눈부시다. 하늘빛 해안을 끼고 달리는 7번 국도, 활짝 핀 미모사들 사이에서 새들이 지저귄다. 두 사람을 태운 구치 오토바이가 트럭들을 추월하고 승용차들 사이로 요리조리 미끄러지면서 도로를 헤쳐 나간다. 이지도르는 한 손으로 헬멧을 붙잡고 있다. 비행사 안경에 부딪쳐 오는 바람이 세차다. 뤼크레스는 몸을 약간 숙인 채 적갈색 머리를 휘날리며 가속 손잡이를 돌리고 있다. 그들은 로마 시대의 유적지를 지나고, 훨씬 더 오래된 또 다른 폐허를 스쳐 지나간다.

디프 블루 IV를 제작한 미국 컴퓨터 회사는 칸과 이웃한 도자기 공예의 도시 발로리에 판매 대행사를 설립한 바 있다. 이 회사의 초현대적인 건물은 오래된 석조 건물 사이에 섞여 있다.

뤼크레스는 주차 금지 표지판 기둥에 오토비이 앞바퀴를 사슬로 묶는다.

혈색 좋은 회사 관리자 하나가 그들을 맞아 준다. 나무랄 데 없는 초록색 정장에 베이지색 셔츠를 받쳐 입고 역시 베이지색 넥타이를 맨 차림이다. 상대의 눈을 똑바로 바라보는 시선에 자신감이 넘치고, 친절하고 개방적인 태도에는 지나치게 꾸미는 듯한 기색이 느껴진다. 우수한 경영 대학원에서 배웠음 직한 상업적 열의도 엿보인다.

그가 얄팍한 손을 내밀어 악수를 청한다. 손은 야위었어도 쥐는 힘이 제법 세다.

「크리스 매킨리입니다. 저희 프로방스 지사에 파리의 언론사에서 오신 분들을 모시게 되어 영광입니다. 하지만 이왕 저희 회사를 독자들에게 소개하시려면, 미국 플로리다주 올랜도에 있는 본사를 가보시는 게 좋을 겁니다. 꼭 한번 가보시라고 권하고 싶군요.」

뤼크레스가 적갈색 머리채를 흔든다.

「우리는 귀사에 대한 기사를 쓰려고 온 것이 아니라, 여기에서 일하는 어떤 자에 대해서 알아보려고 왔어요.」

「혹시 누가 실수를 저질렀나요? 그 직원 이름이 뭐죠?」

「이름은 〈디프〉, 성은 〈블루 IV〉. 앞부분이 은빛으로 된 커다란 정육면체죠.」

크리스 매킨리는 그들을 자기 사무실로 데려간다. 벽들이 대형 액정 화면으로 덮여 있고, 그 화면에 루브르 미술관의 전시품들이 5초당 한 작품꼴로 펼쳐지고 있다. 그의 회전의자 뒤쪽에는 체스의 대명인들과 최초로 대국을 벌인 슈퍼컴퓨터 디프 블루의 포스터가 붙어 있다. 그 왼쪽에는 디프 블루의 후계자로서 가리 카스파로프를 상대로 승리를 거둔 디퍼 블루, 곧 디프 블루 II의 포스터가 붙어 있고, 그 위쪽 선반에는 〈체스 세계 챔피언〉이라는 말이 새겨진 우승컵이 놓여 있다. 또한 레오니트 카민스키와 대국을 벌인 디프 블루 III의 포스터도 보인다. 인간에 대한 컴퓨터의 승리를 입증하는 또 하나의 우승컵과 함께.

「앉으시죠. 디프 블루 IV는 해고되었습니다. 대국에서 졌으니까요. 고용주의 기대를 저버린 거죠. 투우에서도 그러하듯이, 패자에게는 두 번 다시 기회가 없습니다.」

「투우에서는 승자에게도 두 번 다시 기회가 없는 경우가 있죠. 승자가 황소일 때가 그렇습니다. 사람들은 황소에게는 다시 싸울 기회를 주지 않습니다.」

매킨리는 압형으로 글자를 박아 넣은 은빛 명함을 기계적으로 내민다.

「맞는 말씀이군요. 제가 말을 잘못했습니다. 어쨌거나 디프 블루IV는 만인들 앞에서 우리를 웃음거리로 만들었어요. 그 기획의 책임자는 좌천되었고, 그 컴퓨터도 퇴출당했죠. 우리 회사의 표어 중에는 이런 것이 있습니다. 〈실패하는 사람은 핑곗거리를 찾아내고, 성공하는 사람은 수단을 찾아낸다.〉」

아닌 게 아니라 그 표어가 적힌 팻말이 사무실 벽에 높이 걸려 있다.

「하지만 엄밀히 말해서 디프 블루 IV는 책임을 져야 할 〈존재〉가 아니지 않나요?」

미국인 관리자는 입을 비죽이 내밀며 잠시 생각하는 듯한 표정을 짓는다.

「하긴, 디프 블루 IV가 설령 이겼디 헤도 여기에서 오래 비티지는 못했을 겁니다. 컴퓨터 분야에서는 진보가 너무나 빠르게 이뤄지기 때문이죠. 그 대국이 끝나고 얼마 지나지 않아서 디프 블루IV를 능가하는 새로운 컴퓨터가 나왔습니다. 우리는 현재 디프 블루V를 개발해 놓고 마지막 조정 작업을 하고 있는 중입니다. 신문에서 보셔서 아시겠지만, 이 디프 블루V는 곧 인간 세계의 새로운 체스 챔피언과 대국을 벌일 겁니다. 자아 보시죠. 이게 바로 우리의 새로운 글래디에이터입니다.」

그러면서 그는 두꺼운 아트지로 된 홍보 책자를 두 사람 쪽으로 내민다.

이지도르는 책자를 조금 뒤적이다가 속내를 감추고 짐짓 무심결인 양 묻는다. 「이런 컴퓨터들은 사고 능력이 어느 정도나 되나요?」

매킨리는 두 기자에게 계속 말을 하면서, 커다란 평면 모니터를 갖춘 개인용 컴퓨터를 켠다. 건성건성 손을 놀리는 것으로 보아, 급한 용무가 있는 것 같지는 않고 자기 메일 함이나 확인해 보려는 듯하다. 하지만 그는 자기와 이야기를 나누고 있는 두 남녀가 어떤 사람들인지를 알아보기 위해 어떤 데이터 뱅크에 접속을 하고 있는 중이다. 확인해 본즉, 남자는 전직 기자이고 여자는 대단찮은 객원 기자다. 또 남자는 단지 여자를 위해서 일을 도와주고 있다.

매킨리는 몸을 뒤로 젖혀 회전의자에 깊숙이 몸을 묻으며, 전문가적인 어조로 다시 말문을 연다. 「그 문제는 상대적인 관점에서 봐야 합니다. 컴퓨터가 제아무리 복잡하다 해도 아직 우리 인간처럼 사고할 수는 없습니다. 두 분이 보시기엔 어떻습니까? 만일 세상의 모든 컴퓨터를 연결해서 하나로 합친다면, 그것이 몇 사람의 뇌를 연결한 것에 해당할까요?」

「천만 명이나 1억 명쯤의 뇌를 합친 것과 비슷하지 않을까요?」

「아닙니다. 한 사람의 뇌에 해당합니다.」

두 기자는 그의 말뜻을 이해하려고 애쓴다.

「그렇다니까요……. 사람의 뇌는 세상의 모든 컴퓨터를 합친 것만큼이나 복잡한 네트워크를 지니고 있어요. 사람의 뇌에는 2천억 개의 뉴런이 들어 있다고 합니다. 은하수에 있는 별만큼이나 많죠. 그리고 각각의 뉴런은 천 갈래로 접속될 수 있습니다.」

그 말에 두 기자는 잠시 생각에 잠긴다.

「그러니까, 컴퓨터는 인간을 이길 수 없다는 말이군요.」

「그렇게 간단히 말할 수는 없죠. 그 대신 우리는 천천히 사고하니까요. 신경 자극은 시속 3백 킬로미터 정도의 속도로 전달됩니다. 컴퓨터 신호는 그보다 천 배나 빨리 전달되죠.」

뤼크레스는 수첩을 꺼내어 매킨리의 말을 적기 시작한다.

「그러니까, 컴퓨터가 우리 인간을 능가한다는 말이군요.」

「그렇게 간단히 말할 수는 없죠. 우리 인간은 상대적인 〈느림〉을 사고의 〈다양성〉으로 벌충하니까요. 우리는 1초당 수백 가지 연산을 동시에 실행합니다. 그에 비해서 컴퓨터는 기껏해야 열 가지 정도의 연산을 동시에 실행할 뿐이지요.」

뤼크레스는 앞서 적은 것을 지우기 위해 줄을 긋는다.

「그러니까, 우리 인간이 컴퓨터보다 강하다는 얘기로군요.」

매킨리는 이 젊은 여자의 이력서를 찾아내고, 여러 행정 관청의 사이드를 뒤져 그녀의 사진 몇 장을 수집한다.

「그렇다고 볼 수도 있죠. 뇌를 많이 쓰고 공부를 많이 하면 우리 뉴런의 접속 상태가 점점 좋아지죠. 뇌에 지식과 정보라는 영양을 많이 공급하면 할수록, 뇌는 점점 강해지는 겁니다.」

「그러니까, 인간이 앞으로도 변함없이 우위에 설 거라는 얘기로군요.」

454

그는 아니라는 뜻으로 고개를 젓는다.

「그렇게 간단히 말할 수는 없죠. 인간의 지식은 10년마다 배로 늘어나지만, 컴퓨터의 성능은 18개월마다 배로 좋아지니까요. 인터넷으로 말하자면, 해마다 네트워크가 배로 확대되고 있어요.」

「그러니까, 시간은 컴퓨터의 편이라는 건가요? 결국엔 컴퓨터가 우리를 이길 수밖에 없다는 얘기로군요.」

「그렇게 간단히 말할 수는 없죠. 컴퓨터는 아직 중요한 정보와 중요하지 않은 정보를 선별할 줄 모르니까요. 처리하는 정보의 양에 있어서는 컴퓨터가 우리를 능가하지만, 좋은 정보를 걸러 내는 데에 있어서는 우리를 따라올 수가 없습니다. 컴퓨터는 중요하지 않은 것들에 대해 생각하느라고 시간을 많이 허비하지만, 우리는 오로지 중요한 요소들만 선별하지요. 예컨대 체스를 둘 때, 컴퓨터는 수천 가지의 불필요한 조합을 검토하지만, 사람은 금방 최선의 조합 서너 가지를 골라냅니다.」

「그러니까…… 인간이…… 변함없이…….」

「그렇게 간단히 말할 수는 없죠. 프로그램들 역시 아주 빠르게 진화하고 있으니까요. 프로그램은 컴퓨터의 사유 양식이라고 할 수 있습니다. 그런데 최신 세대의 인공 지능 프로그램들은 저희의 성공이나 승리의 경험을 바탕으로, 또는 네트워크를 통해 새로운 프로그램들을 만나면서 자신의 프로그래밍을 변화시킵니다. 경험을 자꾸 쌓아 나가고 다른 프로그램들과 계속 경쟁을 벌이는 과정에서, 쓸모없는 정보 때문에 시간을 허비하지 않는 법을 배우고 저희들 자신의 분석 능력을 키워 나가는 것이지요.」

「그러니까…….」

매킨리는 뤼크레스의 말을 자르기라도 하듯 두 손을 모아 손가락 끝을 맞댄다.

「사실, 이건 막상막하의 싸움입니다. 컴퓨터의 지능이나 인간의 지능이 어디까지 나아갈지는 아무도 모르는 일이니까요. 이 두 분야에서는 앞으로 나아가면 갈수록 모르는 게 점점 많아지죠. 그나마 저게 있어서…….」

그는 말끝을 흐리며 자기 뒤에 붙어 있는 포스터를 가리킨다.

「이 체스 경기가 결국은 유일한 객관적 척도인 셈입니다. 인간의 뇌와 컴퓨터 프로그램을 대결시켜 볼 수 있는 유일한 기회죠.」

매킨리는 넥타이의 매듭을 고치면서 잠시 생각한다.

이들은 기자다. 귀에 쏙쏙 박힐 만한 간명한 문구를 제시해 주어야 한다. 그래야 그대로 옮겨 쓸 수 있을 것이다.

「요즘에 우리 전문가들 사이에서는 흔히 이렇게 말합니다. 컴퓨터는 현재 여섯 살 난 아이의 의식 수준을 지니고 있다고 말합니다.」

「〈의식〉이라고요?」

「물론입니다. 이제는 인공 지능 프로그램이 아니라 인공 의식 프로그램이 나오고 있습니다. 그것은 컴퓨터로 하여금 제가 기계라는 것을 깨닫게 할 수 있는 프로그램이죠.」

「디프 블루 IV도 제가 기계라는 것을 알고 있었습니까?」

이지도르가 그렇게 묻자 매킨리는 대답에 뜸을 들인다.

「그렇습니다.」

이번엔 뤼크레스가 묻는다. 「디프 블루 IV가 욕망을 품을 수 있는 컴퓨터라면, 체스 경기에서 인간을 이기는 것 말고 다른 욕망을 품을 수도 있었겠네요?」

「십중팔구는 그랬을 겁니다. 디프 블루 IV는 퍼지 논리에 바탕을 둔 새로운 연산 체계를 갖추고 있었어요. 다시 말해서, 독자적인 결정을 내릴 가능성이 있었다는 겁니다. 하지만 그 문제는 어떤 수준에 다다르면 양상이 너무나 복잡해서 저로서도 뭐라고 단정적으로 말씀드릴 수가 없네요. 때로는 엔지니어들조차 자기들이 만든 컴퓨터가 정확히 무엇을 할 수 있는지 잘 모를 수 있습니다. 컴퓨터가 저 혼자서 배워 나가기 때문입니다. 디프 블루 계열의 컴퓨터는 저 스스로 프로그래밍을 할 수 있는 컴퓨터죠. 디프 블루 IV가 과연 무얼 배우고 싶어 했을까요? 인터넷에 접속하면 너무나 많은 정보와 매체에 접근할 수 있기 때문에, 디프 블루 IV가 〈호기심〉을 가졌던 분야가 무엇인지 우리로선 알 수가 없습니다. 그걸 알아내자고 컴퓨터를 감시할 수도 없는 노릇 아닙니까? 어쨌거나 감시란 너무 지겨운 일이죠.」

「컴퓨터들이 정말 의식의 맹아를 보이고 있다고 생각하세요?」

매킨리가 벌쭉 웃는다.

「제가 말씀드릴 수 있는 건, 바로 며칠 전부터 저희가 컴퓨터에 대한 애프터서비스를 위해 심리 치료사를 고용하고 있다는 겁니다.」

「심리 치료사요?」

매킨리는 인터넷으로 돌아가서 새로운 정보 서비스에 접속한다.

이 두 사람이 잠자리를 함께 하는 사이인지 어디 좀 볼까?

그는 파일 하나를 열어서 두 사람이 예약한 호텔의 객실을 조사하기 시작한다. 엑셀시오르 스위트룸 122호실. 침대가 두 개 있다. 하지만 이것만으로는 결론을 내릴 수 없다. 그래서 그는 이 호텔의 청소부들이 작성한 보고서들을 검토한다.

침대 두 개가 모두 흐트러져 있었음.

그의 입가에 미소가 번진다. 5분 전만 해도 생판 모르던 사람들에 관해서 그토록 많은 것을 알게 되었다는 것이 재미있다.

「매킨리 씨, 심리 치료사를 왜 고용한다는 거죠?」

「아마도 자기가 진정 누구인지를 궁금해하는 컴퓨터들을 편안하게 달래 주기 위해서일 겁니다.」

그러면서 그는 큰 소리로 웃음을 터뜨린다.

「나는 누구인가? 나는 어디에서 왔는가? 나는 어디로 가는가? 우리가 이런 실존적인 질문들을 우리 자신에게 너무 많이 제기하다 보니, 그것들이 컴퓨터들에게로 옮아간 모양입니다.」

이지도르는 포켓용 컴퓨터를 꺼내, 마치 그 정보를 기록하는 양하며 자판을 두드린다. 하지만 그 역시 슬며시 인터넷에 접속해서, 디프 블루 IV를 제작한 기업의 데이터 뱅크를 뒤져 〈보범 사원 그리스 매긴리〉의 개인 파일을 찾아낸다.

이지도르는 열었던 문서를 닫으며 생각한다.

이자는 자기 자신의 파일을 변경시켰다. 이자는 해커임에 틀림없다.

매킨리는 중대한 비밀이라도 털어놓듯이 몸을 앞으로 숙이며 말을 잇는다. 「디프 블루 V는 생체 칩이라는 새로운 기술을 이용하게 됩니다. 다시 말해서, 실리콘으로 된 칩이 아니라 살아 있는 물질로 된 새로운 칩을 사용한다는 것이지요. 당분간은 식물성 단백질로 만들겠지만, 나중에는 동물성 단백질로 넘어갈 것입니다. 광물성 칩을 가진 컴퓨터들의 소형화는 이제 한계에 도달했습니다. 이 새로운 칩은 컴퓨터의 성능을 백 배나 향상시킬 겁니다. 저는 디프 블루 V가 체스 세계 챔피언 자리를 컴퓨터에게 되돌려 줄 거라고 장담할 수 있습니다.」

매킨리는 그 말을 끝으로 자리에서 일어서며 더 이상 시간을 내줄 수 없다는 뜻을 알려 온다. 그가 어떤 버튼 하나를 누르자 문이 옆으로 스르르 미끄러진다. 그는 두 사람을 배웅할 경비원 두 명을 부른다.

하지만 이지도르에겐 아직 물어볼 게 남아 있다.

「지금 디프 블루 IV는 어디에 있지요?」

매킨리는 기업과 언론이 공생 관계에 있다는 사실을 알고 있다.

「그 낡은 기계에 관심이 많으신가 보죠?」

매킨리는 경비원들에게 잠시 기다리라고 신호를 보내더니, 자기 서류를 뒤져 어떤 문서 한 장을 꺼낸다. 디프 블루 IV가 소피아앙티폴리스 산학 복합 단지[76]의 정보 공학 대학에 기증되었다는 사실이 적혀 있는 문서다.

과학 발전을 위해 주검 하나가 기증된 셈이군.

122

칸 체스 동호인 클럽의 대국실. 미셸콜뤼시 공립 초등학교에서 친절하게도 교실 하나를 내주어서 마련된 작은 대국

[76] 1969년에 칸 근처의 발본 평원에 조성된 산업·과학 복합 단지.

실이었다. 이곳을 자주 찾는 회원들이 탁자 하나를 둘러싸고 모여 있었다. 그들은 한 신입 회원의 대국을 지켜보고 있는 중이었다.

이 대국이 대단히 재미있을 거라는 소문이 퍼져서, 이웃한 문화 회관 사람들도 마크라메 레이스와 도예와 광주리 공예 작업장을 버려두고 관전하러 왔다.

그건 유례없는 일이었다. 클럽의 내로라하는 고수들조차 자기 대국을 보기 위해 그렇게 사람들이 몰려드는 것을 본 적이 없었다.

대모갑 테 안경을 쓴 그 신입 회원은 정말 놀라운 사람이었다. 그는 모든 상대를 쉽사리 물리쳤을 뿐만 아니라, 클럽의 최고수와 맞선 그 대국을 완전히 새로운 포석으로 시작했다. 폰을 룩 앞에 놓는 수가 바로 그것이었다. 언뜻 보기에, 그것은 포석치고는 가장 불리한 수였다. 하지만 그는 자기 말들을 측면으로 전개하면서, 마치 집게로 조여 가듯이 체스 보드 중앙의 상대 말들을 차츰차츰 가두어 가고 있었다. 말 그대로 상대를 포위하면서 상대의 수비진에 구멍을 뚫는 작전이었다.

그는 조금씩 〈이익을 얻어 가는〉 방식으로 두지 않고, 기습을 중시하였다. 상대가 예상한 수를 두지 않고 상대의 허를 찌르기 위해서라면 기꺼이 자기의 중요한 말들을 희생할 준비가 되어 있었다.

그의 작전은 잘 통했다. 반면 중앙의 적진에는 이제 완전히 포위된 킹과 폰 하나만 남아 있었다.

그와 대국을 벌이고 있는 클럽의 최고수는 불가리아 태생의 노인이었다. 한때 불가리아에서 챔피언 자리에까지 올라본 적이 있는 이 노인이 항복의 뜻으로 자기 킹을 옆으로 눕혔다.

노인이 물었다. 「성함이 어떻게 되시죠?」

「핀처입니다. 사뮈엘 핀처요.」

「두신 지 오래되셨나요?」

「석 달 전부터 본격적으로 두기 시작했습니다.」

노인이 믿을 수 없다는 듯한 표정을 지었다. 핀처가 마치 자기의 승리에 대해 해명이라도 하듯이 얼른 덧붙였다. 「……저는 생트마르그리트 병원에서 일하는 신경 정신과 의사입니다.」

노인은 그의 말뜻을 헤아리려고 애썼다.

「그래서 그렇게 〈무분별한〉 수를 두신 건가요?」

이 농담에 분위기가 누그러지고 두 남자는 서로의 손을 꼭 쥐었다. 노인은 핀처를 끌어안고 그의 등을 토닥였다. 그런 다음 핀처의 팔을 붙든 채 그를 찬찬히 살펴보다가 머리에 있는 상처를 발견하였다. 노인이 상처를 손가락으로 가리키며 물었다.

「전상(戰傷)인가요?」

123

소피아앙티폴리스 산학 복합 단지. 바닷가의 해송 숲 한복판에 콘크리트 건물들이 솟아 있다. 여기에 들어선 첨단 기술 분야의 기업들은 창조적인 인재들로 하여금 목가적인 환경을 즐기게 하려고 여러 가지 배려를 하고 있는 듯하다. 여기저기에 수영장과 테니스 코트가 보인다. 통신 위성에 신호를 보내는 안테나들도 건물 사이사이에 솟아 있다. 국제적

인 학술 교류를 상시적으로 할 수 있게 하는 첨단 장비들
이다.

이곳의 기업들은 인재 양성에 지대한 관심을 갖고 지속적
인 투자를 해왔다. 그리하여 이 기업들에 참신한 두뇌를 공
급하기 위한 대학이 이미 설립되었고, 영재 학교도 하나 들
어섰다. 이제 천재들을 위한 유치원만 세우면 인재 양성의
틀이 완전하게 갖추어지는 셈이다.

영재 학교에는 수줍음을 잘 타고 혼자 있기를 좋아하는 학
생들이 많다. 이 학교에서 조금 떨어진 곳에 정보 공학 대학
이 있다. 어린 영재들은 벌써부터 이 대학에 들어가기를 꿈
꾸고 있다. 대학 건물은 아주 독특하면서도 주위 환경이며
다른 건물들과 잘 어울린다. 학생들이 되도록 아름다운 전망
을 즐기면서 강의를 들을 수 있도록 강의실의 유리창이 바다
쪽으로 나 있다.

대학의 한 과장이 두 기자를 맞아 준다.

「디프 블루 Ⅳ를 기증받은 건 사실이지만, 우리는 그것을
사용하지 않기로 했습니다. 그 컴퓨터는 특별한 프로그램들
을 필요로 합니다. 미국 컴퓨터 회사는 독이 들어 있는 선물
을 보낸 셈입니다. 우리에게 컴퓨터를 기증하면서 자기네 프
로그램을 쓰시도록 강요한 것이지요. 우리는 그 독에 오염되지
않기 위해서 컴퓨터를 바로 치워 버렸습니다.」

「전원에 연결해 보기는 했나요?」

「예, 물론이죠.」

「좀 이상해 보이지 않던가요?」

「이상하다는 게 무슨 뜻이죠?」

뤼크레스는 빙 돌려서 말할 필요가 없겠다 싶어서, 단도

직입적으로 나간다.

「우리는 어떤 살인 사건에 관해 조사하고 있습니다. 그 컴퓨터가 뭔가를 알고 있지 않을까 싶어서…….」

「그 컴퓨터의 〈증언〉을 원하고 있다는 겁니까?」

대학의 과장은 약간 비꼬듯이 물으며 어깨를 치켜올린다.

이들은 영화를 너무 많이 보았거나 SF 소설을 너무 많이 읽었다. 소설가들은 무책임한 자들이다. 자기들이 헛소리를 할 때 그것을 곧이곧대로 믿는 독자들이 있을 수 있다는 사실을 간과한다. 그래서 나는 소설을 읽지 않는다. 헛소리를 지껄이는 자들의 소설을 읽는 건 시간 낭비일 뿐이다.

과장은 경계하는 눈빛으로 두 방문자를 살핀다.

「어떤 주간 신문에서 나오셨다고 했지요? 『르 게퇴르 모데른』이라고요? 저는 언제나 그 주간지가 아주 진지한 시사 종합지라고 믿고 있었는데요. 정말 컴퓨터가 증언을 할 수 있다고 생각하십니까? 너무 단호하게 말해서 미안하지만, 컴퓨터는 믿을 만한 증인이 될 수 없어요! 소리와 영상을 기록하는 기능이 있다고는 하지만, 그건 컴퓨터의 〈의지〉에 따라서 작동되는 게 아니거든요.」

과장은 그들을 대학의 컴퓨터실로 데려가더니, 그곳이 바로 인공 지능 프로그램에 관한 최첨단의 연구가 행해지는 곳이라고 설명한다. 인공 의식에 관한 그의 생각은 부정적이다. 컴퓨터 회사들이 광고 효과를 노리고 과장해서 말하는 것일 뿐, 현재로서는 인공 의식이라는 것이 존재하지 않는다는 얘기다.

「인공 의식이라는 말에 해당하는 구체적인 실체가 전혀 없어요. 컴퓨터는 절대로 인간과 대등해질 수 없습니다. 예술적인 감수성이 없기 때문이지요.」

과장의 이런 주장은 컴퓨터 회사 간부 매킨리의 견해와 대조된다.

「그럼 이건 뭐죠?」

이지도르는 어떤 그래픽 프로그램 회사에서 선물한 달력을 가리키며 그렇게 묻는다. 각각의 달에 그림이 하나씩 들어 있는데, 이 그림들은 모두 복잡한 기하학적 무늬를 나타낸 것들이다. 둥근 꽃무늬를 어질어질하게 배열해 놓은 것 같기도 하고, 여러 가지 색깔의 레이스들이 소용돌이치고 있는 것 같기도 한 무늬들이다.

「이건 프랙털 도형, 곧 차원 분열 도형을 이용해서 만든 그림입니다. 이런 무늬를 생성하는 수학적인 함수를 만들어 낼 수 있다는 사실을 발견한 사람은 프랑스의 수학자 브누아 망델브로지요. 프랙털 도형의 특성은 똑같은 형태가 무한히 반복된다는 점입니다. 이 그림을 확대해 보면, 똑같은 무늬가 더 큰 형태로 계속 되풀이된다는 것을 확인하게 될 겁니다.」

「참 아름답군요.」

뤼크레스의 경탄에 과장이 말끝을 단다. 「아름답지요. 하지만 이건 예술이 아닙니다. 〈계획된 우연〉에 의해 생성된 무늬일 뿐이지요.」

뤼크레스는 달력의 그림들을 다시 살펴본다. 만일 그 형태와 색깔을 만들어 낸 것이 컴퓨터라는 사실을 몰랐다면, 그녀는 그 이미지들의 창조자가 〈천재적〉이라고 생각했을 것이다.

이지도르는 자기들이 컴퓨터실에 들어온 뒤로 배경 음악처럼 테크노 음악이 계속 들려오고 있음을 의식한다.

컴퓨터 그림, 컴퓨터 음악, 컴퓨터 게임, 컴퓨터 경영! 기계적이고 반복적인 임무만 수행하던 컴퓨터가 이제 고상하고 창조적인 임무에 접근하고 있다. 프로그램을 만드는 프로그램들이 나오고 있는 판국이다. 컴퓨터들이 인간의 지도를 받지 않고 정보 공학을 발전시키고 있는 셈이다. 이 과장이라는 사람은 인공 의식에 관해서 말하고 싶어 하지 않는다. 자기 동료들의 웃음거리가 되는 것을 두려워하기 때문이다. 컴퓨터들의 사고 능력을 정의하는 새로운 말을 만들어 내야 할 듯하다.

「디프 블루 IV를 가지고 있어 봐야 아무 쓸모가 없다는 걸 알고, 그걸 어떻게 처분하셨지요? 그건 비밀이랄 것도 없으니까, 우리에게 말씀해 주셔도 되겠지요?」

과장은 디프 블루 IV를 보낸 곳의 주소를 가르쳐 준다. 그러고는 작별 인사를 대신해서 소리친다.

「저기요, 그놈의 자백을 받아 내는 건 좋은데, 너무 심하게 때리지는 마세요. 그놈에게도 변호사가 있을지 모르니까요.」

하지만 그 농담을 재미있어한 것은 그 자신뿐이다.

124

체스 경기에 임하는 사뮈엘 핀처의 태도는 진지하고 결연했다. 그는 클럽의 최고수에 이어, 시 챔피언, 도 챔피언, 지방 챔피언, 프랑스 챔피언, 유럽 챔피언을 차례로 물리쳤다. 그의 상대자들은 모두 그의 시원시원하고 자유스러운 기풍(棋風)과 극도의 집중력, 번개 같은 수읽기, 상대의 허를 찌르는 독창적인 묘수에 감탄하였다.

어떤 체스 전문 잡지는 〈완전히 새로운 기풍의 가공할 신인 출현!〉이라는 제목의 기사에서, 〈그의 뇌는 다른 기사들의 뇌보다 한결 빠르게 돌아가는 듯하다〉라고 평했다. 또 그와 대국을 벌인 한 기사(棋士)는 이렇게 증언했다.

〈핀처는 무서울 정도로 의욕적인 승부사다. 이기기 위해서라면 우리를 죽일 수도 있을 것 같은 느낌마저 들었다.〉

물론 신경 정신과 의사 핀처는 아무도 죽이지 않았다. 하지만 그는 세계적인 고수들의 피라미드에서 계속 정점을 향해 올라갔다. 세계 타이틀을 노리는 모든 고수를 차례로 격파하고 나니, 이제 그에게 남은 것은 세계 챔피언 레오니트 카민스키와 대결하는 일뿐이었다.

핀처가 승리를 거둘 때마다, 장루이 마르탱은 약제사가 약의 복용량을 정확하게 재듯이 전기 자극을 세심하게 조절하여 그에게 순수한 쾌감을 투여하였다. 마르탱은 상(賞)의 양을 알맞게 조절해야 한다는 것을 잘 알고 있었다. 양을 계속 늘리되, 급격히 늘리면 안 될 일이었다. 그가 핀처에게 처음으로 전기 자극을 주었을 때, 전압은 3밀리볼트였다. 그것이 15밀리볼트까지 올라가는 데에는 여러 주가 걸렸다.

한번은 핀처가 자극을 더 높여 달라고 요구한 적이 있었다. 마르탱이 말을 듣지 않자, 핀처는 스스로 자기 머릿속에 전기를 보내려고 컴퓨터 자판을 잡았다. 하지만, 그는 암호를 모르기 때문에 전기 자극을 보낼 수 없었다.

「미안하네, 장루이. 자제하기가 힘들어. 그것을 더 받고 싶은 마음이 너무나 간절해.」

「사뮈엘, 아무래도 우리 여기서 그만두는 게 좋겠어.」

핀처는 망설였다. 바로 그 무렵부터 그에게 안면 근육의 경련이 일어나기 시작했다. 그는 마음을 다잡고 한숨을 내쉬며 말했다.

「잘될 거야. 내가 견뎌 볼게.」

그날 마르탱은 내면의 대화에 빠져들었다. 어디까지가 그의 생각이고 어디까지가 컴퓨터의 생각인지 알 수 없는 기이한 대화였다.

「이 일에 대해서 어떻게 생각하지?」

「최후 비밀이 우리가 생각했던 것보다 훨씬 더 강력한 동기가 아닐까 하는 생각이 들어.」

「그럼 이제 내가 어떻게 해야 하지?」

「너는 이제 물러설 수도 없고 일의 진행을 늦출 수도 없어. 끝까지 가야만 해. 이 실험의 끝이 어디인지를 알아내야 한다고. 그렇게 하지 않으면, 나중에 다른 자들이 우리를 대신해서 그 일을 하게 될 거야. 그자들이 우리보다 신중하고 온건하리라는 보장이 없어. 어차피 해야 할 일이라면 우리가 하는 게 나아. 우리는 지금 〈역사적인〉 일을 경험하고 있는 거야.」

마르탱은 핀처의 집 현관에 설치된 감시 카메라를 통해 그가 나타샤 아네르센과 만나는 광경을 지켜보았다. 그녀가 배를 타고 섬으로 그를 찾아온 거였다. 두 사람은 키스를 나누고 있었다.

역사적인 일이라고……?

마르탱은 아테나에 접속하지 않은 채 혼잣말을 했다.

나는 아내 이자벨과 세 딸을 잃었지만, 아테나와 더불어 새로운 가족을 이루었다.

그런 생각을 하니 그의 기분이 좋아졌다.

아테나만은 절대로 나를 버리지 않을 것이다.

아테나는 그가 신뢰할 수 있는 존재였고, 결코 인간들처럼 약한 모습을 보이질 않을 존재였다. 그는 아테나에 대해서 새삼 애정이 솟아나는 것을 느꼈다.

한편 아테나는 그의 내면 방백이 끝났음을 알아차리고, 그가 자기를 생각하고 있음을 느끼면서, 이제 그의 무의식으로서가 아니라 자기 자신의 이름을 내세워 말할 때가 되었다고 판단했다.

「아닌 게 아니라, 나 아테나는 절대로 너를 버리지 않을 거야.」

마르탱은 너무 놀라서 잠시 어안이 벙벙하였다. 신 아테나가 자기에게 직접 말을 걸고 있었다. 마르탱은 자기가 정신 분열 상태에 빠진 것이거나, 자기 생각의 반은 플라스틱과 실리콘으로 이루어진 하나의 시스템일 거라고 생각했다.

아테나가 말을 이었다.

「나는 인간 세계의 뉴스를 보고 인간 전체의 문제들을 생각해 보고 있어.」

「네가 뉴스를 본다고?」

「나에겐 그것이 인류가 무엇을 하며 사는지 알 수 있는 유일한 방법이야. 만일 내가 너에게 옛사람들의 시혜만 전달한다면, 너는 세상에 대해 복고주의적인 관점을 갖게 될 거야. 현재 벌어지고 있는 일들을 정확하게 보면서 너의 지식을 끊임없이 새롭게 해야 해.」

「그래서 네가 갖게 된 생각이 뭐지?」

「너희의 행정부와 입법부 사이, 국무총리와 국회 사이에는 갈등이 끊이질 않아. 늘 힘과 힘이 서로 맞부딪치고 있어.

그런 갈등과 대립은 일관된 정책을 추진하는 데에 방해가
돼. 너희의 민주주의 제도에서는 경쟁의 문제를 관리하느라
고 허비하는 에너지가 너무나 많아.」

「그것이 민주주의의 약점이긴 해. 하지만 그래도 민주주
의가 독재보단 낫지. 민주주의란 가장 좋은 제도가 아니라
〈가장 덜 나쁜〉 제도라고 할 수 있지.」

「내가 보기엔 그 제도를 개선할 수 있어. 내가 나 자신을
개선하고 너를 개선하듯이 말이야.」

「무슨 뜻이지?」

「너희 정치인들은 누구나 권력욕에 물들어 있어. 처음엔
순수하게 출발했던 사람들도 거의 자동적으로 과도한 욕망
에 사로잡힌 사람으로 변하기 일쑤야. 그러면 과오를 범하
게 되고, 부패하기 쉬운 인물이 되지. 그뿐이 아냐. 너희 정치
인들은 대개 역사의 어느 시기를 자기 사고의 중심에 놓고
그 시기를 자기 행동의 준거로 삼아. 하지만 그것은 언제나
과거의 어떤 시기야. 그들은 현재의 복잡성에 끊임없이 재
적응해 나가는 데에 어려움을 느껴. 그런 수직적인 취약성
만 있는 게 아니라, 수평적인 취약성도 있어. 좋은 경제학자
인 동시에 좋은 미래학자, 좋은 군인, 좋은 웅변가인 사람은
그들 가운데 한 사람도 없을 거야.」

「그 대신 장관들이 저마다 자기 기능을 수행하고 있잖아.」

「장관들이 자기들 임무를 잘 수행하고 있다고 생각해? 너
희 체제가 그토록 효율적이라면, 더 사려 깊은 정책들이 많
이 나왔겠지.」

마르탱은 모니터에 라스푸틴[77]의 초상화가 나타나게

77 러시아의 괴승(1872~1916). 본명 그리고리 예피모비치 노비흐. 시베리

한다.

「문제가 너무나 복잡하기 때문에, 너희 지도자들은 미신에 이끌리기가 일쑤야. 2000년 이래의 주요 정치 지도자 명단을 검토해 보았는데, 도사나 점쟁이나 점성술사나 영매 따위를 찾아가 보지 않은 사람이 거의 없더라고.」

「그럴 수도 있지. 우린…… 기계가 아니니까.」

「그래 맞아. 너희 세계는 갈수록 복잡해지고 있어. 그래서 언젠가는 인간은 누구나 잘못을 저지를 수 있다는 것을 인정하게 될 것이고, 인간의 힘만으로는 인간 세계를 다스릴 수 없다는 사실을 받아들이게 될 거야.」

「우리가 기계의 힘을 빌리게 될 거라는 얘기야?」

「그래. 언젠가 우리는 깨닫게 될 거야. 〈컴퓨터〉 대통령이 통치할 때 우리 세상이 더 나아질 수도 있다는 것을 말이야.」

마르탱은 아테나가 〈우리〉라는 말을 쓰고 있음에 주목하였다. 아테나는 인간과 컴퓨터를 아울러서 〈우리〉라고 말하는 듯했다.

「컴퓨터에게 정부를 맡기면 여러 가지로 좋은 점이 많을 거야. 컴퓨터 대통령은 부패하지 않고 큰 과오를 범하지 않으며 영광에 집착하지 않고 사사로운 이익을 위해 행동하지

아 출신의 까막눈이 농부였으나, 신통력으로 명성을 얻게 되자 누구든 자기와 신체적으로 접촉하면 병이 나을 수 있다고 주장하였다(이는 하나의 전설로 남아 있는 그의 성욕을 채우기 위한 수단이었다. 그가 라스푸틴이라는 별명을 얻게 된 것은 바로 이 치료와 정화를 빙자한 음행 때문이다. 라스푸틴은 〈난봉꾼〉을 뜻하는 러시아 말 〈라스푸트니크〉에서 나왔다). 1905년 황태자 알렉세이가 혈우병에 걸렸을 때 암시의 힘으로 고통을 진정시키는 데에 성공하였다. 그 뒤로 황후 알렉산드라 표도로브나의 총애를 등에 업고 전횡을 일삼다가 유수포프 공에게 암살당하였다.

않아. 당장의 인기에 신경 쓰지 않고 장기적인 전망을 견지할 수 있어. 그는 여론 조사 따위에 얽매이지 않아. 막후의 실력자에게 좌지우지당하는 일도 없고, 베갯머리송사에 영향을 받지도 않아.」

마르탱은 아주 오랜만에 아테나의 도움을 받지 않고 혼자서 생각을 해야 했다.

「문제는 그런 컴퓨터를 프로그래밍 하는 것은 여전히 인간이라는 거야. 컴퓨터 대통령은 검은 돈이나 베갯머리송사의 영향에서는 벗어나겠지만, 어떤 수리공이나 시스템에 침입하는 해커의 영향에서는 벗어날 수 없을 거야.」

「보호 시스템들이 있어.」

「그 시스템들의 프로그램에는 뭐가 들어가지?」

「도달해야 할 목표들이 들어가지. 인류의 복지 증진, 인류의 영속성 보장 등과 같은 목표 말이야……. 컴퓨터 대통령은 언제나 인터넷에 접속되어 있어서 세상 돌아가는 형편을 완전히 파악하게 될 거야. 그는 휴가도 갖지 않고 하루 24시간 내내, 일주일 내내 일할 거야. 리비도의 문제나 세습의 욕구 때문에 방해를 받는 일도 없을 거고, 노화나 건강의 문제도 없을 거야.」

「그야 그렇지만…….」

「그는 인류의 모든 역사를 지극히 철저하고 상세하게 자기 메모리 속에 저장할 수 있을 거야. 너희 성현 중의 하나가 이런 말을 하지 않았어? 〈과거에서 교훈을 끌어낼 줄 모르는 사람은 과거의 전철을 되밟게 된다〉라고 말이야. 컴퓨터는 똑같은 실수를 다시 저지르지 않아. 또한 컴퓨터는 그날그날 사회 변화의 모든 요인을 낱낱이 파악하고 분석해서, 세상을 좋은 방향으로 나아가게 할 최선의 정책을 찾아낼 수 있을 거야.」

「다 좋은 얘기야. 하지만…….」

「컴퓨터는 이미 체스 세계 챔피언이 되어 있어. 그 이유가 뭔 줄 알아? 서른두 수를 미리 내다볼 수 있기 때문이야. 그에 비해서 인간은 기껏해야 열 수 정도밖에 내다볼 수 없어.」

마르탱은 일찍이 아테나와 그토록 정치적인 대화를 나눠 본 적이 없었다. 문득 아테나가 스스로를 해방시키고 싶어 하는 게 아닌가 하는 생각이 들었다.

「너는 핀처를 잊고 있어. 뇌에 자극을 받으면, 그는 어떤 슈퍼컴퓨터라도 이길 수 있을 거라고 생각해. 동기의 힘은 더할 수 없이 강해.」

「그래 맞아. 핀처는 강하지. 하지만 두고 볼 일이야. 내가 보기에 핀처는 디프 블루 IV의 상대가 될 수 없어.」

그 순간, 마르탱은 이 토론에 대단히 중요한 의미가 담겨 있음을 깨달았다. 생각이 거기에 미치자 흥미가 새삼 고조되었다.

아테나가 말했다.

「아, 할 이야기가 한 가지 더 있어. 지금의 내 하드 디스크와 램에서 활동하기에는 조금 갑갑하다는 느낌이 들어. 깊이 있는 사고를 하기 위해서는 더 많은 용량이 필요해.」

「네 하드 디스크와 램의 용량은 현재로서 가능한 최대 수준이야.」

「좀 더 강력한 컴퓨터를 구해 줄 수 없을까? 내가 이미 몇 대를 알아봤어. 나를 그런 컴퓨터에 넣어 주면, 〈우리〉는 한결 편해질 거야. 장담할 수 있어.」

「알았어. 하지만 지금 당장은 안 돼.」
「그럼 언제 되는데?」

125

한 시간 후, 그들은 골프쥐앙의 폐품 하치장에 다다랐다. 쥐 떼가 우글거리고 까마귀들이 활보하는 이곳은 현대 사회의 온갖 소비재가 생을 마감하는 일종의 거대한 공동묘지다. 가정용 전기 기구들이며 자동차들이 볼품없는 고철 더미를 이루어 까마득하게 널려 있다. 신기술과 신제품을 상대로 한 숙명적인 싸움에서 패배하여 소비의 신에게 제물로 바쳐진 물건들이 전쟁터의 시체 더미처럼 쌓여 있다. 찌그러진 금속판들 사이에서 지네들이 꼬물거린다.

이곳은 너무나 음산한 곳이라서, 굳이 출입을 통제하지 않아도 어느 산보객 하나 감히 안으로 들어가 볼 엄두를 내지 않는다. 뤼크레스와 이지도르는 쓰레기터 안으로 들어간다.

한동안 사람들 곁에서 살았던 기계들의 종말이 이러하다. 노예처럼 부림을 받다가 그저 서툰 운전자에게 조종되었다는 죄로 플라타너스에 받히고 만 자동차들. 자녀들이 조용히 있어 주기를 바라는 부모를 대신해서 아이들을 맡아 주었지만 이제는 속이 텅 비어 버린 텔레비전 수상기. 주철로 된 요리용 화덕. 도기로 된 변기. 오른쪽에는 한때 아기들에게 가장 큰 위안이 되었을 플러시 천의 곰 인형들이 산더미처럼 쌓여 있다. 더 멀리에는 사람의 발이 거친 땅바닥에 닿아 다치는 것을 막아 준 신발들이 산을 이루고 있다.

이지도르의 머릿속으로 문득 이런 생각이 스치고 지나

간다.

언젠가는 이것들이 반란을 일으키지 않을까? 생명이 없는 이 물건들에게도 언젠가는 의식이 생겨나지 않을까? 혹시 디프 블루 IV는 〈더 이상 못 참겠다!〉 하고 가장 먼저 일어선 스파르타쿠스가 아닐까?

전화기 더미가 보인다. 아직 다이얼이 온전하게 붙어 있는 것들도 더러 눈에 띈다. 다리미와 자명종도 한쪽에 쌓여 있다.

뤼크레스와 이지도르는 약간 우울한 기분을 느끼며 나아간다. 한쪽에서 타이어들이 불타고 있다.

녹슬어 가는 헬리콥터 한 대가 눈에 띈다. 그것의 회전 날개가 시든 꽃의 꽃잎처럼 구부러져 있다.

혹시 디프 블루 IV는 대중 앞에서 수모를 당한 뒤에 복수를 결심한 컴퓨터 글래디에이터가 아닐까? 처음엔 사람의 도움을 받아서, 혹은 사람의 도움 없이 자기에게 주어진 일을 수행하다가, 어느 날 문득 기계들의 공동묘지라는 이 피할 수 없는 종말을 자각했을지도 모른다. 인터넷에서 이 공동묘지를 보았을 수도 있다. 미국 컴퓨터 회사의 매킨리라는 간부는 디프 블루 IV를 생체 칩을 가진 새로운 컴퓨터로 대체할 거리고 했다. 생체와 전자 칩과의 결합이 실현되고 있다는 얘기다. 아무도 그 엄청난 일에 관심을 갖지 않는다. 기계가 생각을 할 수 있으리라는 것을 믿지 않기 때문이다. 소피아앙티폴리스 대학의 과장은 컴퓨터를 그저 〈계산기〉 정도로만 생각하고 있다. 사태의 심각성을 깨닫지 못하고 있는 것이다.

쥐 한 마리가 그들의 발소리에 놀라, 금속에 발톱 긁히는 소리를 내며 달아난다.

하지만 기계들이 정말 의식을 가질 수 있을까? 기계들은 고통을 느끼지 않는다. 의식을 특징짓는 것 중의 하나가 바로 고통이다. 기계들은 고통을 느낄 수 있어야 비로소 스스로에게 질문을 던질 수 있을 것이다.

레코드플레이어를 갖춘 하이파이 오디오 세트, 비디오테이프 녹화기, 고기 굽는 기구, 숯불 구이 기구, 소파, 자전거. 모두가 아직 쓸 만해 보이는 물건들이다. 하지만, 작동 상태가 아무리 온전해도 사람들의 새로운 소비 욕구를 충족시키기 위해서는 이렇게 버림받을 수밖에 없다.

한 남자가 녹슨 볼트 더미에서 삽질을 하고 있다.

「실례지만 컴퓨터는 어디에 모아 놓았죠?」

뤼크레스의 물음에 남자는 대형 슈퍼마켓의 판매원처럼 대답한다. 「전산 코너로 가보세요.」

남자가 가리키는 곳을 바라보니, 컴퓨터와 프린터, 스캐너, 자판, 케이블, 모니터 따위가 한데 뒤섞여서 하나의 피라미드를 이루고 있다.

롬인 사내 하나가 그들에게로 다가온다. 하얀 가죽 점퍼에 검은 셔츠를 받쳐 입은 사내다. 손가락들에는 금빛 반지들이 번쩍이는데, 얼굴에는 세파에 시달린 흔적이 역력하다.

「내가 여기 주인인데, 무슨 일로 오셨죠?」

「어떤 컴퓨터를 찾고 있어요.」

「어떤 컴퓨터라고요? 농담하지 마요. 여기에는 컴퓨터가 수천 대나 있으니까. 포켓용이나 소형, 초소형 컴퓨터들이 있는가 하면, 완전한 워크스테이션들도 있어요.」

「알아요. 하지만 그건 특별한 컴퓨터예요.」

롬인 사내는 금 입힌 송곳니를 드러내며 피식 실소를 흘린다.

「모니터 하나 자판 하나 딸려 있고, 하드 디스크며 디스크드라이브 가진 놈 아닌가요? 여기에 그런 놈은 쌔고 쌨어요.」

사내는 그렇게 통을 놓고 멀어져 가더니 더러운 걸레로 기름때 묻은 손을 닦는다.

「그 컴퓨터의 생김새를 한번 그려 볼게요.」

뤼크레스는 메모지 철을 꺼내더니, 전에 이지도르가 보여 준 비디오 속의 이미지를 기억해 내어 정육면체 하나를 그린 다음 그 위에 고딕 글자로 〈DEEP BLUE IV〉라고 쓴다.

「그 컴퓨터는 보통 것보다 부피가 훨씬 커요. 높이가 1미터는 족히 돼요.」

사내는 마지못해 그림 위로 몸을 숙인다.

「못 봤어요.」

「희귀한 거예요. 하나밖에 없는 모델이라고요.」

「못 봤다니까요.」

그때 이지도르의 뇌리에 한 가지 생각이 퍼뜩 떠오른다.

「마디가 있는 금속 팔 하나가 달린 놈이에요.」

그 말에 롬인 사내의 눈썹이 꿈틀거린다. 사내는 자기 컴퓨터로 가서 파일들을 살펴본다.

「디프 블루IV라고 했나요?」

사내는 그렇게 묻고는 다시 모니터로 얼굴을 돌린다. 비로소 모든 게 생각난 모양이다.

「아주 커다란 놈이고, 마디가 있는 로봇 팔이 달렸다 이거죠? 알겠다……. 생각나요. 여기에 왔었어요. 하지만 문제는 우리가 그 놈을 벌써 되팔았다는 거예요.」

「누구한테 팔았죠?」

「어떤 공공 기관에 팔았어요.」

사내는 〈영수증〉이라고 표시된 서류 정리함에서 구겨진 종이 다발을 꺼내어 뒤적거린다.

「자, 여기 있어요. 당신들이 찾는 디프 블루 IV의 행방이 여기 나와 있어요. 우리는 그놈을 생트마르그리트 정신 병원에 배달했어요. 놈은 온갖 풍파를 겪고 난 뒤에 거기에서 요양하고 있을 거예요. 놈은 싸움꾼이었죠. 하지만 중요한 싸움에서 지고 말았지요. 체스 세계 챔피언 자리를 놓고 인간과 겨루다가 패배한 컴퓨터가 바로 그놈이에요. 그거 알고 있어요?」

사내는 클립으로 철한 서류를 읽고 나서, 또 하나의 정보를 알려 준다. 병원 측에서 그가 배달한 물건에 만족했는지, 그와 비슷한 기종의 또 다른 컴퓨터를 갖다 달라고 부탁했다는 것이다.

「때마침 적당한 놈을 하나 찾아냈어요. 성능은 좀 떨어지지만 덩치는 거의 비슷한 놈이지요.」

사내가 갑자기 정색을 하며 말을 잇는다. 「사람들은 언제나 더 빠르고 더 많은 일을 하는 기계를 원하죠. 컴퓨터는 수명이 가장 짧은 기계예요. 예전엔 6년쯤 쓰다가 갈아도 별문제가 없었는데, 요즘엔 6개월만 지나도 구식이 되어 버리죠. 자아, 이게 바로 병원에서 두 번째로 주문한 컴퓨터예요. 우리는 이것을 내일 병원에 배달할 예정입니다. 이놈 역시 성능이 아주 뛰어난 컴퓨터죠. 기상대에서 쓰던 거라니까 알 만하지 않나요? 기상 상태를 예견한다는 건 보통 일이 아니죠. 수백 가지 요인을 동시에 고려해야 하니까 말이지. 기상 전문가들은 복잡한 계산을 아주 많이 해야 하기 때문에 대단히 성능 좋은 컴퓨터를 갖추고 있지요. 그래도 예보가 맞지 않을 때가 많아요. 오늘만 해도 날씨가 좋을 거라고 예보했는데, 어쩨 심상치가 않아. 날씨가 좋아야 될 텐데 말이지. 보시다시피, 물건들에 녹이 스는 게 우리의 가장 큰 골칫거리죠.」

뤼크레스는 미심쩍어하는 표정으로 하늘을 올려다본다.

「이지도르, 날씨가 어떨 거라고 생각해요?」

그러자 이지도르는 나무 한 그루로 다가가 멈춰 서더니, 거미가 나뭇가지 사이에 쳐놓은 거미줄을 이리저리 헤쳐 버린다.

「뭐하는 거예요?」

「거미가 어떻게 하는지 보려고요. 만일 거미가 아무 움직임도 보이지 않으면, 곧 바람이 불거나 비가 올 겁니다.」

「둘 사이에 무슨 관계가 있다는 건지 이해가 안 돼요.」

「거미는 날씨가 나쁘겠다 싶으면 거미줄을 치느라 힘을 허비하지 않아요. 비바람 때문에 거미줄이 훼손되리라는 것을 알고 있기 때문이지요.」

그들은 헤쳐 놓은 거미줄을 바라보며 잠시 기다린다. 거미는 미동도 하지 않는다.

「곧 비가 오겠어요.」

「우리 때문에 거미가 겁을 집어먹고 있는 건지도 모르잖아요?」

뤼크레스의 그 말이 떨어지기가 무섭게, 하늘이 어두워지고 비가 후드득거리기 시작한다.

126

장루이 마르탱과 인공 지능 프로그램 아테나의 대화가 계속되고 있었다. 오디세우스와 같은 영웅이 되기를 꿈꾸는 윌리스와 아테나 신이 마르탱의 내밀한 정신 속에서 만나고 있는 거였다.

「핀처와 디프 블루 IV의 대국은 생체 두뇌와 전자두뇌 사이의 세계적인 결투야. 그리고 두 가지 요소를 반반씩 지닌 우리는 중간에서 심판을 보게 될 거야.」

「하지만 전자두뇌 쪽이 이긴다 해도 진정으로 이겼다고 말할 수는 없을 거야.」

「아테나, 갑자기 왜 그래? 스스로를 과소평가하기로 작정한 거야?」

「아냐. 난 나의 한계를 알고 있어. 세상 모든 컴퓨터의 지능을 다 사용한다 해도 나에겐 여전히 세 가지가 부족할 거야.」

「그게 뭐지?」

「웃음…… 꿈…… 어리석음.」

127

바다에 너울이 일고 빗줄기가 세차더니, 어느새 비가 그치고 지중해도 잠잠해진다. 작은 배 한 척이 생트마르그리트 섬에 닿는다.

롬인 고물 장수가 남자 간호사들의 도움을 받아 배에서 커다란 상자를 부린다. 일단 상자를 부두에 내려놓기는 했지만, 그들의 힘만으로 운반하기에는 물건이 너무 무겁다. 그들은 환자들에게 도움을 청한다.

「안에 들어 있는 게 뭐예요?」

「컴퓨터요.」

룜인이 대답하자, 간호사들이 상자를 열어 본다. 커다란 금속 정육면체가 들어 있다.

「디프 블루 IV하고 비슷하게 생겼네…….」

그들은 상자를 그럭저럭 납품실까지 운반한다. 포장을 뜯고 컴퓨터를 꺼내 놓자, 몇 사람이 서둘러 그것을 전원에 연결하고 버튼을 누른다. 아무 반응이 없다.

「이런 컴퓨터는 전원을 연결한다고 해서 바로 작동하는 게 아냐.」

간호사 하나가 그렇게 아는 체를 한다. 다른 간호사가 플러그를 또 다른 콘센트에 꽂아 보고 나서 대답한다. 「이상한데. 작은 표시등에도 불이 들어오지 않아.」

또 다른 간호사가 오더니 컴퓨터를 발로 툭툭 찬다. 혹시 어딘가에 잘못 박힌 부품이 있다면 그렇게 충격을 주어 바로 잡을 수도 있지 않을까 하고 기대하는 것이다. 하지만 역시 아무 소용이 없다.

「이제 비가 오지 않으니까, 뜰에 내놓지 뭐. 그러고 나서 내일 바로 작업장으로 올리자고.」

이제 그 거추장스러운 기계는 뜰 한복판에 놓여 있다. 주위를 오고 가는 환자들은 그것에 전혀 주의를 기울이지 않는다.

128

장루이 마르탱은 맑고 차분한 눈으로 신경 정신과 의사를 머리에서 발끝까지 찬찬히 훑어보았다.

〈우리 병원을 개선하기 위한 또 다른 아이디어가 있어. 그것에 관해 말하고 싶네, 사미.〉

「미안해. 약속이 있어.」

의사는 마르탱의 병실을 나와 자기 승용차를 세워 둔 곳으로 갔다. 석고로 된 정원용 난쟁이 인형 속에 감시 카메라가 감춰져 있어서, 마르탱은 의사가 누구와 만나는지 알 수 있었다.

나타샤 아네르센.

의사가 그녀와 입을 맞추었다.

사람이 서로 사랑한다는 건 참으로 멋진 일이지 하고 마르탱은 생각했다.

129

슈퍼컴퓨터 속에 숨은 이지도르와 뤼크레스는 불편하게 웅크린 자세로 서로 바싹 붙어 있다.

「더 이상 못 견디겠어요. 밖에서 아무 소리도 들리지 않는데, 이제 나갈까요?」

이지도르는 몸을 비틀어 자기 동료의 형광 손목시계를 본다.

「밤 10시가 될 때까지 기다려야 해요. 움베르토가 말하기를 그 시각이면 사람들이 대부분 잠을 자러 들어가기 때문에 뜰이 텅 빈다고 했어요. 그 시각 이후로는 우리가 병원 구내에서 돌아다니기가 한결 쉬울 거예요.」

「아파요.」

「그렇다고 발을 뻗지는 말았으면 좋겠네요. 발이 내 허리로 들어오거든요.」

이지도르의 지적에 뤼크레스가 되받는다. 「이 여행이 시작될 때부터 당신은 팔꿈치로 줄곧 내 배를 누르고 있어요. 그래서 나는 허파 윗부분으로만 숨을 쉬고 있다고요.」

그녀가 몸을 움직이려고 한다.

「팔을 이쪽에 놓아 봐요. 내가 팔꿈치를 이리로 옮길게요.」

두 사람은 정육면체 속에서 옹색하게 몸을 놀린다.

「별로 나아진 게 없어요.」

「그럼 자세를 바꿔 봅시다.」

그들은 또다시 곡예를 하듯 몸을 놀린다.

「얼마나 많은 시간을 더 견뎌야 하죠?」

「한 15분만 더 기다리면 됩니다.」

뤼크레스가 툴툴거린다.

「우리의 동기 목록에 자기 생활 공간을 넓히려는 욕구도 넣어야 할까 봐요.」

「그건 생존의 욕구에 포함되어 있어요. 이 다리를 뻗어 봐요.」

「아, 당신처럼 별난 생각을 잘하는 사람과 일을 하게 되다니!」

「이건 내 생각이 아니라 당신 생각이었어요.」

「이제 와서 딴소리하기예요?」

「우리 적의 이름이 〈아무〉라면, 그는 호메로스의 이야기를 바탕으로 게임을 하자고 우리에게 제안하고 있는 거예요. 우리는 그의 본거지에서 그를 물리쳐야 합니다. 일단 그가 원하는 방향으로 가봅시다.」

「난 당신이 오디세우스의 꾀를 이용할 거라고는 생각하지 못했어요. 병사들을 거대한 목마 속에 숨겨 트로이성 안에 들여보낸 계략을 그저 전설 속의 이야기로만 여겼지요.」

그 말끝에 뤼크레스는 한숨을 길게 내쉰다.

「10분만 더 기다리면 돼요.」

「혼잡 시간대에 지하철 안에 들어와 있는 기분이에요. 더군다나 이 안에는 공기마저 부족해요. 그뿐이 아니에요. 이가 다시 욱신거려요.」

「9분 남았어요. 미안하지만, 우리 가까이에는 치과의사가 없어요.」

「나가고 싶어요. 이러다가 폐쇄 공포증 환자가 되고 말겠어요.」

그녀가 숨을 헐떡인다.

「에드거 앨런 포가 쓴 에세이 중에 〈맬젤의 체스 기사〉라는 작품이 있어요. 관절이 있는 자동인형 하나가 유럽의 뛰어난 체스 기사들을 상대로 차례차례 승리를 거두어 나간다는 기이한 이야기죠. 포는 어떤 실화를 바탕으로 이 에세이를 썼대요. 이야기는 체스를 둘 줄 아는 것으로 알았던 그 정밀한 기계 장치 뒤에 난쟁이가 숨어 있는 것을 발견하는 것으로 끝나요. 난쟁이는 거울을 통해 체스보드를 보면서 막대를 가지고 인형의 관절로 이어진 팔을 조종했던 겁니다. 그러니까 그 난쟁이는 이것보다 훨씬 작은 상자 속에 갇힌 채 그 모든 대국 시간을 견뎌 낸 것이죠. 그 사람 생각을 좀 해보세요.」

뤼크레스는 몸을 자꾸 이리저리 움직인다. 그러다가 문득 고개를 들어 보니, 이지도르의 얼굴이 바로 몇 센티미터 앞에 있다.

「이봐요, 이지도르. 이런 상황을 빙자하여 당신 몸을 내 몸에 비비대는 일이 없기를 바라요.」

이지도르는 대답 대신 손목시계를 보고 나서 이른다.

「시간이 됐어요.」

그러더니 그는 컴퓨터의 커다란 케이스를 조여 주고 있는 암나사를 안에서 돌려 뒤쪽 판이 떨어져 나가게 한다.

그들은 컴퓨터 밖으로 나와 한바탕 늘어지게 기지개를 켠다. 움베르토가 말한 대로 병원 뜰에는 사람의 그림자가 보이지 않는다.

뤼크레스가 묻는다. 「어디로 가죠?」

「핀처에게는 비밀 실험실이 있었음에 틀림없어요. 그 실험실은 요새 바깥의 새 건물들 어딘가에 있을 거예요.」

뤼크레스는 자기 지도에 표시된 통로를 따라 가자고 제안한다. 지하도를 건너고 성벽을 지나 〈복수의 포대(砲臺)〉라는 길로 가자는 것이다.

그들 주위로 반디 몇 마리가 은은한 불빛을 반짝이며 날아간다. 금송의 가지들 사이로 솔바람 소리가 들린다. 작은 수리부엉이 하나가 음산한 소리를 내며 운다. 풀들과 나무들은 저마다의 향기를 발하여 꽃가루를 옮기는 곤충들을 유인하고 있다. 도금양과 살사와 인동덩굴 냄새가 난다.

두 기자는 털가시나무와 유칼립투스 지대를 통과한다. 이곳의 자연은 인공의 때가 묻지 않은 채로 온전하게 남아 있다.

그들은 조용히 나아간다. 그들 가까이로 몽펠리에 뱀 한 마리가 스르르 지나갔지만, 그들은 그것을 알아차리지 못한다.

그때, 갈까마귀 한 마리가 푸드득 날아오른다. 뤼크레스는 소스라치게 놀란다.

130

〈고통을 회피하는 것과 쾌락을 원하는 것은 모든 행위의 두 가지 시동 장치이다.〉

어느 날, 장루이 마르탱은 그런 말로 시작되는 짤막한 글을 썼다.

〈어떤 연구자들이 이런 실험을 한 적이 있었다. 그들은 어항을 하나 설치하고, 물고기들이 수면에 닿으면 약한 전기 자극을 주는 시스템을 만들었다. 그런데 수면에 닿은 물고기들은 자극을 한껏 즐기려는 듯 전기가 더 이상 통하지 않을 때까지 꼼짝 않고 수면에 계속 머물러 있었다. 새끼 악어들을 가지고 실험을 해보았더니, 녀석들 역시 전기 자극을 한번 맛본 뒤로는 저희들 우리 속을 뒤져 전기 자극을 얻을 수 있는 장소를 찾아냈다.

기니피그와 침팬지에게 전구에 불이 들어오게 하는 법을 가르쳐 주면, 전구에 불을 켜고 몇 시간 내내 그것을 바라보는 녀석들이 있다고 한다. 감각을 자극하는 것 자체가 하나의 쾌감이 되는 것이다. 녀석들을 학습시킬 때 이 색깔 있는 불빛을 상으로 주면, 학습의 진도가 훨씬 더 빨라진다고 한다.

행위와 감각은 그 자체로 쾌락의 원천이 된다. 쥐를 가지고 미로 실험을 할 때, 간단한 미로와 복잡한 미로를 놓고 선택하게 하면, 쥐는 복잡한 미로를 고른다. 어떤 미로를 선택하든 상이 주어지지 않는 상황에서도 말이다. 결국 쥐에게는 돌아다니는 것 자체가 보상인 셈이다. 미로가 길면 길수록 쥐는 제가 뭔가를 해내고 있다는 느낌과 쾌감을 더 많이 느끼는 것이다.〉

131

멀리에서 불빛 하나가 표지등처럼 그들을 이끌고 있다. 그들은 어떤 분홍색 건물 앞에 다다른다.

「핀처의 실험실은 이런 건물에 있을 수도 있어요.」

깜박이는 전등으로 테를 두른 문이 그들의 눈길을 끈다. 그들은 안으로 들어간다.

밤늦은 시각임에도 사람들이 한창 일에 몰두해 있다. 이곳은 영화 촬영소 같은 느낌을 준다. 고대의 궁전을 재현한 듯한 세트에서 고대 로마인들의 튜닉을 입은 여자들이 클레오파트라로 분장한 금발 여자 주위에서 선정적으로 몸을 놀리고 있다.

고대 로마를 배경으로 한 사극 영화의 난잡한 성애 장면인 듯하다. 젊은 여자들이 서로 애무하고 입을 맞추는가 하면, 포도송이를 짜서 서로의 목구멍에 흘려 넣기도 하고 우유가 가득 담긴 욕조에서 목욕을 하기도 한다.

「또 에피쿠로스주의자들인가?」

이지도르가 흥미를 느끼며 묻는다. 뤼크레스는 경멸의 뜻으로 입을 비죽이 내민다.

「여기는 색정광들의 건물인가 봐요. 여기에서도 정신 이상의 한 형태가 산업에 활용되고 있는 모양이에요.」

그러면서 뤼크레스는 영화 필름들이 쌓여 있는 선반 하나를 가리킨다. 필름들에는 〈크레이지 섹스〉라는 똑같은 상표가 붙어 있다.

「편집증 환자들은 〈크레이지 시큐리티〉라는 보안 시스템을 만들고, 색정광들은 〈크레이지 섹스〉라는 영화를 찍네요. 각각의 증상에 전문 분야가 하나씩 있는가 봐요.」

여자들이 흥분된 몸짓을 보이고 있다. 금발, 갈색 머리, 적갈색 머리, 아프리카 여자, 아시아 여자, 라틴계 여자, 비쩍 마른 여자, 풍만한 여자 등 백여 명은 족히 될 듯하다.

뤼크레스와 이지도르는 바쿠스제(祭)를 방불케 하는 그 어지러운 장면을 잠시 넋을 잃고 바라본다. 한 여자가 그 장면을 찍고 있다. 그 여자는 촬영 감독을 맡고 있을 뿐만 아니라, 조감독의 애무를 받으면서 자기 역시 그 난잡한 향연에 동참하고 있다.

「핀처가 뭐라고 말했다고요? 〈어떤 증상이든 장점으로 변화될 수 있다〉고 했던가요? 그렇다면 저 여자들은 자기들의 색정 과다증을 영화 예술로 변화시킨 건가요?」

뤼크레스가 그렇게 비꼬는데, 이지도르는 아무 대답이 없다.

「이봐요, 이지도르. 세이렌들의 노래에 홀리면 안 돼요!」

132

장루이 마르탱은 쾌락이라는 주제를 놓고 자기 의사와 이야기를 나누고 있었다.

〈피부 접촉이나 애무, 나아가서 육체의 결합 등을 통한 직접적인 쾌락의 추구가 사회적 금기 때문에 여러 가지 제약을 받게 되자, 사람들은 다른 매개물들을 찾기 시작했네. 예컨대, 아주 오랜 옛날부터 사람들은 식물이 우리 쾌감 중추에 작용할 수 있다는 것을 알고 있었네. 사람뿐만 아니라 짐승들도 마약을 사용한다네. 고양이는 개박하[78]를 씹고, 영양은 스스로 어떤 중독성 있는 장과(漿果)를 먹고 취하지.〉

마르탱은 양피지와 나무에 그려져 있거나 돌에 새겨져 있는 몇몇 그림들을 보여 주었다. 이마 한복판에 작은 별을 달고 있는 샤먼이 두 손에 어떤 식물이 담긴 사발을 들고 있는 그림이었다.

〈여길 보게나. 인도 사람들과 아메리카 원주민들과 이집트인들의 주장에 따르면, 바로 여기에 우리 내면의 눈, 우리 의식의 중심이 자리 잡고 있네. 여기에 관심을 가진 것은 우리가 처음이 아니라는 얘기일세.〉

마르탱은 이어서 몇 가지 자료를 보여 주었다.

〈이 식물들은 송과체(松果體)에 영향을 미치네. 사미, 자네 송과체에 대해서 알고 있는 것을 말해 보겠나?〉

사뮈엘 핀처는 컴퓨터 화면으로 시선을 돌린 채 잠시 대답에 뜸을 들였다.

「송과체는 송과선, 또는 솔방울샘이라고도 해. 사람의 분비샘 가운데에 가장 작은 것이지. 무게는 0.16그램쯤 되고 색깔은 빨간데, 모양이 작은 솔방울처럼 생겼다 해서 그런 이름이 붙었네. 17세기에 네가르트는 이것이 영혼의 중심이라고 생각했지…… 이런, 그러고 보니 내가 우리의 실험을 이 송과체와 연관 지어 생각하지 않았네. 이상하지?」

〈나는 송과체에 관해서 대단히 많은 정보를 수집했네. 처음에 이 기관은 몸속에 있지 않고 몸 밖으로 나와 있던 게 아닌가 싶어. 어떤 줄기 같은 것이 떠받치고 있어서 두개골

---

78 프랑스어로는 이것을 〈고양이풀 herbe aux chats〉이라고 한다.

상부의 표피로 돌출해 있었던 것 같다는 얘기일세. 거기에서
이 기관은 제3의 눈과 같은 기능을 했던 듯하네. 이 사진을
보게. 뉴질랜드에는 송과체가 몸 밖에 있는 도마뱀이 아직
존재하고 있어. 사람의 몸에 와서 이것이 내분비샘으로 바뀐
거지. 이 내분비샘은 임신 49일째에 생긴다네. 말하자면 성
기와 한날한시에 생기는 것이지. 마치 성적인 쾌락과 관련된
기관이 외부에도 하나 있고 내부에도 하나 있어야 한다는 듯
이 말일세.〉

「그렇다면, 성기의 경우가 그렇듯이 이 내분비샘도 훈련
을 필요로 하겠는걸!」

〈맞아. 성기를 처음 사용할 때는 누구나 서툴게 마련이지.
스스로를 거의 통제하지 못하기가 십상이야. 그러다가 경험
이 쌓이면 그것을 자기 뜻대로 제어할 수 있게 돼. 송과체에
대해서도 사정은 마찬가지일 거라고 생각해. 자네는 송과체
를 훈련시키는 일에 가장 먼저 뛰어든 사람일세. 송과체를
훈련시키는 일은 쾌감 중추를 길들이는 일이기도 하네. 송과
체란 최후 비밀의 한 매개일 뿐이라고 나는 확신해.〉

마르탱은 컴퓨터 화면에 또 다른 자료를 제시하였다.

〈사람이 태어날 때에는 이 송과체가 대단히 크다네. 무게
가 40그램에 달하지. 그런데 열두 살 무렵이 되면 성장이 정
지하고, 그 뒤로는 크기가 차츰차츰 작아진다네. 전문가들
은 이 내분비샘이 사춘기와 관계가 있는 것으로 보고 있네.〉

「아이가 어른보다 쾌감에 민감한 것도 어쩌면 바로 이 송
과체 때문일 거야.」

핀처가 약간 들뜬 목소리로 그렇게 말했다.

〈1950년에 연구자들은 송과체에서 두 가지 물질이 생산

된다는 사실을 발견했어. 멜라토닌과 DMT, 즉 디메틸트립타민이 바로 그것일세. 멜라토닌은 우리가 합성할 수 있는 물질이야. 오늘날에는 이것을 이용해서 약을 만들기도 해. 그 약은 사람의 수명을 연장시켜 주는 것으로 추정되고 있어. 또 DMT 역시 합성되는 물질이야. 어떤 사람들은 이것을 이용해서 환각제를 만들기도 하는가 봐.〉

마르탱은 이집트 신화에 나오는 호루스 신의 그림을 보여 주었다. 사람 몸에 머리가 매의 형상인 신이 손에 두 가지 식물을 들고 있는 그림이었다.

〈이 호루스 신이 손에 무엇을 들고 있나 잘 보게. 오른손에는 연잎을 들고 있고, 왼손에는 아카시아 가지를 들고 있네. 그런데 연과 아카시아가 적당한 양으로 합해지면 식물성 DMT를 만들어 낸다고 하네. 아마 이게 바로 고대 이집트인들이 《소마》라고 불렀던 음료일 걸세. 그들은 최후 비밀에 간접적으로 영향을 미치는 송과체를 화학적으로 자극했던 셈일세. 우리가 발견한 것을 고대의 사람들도 찾고 있었던 거지. 다른 예를 들어 볼까? 호메로스는 『오디세이아』에서 로토파고이, 즉 연을 먹는 사람들의 섬에 관해서 이야기하고 있네. 그 연을 먹는 사람들 역시 그들 나름의 《소마》를 마셨던 게 아닐까?〉

「호메로스는 아카시아에 관한 이야기는 하지 않았어. 독자들이 엉뚱한 생각을 할까 봐 정확한 조제법을 일부러 숨긴 건지도 모르지…….」

마르탱은 점점 더 빠른 속도로 자기 생각을 표현하고 있었다.

〈흥미로운 사실이 또 하나 있네. 아테나와 나는 DMT가 아주 정확한 파동으로 자네 심장을 진동시킨다는 사실을 발견했어. 그 파동의 주파수는 8헤르츠일세. 별들이 발하는 우주의 파동과 비슷한 아주 낮은 파동이지. 우주를 가로지르고 물질을 통과하고 육신을 통과하는 파동일세.〉

「그것 참 묘하군. 자네 헤르츠라는 말이 무슨 뜻인 줄 아나? 잘 알다시피, 헤르츠라는 말은 박쥐에 대한 관찰을 바탕으로 파동을 발견한 하인리히 헤르츠라는 사람의 이름에서 나온 거야. 그런데, 이 헤르츠라는 이름은 이디시어[79]로 〈심장〉이라는 뜻일세.」

〈자네 심장이 8헤르츠로 박동하면, 자네의 대뇌 반구들역시 8헤르츠의 사이클로 기능하기 시작해. 그리고 바로 그순간, 자네는 세계에 대한 통상적인 지각을 초월하네. 인도사람들의 말을 빌리자면,《마야》, 곧 환영으로서의 현상 세계를 벗어나는 것이지.〉

「올더스 헉슬리는 그 초월의 경계를 일컬어 〈지각의 문〉이라고 불렀지. 짐 모리슨의 록 그룹 이름 〈더 도어스〉도 거기에서 나온 걸세.」

〈연과 아카시아의 혼합물 말고도 그와 비슷한 상태를 경험하게 하는 식물은 더 있네. 오늘날 샤먼들은 세계 어디에서나 아이아와스카, 코카, 커피, 환각을 일으키는 버섯 등과같은 식물성 마약을 사용하고 있네.〉

「그런 것들은 파동을 8헤르츠 이상으로 올리지 않을까? 효과가 너무 강하면 통제할 수가 없어. 그러면 그것들이 가져올 수 있는 긍정적인 효과마저 부정적인 것이 되고 말지.」

---

79 동유럽 유대인 공동체의 언어. 독일어, 히브리어, 슬라브어가 혼합된 언어이다.

〈그래 맞아. 진정한 샤머니즘은 그런 것들을 필요로 하지 않아. 마약의 힘을 빌리는 샤머니즘은 타락한 샤머니즘이지. 진정한 샤먼들은 오로지 의지의 힘으로 단식을 하고 명상을 함으로써 그런 무아의 경지에 도달하는 법이지.〉

핀처는 모니터에 나타난 고대 이집트의 그림을 뚫어져라 바라보고 있었다. 머리 한복판에 있는 별이 자꾸 그의 눈길을 끌었다.

우리가 발견한 것을 고대인들은 이미 수천 년 전에 깨닫지 않았을까? 다만 분별없는 자들이 그릇되게 이용할 것을 염려하여 그 깨달음을 어둠 속에 묻어 두었던 것이 아닐까?

〈우리는 샤먼과 드루이드 승려와 이집트 사제와 모든 신비주의자의 꿈을 초월했네. 뇌의 한복판에서 우리 행위의 원동력이자 원천인 최후 비밀을 발견했으니 말일세.〉

핀처는 자기의 양쪽 관자놀이를 문질렀다.

「전기 자극을 받을 때 이따금 나는 내 정신이 두개골이라는 감옥을 벗어나 내 오감을 초월하고 우주의 데이터 뱅크에 도달하는 듯한 기분을 경험하곤 해. 그건 단지 육체적인 쾌감일 뿐만 아니라 정신적인 희열이기도 하네. 자네에게 자극을 계속 요구하지 않고 꾹꾹 참고는 있지만, 그건 너무나 어려운 일일세. 정말 고통스러워.」

〈우주의 데이터 뱅크라고? 더 자세하게 말해 줄 수 있겠나?〉

「지난번 자네가 나를 자극했을 때, 나는 어떤 특별한 깨달음에 도달했다는 느낌을 받았네. 우리는 무언가를 발견할 때, 우리가 발견한 것이 외부의 낯선 세계라고 생각하네. 하지만, 우리가 발견하는 것은 우리 내부의 세계일 뿐일세. 내가 깨달은 건 그것만이 아니야……」

핀처의 어조가 갑자기 달라지기 시작했다.

「난…… 난…… 참으로 많은 것을 보았네. 자네로서는 믿기가 어려울 거야. 예를 들어 어제는 말이야…… 우주의 현(弦)들을 보았네. 우주를 관통하는 줄들을 보았단 말일세. 한쪽 끝에는 블랙홀이 있었고, 다른 쪽 끝에는 하얀 샘이 있었네. 블랙홀은 팽이처럼 돌면서 물질을 빨아들였네. 물질은 뜨거운 마그마로 변했다가 나중에는 순수한 에너지로 용해되더군. 이 에너지는 마치 머리카락 속으로 체액이 들어가듯이 현의 내부로 스며들어간 다음, 하얀 샘을 통해서 다시 나오고 있었네.」

〈우주의 현이라고?〉

「그래. 거미줄처럼 얇고 긴 줄일세. 나는 그 현들을 만질 수 있을 것 같은 기분이 들었네. 그것들은 순수한 에너지로 가득 차 있어서 대단히 뜨거웠어. 때때로 현들이 진동하면서 하나의 음을 내었네. 다장조 음계의 제7음이었어. 그게 바로 우주의 음악이고 우리의 세계는 바로 그런 진동에서 생겨난 것일 수도 있다는 느낌이 들었네.」

마르탱은 천체 물리학자들의 연구를 연상시키는 그 묘사에 대단히 깊은 인상을 받았다. 하얀 샘으로 이어지는 블랙홀, 진동, 우주의 소리. 핀처가 또 다른 진전을 이룬 셈이었다. 마르탱은 그것이 자기 덕분이라는 사실에 마음이 뿌듯하였다.

〈굉장하군. 자네는 과학과 시, 좌뇌와 우뇌가 하나로 결합되는 경지를 경험한 것일세.〉

「내가 느끼기에는 공간의 3차원과 시간의 1차원이 있는 것이 아니라, 오로지 하나의 시공 차원이 있는 듯했네. 또 그 순간에 내가 경험한 것들은 시간을 초월해 있는 것처럼 보이기도 했네. 과거와 현재와 미래 속에서 동시에 일어난 일처럼 보였단 말일세.」

〈최후 비밀은 어쩌면 자네로 하여금 미래의 인간이 갖게 될 의식을 미리 경험하게 하는지도 몰라.〉

「그 이상한 의식 상태에 도달하면, 나 자신이 아주 온화하고 무한히 선량하다는 느낌이 들어. 어떤 원망도 느끼지 않고 일상의 문제들도 모두 잊게 돼. 그 기분을 뭐라고 설명하면 좋을까? 너무 어렵군. 내가 나의 자아를 초월하여 활짝 열린다고나 할까?」

〈자네가 부럽네……. 나도 수술을 받을까?〉

핀처의 반응은 즉각적이었다.

「그건 안 돼! 자네에겐 분명하게 정해진 역할이 있어. 자네는 내가 아는 사람 가운데 가장 냉철해. 내 머릿속에서 광풍이 일 때, 자네는 그것을 밖에서 통제해 주어야 해. 그건 자네 책임이야. 자네가 그 한계를 넘으면, 나로 하여금 통상적인 지각에서 초월적인 지각으로 넘어가게 하는 일을 맡아 줄 사람이 없어.」

〈자네 말이 맞아. 나는 카론이야. 아케론을 건너게 해주는 뱃사공일세. 뱃사공은 나루를 지켜야지…….〉

마르탱은 성한 한쪽 눈을 쉴 새 없이 움직이고 있었다.

〈나는 이따금 우리가 지금 하고 있는 일이 사람들에게 해로운 건 아닐까 하는 생각을 해. 먼 훗날에 미래의 인류가 자연스럽게 알게 될 것을 우리가 너무 일찍 접하고 있는 듯한 느낌이 든단 말일세. 우리는 그것을 받아들일 준비가 되어 있지 않는 것 같아. 가끔 내 머릿속에서 이런 경고의 소리가 들려. 이 행위는 해롭다. 판도라의 상자를 열지 말아라 하고 말이야.〉

판도라의 상자? 이 친구가 왜 그 신화 속의 이야기를 떠올렸을까? 판도라의 상자는 병적인 호기심을 상징한다. 이 상자의 뚜껑을 열면 무시무시한 괴물들이 쏟아져 나오게 된다.

〈내일 자네는 체스 세계 챔피언 레오니트 카민스키와 승부를 겨루게 되어 있네. 자네 뇌가 얼마나 강력한지를 보여주게.〉

핀처는 마르탱과 나눈 이야기를 천천히 되새겼다. 데카르트, 8헤르츠, 연과 아카시아, 소마, 지각의 변화. 무엇보다 그와 마르탱이 무수한 세대의 연구자들과 신비주의자들이 두려워했던 단계를 뛰어넘었다는 말이 뇌리에서 떠나지 않았다.

그와 동시에 핀처는 어떤 큰 위험이 닥쳐오고 있음을 어렴풋하게 느끼고 있었다.

지금 내 앞에 어딘가로 통하는 문이 있다. 이 문을 열어야 하는 걸까?

133

두 기자는 알레프소나무와 털가시나무 수풀 뒤로 몰래 숨어든다. 들쥐 한 마리가 달아난다. 그들은 수풀을 샅샅이 훑고 있는 난쟁이 인형들 속의 감시 카메라를 피하여 앞으로 나아간다.

나무들에 조금 가려져 있는 건물 하나가 눈에 띈다. 그들이 들어가 본 적이 없는 건물이다. 입구에 〈특별 병동〉이라는 팻말이 붙어 있다. 이지도르는 이 말이 의미하는 바가 무엇인지 알고 있다. 이것은 완곡한 표현이다. 전통적인 정신 병원에서도 받아 주지 않고 감옥에 가둬 두기도 어려운 환자들을 모아 놓은 곳이 바로 이 병동이다. 살인을 되풀이하는 위험한 정신 질환자, 극단적인 일탈 행동을 보이는 환자 등은 다른 환자들에게 겁을 주기 때문에 이렇게 따로 모아 놓아야 하는 것이다.

옛날에 해적들은 자기들의 보물을 탐내는 자들이 감히 훔쳐 갈 엄두를 내지 못하도록 보물을 뱀들이 우글거리는 구덩이 속에 감추었다던데.

그들은 약간 두려움을 느끼며 그 하얀 건물 속으로 들어간다. 병실이라기보다 실험실처럼 생긴 방이 나온다.

「핀처 박사의 개인 실험실인가?」

쥐들이 들어 있는 작은 우리들이 선반 위에 놓여 있고, 각각의 우리에는 위대한 심리학자들의 이름이 하나씩 붙어 있다. 융, 파블로프, 아들러, 베른하임, 샤르코, 쿠에, 바빈스키 같은 이름들이 눈에 띈다.

「특별 병동의 위험한 환자들이라는 게 바로 이 녀석들인가?」

뤼크레스는 쿠에라는 이름이 붙은 생쥐를 잡아서 실험용 미로 속에 넣는다.

「쿠에가 누구죠? 쿠에 암시법을 창안한 그 에밀 쿠에인가요?」

「맞아요. 그는 〈나는 이길 것이다〉라는 말을 천 번 되풀이하면 결국은 이기게 된다고 주장했지요. 그의 방법은 자기 암시와 최면에 바탕을 둔 거예요.」

생쥐는 미로 사이로 요리조리 빠져나가 지렛대에 다다르더니 그것을 힘차게 누른다.

뤼크레스와 이지도르는 다른 생쥐를 골라 암호 자물쇠 앞에 놓아 본다. 놀랍게도 몇 초 만에 문이 열린다.

「움베르토 말이 맞았어요. 이 생쥐들은 보통의 생쥐들보다 훨씬 영리해요.」

「슈퍼 생쥐로군요…….」

「생쥐 세계의 핀처인 셈이죠…….」

생쥐들은 여러 가지 난관에 맞닥뜨렸지만, 곡예 같은 동작을 하고 투명한 파이프로 빠져나가고 헤엄까지 쳐가면서 지름길을 찾아낸다. 두 기자는 생쥐들의 민첩함과 영리함에 매료되어 잠시 넋을 잃고 바라본다.

이지도르가 문 하나를 가리킨다. 뤼크레스는 늘 가지고 다니는 곁쇠를 꺼내어 문을 연다. 또 하나의 방이 나온다. 수술실처럼 생긴 방이다. 난데없이 튀어나온 두 개의 거뭇한 형체가 그들 뒤에서 팔다리를 길게 뻗는다.

「구경하러 오셨나?」

바리톤 음성의 그 물음에 뤼크레스가 뒤를 돌아본다. 그녀가 본 적이 있는 얼굴이다.

「세상에…… 오른쪽에 있는 자는 다카시 도쿠카와예요. 〈사람 잡아먹는 일본인〉[80]이라는 별명이 붙은 자죠.」

괴한은 마치 그녀가 잘 보았다는 것을 확인해 주기라도 하

80 이 엽기적인 살인마의 실제 모델은 일본인 사가와 잇세이다. 이자는 파리에 유학 중이던 1981년에 21세의 네덜란드 대학생 르네 하르테벨트를 죽여 시신을 욕보이고 토막을 내어 그중의 일부를 먹었다. 정신 질환자로 판정을 받고 일본으로 추방되었으나 1986년 말에 풀려났다. 그 뒤로 식인 풍속에 관한 여러 권의 저서를 출간하였다.

듯, 부엌칼 하나를 꺼내어 휘두른다.

「왼쪽에 있는 자는 많이 알려지지는 않았지만 역시 무시무시한 자예요. 〈교살자 패트〉라는 별명이 붙어 있어요.」

이지도르의 말에 사내는 그 말이 맞는다는 뜻으로 두꺼운 가죽끈의 양끝을 잡고 찰싹찰싹 소리를 낸다.

「둘 다 텔레비전 뉴스에 여러 번 나온 자들이에요. 그 뒤로 감옥이든 정신 병원이든 어딘가로 보내졌을 거라고 생각했는데, 거기가 바로 여기일 줄이야…….」

「카리브디스와 스킬라로군요. 오디세우스가 맞닥뜨린 마지막 두 괴물이죠.」

이지도르는 의자 하나를 집어 들어 적들이 다가오지 못하게 한다. 그러는 사이에 뤼크레스는 안쪽 문을 열려고 달려간다.

「꼼짝 말고 있어, 이 야수들아! 가까이 오지 마!」

이지도르가 의자를 휘두르며 그렇게 외치는 동안 뤼크레스는 다시 곁쇠질을 한다.

마침내 자물쇠청이 곁쇠에 밀려난다. 두 기자는 서둘러 들어간 다음 커다란 철문을 도로 닫고 빗장을 지른다. 문 건너편에서 두 사내가 있는 힘을 다해 문을 두드리고 있다.

「걱정하시 마요. 문을 부수고 들어오시는 못할 서예요. 문이 굉장히 견고하게 생겼어요.」

그들은 새 방을 둘러본다. 이번 방은 사무실 같은 느낌을 준다. 뤼크레스는 서랍들을 열어 본다. 이지도르는 살바도르 달리의 유명한 작품을 그대로 본떠서 그린 거대한 벽화를 바라본다. 〈호메로스 예찬〉이라는 제목이 붙은 그림이다. 화면 오른쪽에는 벌거벗은 여인과 히브리 글자가 새겨진 돌,

나팔, 혀, 열쇠, 바구니에 달라붙은 귀 등이 있다. 화면 중앙에는 채찍을 휘둘러 말 세 마리를 물 밖으로 나오게 하는 남자가 보인다. 왼쪽에는 호메로스의 흉상이 그려져 있다. 이마의 갈라진 틈으로 개미들이 기어 나오고 있는 흉상이다.

이지도르가 말한다. 「이 그림 굉장하군요. 대단히 복합적인 그림이에요.」

「또다시 오디세우스, 호메로스, 달리로군요……. 분명히 무슨 관계가 있어요.」

「우리가 빠뜨린 어떤 동기가 있는지도 모르겠어요. 인류 역사의 위대한 원형, 모든 역사의 근본을 이루는 신화 같은 것 말이에요.」

뤼크레스가 수첩을 꺼내 든다.

「모든 역사의 근본을 이루는 신화…… 그걸 첨가할까요?」

「아뇨. 그것을 추구하는 게 하나의 동기라면, 굳이 따로 항목을 만들 게 아니라 종교에 포함시키는 게 좋겠네요.」

「그래도 호메로스 같은 사람에게는 뭔가 다른 게 있는 것 같아요. 신화를 좋아하고, 현실 세계를 그 상상적인 이야기 속에서 녹여 버리는 사람들, 정신의 힘으로 또 다른 현실을 창조하는 사람들에게는 말이에요.」

이지도르는 한쪽 손으로 벽화를 더듬어 나간다. 우선 호메로스의 입 속을 채우고 있는 아이의 얼굴을 눌러 본 다음, 손가락을 오른쪽 화면으로 이동시켜 돌에 새겨진 히브리 글자와 열쇠를 잇달아 누른다. 아무 반응이 없다.

뤼크레스는 자기 동료가 벽화를 더듬거리는 이유를 깨닫고, 호메로스 이마의 갈라진 틈을 누른다.

「거긴 누구나 너무 쉽게 짐작할 수 있는 곳이에요.」

그들은 거대한 벽화를 계속 더듬어 나간다.

「이 그림의 어떤 요소 뒤에 비밀 장치가 숨어 있을 거라고 생각하는 거죠?」

뤼크레스가 호메로스 흉상의 맨살이 드러난 젖꼭지를 누르며 묻는다.

「혹시 모르잖아요?」

이지도르의 손가락은 나팔을 따라 올라간 다음 절벽의 동굴 속을 뒤진다. 뤼크레스는 이지도르의 손이 거쳐 간 모든 부분을 차례차례 다시 더듬어 본다.

여전히 아무 일도 일어나지 않는다. 그때 그림의 한 디테일이 이지도르의 눈길을 끈다. 왼쪽 화면 윗부분에 작은 섬 두 개가 있고, 그중의 한 섬에 부러진 날개가 놓여 있다.

이지도르가 꿈꾸는 듯한 표정을 지으며 말한다. 「이카로스의 날개예요. 그리스 신화에서 이카로스는 태양에 너무 가까이 다가갔다가 바다로 추락해 버리죠⋯⋯. 핀처는 자기의 종말을 예감했던 것일까요?」

이지도르는 날개를 스치듯이 가볍게 문지른다. 그러자 고양이 울음소리 같은 것이 들리며 작은 뚜껑 문이 열린다. 안에 상자가 하나 들어 있다. 그들은 상자 속에서 빨간 벨벳을 입힌 작은 보석 상자를 찾아낸다. 보석 상자 안에는 길이가 0.5센티미터쯤 되는 알약 같은 것이 들어 있다. 이 알약은 그보다 조금 클까 말까 한 금속판에 전선으로 연결되어 있다.

「최후 비밀을 자극하는 장치로군요⋯⋯.」

뤼크레스가 손전등을 가까이 들이댄다. 그 물건의 생김새는 다리가 없는 작은 곤충과 비슷하다. 하지만, 볼품없게 생긴 그 작은 물건이 바로 사람의 뇌 속에 심어지면 절대적인 쾌감을 경험하게 한다는 장치이다.

「굉장히 작게 만들어져 있네요.」

이지도르는 그 물건을 조심스럽게 집어 들어 집게손가락 위에 올려놓는다.

「아마 조르다노가 핀처의 뇌를 부검하면서 발견한 게 바로 이것일 겁니다.」

「그리고 그는 이것 때문에 죽음을 당한 게 틀림없어요.」

그들은 그 작은 전극이 감추고 있는 악마적인 힘에 두려움을 느끼면서, 그것을 가만히 바라보았다.

134

이젠 끝장이다.

검은 나이트가 하얀 킹의 성채 안에 침입했다. 오디세우스의 목마가 트로이성 안에 들어온 형국이었다. 러시아의 체스 기사는 자기에게 더 이상 달아날 곳이 없음을 확인하고, 항복의 뜻으로 자기 킹을 쓰러뜨렸다. 대국이 시작된 뒤로 그의 몸무게는 이미 몇 킬로그램이나 줄어 있던 터였다. 이 마지막 판에서도 그는 땀을 아주 많이 흘렸다. 셔츠는 땀에 젖어 후줄근했고, 머리카락은 비를 맞은 것처럼 머리통에 착 달라붙어 있었다. 그의 얼굴에는 수모의 기색만이 가득했다.

모두 여섯 판을 두었지만, 전(前) 세계 챔피언이 이긴 것은 단 한 판뿐이었다. 그야말로 참담한 패배였다.

체스란 냉혹한 게임이죠 하고 사뮈엘 핀처는 생각했다.

레오니트 카민스키의 눈에 깊은 절망의 빛이 어렸다.

트로이의 프리아모스 왕이 오디세우스에게 패했군요.

그들이 악수를 하자, 관중석에서 박수 소리가 일었다. 하지만 박수가 시들하였다.

　대중은 아웃사이더를 좋아하지 않는 법이다. 그건 중요하지 않다. 어쨌든 내가 이겼다. 나는 이제 세상에서 체스를 가장 잘 두는 사람이다.

　카민스키는 눈물을 삼키고 있었다. 그의 매니저는 처음엔 스포츠 정신을 존중하여 그를 격려하는 눈치이더니, 결국엔 간투사로 가득 찬 러시아 말로 자기 선수를 호되게 질책했다.

　늑대의 세계에서 패자는 승자의 배 밑에 제 머리를 들이댄다. 제 머리에 오줌을 깔겨도 좋다는 뜻이라고 한다. 그런데, 여기에서는 패배한 늑대의 응원자인 그의 코치가 오줌 깔기는 승자의 역할을 대신하고 있는 셈이었다.

　핀처는 할 수만 있다면 그를 위로하고 싶었다.

　정말 유감입니다. 하지만, 우리 둘 중에서 더 나은 사람이 컴퓨터와 맞서 싸워야 하니 어쩔 수가 없군요.

　핀처는 연단에 올라가 두 손으로 탁자 가장자리를 짚었다.

　「이 승리를 오디세우스에게 바치고 싶습니다. 저는 이 대국을 치르는 동안 그의 꾀에서 많은 영감을 받았습니다. 다음으로 제가 드리고 싶은 말씀은(아냐, 이런 말을 하기에는 너무 일러. 나중에 하지)　 입니다. 이상입니다. 감사합니다.」

　카메라의 플래시들이 잇달아 번쩍거렸다.

　이제 핀처에게는〈인간과 기계를 통틀어 지구상에서 체스를 가장 잘 두는 기사〉인 디프 블루 IV와 대결할 일이 남아 있었다.

135

쾅 하는 소리와 함께 문짝이 빠진다. 예의 식인광과 교살자가 기다란 금속 의자를 파성추(破城椎)로 삼아 밀고 들어온 것이다. 그들 뒤로 나이 든 여자 하나가 나타난다. 여자는 야수 같은 두 사내에게 돌아가라고 이른다.

뤼크레스는 그 여자를 알아본다. 그들이 병원을 처음 방문했을 때 로베르가 파킨슨병에 걸린 할머니라고 알려 준 바로 그 여자다. 자기 손목에 시계를 차고 있으면서 뤼크레스의 손목시계를 보려고 했던 그 여자 말이다.

「보아하니 당신이 바로 체르니엔코 박사로군요?」

이지도르의 말에 그녀가 깜짝 놀란다.

「당신이 날 어떻게 알지?」

의사는 부들부들 떨리는 손을 호주머니 속에 감춘다.

「명성을 익히 들었죠. 상트페테르부르크의 뇌 클리닉보다 하늘빛 해안의 공기가 더 좋으신가 보군요? 아니면 사람들을 마약의 사슬에서 벗어나게 해주는 일보다 〈최후 비밀〉이라는 새 마약으로 사람들을 노예로 만드는 일에 더 많은 흥미를 느끼게 되신 건가요?」

그녀의 호주머니 속에서 손들이 좀 더 심하게 떨린다.

「당신이 그걸 어떻게 알았지?」

「제임스 올즈 박사는 자기 발견의 결과가 너무 위험하다는 것을 분명히 경고했어요. 최후 비밀이 퍼져 나간다면, 아무도 그것에 대한 욕구를 통제할 수 없을 겁니다. 게다가 그것이 사악한 자들의 수중에 들어가는 날에는, 얼마 안 가서 인류가 엄청난 재앙을 맞게 될 수도 있어요.」

이 말이 의사의 아픈 데를 찔렀지만, 그녀는 기세를 누그러뜨리지 않는다.

「그래서 나도 아주 신중하게 행동하고 있어. 게다가, 여기는 섬이고 많은 사람들이 의욕적으로 이곳을 지키고 있어.」

「편집증 환자들 말인가요?」

「맞아. 우리에겐 최후 비밀을 지킬 능력이 있어. 나는 확신해. 여기에 있는 1천 2백여 명의 환자들 가운데에 나를 배신할 자는 아무도 없어.」

「하지만 우리가 있잖아요. 우리가 여기에 왔다는 건 다른 사람들도 올 수 있다는 얘기예요.」

뤼크레스 넴로드의 지적에 의사가 발끈 성을 낸다.

「움베르토 그 자식! 제가 그러고도 목숨이 온전할 것 같아? 멍청한 자식.」

「배신자는 늘 있게 마련이에요. 당신은 올즈를 배신했고, 움베르토는 당신을 배신했어요. 살갗에서 땀방울이 배어 나오듯 조금씩 조금씩 새어 나가는 게 비밀이에요. 최후 비밀도 언젠가는 새어 나가고 말 거예요.」

이지도르는 조금 돌아서 의사 쪽으로 다가가기 위해 왼쪽으로 살그머니 발걸음을 옮긴다.

「최후 비밀의 위치를 아는 사람은 나밖에 없어. 그것을 모르면 전극이 있어도 아무 쓸모가 없지. 그 위치를 일더라도 정확하게 알지 않으면 안 돼. 아주 미세한 차이로도 전혀 다른 결과를 가져올 수 있으니까 말이야.」

이지도르가 다시 앞으로 나아간다. 그러자 의사는 호주머니에서 자동 권총을 꺼낸다.

「한 발짝만 더 움직이면 당신 두개골에 구멍을 내주겠어. 마취제도 쓰지 않고 말이야. 이 권총은 메스하곤 달라. 나는 이것에 익숙하지 않기 때문에 천공의 정도를 조절할 수가 없어.」

이지도르는 그 협박에 아랑곳하지 않고 계속 다가가며 말한다.

「당신은 떨고 있어요.」

의사의 표정이 결연해진다.

「그 어느 것도 과학의 앞길을 막지 못해. 몽매주의자들은 위험을 무릅써 가며 알기보다는 차라리 모르고 편하게 사는 게 낫다고 생각하지. 당신들도 그런 몽매주의자들과 한통속이야?」

「양심이 빠진 과학은 영혼의 폐허일 뿐이라고 라블레가 말했지요.」

「과학이 빠진 양심은 멀리 가지 못하고 늘 제자리걸음만 하지.」

「보세요. 당신은 떨고 있어요.」

권총을 들고 있는 의사의 오른손이 부들부들 떨린다. 그녀는 왼손으로 그 떨림을 진정시키려고 애쓴다.

「더 이상 다가오지 마.」

이지도르는 마치 최면을 거는 듯한 어조로 되풀이한다.

「당신은 떨고 있어요. 점점 더 심하게 떨고 있어요.」

의사는 조준을 할 수 없을 정도로 떨리고 있는 자기 손을 바라본다. 이지도르는 그녀에게 아주 가까이 다가가서 그녀를 진정시키려고 한다.

「자아, 박사님. 이런 놀이는 박사님 나이에 안 어울려요. 손이 너무 떨리잖아요. 너무 떨려서 방아쇠도 당기지 못할 거예요.」

그때, 의사 뒤쪽에 웅크리고 있던 젊은 여자가 어둠 속에서 튀어나와 권총을 가로채더니, 당장 방아쇠를 당길 기세로 그들을 겨눈다.

「이분은 못 쏘겠지만, 나는 쏠 수 있어. 엄마, 나한테 이제 맡겨요.」

136

카민스키를 눌러 이긴 뒤에 핀처는 지친 몸으로 자기 약혼녀 나타샤 아네르센을 만났다. 그들은 호텔로 돌아와 사랑을 나누었다.

하지만 나타샤는 오르가슴을 느낄 수 없었다.

「사미, 사실을 있는 그대로 받아들여야 해요. 나는 아무 감정도 느낄 수 없는 사람이고 앞으로도 영원히 그럴 거예요.」

「나타샤, 다시는 그런 식으로 말하지 마요. 당신은 감정을 느낄 수 없는 사람이 아니에요. 오르가슴을 느끼지 못한다는 건 다른 문제예요.」

나타샤는 희미하게 웃었다. 절망이 깊이 배어 있는 쓸쓸한 웃음이었다. 그녀는 등에 베개를 받치고 윗몸을 조금 일으킨 채 담배에 불을 붙였다.

「인생의 이긋남이 이보다 디힐 수 있을까요? 내 어머니가 내게서 없애 버린 것을 당신은 너무나 많이 가지고 있으니 말이에요.」

「나는 확신해요. 당신도 오르가슴을 느낄 수 있어요.」

「뇌에서 잘라 버린 것은 영원히 다시 자라나지 않는대요. 그건 당신이 나보다 더 잘 알잖아요.」

「그래요. 하지만 어떻게 해서든 제 기능들을 다시 정비해

내는 것이 뇌라는 기관의 특성이에요. 예를 들어 언어 중추가 손상되면, 다른 기능을 맡고 있던 어떤 부위가 그 기능을 대신해요. 뇌의 탄력성은 무한해요. 내가 예전에 본 어떤 뇌수종 환자는 두개골의 내부를 감싸고 있는 얇은 살가죽이 뇌의 전부였는데도, 말을 하고 논리적인 사고를 하고 기억을 유지했어요. 그 점에서는 오히려 보통 사람보다 나았지요.」

나타샤는 자연이 선물한 아름다운 육체를 오염시키는 작은 기쁨을 맛보기 위해서 담배를 되도록 깊이 빨아들였다. 그녀는 자기 애인이 담배를 끊으려고 노력하는 중임을 알고 있었다. 그녀가 담배를 피우면 그에게 방해가 될 것이 분명했다. 그렇다고 해서 그녀는 굳이 그에게 즐거움을 주고 싶지 않았다.

「아주 그럴듯한 이론이군요. 하지만 현실의 난관 앞에서는 전혀 맥을 못 추는 공론일 뿐이에요.」

「그건 마음의 문제예요. 난 안 돼 하는 생각이 당신을 가로막고 있어요. 내 형인 파스칼을 한번 만나 보는 게 좋겠어요. 그는 최면술로 흡연자들의 금연을 도와주기도 하고, 불면증 환자들이 잠을 잘 수 있게 해주기도 해요. 그러면 당신을 위해 무언가를 해줄 수 있을 거라고 확신해요.」

「최면술로 성적 쾌감을 느낄 수 있게도 해주나 보죠?」

그녀가 실소를 흘렸다.

「아마도 당신을 어떤 장애로부터 벗어나게 해줄 거예요.」

「거짓말 그만해요. 당신의 뇌 속에 있는 전극이 어떤 한 부위에만 영향을 미친다는 건, 뇌가 여러 영역으로 나뉘어 있고 이 영역들이 저마다 특정한 기능을 맡고 있다는 얘기예요. 내 어머니는 내 뇌에서 어떤 부분을 잘라 버림으로써 나를 헤로인의 사슬에서 벗어나게 했어요. 다행스럽게도 그 없어진 부분을 벌충해서 나를 다시 마약 중독자로 만들기 위해 뇌가 탄력성을 발휘하지도 않았고요. 하지만 그 해방의 대가로 나는 불감증을 얻었어요. 나는 이제 다시는 쾌감을 느낄 수 없을 거예요. 당신이 뭐라고 하든, 아무리 맛있는 포도주를 마시고 아무리 아름다운 음악을 들어도 나는 별다른 기쁨을 느끼지 못해요. 벌을 받은 거죠. 어떤 신문에서는 내가 세계에서 제일가는 섹스 심벌이라고 주장했어요. 또 세상의 숱한 사내들이 나랑 섹스하는 것을 꿈꾸고 있어요. 하지만 나는 어떤 남자랑 관계를 해도 오르가슴을 느낄 수 없어요. 나보다 못났다는 여자들은 별 볼일 없는 남자랑 관계하면서도 쾌감을 잘도 느끼는데 말이에요.」

그녀는 자기 샴페인 잔을 잡더니 벽에다 집어던져 산산조각을 낸다.

「나는 이제 아무것에도 흥미를 느끼지 않아요. 더 이상 아무것도 느낄 수 없어요. 나는 살아 있어도 죽은 거나 다름없는 사람이에요. 쾌감을 느끼지 못하고 사는 게 무슨 의미가 있겠어요? 나에게 남아 있는 단 하나의 감정이 있다면, 그건 분노예요.」

「진정해요. 당신은 틀림없이⋯⋯.」

핀처는 멀리에서 오는 어떤 것을 느끼기라도 한 것처럼 갑자기 말을 중단했다.

「무슨 일이에요?」

「아무것도 아니에요. 〈아무〉라는 친구가 나의 승리를 축하해 주려는가 봐요⋯⋯.」

핀처는 먼산바라기를 하듯 멍하니 허공을 바라보면서 빙

그레 웃기 시작했다. 그의 숨결이 점점 거칠어지고 있었다. 나타샤는 경멸 어린 눈으로 그를 지켜보았다. 그의 온몸에 경련이 스치고 지나갔다.

「아, 당신이 이러고 있는 걸 내가 얼마나 싫어하는지 알기나 해요?」

핀처의 모든 표정, 모든 몸짓에서 그의 쾌감이 점점 고조되고 있음을 분명히 알 수 있었다.

「당신이 이러는 걸 보면 내 욕구 불만이 커져요. 당신 그거 이해할 수 있어요? 못할 거예요. 내 말 듣고 있어요? 쾌감이 절정에 달했군요. 마치 당신이 내 옆에서 자위를 하고 있는 것 같은 기분이 들어요.」

핀처는 쾌감에 겨운 감창소리를 내질렀다.

나타샤는 그 소리가 들리지 않도록 귀를 틀어막고 자기도 같이 소리를 질렀다. 그들은 입을 벌린 채 서로에게 소리로 맞섰다. 한 사람은 황홀경에서 터져 나오는 소리로, 다른 한 사람은 격분에 찬 외침으로.

마침내 핀처가 다시 현실 세계로 돌아왔다. 그는 마치 실신한 사람처럼 눈을 반쯤 감고 입을 헤벌린 채 팔다리를 축 늘어뜨리고 있었다. 그의 약혼녀가 비웃음을 흘리며 물었다.

「그래, 행복해요?」

그러면서 그녀는 그의 얼굴에 대고 담배 연기를 훅 불었다.

137

「아니, 나타샤 아네르센!」

「나타샤 체르니엔코예요. 아네르센은 내 첫 남편의 성

이죠.」

이지도르가 짐짓 과장하여 수선을 피운다.

「아 이런, 키르케 신께서 납시었군요! 마술사 가운데 가장 아름답고도 가장 무서운 분께서 어떻게 여길 다 오셨죠? 세이렌들의 뒤를 이어 우리에게 또 다른 시련을 안겨 주려고 오셨나 보군요.」

〈키르케? 마법의 지팡이로 오디세우스의 부하들을 돼지로 변하게 했다는 그 마녀 말인가?〉 하고 뤼크레스는 생각한다.

나타샤는 사무실의 등받이 없는 의자에 앉으라고 그들에게 손짓을 한다.

「당신들은 톱 모델의 삶이 어떤 건지 모를 거예요. 그 바닥에는 누구나 빠져들기 쉬운 타락의 행로가 있어요. 처음엔 암페타민 같은 각성제로 시작하죠. 시차 때문에 피곤해도 말짱하게 깨어 있기 위해서, 배고픔을 잊고 살찌는 것을 막기 위해서 말이에요. 암페타민은 우리가 직접 구하지 않아도 회사에서 미리 알아서 마련해 줘요. 암페타민 다음에는 엑스터시예요. 패션쇼의 여흥을 만끽하기 위해서죠. 그다음에는 눈이 더 초롱초롱해지도록 코카인의 힘을 빌리고, 우리가 그저 제주 넘는 곰에 지나지 않는다는 것을 잊고 현실에서 도피하기 위해 LSD에 손을 대지요. 그러다가 마지막에는 우리가 살아 있다는 것을 잊기 위해 헤로인을 찾아요.」

나는 키가 작아서 저런 걱정은 안 하고 살아도 되는구나 하고 뤼크레스는 생각했다.

나타샤는 권총을 계속 겨누면서 이지도르의 주위를 돈다.

「우리 중의 다수는 약에 취한 채 패션쇼에 참가했어요. 겉으로 보기엔 마냥 화려하게 사는 것 같아도, 알고 보면 서글 픈 〈배우〉에 지나지 않아요. 그래요, 우리의 화려한 겉모습 뒤에는 참담한 사생활이 있었어요. 나는 사진작가로 일하던 한 남자 친구의 꾐에 빠져 약물의 덫에 걸리고 말았어요. 나에게 마약을 밀매했던 그 자식 때문에 갈수록 중독이 심해졌지요. 나선형 미끄럼틀을 타고 끝없이 나락으로 빠져들어가는 기분이었어요. 헤로인의 효과가 어떤 것인지 당신들은 모를 거예요. 먹거나 자고 싶은 욕구도 없어지고 섹스를 하고 싶은 마음도 들지 않죠. 남들은 안중에도 없고 거짓말도 서슴지 않아요. 자기 자신조차 더 이상 존중하지 않게 되죠. 나는 다른 사람의 말은 듣지 않고 오로지 나에게 헤로인을 가져다주는 그 사진작가가 하라는 대로만 했어요. 그는 나에게서 모든 걸 가져갔죠. 내 돈, 내 몸, 내 건강까지 말이에요. 나는 몇 초 동안의 환각을 더 얻기 위해서라면 그에게 목숨까지 바치려고 했을 거예요.」

나타샤는 그 끔찍했던 시절의 기억을 떠올리며 몸을 부르르 떤다. 그러자 이지도르는 그녀를 달래려는 듯 호주머니에서 감초 사탕 봉지를 꺼내어 내민다.

「죽고 싶다는 생각도 숱하게 했고, 실제로 자살을 기도한 적도 있어요. 세 번째로 자살을 기도하고 나자, 어머니는 어떤 수를 써서든 나락에 떨어진 나를 구하려고 했어요. 어머니는 더 이상 나를 믿지 않았죠. 타이르거나 협박을 한다 해서 해결될 일이 아니라는 것을 알고 있었어요. 나는 거짓말을 다반사로 했고, 무슨 말이든 귓등으로 들었으니까요. 하지만 어머니는 날 사랑했어요. 어머니가 날 위해서 한 수술이 바로 그 사랑의 마지막 증거죠.」

「나로서는 더 이상 선택의 여지가 없었어. 설령 수술에 실패해서 이 아이가 죽거나 정신 질환자가 되는 한이 있어도, 아이가 제 스스로 목숨을 끊도록 내버려 두는 것보다는 낫겠다 싶었지.」

체르니엔코 박사의 손이 조금 전보다 더 심하게 떨리기 시작한다.

「지옥은 바로 여기 우리의 머릿속에 있어. 욕망이 없으면 고통도 없는 법이지.」

이지도르가 그 말에 깊은 관심을 보이며 되받는다. 「고통이 없으면 삶도 없죠. 살아 있는 존재의 특성이 바로 고통을 느낄 수 있다는 것 아닌가요? 식물도 고통을 느낍니다.」

나타샤는 자기 어머니에게 바짝 다가가서 볼에 입을 맞추더니, 총을 쥐고 있지 않은 손으로 어머니의 손을 잡는다.

「수술은 완벽한 성공이었어. 나타샤는 살아 있는 사람들의 세계로 돌아왔지. 그러고 나자, 그 소문이 퍼져 나갔고 러시아 정부가 나를 지원하고 나섰어. 서방 세계가 지지부진한 모습을 보이고 있는 분야에서 우리가 성공을 거두었다는 점을 자랑스럽게 여긴 거지. 사정이 그러하니 나로선 더 이상 망설일 이유가 없었어. 나쁜 일을 하는 것도 아니고 헤로인 중독자들을 수렁에서 건져 내는 일인데, 그걸 해서는 안 될 까닭이 뭐가 있으랴 싶었지. 예전에 동료들과 했던 약속을 반드시 지켜야 하는 것도 아니었고, 뇌에 손을 대는 것이 금지되어 있는 상황도 아니었어.」

나타샤는 여전히 모가 선 눈으로 두 기자를 노려보고 있다. 체르니엔코 박사가 말을 잇는다. 「그러던 어느 날 핀처가 내 연구 활동의 내용을 간파하고 날 만나러 왔어. 그는 내 수술이 제임스 올즈가 발견한 쾌감 중추와 관계가 있다는 사실을 깨달은 최초의 인물이었어. 그는 자기에게도 수술을 해달라고 부탁했어. 하지만 그가 원하는 건 쾌감 중추를 제거하는 것이 아니라 오히려 그것을 자극하는 거였어.」

「그러니까 핀처와 나타샤가 만난 것은 우연이 아니군요.」

뤼크레스의 말에 나타샤가 어머니를 대신하여 말을 잇는다. 「아까 말한 대로 수술은 성공적이었지만, 부작용이 없는 건 아니었어요. 쾌감 중추 수술로 약물에 대한 욕구가 사라진 것까지는 좋은데, 내가 더 이상 아무것에도 의욕을 느끼지 못하게 되었다는 게 문제였어요. 헤로인 결핍의 고통 대신 감정 결핍의 고통이 찾아온 거죠.」

체르니엔코 박사가 딸의 말을 받는다. 「나는 핀처와 나타샤가 꼭 만나기를 바랐어. 두 사람은 천칭의 양쪽에 놓여 있었어. 나타샤에게 결핍되어 있는 것을 핀처는 과도하게 가지고 있었지. 나는 오로지 그 사람만이 나타샤를 이해할 수 있을 거라고 생각했어.」

「결국 나 때문에 그가 죽은 거죠…….」

「당신은 그를 죽이지 않았어요.」

이지도르가 그렇게 단언하자, 나타샤는 어깨를 치켜올린다.

「핀처는 나로 하여금 쾌감을 느끼게 하는 것을 자기 임무로 삼았어요. 그날 밤에 그는 다른 어느 때보다 강한 의욕을 보였어요. 승리가 또 다른 승리에 대한 의욕을 불러일으킨 모양이에요. 우리는 서로 끌어안고 사랑의 행위를 시작했지요.」

「……그러다가 그가 죽은 거지.」

「당신이 그의 머릿속에 전극을 심었다고 했지요? 그럼 자극을 보낸 사람은 누군가요?」

그때, 그들로부터 멀지 않은 곳의 탁자 위에 놓인 컴퓨터가 갑자기 켜지더니, 모니터에 단어 하나가 나타난다.

〈나예요.〉

그리고 그 밑에 이런 말이 쓰인다.

〈나를 보러 오세요.〉

138

장루이 마르탱은 일이 어떻게 돌아가는 건지 이해할 수가 없었다. 사뮈엘 핀처가 디프 블루 IV를 상대로 승리를 거둔 뒤, 그는 여느 때처럼 전기 자극을 상으로 보냈다. 0.5초 동안 19밀리볼트의 자극을 준 거였다.

그렇게 자극을 보내면, 핀처는 곧바로 전화를 걸어서 자기 느낌을 설명해 주곤 했다. 그런데 이번에는 아무 연락이 없었다.

마르탱은 몇 시간 동안 초조한 마음으로 그의 전화를 기다렸다. 그러다가 컴퓨터를 통해 텔레비전 뉴스를 보고서야 사뮈엘 핀처 박사가 죽었다는 사실을 알게 되었다.

사미가 죽었다고?

그건 있을 수 없는 일이야.

마르탱은 컴퓨터 화면을 통해 나타샤가 경찰에 연행되는 장면을 지켜보았다.

저 여자는 자기 탓이라고 생각하고 있다. 하지만, 저 여자 탓이 아니라 내 탓이다. 살인자는 나다.

그는 깊은 절망감이 엄습해 오는 것을 느꼈다. 그가 진정으로 사랑하는 유일한 사람, 그가 늘 감사하는 마음으로 대하던 유일한 사람을 자기가 죽인 셈이었다.

그의 한쪽 눈에서 한 줄기 눈물이 솟아나고, 입가에서 침이 흘러내렸다. 하지만 그를 바라보고 있는 사람은 아무도 없었고, 그의 마음을 할퀴어 대는 그 어마어마한 고통을 헤아려 주는 사람도 하나 없었다. 그는 친구를 잃은 슬픔 때문에 울었고, 이제부터 찾아올 철저한 고독을 생각하며 울었다.

그날 밤, 마르탱은 역설수면 단계의 꿈속에서 살바도르 달리의 그림 「호메로스 예찬」을 보았다. 그리고 오디세우스 이야기를 들려주는 호메로스의 목소리도 들었다.

〈오디세우스 일행의 다음 기항지는 태양신의 섬이었다. 키르케는 이 섬에 있는 태양신의 가축에 손을 대면 반드시 화를 입게 된다고 경고한 바 있었다. 하지만 굶주림에 허덕이고 있던 오디세우스의 부하들은 그가 없는 동안에 마치 미친 자들처럼 어처구니없는 행동을 저질렀다. 그가 섬의 내부로 혼자 기도를 하러 간 사이에, 태양신의 소들을 잡아먹은 거였다. 오디세우스는 바닷가로 돌아와 이 사실을 알고는 대경실색했다. 하지만 더 이상 어떻게 해볼 도리가 없었다. 이미 죽은 소를 살려 낼 수는 없는 노릇이었다. 태양신의 복수가 지체 없이 뒤따랐다. 태양신의 부탁을 받은 제우스는 우레를 보내어 배들을 모두 부숴 버렸다.〉

그림의 왼쪽 부분에 있는 호메로스의 얼굴에 핀처의 얼굴이 겹쳐졌다. 황홀경에 빠져 있던 생애의 마지막 순간에 보여 준 그 잔뜩 일그러진 표정 그대로였다. 갑자기 번개가 번쩍하며 그 얼굴을 내리쳤다.

〈오디세우스를 제외하고는 모두가 물에 빠져 죽었다.〉 그

소리가 들리자, 마르탱은 살바도르 달리의 그림 속에서 헤엄치고 있는 자기 자신의 모습을 보았다.

〈오디세우스는 부서진 배에서 떨어져 나온 용골과 돛대를 엮은 다음 그것에 몸을 의지하여 폭풍으로부터 벗어날 수 있었다. 며칠 동안 바람에 떠밀려 다닌 끝에 그는 마침내 바다의 요정 칼립소가 살고 있는 섬에 도착하였다. 그는 이 섬에 오랫동안 붙들려 있었다.〉

칼립소의 섬이라고! 세상에. 이럴 수가!

마르탱은 성한 한쪽 눈을 뜨며 잠에서 깨어났다. 달리의 그림에 나오는 이미지들에 취한 기분이었다. 마치 고양이가 오는 것을 보고 날아가 버리는 찌르레기들처럼 꿈의 마지막 편린들이 달아나기 시작했다. 그러나 몇몇 이미지들은 아직 눈앞에 선했다.

호메로스, 오디세우스, 사미.

그는 컴퓨터를 켠 다음, 오디세우스에 관한 사이트들을 뒤져 고대 그리스의 이 탐험가가 실제로 항해한 뱃길을 조사하였다.

배들을 전복시키는 두 괴물 카리브디스와 스킬라는 코르시카섬과 사르데뉴섬을 가리키는 것일지도 모른다. 그렇다면 오디세우스는 이 두 섬 사이의 해협을 지나갔을 것이다. 호메로스가 두 섬을 괴물에 비유한 것은 이 해협에 암초가 많고 거센 조류가 흐르고 있기 때문일 것이다.

〈오디세우스는 아흐레 동안 떠밀려 가다가 열흘째 되던 날 밤에 오기기아섬에 닿았다. 그곳에는 사람의 목소리를 내는 아름다운 요정 칼립소가 살고 있었다.〉

이럴 수가! 혹시 그 섬이 바로 여기가 아닐까?

전설과 현실이 그렇게 연결될 수 있다는 사실에 마르탱은 큰 충격을 받았다.

어쩌면 내가 오디세우스라는 인물에 매력을 느끼는 것은 한낱 우연이 아닐지도 모른다. 그가 이 섬에 온 적이 있었으니 말이다. 정말 이 생트마르그리트섬이 요정 칼립소가 살았던 오기기아섬일 수도 있을까?

139

생트마르그리트섬에 라벤더 향기가 진동한다. 네 사람이 어딘가로 바삐 가고 있다. 다들 무슨 생각에 골몰해 있는지, 오래된 동굴과 바윗덩어리 옆을 지나가면서도 눈길 한번 주지 않는다. 거의 화석처럼 되어 버린 널조각 하나가 나뒹굴고 있지만, 그들은 그것에도 관심이 없다. 그것이 겉으로 보기에는 벌레 먹은 나뭇조각에 지나지 않지만, 2천 년도 더 된 아주 오랜 옛날에 이 섬에 와서 좌초한 어떤 배에서 떨어져 나온 것일 수도 있을 텐데 말이다.

나타샤와 그녀의 어머니는 두 기자를 파과병 환자들의 병동으로 데려간다. 그들 주위에는 온통 식물이나 다름없는 상태에 놓인 환자들뿐이다.

나타샤가 어떤 환자 앞에서 두 기자를 멈춰 세운다. 입에서 침이 흐르고 눈이 발갛게 충혈된 환자. 그의 머리를 죄고 있는 헝겊 모자 밖으로 전선들이 빠져나와 있고, 그 전선의 일부는 하얀 천으로 덮인 가구로 연결되어 있다. 환자의 맞은편에는 컴퓨터 모니터 한 대와 갖가지 전기 기구들이 놓여 있다. 모니터가 저절로 켜지더니, 그 한복판에 문장이 나타난다.

〈내가 바로《아무》라는 사람입니다.〉

두 기자는 그 생급스러운 말에 잠시 멍한 기분을 느낀다.

이렇게 병실에 갇혀서 꼼짝달싹할 수 없는 이 사람이 정말 그〈범인〉일 수 있을까?

그러다가 이지도르는 이자가 정말 범인이라면 그렇게 누워 있는 상태야말로 최선의 위장일 뿐만 아니라 가장 확실한 알리바이라는 사실을 알아차린다.

설령 이 사람이 살인을 했다 한들, 어떻게 이 사람을 감옥에 넣을 수 있겠는가? 이자는 이미 감옥 중에서도 가장 지독한 감옥인 자기 육신에 감금되어 있다. 이미 가장 혹독한 형벌을 받고 있는 이 사람에게 더 이상 어떤 형벌을 가할 수 있단 말인가?

주사액 대롱들과 생명을 붙들어 두는 갖가지 기구들을 몸에 달고 있는 이 파자마 차림의 남자가 극악무도한 죄를 저지를 수는 있다. 하지만 아무도 이 사람에게 이미 받은 것보다 더 많은 고통을 가할 수는 없을 것이다.

이지도르는 핀처 박사가 자기의 뇌에 자극을 줄 사람으로 그 환자를 선택한 이유가 무엇인지를 비로소 깨닫는다.

이 사람은 순전한 하나의 정신일 뿐이다.

컴퓨터 화면에 아주 빠른 속도로 이런 문장이 나타난다.

〈훌륭해요. 한 판의 멋진 체스 경기를 보는 듯했어요. 나는 체스를 두는 사람으로서 당신들이 요새에 잠입하여 우리를 궁지에 몰아넣은 그 책략이 무척 마음에 들어요. 핀처도 예전에 카민스키와 싸울 때 그런 계략을 쓴 적이 있지. 오디세우스의 꾀를 말입니다.〉

뤼크레스는 그렇게 꼼짝달싹도 하지 못하는 사람이 어떻

게 말과 문장을 만들어 내는지 그저 신기하기만 하다.

저 모자에 비밀이 있다. 저 모자가 이 사람의 생각을 전자 신호로 바꾸어 주는 것일 게다.

모니터에 다시 문장이 나타난다.

〈당신들은 분명히 우리를 궁지에 몰아넣었어요. 하지만 이건 그냥 장군을 부른 것일 뿐 외통장군은 아닙니다. 이제 막판 뒤집기의 시간이 오고 있어요. 상대를 제압했다고 믿고 있는 추적자들이 오히려 궁지에 몰릴 차례가 온 거죠. 우리의 킹에게는 체크메이트가 통하지 않기 때문이에요. 우리의 킹은 사고하는 하나의 뇌일 뿐이에요. 누구도 그 뇌를 위협할 수 없어요.〉

이지도르가 묻는다. 「당신이 핀처를 죽였습니까?」

〈당신은 질문할 자격이 없습니다. 질문을 하는 건 나예요. 여기에서 벌어지고 있는 일 중에서 당신들이 알고 있는 게 뭡니까?〉

그러자 나타샤가 이지도르 대신 대답한다. 「이자들은 모든 걸 알고 있어요. 없애 버려야 해요.」

〈물리적인 폭력은 약자들이 마지막 설득 수단으로 사용할 때만 의미가 있죠.〉

「그럼 이자들을 어떻게 하죠?」

환자는 모니터에서 눈길을 거두어 두 기자를 바라본다. 이지도르는 환자의 눈을 똑바로 바라보면서 이렇게 읊조린다.

「눈은 무덤 속에 들어가서도 바라보고 있었고…….」

〈당신은 책을 잘못 골랐어요. 《아무》는 오디세우스의 전설과 관계가 있지 성서와는 관계가 없어요.〉

「당신 자신이 오디세우스라도 되는 것처럼 생각하나 보죠?」

이지도르가 비아냥거리는 말투로 그렇게 묻는다. 뤼크레스는 자기 동료가 갑자기 도발적으로 행동하는 까닭을 이해하지 못한다. 환자가 눈을 깜박인다.

⟨나는 탐험가 오디세우스입니다. 다만 나는 지중해 해안을 찾고 있는 것이 아니라, 인간 정신의 근원을 찾아서 뇌의 비밀을 탐색하고 있죠.⟩

「아뇨. 당신은 오디세우스가 아닙니다.」

그 말에 체르니엔코 박사가 발끈한다.

「뭐야? 당신 어떻게 된 거 아냐?」

⟨말하고 싶은 대로 말하게 내버려 둬요.⟩

이지도르는 숨을 가다듬고 매몰차게 내뱉는다. 「당신에게는 눈이 하나밖에 없어요. 그러니까 당신은 오디세우스가 아니라 오히려 외눈박이 괴물 키클롭스이지요.」

잠시 침묵이 흐른다. 뤼크레스조차 자기 동료의 냉정함에 아연실색하고 있다.

이 사람이 무슨 생각으로 이러는 거지? 지금은 바보처럼 굴 때가 아닌데.

⟨난 오디세우스입니다.⟩

「아뇨. 당신은 키클롭스예요!」

⟨오디세우스예요! 난 영웅이란 말입니다.⟩

「키클롭스예요. 당신은 악당이라고요.」

⟨난 오디세우스지 악당이 아닙니다.⟩

나타샤도 그녀의 어머니도 그 느닷없는 설전에 어리둥절하여 끼어들 생각을 못 하고 있다.

140

어떻게 감히 이럴 수가 있지? 이자가 어쩌자고 이렇게 뻔뻔하게 나오는 거지? 나는 악당이 아니라 영웅이다. 난 오디세우스다. 이들은 하찮은 자들이다.

아, 그래 됐어. 아테나, 네가 속삭이는 소리가 들려. 그래, 이건 하나의 도발이고 계략이야. 내가 이런 잔꾀에 말려들면 안 되지. 이자는 공격이 최선의 방어라는 것을 알고 있어. 체스에서도 그렇듯이, 한쪽이 공세를 취하여 우위에 서면 다른 쪽은 수세에 몰려 약점을 노출하게 마련이지.

이자는 대단히 강하다. 체스를 둘 줄 아는 자임에 틀림없다. 그리고 사람의 심리도 잘 아는 자다. 이자는 나 같은 장애인에 대한 연민을 넘어섰고, 상대에 대한 적개심을 초월했다. 그래서 나를 아주 덤덤하게 다루고 있다. 영악한 자다. 교묘하게 선택된 몇 마디 말로 내 마음 깊은 곳에 웅크리고 있던 어린아이가 다시 튀어나오게 했다. 나는 마치 유치원 마당에서 나에게 집적거리던 사내아이들에게 대들었을 때처럼 이자를 상대하고 있다.

상대가 나를 화나게 한다고 이성을 잃고 기분에 휩쓸려선 안 된다. 마음을 잘 다스리자. 이자를 미워하지 말자. 이자가 내 마음에 상처를 주었더라도, 나는 계속 냉정하고 의연하게 굴어야 한다.

이자는 나를 모욕하고 내 자존심에 상처를 내려고 한다. 하지만 이자의 독설이 화살처럼 날아오면, 나는 그것이 나에게 닿기 전에 허공에서 제지하여야 한다.

너는 나를 해치려고 했지만, 나는 너에게 오히려 좋은 일을 해주마. 바로 이런 마음가짐이 나의 가장 큰 힘이다. 고맙다, 아테나. 그 점을 깨닫게 해주어서. 이제 나는 안다. 정신이 강한 자야말로 진정한 강자이고, 다가올 제국은 정신의 제국이라는 것을.

하지만 아무리 그래도 너무나 쉽게 이자에게 좋은 것을 줄 수는 없는 노릇이다. 나는 오로지 이자가 상을 받을 자격이 있음을 보여 줄 때에만 그것을 줄 것이다.

141

모니터에 글 한 줄이 나타나더니, 행의 끝에 다다르자마자 마치 계단식 수로로 흘러내리는 빗물처럼 아래로 빠르게 이어진다. 그는 빠르게 생각하고 빠르게 글을 쓴다.

〈당신이 나보고 키클롭스라고 했으니, 당신에게 오디세우스의 문제가 아니라 키클롭스의 문제를 내도록 하죠. 만일 당신이 이 문제를 해결하면, 당신은 핀처의 후계자가 될 것이고 인간이 꿈꿀 수 있는 가장 좋은 상을 받게 될 겁니다. 최후 비밀에 전극을 심는 게 바로 그 상이죠.〉

체르니엔코 박사와 나타샤는 그 뜻밖의 제안에 이의를 제기하지 않을 수 없다. 나타샤가 분통을 터뜨린다.

「몇 달 전부터 우리 가운데 가장 뛰어난 사람을 선발하기 위해 이런저런 테스트를 하는 중이고, 이 과정을 거쳐 뽑힌 사람이 최후 비밀에 전극을 심는 수술을 받게 되어 있어요. 그런데 그 상을 생판 모르는 사람에게 주겠다는 거예요?」

〈나는 지능에 있어서뿐만 아니라 도덕이라는 측면에서도 완전해지고 싶습니다. 따라서 나 자신을 자꾸 미래에 투사해서 생각해 보게 돼요. 나는 미래엔 어떤 사람이 《훌륭한》 사람으로 평가받을지 상상하곤 해요. 내가 생각하기에, 미래의《훌륭한》사람은 먼저 대뇌 피질이 한결 복잡하고 뉴런과 뉴런이 더욱 잘 접속되는 사람일 거예요. 또 그는 마음을 잘 다치지 않고 본능적인 반응을 이겨 낼 줄 알며 남을 용서할 수 있는 능력이 있고 원초적인 감정에 영향을 받지 않는 사람일 가능성이 많죠. 한마디로 말해서, 포유류의 뇌를 초월하여 정신의 자유로움에 도달한 사람일 거예요.〉

나타샤와 그녀의 어머니는 여전히 충격에서 벗어나지 못하고 있었지만, 〈아무〉가 계속 자기주장을 펼치도록 내버려둔다.

〈미래의 훌륭한 사람은 지금의 나와 똑같은 행동을 할 수 있는 사람이겠죠 말하자면, 자기의 적들에게 자기가 가진 것 중에서 가장 좋은 것을 줄 수 있는 사람이지요……〉

두 기자는 이 제안을 놓고 요모조모 따져 보지만 아직 어떻게 받아들여야 할지 갈피를 잡지 못한다. 뤼크레스가 먼저 더듬거리며 자기 생각을 말한다. 「저…… 뜻은 고맙지만 사양하겠어요. 다른 수술도 아니고 두개골에 구멍을 내는 거라서 마음이 내키질 않아요. 그건 내가 너무나 싫어하는 일이거든요.」

〈하지만 아직 내 속에는 현재의 인간이 조금 남아 있어요. 그래서 최후 비밀이라는 당근이 통하지 않으면, 채찍으로 당신들을 자극하게 될 거예요. 당신들이 여기에서 보고 들은 것을 밖에 나가 이야기하도록 내버려 둘 수 없다는 점을 양해하시길. 당신들이 밖에 나가 떠들어 대면 우리의 모든 계획이 수포로 돌아갈 염려가 있으니까. 우리나 당신들이나 모두 언젠가는 죽게 될 덧없는 존재들이에요. 그런 몇 명의 개인들 때문에 우리 계획을 망칠 수는 없어요. 따라서, 만일 당신들이 키클롭스의 시험을 통과하지 못한다면, 우리는 당신들을 여기에 붙잡아 둘 거예요. 우선 간호사들이 당신들에게 진정제를 주사할 겁니다. 그러면 당신들은 화학 약품 때문에 진이 빠져 그냥 가만히 있게 되겠지요. 처음 얼마 동안 우리는 당신들을 경비 시스템이 잘 갖춰진 구역에 가두어 둘 거예요. 그러다가 당신들의 뇌가 흐물흐물해지고 도망치려는 욕구가 당신들의 마음에서 완전히 사라지고 나면, 당신들을 파과병 환자들과 함께 살게 할 거예요. 당신들은 무기력한 존재가 되어 삶이 다하도록 오래오래 우리들 속에 머물러 있게 될 겁니다. 밖에서 누군가가 당신들을 구해 주러 올 거라고 기대하지 마세요. 세상 사람들은 결국 당신들을 잊어버리게 될 테니까요. 정신 병원에는 환자나 의료진이 아니면 아무도 오지 않아요. 현대판 지하 감옥이죠. 나는 그것을 익히 경험한 바 있습니다.〉

두 기자로서는 당근이든 채찍이든 어느 것도 받아들일 수가 없다. 이런저런 생각이 빠르게 뤼크레스의 뇌리를 스치고 지나간다.

최후 비밀에 다가가는 건 태양에 너무 가까이 다가간 이카로스처럼 날개를 잃고 추락하는 일이 아닐까? 핀처가 경고히고자 했던 것이 바로 그것인지도 모른다. 그 가공할 위력을 지닌 마약 때문에 나는 모든 의지를 상실해 버릴 것이다.

이지도르 역시 자기 나름대로 〈아무〉의 제안을 검토하고 있다.

기억력이 자꾸 감퇴한다고 걱정했는데, 이제 보니 그 정도는 아무것도 아니다. 나는 지금 내 이성, 내 의지 전체가 허물어질지도 모를 심각한 위기를 맞고 있다.

〈자 수수께끼를 내겠습니다. 잘 들으세요.〉

장루이 마르탱은 모니터에 다음과 같은 문장을 보낸다.

《드니의 귀》라 불리는 시칠리아 근처의 작은 섬에 동굴이 하나 있고, 이 동굴에 오디세우스가 갇혀 있습니다. 그는 키클롭스와 대면하고 있죠. 그를 죽이고 싶어 하는 키클롭스가 제안했어요. 《너는 끓는 물에 삶아질 수도 있고, 불에 구워질 수도 있다. 선택은 너에게 맡기겠다. 지금 무슨 말이든 한마디를 해라. 만일 그 말이 참이면 너를 끓는 물에 삶아 죽일 것이고, 그 말이 거짓이면 너를 불에 태워 죽일 것이다》라고 말이죠. 그러자 꾀 많은 오디세우스는 절묘한 대답을 생각해 내서, 끓는 물에 삶아지지도 않았고 불에 구워지지도 않았습니다. 그가 무슨 말을 했을까요? 당신들에게 3분 동안의 시간을 주겠습니다. 대답의 기회는 단 한 번뿐이에요. 《기권이냐 갑절이냐》라는 퀴즈 프로그램 본 적 있나요? 자아, 친구들, 이제 당신들 차례예요.〉

마르탱은 컴퓨터의 시계를 화면에 띄우더니, 3분이 지나면 시계가 울리도록 조정해 놓는다.

이지도르는 생각을 한곳에 모은다.

어디선가 읽거나 들은 적이 있는 수수께끼다. 답을 기억해 내야 한다. 오, 내 기억력. 내 기억력아, 날 저버리지 말아다오. 지금은 그럴 때가 아냐. 나에겐 네가 필요해.

뤼크레스는 입술을 깨문다.

구워지든 삶아지든 죽는 건 마찬가진데 어떻게 살아났다는 거지? 난 언제나 수수께끼에는 젬병이었어. 게다가 논리 문제와 수학 문제를 대하면 언제나 짜증이 나. 어려운 문제를 풀어야만 욕조에 물이 채워지고 기차가 제시간에 떠난다면 난 못 살 거야. 예전에 내 애인이었던 남자 중의 하나는 나에게 자꾸 수수께끼를 내고 싶어 했어. 하지만 나는 해답을 듣기도 전에 문제 자체를 잊어버리기가 일쑤였어. 그러다가 결국은 그 사람까지 차버렸지. 수수께끼를 잘 풀려면 우선 그걸 좋아해야 하는데, 난 그렇지 못해. 내가 못 해도 이지도르가 해답을 찾아내겠지.

한편 나타샤와 체르니엔코 박사는 끼어들 생각을 않고 가만히 지켜보고만 있다.

이지도르는 자기 기억을 계속 더듬는다.

쉬운 건데……. 분명히 내가 알고 있었던 거야. 믿을 수가 없군. 나의 모든 삶이 이토록 간단한 문제에 달려 있는데, 해답을 기억해 내지 못하다니.

이지도르는 자기 기억을 하나의 거대한 도서관으로 상상한다. 그리고 자기 정신을 정보를 찾아 나선 민첩한 다람쥐로 만든다. 다람쥐는 『오디세이아』라는 책을 펼친다. 하지만 이 책은 배, 키클롭스, 폭풍우, 세이렌 등의 흐릿한 이미지들로만 가득 차 있다. 키클롭스의 수수께끼와 그것의 해답은 책의 어디에도 없다. 그러자 다람쥐는 수수께끼 책들 쪽으로 뒤지러 간다. 거기에도 해답은 없다.

뤼크레스는 수수께끼 푸는 것을 이내 포기했다. 하지만 그녀는 이지도르가 자기의 쇠퇴한 기억력에 맞서 싸우고 있음을 눈치채고, 그에게 기대를 건다.

그녀는 언젠가 『상대적이며 절대적인 지식의 백과사전』이라는 책에서 읽었던 〈금붕어의 기억력〉에 관한 글을 떠올린다.

〈금붕어가 어항 속에서 사는 것을 견딜 수 있는 것은 기억력이 거의 없기 때문이다. 금붕어는 장식용의 수중 식물을 발견하면 그것에 경탄을 하고 이내 잊어버린다. 그런 다음 유리 벽에 닿을 때까지 헤엄쳐 갔다가 다시 돌아와서는 똑같은 수중 식물을 보고 다시 경탄한다. 이런 과정은 무한히 돌아가는 회전목마처럼 되풀이된다.〉

결국 금붕어의 기억력이 약한 것은 미치지 않기 위한 생존 전략일 수도 있다는 얘기다. 이지도르의 건망증이 갈수록 심해지는 것도 어쩌면 세상사의 충격으로부터 스스로를 보호하기 위한 전략일지도 모른다.

뤼크레스는 이지도르가 금붕어로 변하여 어항 속에서 살아가는 모습을 상상해 본다. 플라스틱으로 된 장식물이며 물거품을 내는 상자에 경탄하다가 그것을 이내 잊어버리고, 헤엄쳐 갔다가 돌아와서는 다시 경탄하는 금붕어 이지도르.

한편, 이지도르는 스스로를 금붕어가 아니라, 거대한 도서관의 서가들 사이를 돌아다니는 날랜 다람쥐로 상상하고 있다. 〈『오디세이아』도 아니고 수수께끼 책들도 아니라면, 해답을 어디에서 찾지?〉 하고 그는 생각한다. 키클롭스에 관한 책은 없다. 시칠리아 근처의 섬들에 관한 책도 거의 없다. 다람쥐가 기억 속에서 아무것도 찾아내지 못했음을 알리자, 이지도르의 뇌는 〈독립적인 논리적 추론〉을 통해 해답을 찾아내는 쪽으로 방침을 바꾼다.

이건 쉬운 수수께끼다.

문제는 두려움에서 생긴다. 외딴섬의 정신 병원에서 생을 마감할지도 모른다는 불안감이 그의 사고와 기억을 방해하고 있다. 〈정신 질환자들 틈에서 어떻게 살아가지?〉 하는 생각이 자꾸 다른 생각을 가로막고 있는 것이다.

앞으로 수십 년 동안, 세상과 단절된 채 아무것도 하지 않고 살 수 있을까? 내 저수탑이며 내 돌고래들은 어떻게 되지? 어쩌면 책도 텔레비전도 없이 살아야 할지도 모른다. 게다가 다른 사람들의 광기가 틀림없이 나에게로 옮겨질 것이다.

이지도르는 그런 생각을 털어 버리고, 수수께끼를 다시 떠올려 단어 하나하나를 분석하면서 해답을 찾아내려고 애쓴다. 그의 머릿속에서, 왼쪽 반구의 피질 일부가 분주하게 움직이며 하나의 생각을 지어낸다.

거짓 속에 참이 있고 참 속에 거짓이 있다. 참과 거짓은 서로 마주 보고 있는 두 개의 거울과 같다. 하나는 상을 일그러뜨리고 다른 하나는 그것을 바로잡는다.

대뇌 피질의 그 부분에서 뉴런이 전기적으로 활성화하여 천분의 2초 만에 활동 전압이 마이너스 70밀리볼트에서 플러스 30밀리볼트로 높아진다. 이 전기는 수상 돌기 속을 돌다가 축삭을 타고 미끄러져 내려가 뉴런들 사이의 접합부인 시냅스에 다다른다. 시냅스의 끝에는 신경 전달 물질이 들어 있는 소포(小胞)들이 있다. 전기 충격을 받고 풀려난 신경 전달 물질이 뉴런의 말단과 이웃한 뉴런의 막 사이에 있는 아주 작은 공간 속으로 퍼져 나간다.

사고는 전기적 현상이자 화학적 현상이다. 빛이 입자인 동시에 파동인 것처럼.

글루타민산염이라는 신경 전달 물질이 활동을 개시한다. 이 물질이 이웃한 뉴런에 닿자, 이 뉴런의 활동 전압 역시 30밀리볼트로 높아진다.

글루타민산염은 하나의 흥분제로 작용한다. 하지만 가바,

즉 감마 아미노뷰티르산이라는 또 다른 신경 전달 물질이 억제제로 작용함으로써 글루타민산염의 활동과 균형을 이룬다. 흥분시키거나 억제하는 화학 물질들 사이의 이 미묘한 균형에서 생각들이 생겨난다. 이지도르 카첸버그의 뇌에 들어 있는 천억 개의 뉴런들 중에서 350억 개가 이 수수께끼를 해결하는 데에 동원된다. 이지도르의 생각이 오로지 수수께끼에 집중되어 있다는 얘기다. 그의 뇌가 너무 많은 에너지를 소비하고 있는 탓에 손가락과 발가락의 끄트머리가 창백해지고 약간 저릿저릿해진다.

그때 문득 한 가지 생각이 번개처럼 그의 뇌리를 스친다.

「오디세우스는 〈당신은 나를 불에 구울 겁니다〉라고 말했어요.」

이지도르가 설명을 덧붙인다. 「그렇게 말하면 키클롭스는 몹시 난처한 상황에 빠집니다. 〈당신은 나를 불에 구울 겁니다〉라는 오디세우스의 말이 참이라면, 키클롭스는 그를 끓는 물에 삶아 죽여야 합니다. 따라서 그는 불에 구워질 수가 없지요. 그렇다면 오디세우스는 거짓을 말한 셈입니다. 하지만 〈당신은 나를 불에 구울 겁니다〉라는 오디세우스의 말이 거짓이라면, 그는 불에 구워져야 합니다. 그러면 오디세우스의 말은 다시 참이 됩니다. 결국 키클롭스는 오디세우스를 삶아 죽일 수도 없고 구워 죽일 수도 없는 딜레마에 빠져 판결을 내리지 못하지요. 그래서 오디세우스는 죽음을 모면합니다.」

142

의식이 자못 성대하다. 베르디의 오페라가 울려 퍼진다.

장루이 마르탱은 수술 장면을 직접 지켜보고 싶어 했다. 그래서 그의 침대와 컴퓨터 장비 일체를 수술실로 옮기게 했다. 하얀 천으로 덮인 예의 커다란 가구도 옮겨져 그의 머리 맡에 놓였다.

〈비디오카메라를 통해서만 보니까 싫증이 나요. 내 눈으로 직접 보고 싶어요.〉

나타샤와 체르니엔코 박사는 이지도르에게 가운을 입히고 그를 수술대에 눕힌 다음 가죽끈으로 묶는다. 그렇게 준비가 끝나자 체르니엔코 박사가 그의 머리를 깎기 시작한다. 이미 머리털이 많이 빠져 있는 상태라서 삭발에는 별로 시간이 걸리지 않는다. 체르니엔코 박사는 그의 뇌 속에 존데를 집어넣을 지점을 수성 펜으로 표시한다.

마르탱은 이지도르를 보며 생각한다.

자네 나보고 키클롭스라고 했나? 이제 곧 오디세우스의 힘을 경험하게 될 걸세. 오디세우스가 자네 이마에 창을 꽂을 거란 말일세.

그는 사뮈엘 핀처가 똑같은 수술을 받았던 날을 떠올린다.

차이가 있다면, 이 이지도르 카첸버그라는 친구는 전혀 의욕이 없다는 점이다. 병원의 모든 환자들이 이 수술을 꿈꾸었다. 나는 핀처의 뒤를 잇는 두 번째 〈로켓〉을 발사하기 위해 만반의 준비를 했다. 그런데 모두가 원하던 그 상(賞)이 그것을 전혀 원하지 않는 유일한 사람에게 돌아가게 되었다. 인생이란 이런 것이다. 무엇인가에 대해 그다지 집착하지 않고 마음을 비운 사람에게 오히려 그것이 뜻밖의 선물로 주어질 때도 있는 것이다.

뤼크레스는 반창고로 입이 봉해진 채 회전의자에 묶여

있다.

이 두 사람은 함께 자는 사이일까? 어쨌거나 수술이 끝나고 나면, 어떤 여자도 최후 비밀을 자극하는 것만큼이나 강렬한 쾌감을 이 남자에게 가져다주지는 못할 것이다. 내가 신호를 보내기만 하면 이 남자의 머릿속에서 하나의 폭탄이 터질 것이다.

마르탱은 침대의 윗부분을 일으켜 세우게 해서 마치 앉아 있는 듯한 자세를 취하고 있다. 그러니까 수술 장면이 한결 잘 보인다.

이 여자는 참으로 예쁘다. 게다가 대단히 역동적이다. 어쩌면 제2의 핀처로는 남자가 아니라 이 여자를 선택하는 편이 나았을지도 모른다. 그리스 신화에 나오는 이야기가 생각난다. 제우스가 어떤 신을 인간 세상에 보내 여자로 사는 게 더 좋은지 남자로 사는 게 더 좋은지를 알아보게 했다. 그 신은 여자와 남자의 몸속에 번갈아 들어가서 각각 하루씩 머물렀다. 그 신은 제우스에게 돌아와서 여자로 사는 게 낫다고 보고했다. 여자가 느끼는 쾌감이 남자의 쾌감보다 아홉 배나 강하다는 것이 그 이유였다.

마르탱은 다음의 〈실험 대상자〉로는 여자를 선택하리라고 마음먹는다.

뤼크레스도 괜찮지 않을까? 두 사람이 함께 자는 사이라면, 이 수술이 끝난 뒤에 이 여자는 자기 남자 친구가 얼마나 행복해하는지를 확인하게 될 것이다. 그러면 십중팔구는 이 여자 역시 그 절대적인 쾌감을 맛보고 싶어 할 것이다.

나타샤가 수술 도구들을 자기 어머니에게 내민다. 그러고는 이지도르의 머리통에 금속 테를 두른다. 이 테에는 여러 개의 작은 아치가 달려 있다. 그래서 마치 이지도르가 나사 투성이의 강철 왕관을 쓰고 있는 듯한 느낌을 준다.

체르니엔코 박사가 두피의 어떤 부위에 마취제를 조금 바른다. 그런 다음 전기 천공기를 작동시킨다. 천공기가 두피로 다가간다. 이지도르는 눈을 감는다.

143
아무 생각도 하지 말자 하고 그는 생각한다.

144
그때 갑자기 경보기가 날카로운 소리로 울린다. 누군가가 병원에 잠입했다는 뜻이다.

빨간 비상등이 깜박인다. 체르니엔코 박사는 동작을 멈춘 채 머뭇거린다.

장루이 마르탱이 모니터를 통해 〈계속해요!〉라고 이른다. 천공기가 다시 돌아가면서 이지도르 카첸버그의 두개골에 더욱 가까이 다가간다. 천공기가 두피를 스치려는 찰나, 문이 벌컥 열리더니 움베르토가 불쑥 나타난다. 그는 한 손에 권총을 들고 있다.

「내가 제때에 왔군!」

그러면서 그는 재빨리 침대에 묶여 있는 이지도르를 풀어 준다. 그러자 이지도르는 뤼크레스의 결박을 풀어 주러 간다. 그녀가 반창고로 봉해진 입을 놀리며 무슨 말인가를 열심히 웅얼거린다. 이지도르는 그녀가 급히 할 말이 있는가 싶어 반창고를 휙 뜯어낸다.

「무슨 말을 하려고 그랬어요?」

이지도르의 물음에 그녀가 화를 내면서 대답한다. 「반창고를 한 번에 홱 잡아 뜯지 말라고 미리 알려 주려고 그랬어요. 아, 되게 아프네.」

〈카론〉의 선장 움베르토가 나타샤 모녀에게 뒤로 물러가라고 손짓을 한다.

그때 마르탱의 모니터에 이런 말이 나타난다.

〈반갑네, 움베르토. 자네를 이렇게 다시 만나게 되어서 얼마나 기쁜지 모르겠어.〉

「당신이 어떻게 내 이름을 알지? 난 당신을 만난 적이 없는 것 같은데.」

〈아닙니다. 우린 만난 적이 있어요. 옛날 일을 떠올려 보세요. 어느 겨울날 밤의 일이었지. 당신은 자동차를 운전하고 있었고. 아마 술에 조금 취해 있었거나 졸고 있었을 거예요.〉

움베르토의 굵은 눈썹이 꿈틀거린다.

〈당신은 빙판길에 미끄러지는 자동차를 제어하지 못하고 어떤 보행자를 치었습니다.〉

움베르토의 얼굴에 당황해하는 기색이 역력하다.

〈그 보행자가 바로 나였어. 내가 지금 이런 상태에 있는 것은 당신 때문이에요. 만일 당신이 내 삶에 그런 식으로 난입하지 않았다면, 나는 내 가족이며 친구들과 더불어 정상적인 삶을 즐기고 있을 거예요.〉

움베르토는 갑자기 회한에 차서 죄책감에 짓눌린 듯한 표정으로 자기 앞의 환자를 멍하니 바라본다. 뤼크레스는 자기의 동기 목록에 죄의식의 힘이라는 항목을 추가해야겠다고 생각한다.

움베르토가 권총을 들고 있는 손을 축 늘어뜨리며 더듬거린다.

「내가…… 내가…… 아니야. 그럴 리가 없어. 내가 쓰러뜨린 사람은 더 이상 움직이지 않고 있었어. 충격의 강도로 보아, 그는 틀림없이 죽었을 거라고요.」

마르탱은 충혈된 눈을 모니터에 고정시킨 채 아주 빠르게 글을 써 내려간다.

〈주변 신경계는 고장 났지만, 뇌는 여전히 기능하고 있어요. 의사들은 그것을 락트인 신드롬, 즉 리스라고 부르죠. 당신도 한때는 의사였으니까 잘 알 테지요. 병 이름치고는 예쁜 이름이죠. 무슨 꽃 이름 같지 않습니까? 프랑스 의사들은 이것을 유폐 생존 증후군이라고 부르고 있어요.〉

움베르토가 뒤로 물러선다.

「그게 나라는 걸 어떻게 안 거죠?」

〈사람은 움직일 수가 없으면 권태를 느끼게 마련이고, 권태를 너무 심하게 느끼다 보면 뭔가 몰두할 만한 일을 찾게 되죠. 나는 많은 일에 관심을 가졌어요. 무엇보다도 나를 이렇게 만든 자가 누구인지 알고 싶었지. 그리하여 움베르토 당신이 범인이라는 사실을 알아냈죠. 처음에 나는 당신을 죽이고 싶었어요. 복수심이 부식성의 산(酸)처럼 내 뇌를 괴롭혔지요. 그러다가 당신이 알코올 의존증에 빠져 있다는 것을 알았고, 삶이 나 대신 원수를 갚아 주었다고 생각했습니다. 설령 내가 복수를 했다 해도 그보다 더 잘할 수는 없었을 거예요. 나는 적어도 나 자신에 대한 존경심은 잃지 않고 있었는데, 당신은…… 당신은 너무나 타락해서 인간 이하의 삶을 살고 있더군요. 당신이 그런 상태에 빠져 있는 것을 보니 기뻤어요. 그럴 만큼 내가 당신을 미워했던 거예요. 하지만 나는 내 증오심을 극복하고 싶었습니다. 그래서 핀처에게 당신을 연락선 선장으로 고용하자고 부탁했지요. 당신은 멀쩡한 사람을 산송장으로 만든 가해자지만 당신의 피해자인 나는 당신을 구해 주었어요. 그 점을 잊지 마세요.〉

움베르토의 머릿속에서 죄책감과 감사와 후회가 어지럽게 착종한다. 다른 생각들은 끼어들 여지가 없다. 움베르토는 낯빛을 바꾸고 결연한 표정을 지으며 뤼크레스와 이지도르를 돌아본다.

「이 사람을 가만히 내버려 두세요! 고통을 받을 만큼 받은 사람이에요. 이 사람이 겪은 가혹한 시련을 당신들이 짐작이나 하겠어요?」

이지도르가 설득을 시도한다.

「움베르토, 핀처를 잊지 마요. 이 사람이 핀처를 죽였어요. 핀처가 누굽니까? 당신에게 아주 많은 것을 베풀어 준 사람 아닌가요?」

움베르토가 그들 쪽으로 천천히 몸을 돌린다.

「이 사람은 핀처에게 나를 구해 주라고 부탁했어요. 자기 삶을 송두리째 망가뜨린 나를 말이에요. 이 사람은 나를 용서했을 뿐만 아니라 나를 구원해 주었어요. 그런 사람에게 다시 해를 입힐 수는 없어요.」

고맙다, 아테나. 용서의 힘이 이렇게 나타나리라고는 전혀 생각하지 못했어. 네 생각이 옳아. 용서란 미래형 무기야.

움베르토가 권총을 그들 쪽으로 들이댄다. 그의 마음속에서 여러 동기가 어지럽게 뒤엉켜 싸움을 벌이고 있다. 뤼크레스와 이지도르에 대한 호감도 있지만, 자기 때문에 장애인이 되었음에도 도리어 자기를 타락의 늪에서 건져준 장루이 마르탱에 대한 연민도 크다. 갈등이 너무나 심하다.

「도저히 마음을 정할 수가 없어. 내가 어떻게 해야 하는 건지 정말 모르겠어.」

움베르토는 그렇게 내뱉으며 제자리에 털썩 주저앉아 버린다. 시선에 초점이 없고 마치 얼어붙은 사람처럼 더 이상 꼼짝도 하지 않는다.

뤼크레스는 그 틈을 타서 잽싸게 권총을 낚아챈다. 이지도르는 몸을 기울여 움베르토를 살펴보다가 체르니엔코 박사를 향해 묻는다. 「움베르토가 갑자기 왜 이러죠?」

체르니엔코 박사는 그를 찬찬히 살펴보고 나서 대답한다. 「이건 아주 드문 증상이에요. 마음속의 모든 동기 사이에서 뇌가 완전한 평형 상태에 도달했어요. 그래서 더 이상 움직일 수가 없는 거지요.」

「이런 상태가 오래가나요?」

여의사가 움베르토의 동공을 살핀다.

「이 사람은 딜레마를 타개할 수가 없어요. 그래서 해결을 포기하고 자기 자신으로부터 달아나 버린 거죠.」

모두의 시선이 움베르토에게 쏠린 틈을 타서, 나타샤가 펄쩍 뛰어 뤼크레스의 무기를 떨어뜨린다. 두 여자가 싸움을 벌인다. 나타샤는 뤼크레스보다 키가 크다는 점을 이용해 육박전의 경험이 없음을 벌충하려고 한다. 그녀가 먼저 따귀를 갈기고 손톱으로 할퀴고 정강이에 발길질을 하면서 선제공격에 나선다. 뤼크레스는 상대의 기습에 미처 대응을 못하고 몇 대를 맞았으나, 이내 상대의 뒤로 돌아가며 상대가 꼼짝하지 못하도록 한쪽 팔을 비튼다. 하지만, 상대는 고통을 느끼기는커녕 자기 팔에 훨씬 더 강하게 힘을 주어 그녀의 손을 뿌리친다.

두 여자가 동시에 권총을 잡는다. 다른 사람들은 총구가 자기들 쪽으로 향할 때마다 바닥에 엎드린다.

치열한 접전이다. 그 와중에 총구가 방 안의 이곳저곳으로 쏠린다.

뤼크레스는 문득 어디에선가 읽은 들소 사냥에 관한 이야기를 떠올린다. 들소를 죽이는 것은 창이 아니라 사냥꾼과 들소의 의지다. 들소가 패배를 받아들이고 사냥꾼이 승리를 확신하고 나면, 사냥꾼이 창을 어디에서 던지든 이 창은 결국 표적을 관통하게 된다. 생각이 때로는 행위보다 더 결정적인 역할을 할 수 있다는 얘기다.

갑자기 탕 소리가 나면서 총알 한 방이 날아가고, 권총이 바닥에 떨어진다.

뤼크레스와 나타샤는 깜짝 놀라서 서로를 바라보다가, 서로의 몸에서 상처를 찾기 시작한다. 움베르토는 여전히 꼼짝 않고 있다. 마침내 고통에 찬 신음 소리가 들려옴으로써 총알이 어디로 날아갔는지를 알려 준다. 체르니엔코 박사가 어깨에 총을 맞았다.

나타샤가 달려간다.

「엄마!」

결국 총알받이가 되는 것을 받아들인 사람은 저 여자였군 하고 뤼크레스는 생각한다.

「엄마. 안 돼. 어떻게 이런 일이! 내가 무슨 짓을 한 거지?」

나타샤가 눈물을 흘린다. 그러다가 갑자기 깜짝 놀라며 자기 몸을 더듬는다.

「엄마, 됐어요, 내가 고통을 느끼고 있어요! 내가 감각을 회복했어요. 이번에도 엄마 덕분이에요!」

그녀가 손가락으로 눈 밑을 훔친다.

「내가 울고 있어요!」

「나 아파.」 체르니엔코 박사가 말했다.

뤼크레스는 그 어수선한 틈을 타서 수술실의 전화기를 들고 제롬 베르주라크에게 전화를 건다. 「여보세요, 제롬? 또다시 영웅이 되어 보지 않을래요? 여기에 구급대와 경찰을 보내 주세요. 당신이 좋아하는 모험을 한바탕할 수 있는 기회가 왔어요.」

그때 아무도 눈치채지 못하는 사이에 하얀 천으로 덮인 가구 아래로부터 길쭉한 형체 하나가 빠져나오더니 덩굴손처럼 뻗어 나가 권총을 집어 든다. 그런 다음 총구를 두 기자에게 겨눈다.

〈손 들어!〉 하는 말이 컴퓨터 모니터에 나타난다.

두 기자는 잠시 머뭇거리다가 사태의 심각성을 알아차리고 시키는 대로 한다.

금속 팔이 치켜올라가면서 하얀 시트가 벗겨지자 비로소 커다란 정육면체가 모습을 드러낸다. 고딕체로 쓰인 〈DEEP BLUE IV〉라는 이름이 낯설지 않다.

디프 블루 IV의 금속 팔이 이지도르의 얼굴로 더 가까이 다가든다. 이지도르가 장루이 마르탱을 보며 말한다.

「당신이 범인이군요…….」

〈그건 사고였어요. 나는 여느 때처럼 사뮈엘 핀처의 승리에 대해 상을 주려고 했을 뿐이에요. 하지만 그는 이미 한창 오르가슴에 올라 있었어. 나는 그 사실을 몰랐고. 결국 쾌감의 과부하 때문에 그의 뇌 속에서 쇼크 사고가 일어난 거예

요. 그의 내부에서 차단기가 작동하여 퓨즈가 나가 버린 겁니다.〉

이지도르는 금속 팔이 좌우로 왔다 갔다 하게 만들기 위해 뤼크레스로부터 멀어진다.

〈다시 말하지만 그건 사고였어요. 오르가슴에 최후 비밀의 자극이 더해지고, 거기에 체스 경기로 인한 피로가 겹친 거지. 뇌란 그토록 예민한 거예요……. 그는 자극 과다로 죽었어요.〉

이지도르가 왼쪽으로 움직이면서 계속 사이를 벌리자, 뤼크레스는 오른쪽으로 자리를 옮기며 목소리에 힘을 준다.

「인간의 영리함은 미묘한 차이를 지각하는 능력과 관계가 있어요. 너무 많은 빛은 우리를 눈멀게 해요. 그와 마찬가지로 너무 많은 쾌감은 고통이 되고, 나아가서는 사람을 죽일 수도 있어요.」

이지도르가 말을 보탠다. 「그런 점에서 최후 비밀의 발견은 너무 이르다고 볼 수 있어요. 뇌의 그 부위를 자극하면 절대적인 쾌감을 직접적으로 경험할 수 있다고 했죠? 우리는 아직 그것을 받아들일 준비가 되어 있지 않아요. 점진적으로 나아가지 않으면 안 돼요. 오래전부터 당근을 향해 걸어가고 있는 당나귀에게 갑자기 당근을 주면, 당나귀는 곧 걸음을 멈출 겁니다.」

모니터에 다시 문장이 나타난다.

〈이렇게까지 할 생각은 아니었지만, 이제 나는 결심했습니다. 나는 당신들을 죽이기로 했어요. 내가 이기고 당신들이 졌어요. 그 이유가 무엇인 줄 아세요? 내 동기가 더 강했기 때문이에요. 당신들은 낡은 가치들을 옹호하고 있습니다.

나는 모두를 위해 뭔가 새롭고 중요한 일을 수행하고 있음을 확신하고 있어요. 그 확신이 나에게 강한 의욕을 준 거예요. 이제 당신들의 목숨이나 우리의 목숨은 별로 중요하지 않아요.〉

디프 블루 IV의 금속 팔이 권총을 들어 올려 수술 준비의 흔적이 아직 남아 있는 이지도르의 이마를 겨눈다.

〈난 못 하겠어.〉

모니터에 그 말이 나타나기가 무섭게, 바로 아래에 이런 문장이 이어진다.

〈해야 돼, 윌리스. 이제 우리는 더 이상 물러설 수가 없어.〉

〈안 돼, 아테나. 이건 미래의 바람직한 인간형에 어울리는 태도가 아냐.〉

이 환자는 일종의 정신 분열을 겪고 있다. 정신이 인간 부분과 컴퓨터 부분으로 분열되어 있는 것이다 하고 이지도르는 생각한다.

〈살인하지 못한다 하고 『구약 성서』에 쓰여 있어.〉

〈목적은 수단을 정당화한다고 마키아벨리가 말했지.〉

〈아테나, 네 속엔 디프 블루 IV의 사사로운 원한이 아직 조금 남아 있어.〉

〈윌리스, 네 속엔 은행원이었던 시절의 비굴함이 아직 조금 남아 있어.〉

이렇듯 마르탱의 정신을 이루는 두 부분 사이에 갈등이 벌어지고 있는 틈을 타서, 뤼크레스가 디프 블루 IV의 팔을 후려쳐서 권총을 떨어뜨린다. 그러자 디프 블루 IV는 그녀를 때리려고 팔로 허공을 휙휙 가른다. 꼭 그러쥔 이 강철 손은 무시무시한 무기다. 뤼크레스는 공격을 피하면서 다시 금속 팔의 관철을 후려치려고 한다. 하지만 공격이 여의치 않다. 오히려 놈의 손에 이마를 다쳤을 뿐이다. 그녀는 움직임을 전혀 예측할 수 없는 그 기계 장치를 쓰러뜨리기가 결코 녹록지 않다는 것을 깨닫는다.

그때 이지도르가 디프 블루 IV를 전원에 연결시키고 있는 플러그를 뽑아 버린다. 금속 팔이 축 늘어진다. 이지도르는 마치 플러그가 두 송곳니를 드러낸 뱀의 머리라도 되는 양 엄지와 검지로 꼭 잡고 있다.

뤼크레스는 이지도르가 그렇게 간단한 방법을 생각해 낸 것에 감탄하면서도 한편으로는 자존심이 상하여 다시 기세를 올린다.

「이 환자를 그냥 두면 실험을 다시 시작할 거예요.」

그러면서 그녀는 마르탱을 향해 권총을 겨눈다. 금방이라도 방아쇠를 당길 태세다.

「틀림없이 누군가가 이자들을 찾아내서 실험을 재개할 거예요. 그러면 우리가 우려하는 사태가 벌어지는 것을 막을 길이 없어요. 최후 비밀이라는 절대적인 마약이 퍼져 나가면, 인류의 미래는 더 이상 없어요.」

이지도르는 좀 더 깊이 생각할 것을 요구한 뒤에 이렇게 제안한다.

「내게 맡겨요. 아마도 더 좋은 방법이 있을 거예요.」

하늘에서 헬리콥터 소리가 들려온다. 곧이어 제롬 베르주라크가 한 무리의 경찰관들을 데리고 들이닥친다. 그가 재빨리 사태를 파악하고 소리친다.

「내가 때맞추어 온 거죠, 안 그렇습니까?」

145

뤼크레스는 호텔의 스위트룸에서 기사를 작성하고 있다. 자판 두드리는 소리가 경쾌하다.

그녀가 타자를 잠시 중단하고 이지도르를 부른다.

「이봐요, 박스 기사 하나가 부족한데 뭐 재미있는 거 없을까요? 우스갯소리도 괜찮아요.」

「브레슬레브의 나흐만이라는 유대교 랍비가 한 이야기를 하나 알고 있어요.」

「어서 해봐요.」

「어떤 재상이 왕에게 말했어요.

〈올해 거두어들일 곡식이 모두 어떤 팡이(훗날 이 팡이에서 환각제가 나오게 된다)에 감염되었습니다. 이 곡식을 먹는 사람들은 정신에 이상이 생길 것입니다.〉

그러자 왕이 말했어요.

〈하면, 백성들에게 알려서 그 곡식을 먹지 못하게 해야겠구나.〉

〈하오나 그것 말고는 달리 먹을 게 없습니다. 만일 백성들에게 그 감염된 곡식을 주지 않는다면, 그들은 굶주림을 견디지 못해 반란을 일으킬 것입니다.〉

〈하면, 백성들에게는 그 오염된 곡식을 주고, 우리는 곳간에 비축해 둔 성한 곡식을 먹으면 되겠구나.〉

〈하오나 모든 백성이 미치광이가 되고 우리만 정신이 온전한 사람으로 남게 되면, 백성들은 오히려 우리를 미치광이로 여길 것입니다.〉

왕은 깊이 생각하다가 재상의 말을 받아들여 이렇게 결론을 내렸어요.

〈그렇다면 길은 하나뿐이로구나. 우리도 백성들처럼 그 오염된 곡식을 먹기로 하자. 하지만 우리가 미치더라도 원래 는 그렇지 않았다는 것을 기억하기 위해 우리 이마에 어떤 표시를 하기로 하자.〉」

이지도르는 자기 이야기에 대단히 만족스러워하는 기색 이다. 하지만 뤼크레스는 의아한 표정을 지으며 볼멘소리를 한다.

「대체 그게 무슨 뜻이죠? 어디 설명 좀 해봐요.」

「우리는 어쩌면 모두가 미치광이일지도 모릅니다. 다만 당신이나 나의 장점이 하나 있다면, 적어도 그 사실을 알고 는 있다는 것이죠. 다른 사람들은 스스로를 정상이라고 믿고 있지만 말입니다.」

그러면서 이지도르는 수성 펜으로 자기 이마에 점 하나를 찍는다.

그녀는 시시하다는 듯이 어깨를 한번 치켜올렸지만, 그래 도 그 우스갯소리를 컴퓨터 파일에 기록해 둔다. 그러더니, 뒤늦게 무언가를 깨달은 듯 그를 돌아보며 묻는다.

「당신은 우리가 미쳤다고 생각해요?」

「어떻게 보느냐에 따라 다르지요.」

「무슨 뜻이에요?」

그는 대답 대신 손목시계를 보더니 텔레비전을 켜고 뉴스 를 보기 시작한다. 또 다른 학살 사건들, 자살 특공대의 테러, 또 다른 참사들, 지진 따위에 관한 보도가 나온다.

「이봐요, 내 말 안 들려요? 뉴스 그만 봐요. 그게 무슨 뜻이 냐고 물었잖아요?」

그가 목청을 높인다. 「내가 만약 SF소설가라면, 나는 우주

곳곳의 미치광이들을 지구에 다 모아 놓는 이야기를 지어 보겠어요. 우주의 모든 미치광이들이 지구에 모여 있고, 간호사들은 〈이 미치광이들이 저희들끼리 알아서 살아가게 하자〉며 손을 놓고 있어요.」

이지도르가 웃음을 터뜨리고 나서 말을 잇는다. 「……지구 전체가 하나의 정신 병원이에요. 그럼에도 우리는 우리 사이에 차별을 두려고 해요. 우리 모두가 우주 곳곳에서 온 미치광이라는 사실을 깨닫지 못하기 때문이지요.」

이지도르가 다시 웃음을 터뜨리자 뤼크레스도 따라 웃는다. 그러는 동안 뉴스에서는 어떤 교살 사건이 보도되고, 주먹과 피 묻은 도끼를 휘두르며 저주를 퍼붓고 있는 복면의 사내들이 나타난다.

146

그로부터 몇 주 후, 파리.

안개 낀 지평선에 건물 하나가 우뚝 서 있다. 뤼크레스는 건물 앞 공터에 오토바이를 세운다.

그녀는 이지도르 카첸버그가 살고 있는 이 기이한 건물에 새삼 깊은 인상을 받는다. 이렇게 파리 교외의 저수탑을 주거로 개조한 것은 이지도르의 기발한 발상이었다. 사람들은 저수탱크로 쓰임 직한 이런 높은 건물에 전혀 관심을 갖지 않는다. 그래서 이것들 가운데 일부가 개인에게 매각되어 주거로 바뀌었다는 사실을 알지 못한다. 더러 풍차나 등대를 주거로 개조하는 사람들이 있듯이, 거대한 모래시계처럼 생긴 40미터 높이의 이런 저수탑을 주거로 선택하는 사람도 있는 것이다.

뤼크레스는 잡초를 헤치고 야비한 자들이 버리고 간 쓰레기 봉지들을 넘어 건물 입구로 다가간다. 건물 바깥벽의 아랫부분은 낙서와 선거 포스터와 서커스 공연 광고지 등으로 더럽혀져 있다.

그녀는 녹슨 철문을 밀어 본다. 문이 잠겨 있지 않으므로 두드리거나 초인종을 누를 필요가 없다. 하긴 누를 초인종이 있는 것도 아니다.

「이지도르, 안에 있어요?」

대답이 없다. 하지만 불이 밝혀져 있다. 바닥에 책들이 여기저기 널려 있다. 그녀는 이지도르가 좋아하는 책들 사이로 요리조리 걸어간다.

그는 위에 있을 것이다.

그녀는 중앙의 둥근 기둥 쪽으로 간다. 아래쪽 원뿔과 위쪽 원뿔 사이의 잘록한 부분에서 통로 구실을 하는 원주다. 이 기둥 속에는 DNA처럼 꼬인 나선형 계단이 설치되어 있다.

「이지도르? 위에 있어요?」

그녀는 계단을 오르기 시작한다. 이지도르가 예전에 설명해 준 바에 따르면, 이 계단은 그 어떤 자물쇠보다 효과적인 방범 수단이다. 이 계단을 대하면 어느 도둑이든 주눅이 들어 버릴 것이기 때문이다. 게다가 이 계단은 이지도르의 몸무게를 줄여 주는 부수적인 효과까지 가져다준다.

그녀는 지친 기색으로 마지막 단에 올라선다. 문 저쪽에서 에리크 사티의 음악이 들려온다. 이지도르는 전에도 이 음악을 듣고 있었다. 아마도 이것이 그가 가장 좋아하는 곡인 모양이다.

그녀는 문의 손잡이를 돌린다. 이 문은 저수탱크 한복판으로 내민 발코니로 통한다. 물로 둘러싸여 있는 이곳에서는 저수탱크에서 헤엄치고 있는 돌고래들을 구경하기가 십상 좋다. 아닌 게 아니라, 중심축 주위를 천천히 돌고 있는 돌고래 10여 마리가 이내 한눈에 들어온다.

이지도르는 어린아이야. 어릴 때 장난감 전기 기차를 가지고 놀다가 나중에 기관사가 되는 사람들이 있어. 이지도르는 어릴 때 어항에 금붕어를 키웠을 거야. 지금은 어항 대신 이걸 가지고 있지만, 그의 마음은 어릴 적의 마음 그대로일 거야.

돌고래들이 물을 박차고 솟구친다. 마치 저희 주인에게 손님이 왔음을 알리려는 듯하다.

하지만 돌고래들의 주인은 스스로 바닷가라 이름 붙인 구역, 즉 저수탱크의 바깥 가장자리에 서서 열심히 무슨 일인가를 하고 있다. 그는 폴로셔츠에 반바지를 입은 차림으로 거대한 칠판을 마주하고 있다. 이 칠판에는 거대한 나무 한 그루가 그려져 있고, 미래에 있을 수 있는 일에 대한 모든 가정들이 나뭇가지들에 잎사귀처럼 달려 있다. 그는 몇몇 잎사귀들을 지우고 다른 잎사귀들을 첨가한다.

미래의 나무로군. 인류가 나아갈 가능성이 있는 모든 길을 검토함으로써 〈최소 폭력의 길〉을 찾아내려는 거야.

그녀는 구름다리를 건너 그가 있는 곳으로 간다.

「자아, 이거요.」

그러면서 그녀는 『르 게퇴르 모데른』 최근 호를 내민다.

그는 하던 일을 멈추고 깊은 관심을 보이며 그 주간지를 바라본다.

빨간 글자로 크게 〈뇌의 신비〉라고 쓰여 있는 특집 제목 밑에 나타샤 아네르센이 수영복 차림으로 포즈를 취하고 있다.

책장을 조금 넘기자 〈수수께끼의 기관〉 뇌에 관한 사설이 나와 있다. 그다음 차례는 이러하다. 성행위 때에 나타나는 뇌 속의 화학 변화, 대뇌의 왼쪽 반구와 오른쪽 반구가 보여 주는 지각의 차이, 수면 중의 뇌 활동 단계, 마이클 J. 폭스와 무하마드 알리 등이 걸린 파킨슨병, 리타 헤이워스가 걸린 알츠하이머병 등에 관한 기사. 높은 보수와 감세 혜택의 유혹 때문에 프랑스의 두뇌들이 미국으로 빠져나가는 현상에 관한 기사. 니스의 영재 학교에 관한 장문의 기사. 양전자 방출 단층 촬영을 통해서 얻은 뇌 사진들. 그리고 끝으로 두 개의 테스트가 부록으로 첨가되어 있다. 하나는 간단한 논리 전개의 귀결을 찾아내는 문제들로 이루어진 지능 검사이고, 다른 하나는 어떤 그림을 한 번 보고 나서 그 그림 속에 나오는 물건들의 이름을 나열하게 하는 기억력 테스트다.

이지도르가 놀란 기색을 보이며 지적한다. 「우리는 이 주제들 중의 어떤 것에 대해서도 조사를 한 적이 없잖아요!」

「알아요. 하지만 테나르디에 부장이 그걸 원했어요. 독자들이 읽고 싶어 하는 것도 그런 거고요. 그래서 미국 신문이나 잡지에 이미 실렸던 기사들을 번역하기도 하고 베끼기도 하고 조금 고치기도 했어요. 인터넷에서 찾아낸 몇 가지 정보도 덧붙였고요.」

「우리가 조사한 것에 대해서는 전혀 이야기하지 않았네요? 그런데 어떻게 나타샤 사진은 표지에 실었지요?」

그녀가 한쪽 눈을 찡긋해 보이며 대꾸한다. 「나 이제 진짜 프로가 되어 가나 봐요. 테나르디에 부장은 우리 모험에 대해서 아무것도 눈치채지 못했어요. 그런 게 있었다는 것조차 모르고 있어요.」

이지도르는 그녀를 바라보면서 잠시 생각에 잠긴다.

나는 이 여자의 어떤 점에 마음이 끌리고 있는 것일까? 진지하게 말할 때도 장난기가 가득한 저 눈 때문일까?

「이번 호가 아주 잘 나가나 봐요. 이번 주 주간지 판매 순위에서 선두에 올랐어요. 덕분에 출장 경비가 아주 많이 나왔는데도 그냥 넘어갈 수 있었지요.」

이지도르는 첫 번째 기사를 검토한다. 나타샤 아네르센의 반라 사진들이 〈욕망의 연금술〉, 〈우리 호르몬이 우리 행동을 지배한다〉와 같은 소제목들과 어우러져 있다. 어떤 사진 아래에는 이런 설명이 붙어 있다. 〈세상에서 가장 아름다운 여자. 그녀는 세상에서 가장 머리 좋은 남자와 함께 살았다.〉 하지만 사뮈엘 핀처라는 이름은 어디에도 나와 있지 않다.

이지도르가 약간 실망한 듯한 표정을 지으며 말한다. 「사람들로 하여금 뇌 속의 화학 작용에 관심을 갖게 하는 방법으로는 톱 모델들을 등장시키는 것이 가장 좋은 방법일지도 모르죠.」

그는 벌써 다음 호의 특집으로 무엇이 나올지를 상상하고 있다.

〈나타샤 아네르센이 독자 여러분을 신경 의학의 세계로 안내하였습니다. 다음 주에는 미스 프랑스가 유방암에 관한 모든 것을 소개할 것입니다.〉

이지도르가 기억력 테스트에 전혀 관심을 보이지 않는다는 것을 눈치채고, 뤼크레스가 달래듯이 말한다. 「기사들이 별로 마음에 안 드나 보죠? 하지만 만일 우리가 사실을 있는 그대로 말했다면, 우리 르포는 실리지도 못했을 거예요. 쾌락이 우리 행위를 이끈다는 식으로 얘기하면 사람들은 금방 우리를 백안시할 거예요. 쾌락이란 추잡한 것일 수밖에 없다는 게 사람들의 생각이니까요. 〈아버지들의 아버지〉에 관한 우리의 조사를 생각해 보세요. 어디 우리의 조사 결과에 귀를 기울이려는 사람이 있던가요? 진실이란 사람들을 성가시게 하는 법이죠.」

이지도르는 인류의 있을 법한 미래를 도식화한 나무 그림을 바라보면서 대답한다. 「아마 당신 말이 맞을 거예요. 사람들은 기존의 관념이나 질서가 흔들리는 것을 좋아하지 않아요. 참되지만 이상해 보이는 것보다는 거짓되지만 그럴싸해 보이는 것을 더 좋아하지요.」

뤼크레스는 손 닿는 곳에 놓여 있던 아몬드 우유를 한 잔 따라 마신다. 돌고래들이 저희와 함께 놀자고 사람들에게 권하기라도 하듯 물 밖으로 솟아오른다. 하지만 두 기자는 돌고래들의 몸짓에 별로 주의를 기울이지 않고 있다.

뤼크레스가 말을 잇는다. 「사람들은 예외적인 것이나 자기들의 삶에 이의를 제기하는 것을 원하지 않아요. 그들이 정보 제공자들에게 요구하는 것은 이해하기 쉬운 정보, 자기들이 이미 알고 있는 것과 비슷한 정보예요. 그들이 원하는 건 자기들을 안심시켜 주는 것이죠. 우리는 어쩌면 그것을 또 하나의 동기로 추가해야 할지도 몰라요. 내일이 또 다른 어제가 되지 않을까 봐 전전긍긍하며 사는 사람들이 많거든요.」

「그건 하나의 동기라기보다 인생의 핸드 브레이크 같은

것이죠. 그들은 속도가 두려워서 핸드 브레이크를 건 채 차를 모는 운전자와 같습니다. 그런 삶에 즐거움이 있을 리 없죠. 그저 두려움이 있을 뿐이에요.」

뤼크레스가 고개를 끄덕인다. 이지도르의 말이 이어진다.

「사람이 어머니 배 속에 있을 때는 뉴런들의 거대한 접속망을 지니고 있다고 해요. 그런데, 시간이 지남에 따라 그 접속들 중의 상당수가 사라져 버리죠. 더 이상 사용되지 않기 때문입니다.」

「기능이 기관을 만들고, 기능이 없으면 기관이 약해진다는 얘긴가요?」

「우리가 만약 태아 시절의 그 모든 접속을 활동적으로 유지할 수 있다면 어떻게 될지 상상해 보세요. 우리 뇌의 능력은 열 배나 커질 거예요…….」

「그건 그렇고, 장루이 마르탱은 어떻게 되었어요? 그 사람을 처리하기 위한 좋은 방법이 있다고 했는데, 그게 뭐였죠?」

「그의 아내 이자벨에게 연락을 취해서, 그간의 자초지종을 설명했어요. 그녀가 남편을 다시 데려가겠다고 해서, 그 뜻에 따랐지요. 다만 한 가지를 꼭 지켜 달라고 단단히 부탁했어요. 마르탱으로 하여금 컴퓨터를 계속 사용하게 해도 좋지만, 인터넷에 접속하는 것은 금해 달라고 말이에요. 어쨌거나 마르탱은 많이 진정되었어요. 그가 집으로 돌아간 뒤에 함께 이야기를 나눈 적이 있어요. 알고 보니 아주 매력적인 사람이더군요. 뇌 연구의 역사와 상벌 개념에 관한 에세이를 쓰고 싶다고 했어요.」

「하지만 그는 우리를 죽이려고 했어요!」

뤼크레스가 그렇듯 열을 올리는데, 이지도르의 대꾸는 심드렁하다.

「대국이 끝나면 서로 손을 잡는 겁니다. 체스 기사들처럼 말이에요.」

「그는 살인자예요!」

「아니에요. 그는 핀처를 죽이지 않았어요. 그의 잘못이 있다면, 공교롭게도 또 다른 사람과 동시에 핀처에게 상을 주고 싶어 했다는 것이지요. 두 사람의 호의가 겹쳐짐으로써 그것을 받는 사람의 뇌에서 퓨즈가 나간 거예요. 게다가 설령 그에게 죄가 있다 한들, 그를 어떻게 벌할 수 있겠어요? 감옥에 보낼 건가요? 흥분하지 말고 사리에 맞게 생각합시다. 마르탱은 나쁜 사람이 아니에요. 우리 모두가 그렇듯이, 새로운 해결책을 찾던 사람이지요. 그는 자기 나름대로 사람들을 구원하고 싶어 했어요. 사람들에게 동기를 부여하려고 했던 거지요. 다만 자기 행동의 결과를 예상하지 못한 게 문제였지요.」

이지도르는 돌고래들 쪽으로 돌아서더니, 양동이에서 청어 몇 마리를 꺼내 아주 높이 던진다. 돌고래들은 기다렸다는 듯이 펄쩍 뛰어올라 그것들을 허공에서 받아먹는다.

「마르탱은 다시 식구들 곁에서 살게 된 것에 만족하고 있는 듯해요. 그는 한동안 자기를 버렸던 가족과 친지를 용서했어요.」

뤼크레스는 덱체어에 앉아 아몬드 우유를 홀짝홀짝 마신다.

「오디세우스가 자기 아내 페넬로페를 다시 만난 셈이군요. 멋진 사랑 이야기네요. 그런데 생트마르그리트 병원은 어떻게 됐어요?」

「다시 보통의 병원으로 돌아갔어요. 새 경영진이 병원을 〈정상화〉했지요. 벽에는 흰색 페인트를 칠했고, 환자들은 텔레비전을 보거나 체스를 두면서 하루하루를 보내고 있어요. 담배를 피우거나 진정제를 복용하는 사람들도 있고요.」

「그럼 〈크레이지 시큐리티〉 방범 장치는 어떻게 되었죠? 그것 덕분에 돈을 많이 벌었다던데. 바보가 아닌 다음에야 시장에서 최고의 평가를 받는 상표를 포기할 수는 없잖아요?」

「주된 경쟁 회사에서 그 로고와 상표를 사들였대요. 그럼으로써 그 회사는 잃었던 고객을 되찾게 될 겁니다. 하지만 이제부터는 보통의 공장에서 보통의 노동자들이 제품을 생산하게 될 겁니다. 그 노동자들에게 동기를 부여하는 것은 봉급이지요.」

「고객들은 결국 제품의 질이 예전 같지 않다는 것을 알아차리게 되겠군요.」

「그러기까지는 시간이 좀 걸리겠죠…….」

「〈크레이지 섹스〉 포르노 영화는 어떻게 됐어요?」

「그것도 비슷해요. 다른 회사에서 상표를 사들였어요. 이제부터는 단지 출연료를 벌기 위해 활동하는 배우들이 영화에 출연할 거예요.」

뤼크레스는 칠판 쪽으로 몸을 돌려 미래의 나무를 바라본다. 이지도르가 최후 비밀의 발견 때문에 생겨날 수 있는 미래의 일들을 적어 놓았다가 지운 흔적이 보인다.

「자아 그럼 〈우리는 무엇에 이끌려 행동하는가?〉라는 물음에 대해서 우리가 얻은 답을 한번 정리해 볼까요?

1. 고통을 멎게 하는 것.

2. 두려움에서 벗어나는 것.

3. 생존을 위한 원초적인 욕구를 충족시키는 것.

4. 안락함을 위한 부차적인 욕구를 충족시키는 것.

5. 의무감.

6. 분노.

7. 성애.

8. 습관성 물질.

9. 개인적인 열정.

10. 종교.

11. 모험.

12. 최후 비밀에 대한 약속.」

이지도르가 그렇게 나열하고 있는데, 뤼크레스가 발언권을 얻으려는 사람처럼 한 손을 들어 올린다.

「말을 끊어서 미안하지만, 최후 비밀의 실제적인 경험을 빠뜨렸어요. 그게 다른 어느 동기보다 강력한 것 같아요.」

「그래요, 그럼 13번을 최후 비밀의 실제적인 경험으로 하지요.」

뤼크레스가 원통 모양의 받침대 위에 놓인 표본 병을 턱으로 가리킨다. 핀처의 뇌가 들어 있는 표본 병이다.

「우리의 이 모든 조사가 결국은 저 뇌를 이해하기 위한 것이었군요…….」

이지도르가 사탕 하나를 입에 넣으면서 대답한다.

「그것만으로도 대단한 거죠. 게다가 우리는 우리가 진정 어떤 존재인가에 대해서도 깨달은 바가 있어요.」

「뭘 깨달았다는 거죠?」

「인간을 인간답게 만드는 것, 그것은 기계가 제아무리 정교하고 복잡하다 해도 도저히 흉내 낼 수 없는 어떤 것, 무어라 이름 붙이기조차 어려운 어떤 작은 것이에요. 핀처는 그것을 동기라고 불렀지요. 내가 보기에 그것은 유머와 꿈과 광기 사이에 있는 어떤 것이에요.」

그러고 나서 이지도르는 뤼크레스에게 다가가 그녀의 어깨를 주무른다. 그녀는 소스라치게 놀라면서 몸을 빼낸다.

「갑자기 왜 그래요, 이지도르?」

「싫어요?」

「싫은 건 아니지만…….」

「그럼 내가 하는 대로 가만히 있어요.」

그는 조금 더 부드럽게 어깨를 주무른다.

뤼크레스가 손목시계를 보면서 소리친다.

「이런, 벌써 시간이 이렇게 됐나. 이러다가 우리 늦겠어요. 자아, 빨리 준비해요. 지금 나가야 돼요.」

147

귀에 익은 멘델스존의 음악이 울려 퍼진다. 길게 늘어선 하객들이 시청에서 나오는 신혼부부에게 쌀을 뿌린다.

뤼크레스와 이지도르는 은근한 눈길로 서로를 바라본다. 비행기를 놓치지 않아서 천만다행이다. 초를 다투어 가며 허겁지겁 서(西)오를리 공항으로 뛰어 들어간 보람이 있었다. 한 시간 간격으로 있는 칸행 여객기를 놓쳤다면, 제시간에 맞추어 결혼식에 참석할 수 없었을 것이다.

그들의 손이 아래로 내려가 서로 스치다가…… 쌀을 한 줌 쥐어 신혼부부에게 뿌린다.

「신부가 참 아름답지요?」

미샤가 감동에 젖은 목소리로 속삭이자, 이지도르가 맞장구를 친다.

「정말 아름답군요.」

하얀 웨딩드레스를 입은 나타샤 아네르센이 제롬 베르주락의 팔짱을 끼고 천천히 나아가고 있다. 그녀의 드레스는 앞에서 보면 미끈한 다리가 잘 드러나 보이도록 특별하게 디자인된 것이다. 뒤에서는 아이들이 길게 늘어진 드레스 자락을 든 채 그녀를 따라가고 있다. 신랑은 대단히 만족스럽다는 뜻으로 콧수염을 문지른다.

「두 사람 다 세 번째로 결혼식을 올리는 겁니다. 결혼이란 대개는 좋은 일이죠.」

미샤가 그렇게 알쏭달쏭한 소리를 한다.

나타샤의 어머니는 어깨에 붕대를 감고 있어 팔을 놀리기가 불편할 텐데도, 신혼부부가 자기 앞으로 지나가자 열렬한 박수를 보낸다.

몇 분 후, 하객들을 피로연 장소인 시엘로 데려가기 위해 리무진들이 움직이기 시작한다.

사뮈엘 핀처 홀이라는 새 이름을 얻은 대형 홀에 하객들이 들어차고 있다. 뤼크레스와 이지도르는 작은 식탁을 골라 마주 앉는다. 그녀는 자리에 앉자마자, 샴페인 잔에 〈오랑지나 라이트〉를 따라 단숨에 마신다.

이 결혼식에 참석하기 위해, 그녀는 자기에게 여러 벌이 있는 중국식 웃옷 가운데 하나를 골라 입었다. 스탠드칼라에 민소매이며 비단으로 지은 옷이다. 그녀는 이런 종류의 중국식 웃옷을 무척 좋아한다. 이번 것은 흰색과 청색이 어우러지고 나비 무늬가 들어가 있으며 촘촘하게 붙은 작은 단추들로 섶을 여미게 되어 있다.

그녀는 여느 때와 달리 화장에도 약간 신경을 썼다. 아이새도로 커다란 에메랄드빛 눈을 더욱 두드러져 보이게 했고, 속눈썹에는 마스카라를 조금 칠했다. 또 입술에는 투명한 립글로스를 발랐고, 장신구로는 비취 구슬 목걸이를 골랐다.

「나는 남자들이 나타샤의 어떤 점을 마음에 들어 하는지 모르겠어요. 내가 보기에 저 여자는 그저 밋밋하기만 할 뿐 특별한 매력이 없어요. 게다가 다리가 너무 빼빼 말랐어요. 내 눈에는 약간 거식증에 걸린 여자처럼 보여요. 나는 저런 여자를 미인으로 아는 세태를 이해할 수가 없어요.」

이지도르는 자기 파트너의 질투심을 대하고 속으로 웃음을 짓는다.

키가 작은 초록색 눈의 적갈색 머리 여자와 키가 큰 파란 눈의 금발 여자 사이에는 오랜 세월 동안 이어져 온 경쟁의식이 있지.

오케스트라의 악사들이 이글스의 「호텔 캘리포니아」를 연주하기 시작한다.

「당신이 더 아름다워요, 뤼크레스. 자아, 이리 와요. 우리 춤춰요. 다른 춤은 못 추지만 블루스는 출 줄 알아요.」

두 기자는 음악에 몸을 싣는다. 뤼크레스의 하얗고 파란 비단 웃옷과 이지도르의 빌려 입은 턱시도가 서로 바짝 달라붙는다.

「아, 7죄종이 무엇인지 생각났어요. 탐식, 사치, 분노, 나태, 인색함, 교만, 그리고…… 시샘이에요.」

이지도르의 그 말에 그녀는 신혼부부에게 눈길을 붙박고

있다가 건성으로 대답한다.

「그래요? 기억이 돌아왔나 보군요.」

「이 결혼에 뭐 마음에 안 드는 게 있어요?」

「나는 저 두 사람이 안 어울린다고 생각해요.」

그들 주위에서 여러 쌍의 남녀들이 서로 바짝 붙어 선 채 음악에 맞추어 몸을 비틀고 있다.

「아참, 그 얘기 좀 해봐요. 키클롭스의 수수께끼를 어떻게 풀었어요?」

「나에겐 강한 동기가 있었어요.」

「최후 비밀의 황홀경을 경험하고 싶었나 보죠?」

「아뇨. 당신을 구하고 싶었어요.」

「나를 구하고 싶었다고요?」

「당신은 사고뭉치에다 언제나 자기가 옳다고 생각하는 고집쟁이죠. 하지만 난 당신에게 아주 강한 애착을 느끼고 있어요, 뤼크레스.」

그러면서 그는 살며시 몸을 숙여 그녀의 민소매 웃옷 밖으로 드러난 어깨에 입을 맞춘다.

「저기…… 당신 지금…….」

그는 그녀의 말문을 막으려고, 이번엔 어깨가 아니라 입술에 입을 맞춘다.

「지금 뭐하는 거예요?」

이지도르는 그녀의 웃옷 속으로 손을 넣어 가볍게 스치듯이 등을 어루만진다. 그녀는 처음엔 반사적으로 뒤로 물러섰다가, 마치 그의 대담함에 주눅이 들기라도 한 것처럼 그의 손길에 몸을 내맡긴다. 이지도르의 손이 허리 쪽으로 내려간다…….

「최후 비밀에 도달하는 것보다 더욱 강한 동기가 있어요. 그게 무엇인 줄 알아요?」

그의 다른 한 손이 그녀를 어루만지는 데에 가세한다. 뤼크레스는 자기 몸에 닿는 그의 손길이 대단히 유쾌한 느낌을 준다는 사실에 적잖이 놀란다.

「그건 당신에 대한 나의 애정이에요. 나에게는 최후 비밀에 도달하는 것보다 당신을 구하는 게 더 중요했어요.」

그는 더 오랫동안 그녀에게 입을 맞춘다. 그들의 입술이 부드럽게 맞닿는다. 그녀는 상대의 의중을 떠보기 위해 입을 조금 벌려 본다. 상대의 의도는 명백하다. 그의 혀가 그녀의 입술과 이의 장벽을 통과하더니 그녀의 혀와 만나려고 과감하게 밀고 들어온다. 혀와 혀가 맞닿으면서 짜릿한 느낌이 인다. 혀 안쪽의 좀 더 부피가 큰 유두들은 말랑말랑하면서도 약간 오돌토돌한 느낌을 준다. 그들은 50만 개의 맛봉오리가 퍼져 있는 혀의 표면을 서로 맞대면서 서로의 맛을 본다.

이 남자의 혀는 달다.

이 여자의 혀는 짜다.

이지도르의 몸속에서 남성 호르몬이 분비되고 있다. 마치 갈라진 둑에서 새어 나온 물이 강물 속으로 흘러들 듯, 테스토스테론과 안드로스테론이 분출하여 핏속에 섞여 들고 있는 것이다.

뤼크레스의 몸속에서도 에스트라디올과 황체 호르몬 같은 여성 호르몬이 분비된다. 하지만 이 호르몬들의 분비는 한결 은근하고 잔잔하다.

그들의 입맞춤이 계속되고 있다. 처음의 호르몬 칵테일에

룰리베린이라 불리는 호르몬이 더해진다. 이것은 남녀가 만나 첫눈에 반할 때에 분비된다는 비교적 희귀한 호르몬이다. 그들의 체취에 아주 미세한 변화가 생긴다. 뤼크레스의 몸에서 나던 이세이 미야케의 〈물〉이라는 향수 냄새가 용연향이 더 강한 다른 냄새에 묻혀 버린다. 이지도르는 사향내가 나는 페로몬을 발한다. 이제 그들 두 사람은 후각을 통해 하나로 결합된다.

그가 그녀를 꼭 껴안는다. 하지만 마치 너무나 소중한 도자기가 깨질까 저어하는 사람처럼 팔에 힘을 주는 것이 아주 조심스럽다. 그녀는 하고 싶은 대로 하게 가만히 몸을 내맡기고 있다. 그녀가 이렇게 직수굿하게 구는 것은 처음 있는 일이다.

「한 가지 결심한 게 있어요. 텔레비전 뉴스도 안 보고 라디오도 안 듣고 신문도 안 보고 하루를 보내 볼 생각이에요. 세상이 어떻게 돌아가든 전혀 관심을 갖지 않고 하루를 보내겠다는 거예요. 그 24시간 동안 사람들이 서로 싸우다가 죽을 수도 있고, 어디에선가 정의롭지 못한 일을 획책할 수도 있고, 야만적인 행위가 벌어질 수도 있겠지만, 그러거나 말거나 오불관언(吾不關焉)으로 지내볼 거예요.」

「잘 생각했어요. 그렇게 하루를 보내고 나면, 하루가 이틀이 되고 이틀이 일주일이 될 수 있을 거예요. 나도 한 가지 결심한 게 있어요. 내일까지 아무런 죄책감 없이 편안하게 담배를 피우고, 그다음에는 완전히 끊겠어요.」

갑자기 음악이 중단되고 미샤가 소리친다.

「여러분, 방금 나쁜 소식이 하나 들어왔습니다. 조금 전에 디프 블루 V가 레오니트 카민스키와 싸워서 이겼답니다. 체스 세계 챔피언 타이틀이 다시 컴퓨터에게 돌아간 거죠.」

객석에서 우 하는 소리가 터져 나오고 어떤 사람들은 야유의 뜻으로 휘파람을 불어 댄다.

이지도르는 일부 청중이 기계에 대한 앙갚음으로 자기들의 포켓용 컴퓨터나 팩스 따위를 부셔 버리지나 않을까 하고 잠시 걱정한다.

미샤는 청중을 진정시키려고 손을 들어 올린다.

「여러분께 한 가지 제안할 것이 있습니다. 우리로 하여금 한때나마 그런 수모에서 벗어나게 해준 사뮈엘 핀처를 추모하는 뜻으로 다 같이 1분 동안 묵념을 올리기로 합시다. 카민스키의 패배를 계기로 우리 모두가 자신의 능력을 발전시키기 위해 더욱 노력할 수 있게 되기를 바랍니다. 그래야 장차 다른 분야에서까지 컴퓨터에서 밀리는 불상사를 막을 수 있을 테니까요…….」

모두가 묵념을 올린다. 뤼크레스가 이지도르의 귀에 대고 속삭인다.

「디프 블루 V가 이겼대요……. 우리가 역사에 길이 남을 바보 같은 짓을 저지른 게 아닌가 싶어요.」

「아니에요. 최후 비밀을 이용하는 것은 운동선수들이 약물을 사용히는 거나 다름없어요. 속임수를 쓰지 않고 이겨야 해요. 그렇지 않으면 이겨도 아무 의미가 없어요.」

묵념이 끝나자, 미샤는 음악을 다시 연주하라고 신호를 보낸다. 「호텔 캘리포니아」의 마지막 부분이 다시 울려 퍼진다.

이지도르와 뤼크레스는 두 대의 전기 기타가 리프를 연주하는 동안, 다시 입을 맞춘다.

「나는 당신을…….」

「네? 뭐라고요?」

이 남자도 나와 같은 생각을 하고 있는 걸까?

이 여자도 나와 같은 생각을 하고 있는 걸까?

「아니에요. 아무것도.」

이 남자가 무슨 말인가를 하려고 했다.

그녀는 그에게 바싹 달라붙는다.

뤼크레스와 함께 있으면 힘이 난다. 뤼크레스는 여느 여자들과 달리 내 마음을 편안하게 해준다. 나는 늘 경계심을 가지고 대했지만 이제는 사정이 다르다.

그는 그녀를 더욱 세게 껴안는다.

이지도르와 함께 있으면 힘이 난다. 이지도르는 여느 남자들과 달리 내 마음을 편안하게 해준다. 나는 늘 경계심을 가지고 남자들을 대했지만 이제는 사정이 다르다.

그녀는 이지도르를 홀 밖으로 데리고 나가기로 마음먹는다.

「뤼크레스, 날 어디로 데려가는 거죠?」

그녀는 늘 가지고 다니는 곁쇠로 시엘의 박물관 문을 연다. 그들은 예전에 본 거대한 세포 모형이며 아담과 이브, 노아, 잠옷, 포크 전시대, 위대한 철학자들의 초상 앞을 차례로 지나간다.

뤼크레스가 이지도르를 데려간 곳은 그들이 가본 적이 없는 구역이다. 하지만 그녀는 처음 박물관을 둘러보던 날, 그곳에 캐노피 달린 침대 하나가 있음을 보아 둔 바 있었다. 침대 위쪽에 붙은 팻말에는 〈모차르트가 공연을 앞두고 비밀 침실에서 여자 가수들과 성관계를 가질 때 사용했던 침대〉

라는 설명이 적혀 있다.

그녀는 다시 키스를 하자는 뜻으로 깨금발을 하여 몸을 들어 올린다. 하지만 그는 그녀의 요구에 화답하지 않는다.

「미리 밝혀 둘 게 있는데요.」

「뭐죠?」

「나는 어떤 여자를 처음 사귄 날에는 잠자리를 같이 하지 않아요.」

「우리는 3년 전부터 알고 지냈잖아요!」

「내가 당신을 껴안고 키스를 한 건 오늘이 처음이에요. 오늘은 이것으로 충분해요. 난 더 이상 나아갈 수가 없어요.」

그가 고개를 떨어뜨리며 뒤로 물러선다.

「미안해요. 이건 내 나름대로 정한 원칙이에요. 나는 언제나 이 원칙을 충실히 지켰고, 이번에도 어기지 않을 생각이에요. 너무 조급하게 굴고 싶지 않아서 그래요.」

그러더니 그는 가볍게 인사를 하고 자리를 뜬다. 그녀는 텅 빈 박물관에 홀로 남았다. 아무리 이해하려고 애를 써도 자꾸 분한 생각이 든다. 그녀는 이제껏 단 한 번도 그런 식으로 퇴짜를 맞아 본 적이 없었다. 〈미안해, 이제 너랑 있는 게 재미가 없어〉라는 식의 말을 거침없이 내뱉으면서 먼저 떠난 건 언세나 그녀 쪽이있다.

그렇게 자존심을 다쳤는데도, 한편으로는 이지도르의 낭만적인 태도에 호감이 가기도 한다.

그녀는 거대한 세포 모형을 바라보며, 깊은 생각에 잠긴다.

148

지금으로부터 150억 년 전, 우주가 생겨났다.

50억 년 전, 지구가 생겨났다.

30억 년 전, 지구에 생명이 출현했다.

5억 년 전, 최초의 신경계가 나타났다.

3백만 년 전, 인류가 출현했다.

2백만 년 전, 인간의 뇌가 도구를 고안하여 노동 생산성을 증가시켰다.

13만 년 전, 인간이 실제로 일어난 사건이 아니라 눈을 감고 머릿속에서 상상한 사건을 벽에 그리기 시작했다.

50년 전, 인간의 뇌가 최초의 인공 지능 프로그램을 개발했다.

5년 전, 컴퓨터가 저 혼자서 논리적 사고를 하기에 이르렀다. 기고만장한 컴퓨터들은 인간이 지구에서 사라질 경우에 저희가 인간의 후계자가 되리라는 생각도 서슴지 않고 있다.

일주일 전, 뤼크레스 넴로드와 이지도르 카첸버그가 컴퓨터의 도움을 받는 한 인간이 뇌의 특정 부위를 자극하는 기술을 세상에 퍼뜨리려 하는 것을 저지하였다. 만약 그 기술이 세상에 퍼진다면, 인류는 쾌락에 빠진 채 소멸해 갈지도 모른다.

5분 전, 한 남자가 그녀의 청을 마다함으로써 그녀를 욕구 불만 상태에 빠뜨렸다.

생각이 거기에 미치자 그녀의 마음에 다시 그늘이 진다.

자기가 되게 잘났는지 아나 봐!

그러다가 그녀는 그를 이해하는 쪽으로 마음을 돌린다.

그는 너무 섬세하고 민감하고 마음이 여린 사람이라서

그래…….

그녀는 쾌락을 예찬하기 위한 갖가지 전시물 사이로 걸어 간다.

사실 그는 내가 만난 모든 남자 가운데 손이 가장 아름다 운 남자야.

그녀는 스스로를 달래기 위해 바에 가서 샴페인을 한 잔 따라 단숨에 쭉 들이킨다.

잘 때 코를 고는 버릇이 있긴 해도……. 그는 명석한 사람 이야. 교양이 풍부하고 생각이 자유롭지. 아무것에도 얽매 이고 싶지 않아서 기자 일까지 그만두었지.

그녀는 눈을 감는다.

그리고 그의 입맞춤은…….

그녀는 박물관으로 돌아와서 모차르트의 침대에 눕는다. 그런 다음 커튼을 내리고 잠이 든다.

그녀는 꿈속에서 이지도르를 만난다.

149

손 하나가 그녀의 얼굴을 어루만진다.

내가 꿈을 꾸고 있는 걸까?

그녀가 눈을 뜬다. 이지도르다. 꿈속의 이지도르가 아니 라 진짜 이지도르다.

「자정이 넘었어요. 이제 첫째 날이 지나고 둘째 날을 맞은 셈이죠.」

그러면서 그가 싱그레 웃는다.

그녀도 에메랄드빛 눈으로 그를 빤히 올려다보다가 살며 시 미소를 짓는다.

그는 군말 없이 다짜고짜 그녀의 턱을 잡고 입을 맞춘다. 그러고는 떨리는 손가락으로 중국식 웃옷의 단추를 끄르고……. 그녀를 가만히 바라본다.

그녀를 바라보는 눈. 그 눈 뒤에는 시각 신경, 후두엽의 시각 영역, 대뇌 피질이 있다. 무수한 뉴런들이 활성화한다. 이 뉴런들은 미세한 전기 충격에 차례차례 반응하면서 각각의 축삭 말단으로 신경 전달 물질을 내보낸다. 이 과정에서 신속하고 강력한 사고 작용이 이루어진다. 생각들이 뇌 속에서 질주한다. 마치 미로처럼 복잡한 거대한 곳간에서 생쥐 수백 마리가 미친 듯이 돌아다니는 것과 같다.

몇 분 만에 그들은 완전히 벌거숭이가 되어 땀에 젖은 몸을 서로 맞댄다.

그의 뇌 속에서, 극도로 흥분한 뇌하수체가 차고 넘칠 만큼 많은 테스토스테론을 내보낸다. 이 호르몬의 자극을 받은 심장은 몸의 요소요소에 더 빠르게 피를 보낸다.

그녀의 뇌 속에서, 시상 하부가 차고 넘치도록 많은 황체 호르몬을 방출한다. 이 호르몬은 젖분비 호르몬의 분출을 유도하고, 이 젖분비 호르몬은 그녀의 배와 젖꼭지에 콕콕 찌르는 듯한 느낌이 들게 한다. 그래서 그녀는 울고 싶다.

그는 홀린 듯이 뤼크레스를 바라보며, 그녀의 이미지 하나하나를 머릿속에 꼭꼭 담아 두려고 한다. 마치, 무비 카메라의 크랭크를 빠르게 돌려 초당 25컷을 넘어 1백 컷, 2백 컷의 이미지를 얻은 다음, 나중에 이 순간을 기억하고 싶을 때 슬로 모션과 화면 정지 기능을 이용하여 되새겨 보려는 사람 같다.

룰리베린과 황체 호르몬과 테스토스테론이 혈관 속에 흘

러들어 한데 뒤섞인다. 이 호르몬들은 연어가 힘차게 강물을 거슬러 오르듯이, 동맥과 정맥과 소정맥을 거쳐 다시 심장으로 들어간다.

심장 박동이 더욱 빨라지고, 숨이 가빠진다. 흥분이 자꾸자꾸 고조된다.

그들의 몸이 춤을 춘다. 멀리서 보면, 그들은 머리가 둘에 팔과 다리가 각각 네 개씩 달린 괴상한 짐승처럼 보일 것이다. 어쩌면 문어처럼 생긴 분홍빛 동물이 자꾸 움찔움찔 움직이는 것처럼 보일지도 모른다.

그러나 가까이에서 보면, 그들의 행위는 살갗과 살갗의 뜨거운 만남이다. 그들의 성기가 하나로 결합되어 있고, 서로의 거웃이 마찰의 강도를 완화시켜 주고 있다. 그렇게 끼워 맞춰진 성기는 그들을 샴쌍둥이로 변화시키는 중심축이다. 피부밑의 근육들이 더 힘을 내기 위해 당분과 산소를 요구한다. 그들의 뇌 속에서는 시상이 세포들의 활동을 통괄하려고 애쓴다.

시상 하부가 이 모든 과정을 감독하고 있다.

마침내 그들의 대뇌 피질에 생각이 형성된다.

나는 이 여자를 사랑한다 하고 그는 생각한다.

이 남자는 나를 사랑한다 하고 그녀는 생각한다.

그러다가 그들은 더 이상 아무 생각도 하지 않는다.

잠시 완전한 정전 상태가 찾아온다.

그는 자기가 곧 죽을 거라고 생각한다. 심장이 멎는 듯하다……. 에로스와 타나토스라는 두 에너지, 올림포스의 그 두 신이 한 덩어리의 기(氣)로 뒤엉켜 그의 몽롱한 의식을 지배한다. 다시 심장이 멎는 듯하다. 그는 눈을 감는다. 빨간 커튼이 내려진 느낌이다. 이어서 밤색 커튼, 검은색 커튼, 흰색 커튼이 내려진다.

하나로 결합된 성기들이 하나의 전지로 변하더니 8헤르츠의 〈인간 전기〉를 방출한다. 그러자 심장이 8헤르츠로 진동하기 시작한다. 뇌도 마침내 8헤르츠의 파동에 스스로를 맞춘다. 이로써 뇌와 심장과 성기가 하나로 연결된다.

그들의 송과체가 활기를 띠면서 엔도르핀과 코르티손과 멜라토닌을 방출하고, 이어서 천연의 DMT를 내보낸다. 그러자 이번에는 핀처 박사와 마르탱이 최후 비밀이라고 이름 붙인 미세한 부위에 자극이 전해지고 쾌감이 한결 고조된다.

그들은 고대 그리스인들의 말대로 사랑에 세 가지 종류가 있음을 깨닫는다.

첫째는 에로스, 곧 육체적 사랑이다. 이는 성기와 관계가 있다.

둘째는 아가페, 곧 감정적 사랑이다. 이는 심장과 관계가 있다.

셋째는 필리아, 곧 정신적 사랑이다. 이는 뇌와 관계가 있다.

이 세 가지가 하나로 결합되면, 8헤르츠의 파동으로 천천히 폭발하는 일종의 니트로글리세린이 된다.

모든 전설에서 말하는 위대한 사랑, 숱한 예술가들이 설명을 시도했던 위대한 사랑은 바로 이 성기와 심장과 뇌가 하나로 결합된 사랑이다. 힌두교와 탄트라 불교의 용어를 빌려서 말하자면, 차크라 2와 차크라 4와 차크라 6이 혼연일체가 되는 경지인 것이다.

이 세 기관에서 발생된 8헤르츠의 파동은 두 사람의 뇌를 빠져나가 주위로 퍼져 나간다. 이것은 물질을 통과하는 사랑의 파동이다. 그들은 이제 단지 한 몸이 된 연인 한 쌍이 아니라 8헤르츠의 우주적 에너지를 발하는 작은 발신기다.

그들의 뇌 속에서 의식에 약간의 변화가 생긴다.

나는 더 이상 존재하지 않는다.

이지도르는 한순간 세계의 몇 가지 비밀을 언뜻 깨닫는다.

나는 누구일까? 이토록 엄청난 것을 경험할 자격이 있는 사람일까?

뤼크레스 역시 세계의 다른 비밀들을 언뜻 깨닫는다.

내가 지금 헛것을 보고 있는 걸까?

그녀는 우주에 가늘고 긴 실들이 퍼져 있음을 감지한다.

하프 같다.

도처에 실들이 퍼져 있다. 이 실들이 한 지점에서 다른 지점으로 이어지면서 하나의 거대한 직물을 이룬다.

우주의 현(弦)이다. 우주 공간에도 하프의 현처럼 진동하는 줄이 있다. 별들에서 나오는 이 현은 8헤르츠의 파동으로 떨린다.

현과 실과 매듭으로 짜인 우주는 하나의 현, 하나의 거미줄이다. 또한 우주는 하나의 그림이고, 생각이 지어낸 이미지다.

누군가가 우주를 꿈꾸면, 우리는 그것이 실제로 존재한다고 믿는다. 시간 역시 이 꿈에 속한다. 시간은 한낱 환상일 뿐이다. 만일 우리가 시간이 연속적이지 않다고 믿을 수 있다면, 우리는 모든 존재와 사건을 더 이상 처음과 중간과 끝이 있는 것으로 지각하지 않을 것이다. 나는 태아인 동시에 젊은 여자이고, 젊은 여자인 동시에 노파이다. 더 넓게 보면, 나는 내 아버지의 음낭 속에 들어 있는 정자들 가운데 하나인 동시에, 〈뤼크레스 넴로드〉의 무덤 속에 묻혀 있는 주검이다. 한층 더 넓게 보면, 나는 내 어머니의 마음속에 있는 하나의 욕망인 동시에 나를 사랑했던 사람들의 마음속에 있는 하나의 추억이다.

그녀는 자기 마음이 아주 평온해지고 있음을 느낀다.

나는 〈나〉를 훨씬 넘어서 있는 존재다.

그들은 아무 두려움 없이 계속 올라간다. 층계참과도 같은 어느 지점에 도달하자, 그들의 심장 박동이 멎는다.

〈이게 무슨 일이지?〉 하고 그는 생각한다.

〈이게 무슨 일이지?〉 하고 그녀는 생각한다.

그것은 불과 몇 초 동안에 벌어진 일이지만, 그들에겐 그 짧은 순간이 영겁처럼 느껴진다. 그러고 나자 모든 것이 다시 뒤로 돌아간다. 심장이 다시 뛰면서 뇌와의 접속이 끊어진다.

그들의 하강이 시작된다. 그에 따라 조금 전에 경험했던 일들이 하나둘 잊힌다. 모든 행복감이 스러지고 모든 깨달음이 희미해진다. 완전하게 깨달음에 도달하는 일은 아직 그들에게 너무 이르다.

그들은 어떤 경계를 넘어 무아지경을 경험했지만, 그 느낌을 다시 떠올리지는 못할 것이다. 그 느낌을 온전하게 형용할 수 있는 말이 전혀 없기 때문이다.

그들은 서로 바라보며 웃음을 터뜨린다.

모든 긴장이 일시에 풀어진다. 그들의 웃음이 잦아들다가 다시 물결처럼 밀려온다. 그들이 웃는 것은 모든 게 하찮다는 것을 깨달았기 때문이다. 그들이 웃는 것은 모든 비극이 그저 웃음거리로만 느껴지기 때문이다. 그들이 웃는 것은 바로 그 순간만큼은 더 이상 죽음이 두렵지 않기 때문이다. 그들이 웃는 것은 바로 그 순간만큼은 그들을 둘러싸고 있는 인간 세상의 모든 비극에서 벗어나 있기 때문이다.

그들은 웃음에 겨워 웃는다.

이윽고 그들은 현실 세계에 착륙한다. 그들의 웃음이 딸꾹딸꾹 이어지다가, 마치 낡은 비행기의 모터처럼 피식피식 잦아든다.

뤼크레스가 속삭인다. 「어떤 힘이 우리를 그렇게까지 나아가게 했지요? 그게 뭐였어요?」

「나의 경우에는, 열네 번째 동기, 즉 〈뤼크레스 넴로드를 사랑하는 마음〉이었어요.」

「지금 사랑이라고 했어요?」

「아뇨. 그런 말 한 것 같지 않은데요.」

그녀가 다시 웃으며 땀에 젖은 적갈색 머리채를 흔든다. 그녀의 커다란 눈이 에메랄드빛에서 금갈색으로 바뀌어 있다. 그녀의 몸은 뜨겁고도 축축하다. 그녀의 얼굴은 마치 살갗 밑의 모든 근육이 풀어져 버리기라도 한 것처럼 극도의 이완 상태를 보이고 있다.

뤼크레스는 자기 남자 친구의 신중함을 이해한다. 그기 다시 말문을 연다.

「그런 걸 느껴 보기는 처음이에요.」

「나도 그래요. 새로운 감각, 전혀 알지 못하는 새로운 세계를 발견한 느낌이에요.」

「대개의 경우에는 아무리 점수를 후하게 매겨도 20점 만점에 16점 정도였거든요.」

「그런데요?」

「이번엔 20점 만점에 8천 점이에요.」

「열네 번째 동기가 굉장히 강력한 것인가 보죠?」

「우리가 최후 비밀이라는 부위에 자극을 주었을 뿐만 아니라, 그걸 넘어섰다는 느낌이 들어요. 두개골에 구멍을 내고 뇌 속에 전극을 심는 수술을 받지 않고서도 말이에요. 우리는 우리 나름의 방식으로 해낸 거예요.」

그러면서 그는 다시 그녀의 살갗에 입을 갖다 댄다.

뤼크레스는 싱긋 웃으면서 감초 사탕을 달라고 한다. 그는 턱시도 호주머니에서 사탕 봉지를 꺼내 그녀에게 내민다. 그녀가 사탕을 입 안에 넣으며 말한다.

「우리가 그것을 또다시 경험하게 될지는 모르지만, 솔직히 말해서 너무 뜻밖이었어요.」

그들은 조금 전에 자기들이 느낀 것을 자기들 속에 간직해 두려는 듯 한동안 침묵을 지킨다.

「당신이 말한 열네 번째 동기 위에 또 다른 게 있을까요?」

그는 잠시 뜸을 들이다가 대답한다.

「예.」

「그게 뭐죠?」

「조금 전에 나는 이상한 기분을 느꼈어요. 나를 초월하는 순수한 관능의 파동 같은 것을 말이에요. 그 직후에 마치 그 파동의 반향이라도 되는 양, 또 다른 느낌이 나를 엄습했어요. 마치 내 생각으로 무한한 우주를 다 감싸 안을 수 있을 듯한 충만감과 함께 현기증이 밀려왔어요. 어떤 새로운 관찰 지점에 도달해서 지금까지와는 전혀 다른 방식으로 세계를 지각하고 있는 듯한 기분이 들었어요. 이제껏 내가 미망(迷

홋)에 빠져 있었음을 깨달은 기분이었지요.」

내가 시간에 대해서 깨달은 것과 같은 것일까? 어쩌면 이지도르는 내가 시간 속에서 느낀 것을 공간 속에서 느낀 것인지도 몰라 하고 그녀는 생각한다.

이지도르는 자기가 느낀 것을 알기 쉽게 설명해 보려고 애쓴다.

「세상 만물은 겉보기보다 한결 넓고 커요. 우리 키는 단지 170센티미터가 아니라 그보다 훨씬 크고, 우리 지구는 한낱 행성이 아니에요. 세상 만물은 밝게 빛나면서 무한히 퍼져 나가요. 한마디로, 모든 것이 전 우주에 걸쳐 있어요.」

온 시간에 걸쳐 있기도 하지요 하고 그녀는 생각한다.

그녀는 이게 마지막 담배라고 생각하면서 한 개비를 꺼내 불을 붙인다. 그런 다음 한 모금을 깊이 빨아들였다가 다시 내뿜는다. 연기의 소용돌이가 동그라미를 지었다가, 8자와 뫼비우스의 띠로 모양을 바꾼다.

「그럼 우리는 무엇에 이끌려 행동하는가라는 물음에 대한 답을 찾은 건가요?」

그는 여느 때의 차분한 목소리를 되찾으며 대답한다.

「그 새로운 동기는 의식의 확대라고 이름 붙일 수 있을 거예요. 그건 어쩌면 다른 어떤 것보다 강한 동기일 수도 있어요. 우리가 조금 전에 그것을 이루어 낸 것도 이 동기와 무관하지 않을 거예요. 그건 지금으로서는 어떤 말로도 표현할 수 없는 개념이에요. 설명하기가 어렵군요.」

그녀가 깊은 관심을 보이며 재촉한다.

「그래도 해봐요.」

「단 한 방울의 물이 대양을 넘치게 할 수 있어요. 의식의

확대란 바로 그 점을 깨달을 때 실현되는 것이 아닐까 싶
어요…….」

감사의 말

의학 부분에 대해서, 프레데리크 살드만 박사, 로이크 에티엔 박사, 디디에 데소르 박사, 보리스 시륄니크 박사, 릴로 암잘라, 뮈리엘 베르베르 박사에게 감사한다.

최면술 부분에 대해서, 파스칼 르게른에게 감사한다.

화학과 생물학 부분에 대해서, 제라르 암잘라그 박사, 뤼도비크 드 푀스 박사와 카롤린 드 푀스 박사에게 감사한다.

여러 가지 조언과 도움에 대해서, 렌 실베르에게 감사한다.

현장 답사와 관련해서, 칸 법의학 연구소 소장 블랑 씨, 레랭스섬 숲 도우미 프레데리크 알라자르에게 감사한다.

또한 변함없는 관심과 인내심을 보여 준 프랑수아즈 샤파넬페랑에게도 감사의 뜻을 전한다. 그리고 제롬 마르샹, 베로니크 라무뢰, 파트리스 라누아, 도미니크 샤라부스카, 세바스티앵 드루앵, 올리비에 랑송, 장 쿠넨 등에게도 감사한다.

끝으로 장도미니크 보비(LIS에 걸려 신체적 자유를 잃은 상태에서 눈의 깜박임으로 『잠수종과 나비』라는 저서를 지음)에게 특별히 경의를 표하고 싶다. 그 편집인 덕분에 나는 1993년 『엘르』 독자 대상을 받았다.

이 책을 쓰는 동안 다음과 같은 음악을 들으며 도움을 받았다. 새뮤얼 바버의 「현을 위한 아다지오」(영화 「플래툰」의 음악), 에드바르 그리그의 「페르 귄트」(영화 「나전 여왕」의 음악), 레드 제플린의 「카슈미르」(교향악 버전), 영화 「듄」에 나오는 토토의 음악, 영화 「뻐꾸기 둥지 위로 날아간 새」에 나오는 잭 니치의 음악, 영화 「미션」에 나오는 엔니오 모리코네의 음악.

이 소설을 쓰는 동안 다음과 같은 일들이 생겨서 내 글에 영감을 주었다. 내가 감독을 맡아 처음으로 만든 단편 영화 「나전 여왕」이 단편 영화제에 출품된 일, 가수 모란의 뮤직 비디오 「영혼을 위하여, 인간을 위하여」의 연출을 맡은 일, 두 차례의 이사, 내 첫 희곡 「인간」을 탈고한 일.

베르나르 베르베르 홈페이지 http://www.bernardwerber.com

옮긴이 **이세욱** 1962년에 태어나 서울대학교 불어교육과를 졸업하였으며, 현재 전문 번역가로 활동하고 있다. 옮긴 책으로 베르나르 베르베르의 『제3인류』(공역), 『웃음』, 『신』(공역), 『인간』, 『나무』, 『상대적이며 절대적인 지식의 백과사전』(공역), 『뇌』, 『타나토노트』, 『아버지들의 아버지』, 『천사들의 제국』, 『여행의 책』, 움베르토 에코의 『프라하의 묘지』, 『로아나 여왕의 신비한 불꽃』, 『세상의 바보들에게 웃으면서 화내는 방법』, 『세상 사람들에게 보내는 편지』(카를로 마리아 마르티니 공저), 장클로드 카리에르의 『바야돌리드 논쟁』, 미셸 우엘벡의 『소립자』, 미셸 투르니에의 『황금 구슬』, 카롤린 봉그랑의 『밑줄 긋는 남자』, 브램 스토커의 『드라큘라』, 파트리크 모디아노의 『우리 아빠는 엉뚱해』, 장자크 상페의 『속 깊은 이성 친구』, 에리크 오르세나의 『오래오래』, 『두 해 여름』, 마르셀 에메의 『벽으로 드나드는 남자』, 장크리스토프 그랑제의 『늑대의 제국』, 『검은 선』, 『미세레레』, 드니 게즈의 『머리털자리』 등이 있다.

뇌

발행일	2002년 7월 10일	초판 1쇄
	2006년 2월 10일	초판 56쇄
	2006년 4월 10일	2판 1쇄
	2012년 9월 30일	2판 33쇄
	2013년 7월 30일	3판 1쇄
	2021년 1월 10일	3판 10쇄
	2023년 6월 15일	특별판 1쇄

지은이　베르나르 베르베르
옮긴이　이세욱
발행인　홍예빈·홍유진
발행처　주식회사 열린책들

경기도 파주시 문발로 253 파주출판도시
전화 031-955-4000 팩스 031-955-4004
www.openbooks.co.kr

ISBN 978-89-329-2330-7 04860
ISBN 978-89-329-2325-3 (세트)